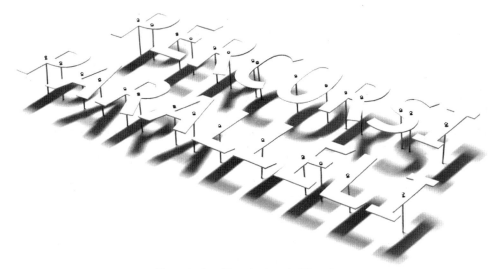

Daniela Bartalesi-Graf

L'ITALIA
DAL FASCISMO AD OGGI:
Percorsi paralleli nella storia, nella letteratura e nel cinema

Seconda Edizione

Guerra Edizioni

ISBN 978-88-557-0570-7

Guerra Edizioni Edel srl – Perugia
Via Aldo Manna 25 – Perugia (Italia)
tel. + 39 075 5289090
fax + 39 075 5288244
e-mail: infoguerra@edizioni.com
www.guerraedizioni.com

*Finito di stampare nel mese di Maggio 2019 da Grafiche Polidori – Città di Castello – Perugia
per conto di Guerra Edizioni Edel srl – Perugia*

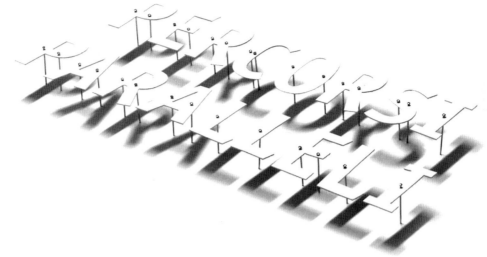

Daniela Bartalesi-Graf

L'ITALIA
DAL FASCISMO AD OGGI:
Percorsi paralleli nella storia, nella letteratura e nel cinema

Seconda Edizione

Guerra Edizioni

INDICE

INDICE

INDICE

INDICE

PRESENTAZIONE

Questo testo percorre la storia italiana dagli anni '20 del XX secolo fino a oggi, ma non si ferma alla narrazione dei principali eventi storici. La seconda parte del titolo - "percorsi paralleli nella storia, nella letteratura e nel cinema" - riassume la nostra intenzione: offrire un quadro conciso ma non superficiale della società e della cultura italiana nella loro evoluzione dal fascismo ad oggi. A questo fine, abbiamo usato un metodo interdisciplinare, accostando voci diverse, e anche contradittorie, provenienti dal mondo delle letteratura, della cultura popolare, della storia e del cinema. In ogni capitolo, infatti, alle pagine di storia ("**Introduzione storica**") seguono le seguenti sezioni di approfondimento:

- **Quadretti culturali**: due approfondimenti su aspetti della cultura e della vita italiana di quell'epoca.

- **Parole dei protagonisti a confronto**: una serie di testimonianze dirette di uomini e donne (politici, scrittori, gente comune) che hanno vissuto in prima persona le vicende narrate nell' **Introduzione storica**.

- **Letture:** una selezione di brani di narrativa che ci presentano gli eventi storici attraverso le lenti interpretative della letteratura.

- **Film:** in questa sezione presentiamo due opere cinematografiche che hanno rappresentato il periodo in questione. I criteri usati nella scelta dei film, parafrasando Pierre Sorlin, sono stati: "l'originalità di un film, la sua capacità di rappresentare realisticamente gli eventi storici e la cultura dell'epoca, il fatto di essere stato accolto favorevolmente dal pubblico".[1]

Il testo si articola in sette capitoli: i primi cinque sono in ordine cronologico, mentre gli ultimi due capitoli "**La nuova immigrazione**" e "**Prospettive dal sud**" sono approfondimenti di due argomenti specifici: il passaggio dell'Italia da nazione di emigrazione a nazione di immigrazione e la specificità della situazione economica, politica e sociale del sud d'Italia.

Rispetto alla prima edizione, pubblicata nel 2005, questa seconda edizione presenta le seguenti novità:

- un nuovo capitolo dal titolo "**L'Italia del terzo millennio**", accompagnato da nuove letture, quadretti culturali, parole dei protagonisti, e film;
- una sostanziale revisione di tutte le introduzioni storiche;
- un aggiornamento di tutti i film e nuove letture in quasi tutti i capitoli, al fine di includere opere più recenti e una maggiore varietà di autori.

Questo testo è indirizzato agli studenti di livello intermedio e avanzato di italiano come lingua seconda, che frequentano l'università, gli ultimi anni di scuola media superiore, o scuole private di lingue, ma anche agli studenti di madrelingua italiana delle medie inferiori o superiori: questi ultimi, ci auguriamo, troveranno ampio materiale di riflessione e discussione sulle radici storiche e culturali della società in cui vivono.

---

1 Sorlin, *La storia nei film, interpretazioni del passato*, Firenze: La Nuova Italia, 1984 (p. 18).

Pensando in particolare alle esigenze degli studenti d'italiano L2, ogni capitolo è corredato da annotazioni linguistiche e osservazioni grammaticali con relativi esercizi. Inoltre le domande di comprensione e discussione alla fine di ogni introduzione storica, lettura e film saranno utili anche a studenti di madrelingua italiana. Questo testo non vuole solo insegnare un determinato periodo storico, vuole anche far discutere e riflettere incoraggiando gli studenti ad esercitare le proprie capacità critiche e analitiche.

Suggerimenti didattici per l'insegnante

Il testo contiene sette capitoli e si presta quindi molto bene all'utilizzo in qualsiasi semestre accademico che tipicamente si articola su quattordici settimane di insegnamento. A discrezione dell'insegnante e a seconda delle diverse esigenze accademiche e didattiche, il materiale può essere diviso in vari modi. Ecco alcuni suggerimenti:

- Si possono dedicare **due** settimane ad **ogni capitolo**.

- Alcuni insegnanti vorranno coprire solo i capitoli storici (cioè i primi **cinque**), tralasciando gli ultimi due di approfondimento; in questo caso si potranno dedicare **tre** settimane ai capitoli **1-4** e due settimane al capitolo **5**.

- Nei corsi meno avanzati (ad esempio, di secondo anno a livello universitario e di terzo anno nella scuola media superiore) e nei quali si dedica ancora molto tempo al ripasso di strutture grammaticali, il testo può essere diviso su due semestri, come segue: nel **primo semestre** si possono coprire i primi **due** capitoli (dal fascismo agli anni '60) e il capitolo **7** "Prospettive dal sud", che riprende molti dei temi trattati nel secondo capitolo (riforma agraria e immigrazione interna); il **secondo semestre** può essere dedicato interamente alla storia italiana più recente, coprendo quindi i capitoli **3, 4, 5 e 6**.

Ogni capitolo offre un'ampia scelta di brani letterari e di saggistica, e di film: l'insegnante avrà quindi ampia discrezione nell'uso del materiale. La lettura a casa e la discussione in classe della **Introduzione storica**, di un **quadretto culturale**, di **due letture**, e la visione di un **film** per capitolo saranno sicuramente sufficienti ad una comprensione non superficiale di ogni periodo storico.

Nell'ipotesi che ogni capitolo venga trattato nel corso di due settimane di 8 ore complessive di insegnamento, come è d'uso nella maggior parte degli istituti di insegnamento di livello medio e superiore, si consiglia di articolare il programma delle lezioni nel seguente modo:

1. Una lezione dedicata alla discussione dell'**Introduzione storica**; l'insegnante può assegnare a casa le **domande di comprensione** e utilizzarle come inizio della discussione in classe. Al fine di evitare che la lezione si trasformi in una semplice ripetizione del materiale contenuto nel testo, si consiglia all'insegnante di chiedere agli studenti di riflettere anche sui seguenti punti:

   (a) *Nelle pagine di storia che hai letto per questa lezione, quale informazione o idea hai trovato più interessante o ti ha colpito o ti ha sorpreso di più?*
   (b) *Dopo aver letto le pagine assegnate per oggi, c'è qualche aspetto che vorresti approfondire? Porta una o due domande in classe?*

   In questo modo la discussione si sposta sull'esperienza diretta dello studente e sulle sue reazioni agli eventi storici in discussione.

2. Una lezione dedicata a uno o entrambi i **Quadretti culturali**. Questi approfondimenti di aspetti della cultura italiana possono essere utilizzati in vario modo. L'insegnante può dividere la classe in due gruppi e assegnare un quadretto culturale a ogni gruppo. La lezione consisterà in una presentazione, da parte di un gruppo all'altro, del contenuto del "quadretto" assegnato. Anche in questo caso, come per la lezione dedicata all'introduzione storica, un metodo efficace per stimolare la discussione è porre agli studenti domande che sollecitino la loro reazione personale alla lettura, del tipo:

- *(a) Che cosa vi ha sorpreso di più leggendo questo "quadretto"?*
- *(b) Questo "quadretto" vi ha aiutato a capire meglio la storia, così com'è presentata nella introduzione storica? In che modo?*

In alternativa, l'insegnante potrà chiedere agli studenti di "scorrere" entrambi i "quadretti", di scegliere di leggere con attenzione quello che ogni studente ritiene più interessante, e di motivare quindi la propria scelta alla classe. Entrambi i metodi sono efficaci per una lezione "centrata" sugli studenti e sulle loro reazioni al materiale letto, piuttosto che sulle opinioni dell'insegnante o sulla ripetizione del contenuto della lettura.

3. Una lezione dedicata alla sezione **Parole dei protagonisti.** Ogni studente dovrà scegliere una o più testimonianze che l'abbiano colpito/a particolarmente o che, secondo lo studente, meglio rappresenta un punto di vista o forse due punti di vista opposti su una tematica di particolare interesse. Le lezione è dedicata ad una discussione dei brani scelti dagli studenti e della loro relazione con le tematiche studiate nella introduzione storica.

4. Due lezioni dedicate alla sezione **Letture**. L'insegnante qui ha un'ampia scelta di brani letterari e di saggistica con l'ovvio vantaggio che variazioni al programma possono essere effettuate da semestre a semestre o anche all'ultimo momento, tenendo presente gli interessi particolari degli studenti o gli obiettivi didattici dell'insegnante. Anche in questo caso, come per la lezione dedicata all'introduzione storica, si consiglia di assegnare a casa le domande di comprensione e discussione sul testo, ma anche di chiedere agli studenti di preparare una risposta a tutti o ad alcuni seguenti punti:

(a) Scegli la frase che ti è piaciuta di più, o che è più rappresentativa di questa lettura e spiega il perché della tua scelta.
(b) Quali domande e commenti avresti per l'autore se potessi intervistarlo?
(c) Chiosa a margine del testo le parti che ti sembrano interessanti (*) e le parti che non hai capito (?)

5. Una lezione dedicata alla discussione di uno dei due **film** proposti, che gli studenti avranno già visto al di fuori delle ore di lezione. L'insegnante chiederà agli studenti di preparare a casa tutte o solo alcune delle domande di comprensione e discussione contenute in ogni sezione dedicata ai film. Le domande hanno anche la funzione di guida alla visione del film in quanto possono essere lette come un riassunto della trama del film stesso. Spesso risulta difficile rispondere a tutte le domande in classe; piuttosto, è più stimolante per la discussione, chiedere agli studenti quali domande hanno trovato più interessanti o più rilevanti per i temi trattati nel film. Altre domande molto efficaci per stimolare la discussione su qualsiasi film sono le seguenti:

(a) Consiglieresti questo film ad un amico/a? Perché?
(b) Conosci qualcuno in particolare che amerebbe questo film? Spiega.

L'autrice rimane a disposizione di insegnanti e studenti per qualsiasi chiarimento. Naturalmente, anche critiche, consigli, commenti o segnalazione di errori saranno letti con attenzione. Indirizzate le vostre e-mails a: dbartale@wellesley.edu, oppure info@guerraedizioni.com

CAPITOLO
UNO

**IL FASCISMO E LA SECONDA GUERRA
MONDIALE IN ITALIA**

IL FASCISMO E LA SECONDA GUERRA MONDIALE IN ITALIA

LE ORIGINI DEL FASCISMO IN ITALIA

Durante la Prima guerra mondiale (chiamata anche **Grande Guerra**) l'Italia combatté dalla parte dei vincitori, cioè a fianco delle nazioni dell'Intesa (Francia, Gran Bretagna e Russia) e contro l'Impero austro-ungarico. A guerra finita, l'Italia ottenne l'annessione del Sud Tirolo (o Alto Adige), un'area geograficamente appartenente all'Italia ma la cui popolazione era a maggioranza di lingua tedesca, di Trieste, importantissimo porto sul Mar Adriatico, e dell'entroterra della penisola d'Istria. Queste annessioni, però, non riuscirono a soddisfare molti nazionalisti ed ex **interventisti**, cioè coloro che avevano promosso l'intervento dell'Italia nella prima guerra mondiale. Essi infatti credevano che l'Italia avesse diritto anche alla città di Fiume, importante porto in Croazia, e a parte della Dalmazia; questi territori furono invece assegnati ad un nuovo Stato, la **Jugoslavia**. Molti cominciarono a parlare di "**vittoria mutilata**". Questo sentimento di orgoglio nazionale offeso formò la prima base ideologica del **fascismo**.

Il nuovo **movimento fascista** riuscì anche a strumentalizzare la paura, fortemente sentita da parte della borghesia imprenditoriale e del grande capitale, di un avvento in Italia di una rivoluzione di tipo socialista, come era avvenuto in Russia nel 1917. Il periodo del dopoguerra, infatti, fu caratterizzato da una profonda e diffusa instabilità sociale, con scioperi e occupazioni delle terre e delle fabbriche. La situazione era aggravata anche dalla disoccupazione dovuta al ritorno dai reduci dalla guerra, ora in cerca di lavoro, e alla difficile riconversione ad una produzione industriale di pace.

Bisogna anche ricordare che l'Italia era uno Stato giovane, ancora povero e poco industrializzato, con una democrazia molto fragile (le donne, ad esempio, non potevano votare) e grandi fratture interne, fra nord e sud, e fra una massa di lavoratori poveri, spesso analfabeti (per lo più contadini), che conduceva una vita di mera sussistenza e una classe privilegiata che controllava le risorse del Paese. Il fascismo, quindi, si sviluppo anche perché mancava una forte tradizione democratica che potesse agire da freno alla sua avanzata. D'altra parte, i governi liberali del primo dopoguerra si dimostrarono sempre più incapaci sia di migliorare la situazione economica del Paese, sia di operare quel controllo sociale che avrebbe calmato le paure del grande capitale.

In questo contesto, i **Fasci di Combattimento** di **Benito Mussolini**, vere e proprie formazioni paramilitari, diedero voce ai timori e al bisogno di ordine sentiti dalle classi più privilegiate e, allo stesso tempo, al bisogno di rinascita e rivincita nazionale dopo l'umiliazione della "vittoria mutilata". Ben presto i Fasci di Combattimento divennero la mano armata degli industriali contro gli operai in sciopero, le sedi dei sindacati e dei partiti di sinistra, e furono visti anche delle classi medie come le uniche forze in grado di riportare ordine e di ridare dignità nazionale all'Italia.

Fascio Littorio, l'insegna del potere nell'antica Roma. Divenne simbolo del PN in omaggio al culto fascista della romanità.

"Credere obbedire combattere", 1938.

Sede del Partito Nazionale Fascista
a Palazzo Braschi, Roma.

Il **28 ottobre 1922**, in un'azione un po' teatrale denominata **Marcia su Roma**, squadre fasciste provenienti da tutt'Italia si diressero su Roma. Il re **Vittorio Emanuele III**, impaurito dalla prospettiva di una guerra civile, non diede l'ordine all'esercito di fermarle. Al contrario, diede l'incarico a Mussolini di formare un nuovo governo, assumendosi quindi la grave responsabilità di legittimare un atto di forza con una nomina governativa.

Fu questo l'inizio della **dittatura fascista** (durata dal **1922** al **1943**), instaurata nell'Europa occidentale prima del nazismo in Germania (1933) e del franchismo in Spagna (1939). Il **ventennio fascista** (così vengono definiti i venti anni di dittatura) fu anche il primo esperimento di Stato totalitario: il fascismo, infatti, controllava la totalità della vita degli italiani, compresa la loro sfera privata e familiare, le loro idee e aspirazioni fin dall'età dell'infanzia. Il ventennio fu anche il periodo più tragico e oscuro dall'unità d'Italia, durante il quale, oltre a perdere ogni libertà personale e politica, gli italiani furono travolti dalla tragedia della Seconda guerra mondiale, dell'occupazione nazista e della guerra civile.

LA POLITICA DEL FASCISMO

Città del Vaticano, Patti Lateranensi,
7 giugno 1929.

Mussolini, ricevuta la carica di Capo del governo dal re, iniziò subito il processo di "fascistizzazione" dello Stato italiano. Nelle **elezioni generali del 1924**, il partito fascista ottenne il 64% dei voti, grazie alle intimidazioni e alla violenza sistematica operata dalle squadre fasciste contro i suoi oppositori politici. Subito dopo le elezioni, **Giacomo Matteotti**, un deputato socialista che aveva parlato apertamente in Parlamento contro il fascismo, denunciando il clima di violenza precedente le elezioni, fu rapito e ucciso. Mussolini pronunciò, in seguito a questo fatto, un famoso discorso in Parlamento, durante il quale ammise indirettamente di essere stato il mandante di questo omicidio: "Ebbene, io dichiaro qui al cospetto di questa assemblea ed al cospetto di tutto il popolo italiano che assumo, io solo, la responsabilità politica, morale, storica di tutto quanto è avvenuto."

Il delitto Matteotti fu solo l'inizio della graduale eliminazione, anche fisica, di qualsiasi op-

Daniela Bartalesi-Graf

Sinistra:"All'armi siam fascisti! A NOI!"

Centro: "Seminare per vincere", 1941.

te a Mussolini di sciogliere le sue milizie e di cessare ... nuato a far parte del Parlamento. Questa azione iso- ... cui, in epoca romana, si ritiravano i plebei in segno

Nel 1929 fu completato il processo di formazione dello Stato totalitario, con l'abolizione della stampa d'opposizione, lo scioglimento di tutti i partiti, la soppressione del diritto di sciopero e dei sindacati, la nomina diretta dei direttori di giornale da parte di Mussolini, l'istituzione del **confino politico**[1] per i reati di opinione e il ripristino della pena di morte.

Nel **1929** furono firmati i **Patti Lateranensi** (detti anche **Concordato**) fra il Vaticano e il governo di Mussolini. Per la prima volta dall'unità d'Italia, il Vaticano riconobbe ufficialmente il Regno d'Italia, e lo Stato italiano a sua volta riconobbe il Vaticano come uno Stato indipendente e sovrano. La religione cattolica fu dichiarata unica religione dello Stato italiano, e fu garantito il suo insegnamento nelle scuole pubbliche. Il Concordato con il Vaticano prevedeva anche l'esenzione dei sacerdoti dal servizio militare obbligatorio e diede valore legale al matrimonio religioso celebrato secondo il rito della Chiesa cattolica.

La politica espansionistica e coloniale del regime fascista si concretizzò nell'ottobre **1935** con l'**invasione dell'Etiopia** che, aggiunta all'Eritrea e alla Somalia, già domini italiani, andò a formare l'**Impero Italiano**, presentato dal fascismo come la diretta continuazione dell'antico Impero romano.

Nel **1936** l'Italia partecipò direttamente alla **Guerra civile spagnola** a fianco delle truppe del Generale Franco e contro il legittimo governo del Fronte Popolare. Nel **1939** seguì l'**invasione dell'Albania**, e la firma del **Patto d'Acciaio**, un'alleanza militare con la **Germania di Hitler**.

Nel **1938**, in seguito al progressivo avvicinamento di Mussolini alla politica razzista di Hitler, anche in Italia vennero prese misure **anti-semitiche**. Furono proibiti i matrimoni misti, gli ebrei non poterono più lavorare o studiare nelle scuole pubbliche di qualsiasi grado, e furono espulsi da tutti gli uffici amministrativi dello Stato. Bisogna ricordare comunque che la politica del governo fascista non prevedeva l'eliminazione fisica degli ebrei, come voleva Hitler in Germania. Solo dopo la caduta del fascismo nel 1943 e l'occupazione dell'Italia settentrionale e centrale da parte dell'esercito nazista, gli ebrei italiani furono deportati e uccisi nei campi di sterminio nazisti.

---

[1] **Confino politico**: una misura preventiva o punitiva adottata dal regime fascista contro gli antifascisti e gli omosessuali. Consisteva nell'obbligare queste persone a trasferirsi in località isolate del sud Italia per un periodo che variava da alcuni mesi ai cinque anni. I "confinati" dovevano quindi ab-bandonare le proprie famiglie e il proprio lavoro per andare a vivere in queste località in condizione di isolamento. L'isola di Ventotene, le isole Tremiti e diversi villaggi della Basilicata e della Calabria erano luoghi comunemente utilizzati per questo scopo.

Sinistra: Saggi ginnici delle "Giovani Italiane".
Destra: Targa che proibisce l'uso del Lei.

L'adozione del "saluto romano".

CARATTERISTICHE DEL REGIME FASCISTA

Riassumiamo qui di seguito alcuni elementi che contraddistinsero il regime fascista dai governi costituzionali che lo precedettero:

- L'identificazione totale del **Partito Nazionale Fascista** fondato da Mussolini, con lo Stato. Benito Mussolini (chiamato anche il **Duce**, dal latino "dux", cioè "capo militare") divenne anche il Capo del Governo. La **Camera dei Fasci e delle Corporazioni** (i cui membri facevano parte del Partito Fascista, e non erano eletti democraticamente) sostituì la Camera dei Deputati e divenne l'organismo legislativo dello Stato.

- L'eliminazione di qualsiasi opposizione politica: tutti i partiti politici d'opposizione furono costretti ad entrare in clandestinità. Furono anche eliminate le organizzazioni sindacali dei lavoratori e, al loro posto, il governo fascista creò le corporazioni, associazioni di lavoratori divise per categoria. L'insieme di queste istituzioni, chiamato **Stato corporativo**, aveva lo scopo di eliminare ogni conflitto di classe e di promuovere un ipotizzato interesse comune della nazione italiana.

- Il controllo totale e la censura di ogni mezzo di comunicazione di massa (stampa, particolarmente i quotidiani, la radio e il cinema).

- L'istituzione di **organismi speciali di repressione**, quali la Milizia Volontaria per la Sicurezza Nazionale (MVSN), un'organizzazione paramilitare di volontari fascisti, e l'Opera Vigilanza Repressione Antifascismo (OVRA), una polizia segreta che si occupava di denunciare chiunque fosse sospetto di opporsi al regime e sorvegliava gli stessi gerarchi fascisti.

- L'uso di simboli tangibili che volevano separare il periodo fascista dal resto della storia italiana, quali:

  • L'adozione del **saluto romano**, invece della stretta di mano, e l'adozione del "**voi**" invece del "**Lei**" in qualsiasi comunicazione scritta o orale. Si pensava infatti che il "Lei" derivasse dallo spagnolo e fosse un simbolo di servilismo ad una lingua straniera, e che il "voi", al contrario, fosse una forma più italiana. Furono proibite anche diverse parole di origine straniera che erano entrate nell'uso corrente: ad esempio, "bar" fu sostituito da "mescita"; "garage" da "autorimessa", e "sandwich" divenne "tramezzino".

  • La revisione del **calendario**: si cominciò a contare gli anni

Sopra: Mussolini arringa la folla, Milano 1930.

Sotto: "Vincere e Vinceremo", 1940.

anche dal 1922, anno della presa di potere da parte del Partito fascista. Ad esempio, l'anno 1936, quando Mussolini proclamò l'Impero, fu anche chiamato, in lettere romane, "XIV" che significava "quattordicesimo anno dell'Era Fascista".

Il Fascismo non ebbe un'ideologia coerente, ma i messaggi ideati dal suo forte apparato propagandistico si basavano su alcuni concetti essenziali:

- Il **nazionalismo**. Il fascismo promosse l'idea che l'individuo dovesse identificarsi con la nazione italiana - prima che con il suo gruppo sociale o familiare - e che la nazione e il popolo italiano, avessero particolari diritti territoriali e politici da rivendicare verso altre nazioni europee e non europee.

- Il **ritorno dell'Impero romano**. Il regime si presentò come l'erede della passata gloria dell'Impero romano: secondo il fascismo, dopo secoli di divisione e di debolezza, l'Italia poteva rivendicare quel posto di supremazia politica e culturale nel Mediterraneo che Roma godeva ai tempi dell'Impero, e che ora le spettava di diritto.

- Il fascismo come **religione**. Lo Stato fascista, adottando un linguaggio di tipo religioso, si presentò agli italiani come una chiesa laica: bisognava "credere", avere "fede" e seguire le direttive del Duce senza discuterle, come fossero dei dogmi. Molti italiani rinunciarono alla libertà di pensiero in cambio delle certezze assolute, e quasi religiose, offerte dal regime.

Il fascismo di preoccupò anche di ottenere il consenso della popolazione, oltre che di operarne il controllo, attuando la cosiddetta **"politica del bastone e della carota"**. Si istituirono pertanto i **Dopolavoro** e le **Case del Fascio**, due organizzazioni che promuovevano escursioni, attività culturali e sportive: il tempo libero dei lavoratori e delle loro famiglie veniva così organizzato e controllato dal regime. Esistevano anche vari istituti previdenziali e di assistenza che offrivano aiuti diretti alle famiglie bisognose. Infine, le frequenti adunate, parate militari, esercitazioni e gare sportive, e l'organizzazione di bambini e ragazzi in formazioni paramilitari contribuivano a ottenere il duplice obiettivo di intrattenimento e di controllo sociale.

Sopra sinistra: Mussolini, in visita ufficiale a Monaco, 1940.

Sopra destra: Civili arrestati a Roma dai tedeschi dopo l'attacco dei partigiani in via Rasella nel quale 32 soldati tedeschi furono uccisi.

I PRIMI ANNI DI GUERRA (1940-1943)

L'Italia non era preparata militarmente all'entrata in guerra, e la popolazione era in generale pacifista e anti-tedesca, anche per ragioni storiche. La guerra però sembrava la logica conseguenza della propaganda fascista che aveva sempre esaltato le tradizioni imperiali romane, e con esse il nazionalismo e il militarismo, e la necessità per l'Italia di avere il suo "**posto al sole**", cioè il suo ruolo di egemonia nel Mediterraneo. Così, nonostante l'opinione contraria di alcuni suoi collaboratori, Mussolini, in un discorso memorabile seguito da milioni di italiani, il **10 giugno 1940** dichiarò l'**entrata in guerra** a fianco della Germania e contro l'Inghilterra e la Francia.

Nonostante la sua inferiorità economica e militare, l'Italia decise di non affiancarsi direttamente alle truppe tedesche, ma di muovere guerra al nemico su fronti indipendenti, in quella che fu chiamata una "**guerra parallela**" nel Mediterraneo, nell'Africa del Nord e nell'Africa Orientale. Dopo alcune iniziali avanzate nell'Africa del Nord, la guerra si rivelò presto un disastro per l'esercito italiano. Nel **novembre 1941** l'Italia perse l'**Africa Orientale Italiana** (A.O.I., cioè Etiopia, Somalia ed Eritrea), l'orgoglio dell'imperialismo fascista. Questi territori furono occupati dall'esercito inglese.

"Fila la matita italiana di qualità", 1938.

L'altra impresa tentata dall'Italia fu l'**invasione della Grecia** dall'Albania (**ottobre 1940**). Una inaspettata controffensiva greca costrinse gli italiani ad abbandonare l'attacco, a porsi su posizioni di difesa e successivamente a ritirarsi. Nell'aprile del 1941, Hitler venne in aiuto all'esercito italiano nei Balcani e riuscì ad occuparli, non eliminando peraltro la resistenza dei partigiani greci e jugoslavi, che si dimostrò sempre più tenace.

A causa delle sconfitte subite, Mussolini abbandonò la sua strategia offensiva e cominciò ad assumere un ruolo di totale dipendenza nei confronti della Germania, fino all'adesione italiana alla disastrosa **campagna di Russia (giugno 1941)** voluta da Hitler dopo il fallimento dei tentativi d'invasione dell'Inghilterra. Mussolini, credendo in una facile vittoria, volle a tutti i costi partecipare a questa campagna. L'attacco all'**Unione Sovietica** aveva anche contenuti propagandistici in quanto fu presentato come la lotta estrema contro l'avanzata del comunismo in Europa [2]. Questa impresa risultò ben più difficile di quanto previsto. Nonostante alcune prime fulminee vittorie degli eserciti tedeschi e italiani, i sovietici riuscirono a organizzare una resistenza prolungata a **Stalingrado** e una controffensiva su tutto il fronte (novembre '42 - marzo '43). L'esercito italiano, male equipaggiato per le rigide temperature invernali, subì perdite enormi nella sua tragica ritirata: decine di migliaia di soldati italiani morirono in combattimento, in prigionia o per congelamento.

2   Giorgio Candeloro. *Storia dell'Italia moderna: la Seconda guerra mondiale, il crollo del fascismo, la Resistenza, 1939-1945.* Milano: Feltrinelli, 2002 (pp. 88).

Sopra sinistra: navi alleate nel porto di
Anzio, distrutto dai bombardamenti del
22 gennaio 1944.

Sopra destra: alcuni sfollati sono aiutati dalla
Marina Inglese a Barletta (Puglia), 1943.

GLI ULTIMI ANNI DI GUERRA (1944-1945) E LA FINE DEL REGIME FASCISTA

A partire dalla seconda metà del 1942, le condizioni di vita della popolazione italiana si fecero sempre più difficili, sia per la carenza di ogni genere di prima necessità causata dalla guerra e dalla **politica autarchica**[3] del regime, sia per i bombardamenti degli **Alleati**, cioè di americani e inglesi, su fabbriche, linee ferroviarie e centri abitati specialmente nelle aree industriali del nord. Queste azioni, che causarono migliaia di vittime fra i civili e devastanti distruzioni di infrastrutture e abitazioni, avevano il fine di demoralizzare la popolazione e di dimostrare la debolezza del regime fascista. Le promesse fatte da Mussolini all'inizio della guerra, se confrontate con le condizioni di miseria e di paura che affliggevano il Paese, apparvero ormai alla maggioranza degli italiani come grottesche bugie.

La diminuzione del potere d'acquisto dei salari e l'intensificazione dei ritmi di lavoro nelle fabbriche per soddisfare la produzione bellica causarono numerosi **scioperi** (marzo 1943) nelle città industriali del nord, i primi in vent'anni di dittatura. Le rivendicazioni operaie erano inizialmente solo di tipo economico, ma si colorarono presto di contenuti politici, come la richiesta di pace accompagnata al rifiuto di continuare la produzione bellica. Persino i bombardamenti degli Alleati, che pure causavano tante sofferenze fra i civili, venivano visti da molti come un male necessario che avrebbe accelerato la fine della guerra. Non si voleva, né si sperava più, in una vittoria: solo la fine della guerra, e con essa anche la fine del fascismo, sembrava l'unica soluzione a una condizione ormai intollerabile.

A questo punto, anche molti industriali che avevano appoggiato entusiasticamente il fascismo e l'entrata in guerra, si resero conto che la situazione era insostenibile, che la guerra era perduta e che la sconfitta avrebbe travolto il fascismo. Così la classe imprenditoriale cominciò a convincersi che doveva rinnegare il fascismo se voleva assicurarsi la sopravvivenza[4].

Dal punto di vista militare, la guerra non poteva andare peggio. Nel maggio **1943**, in Nord d'Africa gli eserciti italiano e tedesco furono sconfitti definitivamente dagli Alleati: migliaia di soldati italiani persero la vita e più di 200.000 furono fatti prigionieri.

---

3   La politica autarchica adottata dal fascismo prevedeva la restrizione del
     commercio ai soli prodotti italiani e l'eliminazione di tutte le importazioni.
     L'aggettivo "autarchico", quando era usato per descrivere un prodotto (ad
     esempio, "scarpe autarchiche") diventò presto sinonimo di "pessima qualità".
4   Candeloro, *Storia dell'Italia moderna*, op. cit., pp. 163-4.

Sinistra: 9 settembre 1943, prima pagina del Corriere della Sera con la notizia della firma dell'armistizio con gli Alleati, e la dichiarazione di Badoglio.

Destra: Un pugno di ferro - il fascismo - schiaccia i partigiani e gli antifascisti, le cui case sono state incendiate per rappresaglia, luglio 1944.

Anche il re Vittorio Emanuele III si rese conto che era giunto il momento di terminare la dittatura fascista e di sbarazzarsi di Mussolini, ma temeva una reazione violenta da parte della Germania il cui esercito era dislocato nell'Italia del nord. Il re aveva anche paura che la caduta di Mussolini avrebbe favorito le forze antifasciste e repubblicane contrarie alla monarchia e consapevoli delle gravi responsabilità che il re aveva avuto nel portare Mussolini al potere e nell'approvare la guerra. Il re temeva, in altre parole, di essere lui stesso travolto nella caduta del regime fascista [5].

L'evento che convinse il re ad agire contro Mussolini fu lo **sbarco degli Alleati** in Sicilia nel **luglio 1943**. La vergogna dell'occupazione del territorio nazionale da parte degli Alleati metteva in chiara luce le falsità della propaganda fascista che ancora esaltava la superiorità militare dell'esercito italiano. Pertanto, il **25 luglio 1943**, il Gran Consiglio del Fascismo, cioè il massimo organo deliberativo del Partito nazionale fascista, votò una **mozione di sfiducia** contro Mussolini. Subito dopo, il re lo fece arrestare e nominò come Primo ministro il Maresciallo d'Italia **Pietro Badoglio**, un generale che aveva avuto un ruolo di primo piano durante il regime fascista, sia come governatore della Tripolitania e Cirenaica (due colonie italiane nel territorio dell'attuale Libia) sia nella guerra di conquista dell'Etiopia. Nonostante il forte coinvolgimento di Badoglio con il regime fascista, la sua nomina fu accolta dalla maggior parte degli italiani come un evento positivo che avrebbe facilitato la fine della guerra in Italia e il ritorno alla democrazia. Molti quindi scesero in piazza a manifestare la propria gioia per la fine del fascismo distruggendo le sedi del Partito fascista e i simboli del regime.

L'euforia per la fine del fascismo, però, si spense presto: Badoglio dichiarò che la guerra sarebbe continuata e, anche se aveva decretato lo scioglimento del Partito fascista, non ristabilì le piene libertà civili, e i partiti antifascisti dovettero continuare ad operare in clandestinità. Temendo un'insurrezione popolare, Badoglio attuò una pesante repressione delle manifestazioni in tutta Italia: decine di cittadini furono uccisi o feriti dalla polizia, e molti altri furono arrestati.

Gli Alleati continuarono a considerare gli italiani come nemici e intensificarono i massicci bombardamenti sulle città del nord, causando migliaia di vittime civili e di senzatetto, mentre le truppe di terra avanzavano ormai sul continente occupando la Calabria. Allo stesso tempo, i tedeschi scendevano velocemente verso l'Italia centrale, approfittando delle esitazioni e della posizione ambigua del governo italiano. Quando ormai le truppe tedesche avevano occupato gran parte dell'Italia del nord e del centro, il governo Badoglio si decise a firmare un **armistizio** con gli Alleati, che venne annunciato l'**8 settembre 1943**.

L'armistizio provocò una reazione violenta ed immediata dell'esercito tedesco contro l'esercito italiano, considerato traditore, ma né Badoglio né il re ordinarono la resistenza contro l'invasore tedesco, o almeno la difesa di Roma, a quel punto forse ancora possibile. Questa mancanza di direttive provocò il disorientamento totale delle truppe italiane: alcuni soldati si arresero ai tedeschi, altri tentarono di resistere coraggiosamente, altri si unirono alle prime formazioni di partigiani antifascisti che cominciavano a organizzare una resistenza armata contro i tedeschi. La maggior parte dei soldati si disperse iniziando un lungo e pericoloso ritorno a casa, senza aiuti e del tutto disorganizzati, spesso inseguiti, catturati dai tedeschi e deportati in Germania.

---

5 Candeloro, *Storia dell'Italia moderna*, op. cit., pp. 179.

Il re e Badoglio, invece, pensando alla salvezza della Casa Reale e temendo che l'organizzazione di una difesa armata avrebbe rafforzato le forze antifasciste ed antimonarchiche, si rifugiarono a **Brindisi**, nel sud est dell'Italia già liberato dagli Alleati, e fondarono il **Regno del Sud**, mentre l'esercito tedesco occupava velocemente la capitale.

Mussolini venne liberato dai tedeschi il **12 settembre 1943**, portato in Germania e poi rispedito nell'Italia del nord dove fondò la **Repubblica Sociale Italiana** (detta anche **Repubblica di Salò**, dal nome della città sul Lago di Garda dove aveva sede). Questa "repubblica" non era altro che un governo fantoccio di Hitler e controllava unicamente i territori del nord occupati dall'esercito tedesco, avvalendosi di quei funzionari dello Stato e di quei settori dell'esercito ancora fedeli al fascismo. Fu a questo punto che cominciò anche una delle pagine più dolorose dell'occupazione nazista: la deportazione degli ebrei italiani nei campi di concentramento tedeschi.

Il periodo successivo all'8 settembre segnò anche la fine della nazione italiana, sia quella nata dal Risorgimento ottocentesco sia quella si era sviluppata nel triste periodo della dittatura. L'Italia, infatti, non esisteva più come entità politica: Roma, abbandonata dal re e dal suo Primo Ministro, era occupata dai tedeschi, così come tutto il resto dell'Italia centrale e settentrionale. La vergogna provata da molti per i vent'anni di dittatura, per la tragica alleanza con la Germania di Hitler, per il vile comportamento del re e di Badoglio, lasciò profonde tracce nel tessuto sociale. Solo la Resistenza antifascista, la nostra vera seconda guerra di liberazione nazionale dopo il Risorgimento, avrebbe riscattato l'Italia da questa umiliazione e contribuito a ricreare una nuova idea di nazione italiana.

Sopra: Il generale Clark in Piazza San Pietro a Roma, 5 giugno 1944.

Sotto: Partigiani arrestati dalle SS e condotti alla fucilazione. Al centro la partigiana Nice Tomassetti, 20 giugno 1944.

I PARTIGIANI E LA RESISTENZA ANTIFASCISTA: LA NOSTRA GUERRA DI LIBERAZIONE

Alla fine del 1943, l'Italia era quindi divisa in due (il nord e il centro occupati dai tedeschi e amministrati dal governo fascista di Salò, e il sud occupato dagli Alleati e amministrato dal Regno del Sud). Mentre al sud la guerra era finita nel 1943 con la liberazione da parte degli Alleati, nel centro e nel nord la guerra continuò per quasi altri due anni. Ma la vittoria finale e la liberazione del centro e del nord Italia contro tedeschi e "repubblichini", come venivano chiamati i soldati dell'esercito fascista della Repubblica di Salò, non fu solo opera degli Alleati che lentamente risalivano la penisola: la **Resistenza antifascista** combattuta dai **partigiani** ebbe un ruolo fondamentale nella liberazione dell'Italia e nella formazione di una nuova idea di unità nazionale fondata sulla democrazia.

I **partigiani** erano civili, operai e contadini, che avevano maturato una coscienza antifascista e che avevano spontaneamente preso le armi contro i tedeschi e i fascisti. A loro si unirono anche soldati dispersi dopo l'8 settembre e gruppi di intellettuali cresciuti durante il fascismo e ora completamente disillusi. Organizzati in formazioni paramilitari, i partigiani operavano principalmente nelle montagne e nelle colline del centro e del nord, a volte in modo relativamente indipendente, dato che le comunicazioni erano rese quasi impossibili dalla presenza degli eserciti nazista e fascista. La tecnica di combattimento adottata era la **guerriglia**, cioè l'attuazione di sabotaggi e di rapidi attacchi di sorpresa, seguiti da altrettanto rapide ritirate. Le armi usate erano quelle rubate al nemico o prese dall'esercito italiano dopo l'8 settembre.

Partigiani in perlustrazione a Milano, 26 aprile 1945.

Nelle grandi città del nord i partigiani agivano in condizioni clandestine difficilissime, ed erano organizzati in **GAP** (Gruppi di Azione Patriottica) che effettuarono coraggiose azioni di sabotaggio contro l'esercito nazista occupante. I vantaggi che le formazioni partigiane avevano sul nemico erano la conoscenza diretta del territorio e l'appoggio della popolazione civile. Le violenze perpetrate dai tedeschi e dai fascisti in tutta Italia, anche contro i civili, rafforzarono l'appoggio che la popolazione già dava ai partigiani e aumentarono la determinazione di tutti a liberare il territorio nazionale.

Il **CLN** (Comitato di Liberazione Nazionale) era l'organo direttivo della Resistenza antifascista e delle formazioni partigiane. Facevano parte di questa organizzazione tutti i partiti sopravvissuti nella clandestinità durante il ventennio fascista - Partito Comunista Italiano (PCI) e Partito Socialista Italiano (PSI) -, e quelli ricostituiti dopo l'8 settembre - Democrazia Cristiana e Partito d'Azione. I dirigenti di questi partiti, specialmente del PCI e del PSI, erano riusciti a mantenere dall'estero esili contatti con gruppi di intellettuali, operai e lavoratori agricoli antifascisti, specialmente nel centro-nord. La presenza di questi partiti nelle fabbriche si era rafforzata durante i grandi scioperi della primavera del '43.

Negli ultimi due anni di guerra, mentre i partigiani, coordinati dal CLN, operavano nel centro-nord occupato dai tedeschi, gli Alleati risalivano lentamente la penisola e ne liberavano i territori. Dopo lo **sbarco di Anzio**, a sud di Roma (**22 gennaio 1944**), gli Alleati avanzarono faticosamente e riuscirono a liberare Roma solo il **4 giugno 1944**, dopo nove mesi di durissima occupazione tedesca durante i quali più di duemila ebrei furono deportati nei campi di concentramento in Germania. La città, che solo cinque anni prima aveva applaudito il Duce che annunciava l'entrata in guerra, ora accoglieva le truppe alleate come dei liberatori.

Anche a nord di Roma l'avanzata degli Alleati fu lentissima (autunno/inverno '44-'45), con i tedeschi attestati su una linea di difesa chiamata "**Linea Gotica**" che percorreva gli Appennini dal Tirreno al Mar Adriatico. Nello stesso periodo, la Resistenza nel centro-nord si rafforzò numericamente. Prima dell'arrivo degli Alleati al nord, le formazioni partigiane riuscirono a liberare zone relativamente vaste di territorio che proclamarono Repubbliche Libere: ce ne furono circa quattordici; alcune durarono alcuni mesi, altre solo poche settimane, ma furono esperienze significative di governi democratici dopo vent'anni di dittatura fascista.

La liberazione generale del nord d'Italia avvenne il **25 aprile 1945** ad opera delle varie formazioni partigiane che scesero dalle montagne ed entrarono nelle città, e della popolazione che insorse spontaneamente organizzando scioperi e occupazioni delle fabbriche.

Mussolini aveva abbandonato la sede della sua Repubblica di Salò sul Lago di Garda, e si era trasferito a Milano il 18 aprile '45. Quando fu chiaro che l'insurrezione era ormai inevitabile, fuggì travestito da tedesco, ma fu riconosciuto e arrestato da una formazione partigiana sul Lago di Como, mentre cercava di passare in Valtellina per organizzare un'ultima, disperata resistenza. Mussolini ed altri gerarchi fascisti al suo seguito, fra cui la sua amante Claretta Petacci, furono fucilati dai partigiani il **28 aprile**, portati a Milano ed esposti in Piazza Loreto nel luogo dove i tedeschi avevano ucciso diversi civili in una rappresaglia.

Conclusioni

Il 25 aprile 1945 non segnò solo la fine di una guerra lunga e tremenda, ma anche di vent'anni di dittatura fascista. L'Italia si risollevò dalla vergogna del ventennio grazie alla Resistenza antifascista: per molti italiani il dopoguerra doveva quindi rappresentare l'inizio di una nuova era di pace, di giustizia sociale e di rinnovamento democratico. La contraddizione fra queste forti aspettative di rinnovamento e la mancata attuazione di vere riforme istituzionali e sociali è uno degli elementi che caratterizzò la storia italiana del dopoguerra.

Partigiani in parata dopo la liberazione di Ravenna.

DOMANDE DI COMPRENSIONE

1. Quali furono le conseguenze per l'Italia della vittoria dell'Intesa, alla fine della prima guerra mondiale?
2. Perché alcuni parlarono di "vittoria mutilata"?
3. Quali furono alcuni importanti fattori che contribuirono al successo del movimento fascista, alla fine della prima guerra mondiale?
4. Come prese il potere Mussolini e quale fu il ruolo del re Vittorio Emanuele III in questa fase?
5. Quale "primato" ha la dittatura fascista?
6. Chi era Giacomo Matteotti, e perché fu ucciso?
7. Quali misure prese Mussolini per realizzare lo stato autoritario?
8. Quali possono essere, secondo te, gli aspetti negativi e positivi dei Patti Lateranensi?
9. Quali furono le maggiori iniziative del governo fascista in politica estera negli anni '30?
10. Quali misure antisemitiche prese il governo di Mussolini?
11. Quale caratteristica del regime fascista ti colpisce maggiormente, fra quelle indicate nel testo? Motiva la tua scelta.
12. Quali erano le motivazioni di Mussolini per entrare in guerra?
13. Quale fu la campagna più disastrosa per l'Italia durante i primi anni di guerra?
14. Quando e perché Mussolini assunse un ruolo subalterno nei confronti di Hitler?
15. Che cosa rese particolarmente difficile la vita della popolazione civile, specialmente dalla fine del 1942?
16. Quali erano le rivendicazioni degli operai nella primavera del 1943?
17. Quali eventi contribuirono alla caduta del fascismo?
18. Come cadde il fascismo?
19. Quali furono le responsabilità del re e di Badoglio subito dopo la caduta del fascismo?
20. Quali furono le conseguenze dell'8 settembre?
21. Che cosa fecero il re e Badoglio dopo l'8 settembre?
22. Che cosa fecero i soldati dell'esercito italiano?
23. Cosa fece Mussolini dopo essere stato liberato?
24. Inverno 1943-1944: spiega brevemente quale era la situazione in Italia e quali forze operavano sul territorio italiano.
25. Chi erano i partigiani e da quali partitii era formato il CLN?
26. Quale fu il ruolo degli Alleati e dei partigiani nella liberazione dell'Italia?
27. Come morì Mussolini?

QUADRETTI CULTURALI

SCARPE DI CARTONE E PROFUMI FRANCESI

La guerra significò in Italia anche il razionamento dei viveri e del vestiario che veniva controllato dal governo tramite l'emissione di carte annonarie, cioè di tagliandi da presentare al momento dell'acquisto; ad ogni tagliando corrispondeva una certa quantità di ogni genere alimentare, o di vestiario. C'erano tessere distinte per uomini, donne, ragazzi, bambini sotto i quattro anni, e il governo stabiliva la quantità di calorie e di articoli di vestiario a cui ognuno aveva diritto giornalmente.

Negli ultimi anni di guerra, le razioni si fecero sempre più insufficienti, anche semplicemente a soddisfare la fame, e chi poteva permetterselo le integrava con quello che riusciva a trovare sul mercato nero. Le restrizioni imposte dalla guerra obbligarono molte donne alla ricerca di mille espedienti per riutilizzare tutti gli scarti in cucina e per riciclare qualsiasi materiale venisse loro sotto mano per produrre in casa oggetti altrimenti irreperibili.

In cucina si riutilizzavano persino le bucce dei piselli per le minestre; il burro si faceva in casa, sbattendo il latte nella bottiglia[1], il caffè ormai introvabile si faceva con i semi d'uva. Se la farina era irreperibile, la si ricavava dalle lenticchie. Se mancava il cuoio per le scarpe, si facevano sandali con suola di sughero, oppure addirittura di cartone o di gomma di bicicletta o di legno. La tomaia si faceva di stoffa.

Furono così inventate le "scarpe dell'Impero", diventate presto sinonimo di scarpe di pessima qualità. Le camicette si confezionavano con i fazzoletti la cui vendita era libera[2]. La legna impossibile da comprare e da reperire nelle città, si prendeva tagliando gli alberi dei parchi pubblici. I materassi venivano svuotati della lana, con la quale si facevano maglioni, e riempiti di foglie.[3] La guerra costrinse la donna a impiegare tutta la sua estrosità e creatività semplicemente per sopravvivere.

Il settimanale La Domenica del Corriere, molto diffuso allora, offriva regolarmente consigli su come sopravvivere in tempo di restrizioni. Nelle rubriche "Fra i fornelli" e "Consigli alle massaie" si proponevano suggerimenti vari per la gestione della casa e ricette nelle quali si esaltavano i vantaggi dei piatti "di magro", dato che olio e burro erano fra gli ingredienti più introvabili. Si consigliava alla massaia di compensare la mancanza di grassi usando erbe aromatiche e succo di cipolle per condire pasta e carne. Se la carne mancava, la rubrica proponeva ricette a base di frattaglie e sangue cotto. Si offrivano consigli su come rendere commestibili persino le foglie dure dei carciofi e il latte rancido. "Non riuscite a trovare sapone per le vostre manine quando saranno molto unte?" domanda "la massaia scrupolosa" nella rubrica "Consigli alle massaie". Non c'è problema: si può preparare in casa un sapone che non vi richiederà "ingredienti un po' difficili da trovare in questi tempi: cenere e calce in polvere è tutto ciò che vi serve!" Un'attenzione speciale era riservata alla "massaia sfollata" che "deve cucinare su un fuoco fatto con legna non ben secca". Le ricette sono punteggiate di periodi ipotetici. "Se riuscite a reperire...", "Se potete disporre di...", "Se, anche di questi tempi (rara fortuna!) avete potuto avere...", ecc. È evidente che la disponibilità di ingredienti anche comunissimi non poteva essere data per scontata.

Le rubriche, "La moda pratica" e "Cambiamento di stagione" fornivano consigli su come riadattare vestiti usati: "Bisogna accomodare quello che c'è perché di fare vestiti nuovi non è il caso di parlare" ammonisce la rubrica. "Accomodare", "rifare", "rimodernare" sono i verbi più usati in questi articoli.

Questi consigli non erano certo diretti ai più privilegiati che continuarono a godere dei lussi a cui

Un negoziante taglia il bollino che corrisponde alla razione.

erano abituati, anche in piena guerra. Claretta Petacci, l'amante di Mussolini uccisa con lui alla fine della guerra, non fu mai costretta ad abbandonare la sua passione per le pellicce e la biancheria fine, nemmeno negli anni più bui della guerra. Comprava i suoi profumi francesi, anche quando erano proibiti, al Grand Hotel di Roma, al prezzo di 500 lire a flacone.[4] Per dare un'idea del potere d'acquisto di 500 lire allora, basta ricordare le famose note di una popolare canzone dell'epoca: "Se potessi avere mille lire al mese..." Con mille lire al mese, come diceva la canzone, ogni italiano poteva aspirare a uno stile di vita piccolo borghese: "fare tante spese" e "avere una casettina in periferia".

Le spese voluttuarie dell'alta borghesia contrastavano anche con l'ideologia di regime che promuoveva l'austerità e la semplicità dei costumi, che esaltava uno stile di vita sprezzante dei lussi e della vita "molle", presentata come caratteristica dei paesi anglosassoni. Le classi privilegiate, pur aderendo pubblicamente alla politica del fascismo non seppero mai adeguarsi al suo spirito austero nella vita privata. Le classi subalterne, al contrario, erano costrette a vivere nelle ristrettezze seguendo uno stile di vita, loro malgrado, più vicino ai dettami dell'ideologia fascista.

1 Miriam Mafai, *Pane nero*, Casa Editrice Ediesse, Roma, 2008, p. 91.
2 Ibid., p. 102.
3 Mirella Alloisio, Giuliana Beltrami Gadola, *Volontarie della libertà (8 settembre 1943 - 25 aprile 1945)*, Gabriele Mazzotta Editore, 1981, p. 33.
4 Miriam Mafai, op. cit., p. 101.

Sinistra: Ragazza partigiana.

Centro: Un partigiano e una staffetta.

Destra: Una ragazza accompagna un soldato in fuga dopo l'8 settembre.

DA "MADRE PROLIFICA" A STAFFETTA PARTIGIANA

Durante il ventennio fascista, la propaganda di regime esaltava nella donna i ruoli tradizionali di madre e di moglie. La fecondità era grandemente valutata, tanto che esistevano premi speciali per le "madri prolifiche". La donna doveva non solo avere molti figli, ma aveva anche il dovere di educarli ai valori fascisti. Il regime aveva bisogno di nuovi soldati per le sue guerre e di giovani contadini che avrebbero popolato le nuove terre dell'Impero. Mussolini stesso disse in un famoso discorso alle donne:

"Come donne italiane e fasciste, voi avete dei particolari doveri da compiere: voi dovete essere le custodi dei focolari, (la folla grida con una sola voce "Sì! Sì"): voi dovete dare con la vostra vigilante attenzione, col vostro indefettibile amore, la prima impronta alla prole che noi desideriamo numerosa e gagliarda. Le generazioni dei soldati, dei pionieri, necessarie per difendere l'Impero, saranno quali voi le farete. Ora io vi domando: l'educazione che darete, sarà romana e fascista? (La moltitudine urla ancora: "Sì! Sì") [1].

L' "Almanacco della donna italiana", una rivista femminile che durante il ventennio era diventata un semplice altoparlante per l'ideologia del regime, riconosceva alla donna, al massimo, una funzione attiva in campo assistenziale:

"C'è molto da fare nel nostro paese in fatto di assistenza sanitaria, morale e sociale, specialmente nel popolo...Chi più della donna è capace di risolvere tali problemi assistenziali per i quali non bastano le leggi, non bastano i mezzi, ma sono indispensabili fede, costanza, comprensione, sacrificio?" [2]

D'altra parte, il fascismo non fece che rendere più esplicite idee correnti e diffuse che avevano le loro radici nella cultura cattolica e nella morale del tempo. Questa morale si tradusse anche in norma giuridica: una legge del 1927, ad esempio, escluse le donne dai concorsi per l'insegnamento di lettere e filosofia ai licei, e per il posto di presidi. Pochissime erano le donne laureate, a causa anche delle tasse che dovevano pagare: il doppio di quelle dei loro coetanei maschi [3].

Con l'avvento della guerra le cose cambiarono. Molte donne che prima si occupavano della casa cominciarono a lavorare nelle fabbriche e nei servizi per sostituire gli uomini impegnati al fronte. Tutte furono costrette ad uscire dalle loro case se volevano sopravvivere: procurarsi cibo quotidianamente era diventata un'impresa che richiedeva inventiva e un notevole sforzo fisico; fare file di ore davanti ai negozi, effettuare spedizioni nelle campagne attorno alle città, prendere contatti e scambiare informazioni con altre donne: erano queste tutte attività necessarie alla sopravvivenza.

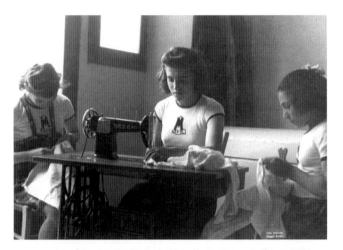

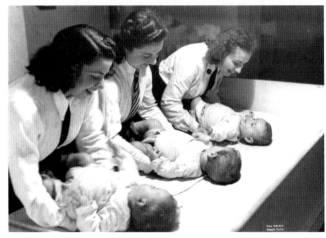

Lavori femminili, Casa della Gioventù Italiana del Littorio, Reggio Emilia.

Durante i tremendi bombardamenti di Milano dell'agosto 1943, la sera molte donne mettevano i loro bambini su carri, biciclette e ogni mezzo di trasporto reperibile, e lasciavano la città per passare la notte al sicuro nei prati della periferia. Paradossalmente, la guerra voluta da Mussolini obbligò le donne a uscire dal ruolo passivo di custodi del focolare in cui il fascismo le aveva relegate. Proprio perché erano le donne che sentivano più direttamente l'emergenza alimentare, furono anche le donne che per prime organizzarono manifestazioni in molte città per ottenere l'aumento delle razioni. In alcune situazioni si organizzarono anche assalti ai forni dove si produceva pane per i tedeschi. Si formarono i "Gruppi di difesa della donna e per l'assistenza ai combattenti per la libertà" che si proponevano non solo di incoraggiare le donne alla partecipazione politica, ma anche di organizzare una rete di mutuo soccorso per le famiglie dei carcerati e deportati. Dopo l'8 settembre, molti soldati riuscirono a mettersi in salvo dalle rappresaglie tedesche perché trovarono, durante la loro fuga, donne disposte a nasconderli, a sfamarli, a fornire loro vestiti civili. Se si pensa che la donna non aveva mai votato in Italia, è sorprendente il suo livello di partecipazione attiva non solo a questo tipo di attività sia politica che assistenziale, ma anche alla guerra partigiana.

Gli esempi di donne impegnate militarmente nella lotta antifascista non mancano, ed in alcuni rari casi alcune raggiungono anche ruoli di comando, ma la morale dell'epoca era ancora molto forte e diffusa ed influenzava anche i gruppi più progressisti all'interno delle formazioni partigiane. Per molti partigiani era inconcepibile che le donne assumessero ruoli combattenti tipicamente maschili. Così, nella maggior parte dei casi, le donne finirono per ricoprire ruoli ancillari e collaterali: diventarono infermiere, cuciniere, staffette porta-ordini.

"Quante volte ho attraversato Milano in bicicletta con il reggiseno pieno zeppo di carte d'identità!". ricorda Elda, staffetta partigiana[4]. Le donne, in altre parole, continuarono a essere madri, mogli o sorelle non più all'interno delle case, ma a fianco dei combattenti partigiani. È interessante notare i differenti nomi di battaglia scelti dalle donne e dagli uomini: mentre i partigiani preferivano nomi che richiamassero l'azione e il coraggio (Tigre, Turbine, Aquila, ecc.), le partigiane prediligevano nomi femminili italiani o russi, spesso di ispirazione romantica (Katia, Violetta, Mimì, ecc.)[5].

Questa dualità - riconoscimento del ruolo attivo che la donna poteva ricoprire nella politica della nuova nazione e convinzione che la sua naturale vocazione fosse la famiglia e la maternità - è evidente anche esaminando uno dei pochi periodici antifascisti femminili, *Noi donne*. Il giornale non trattava solo di argomenti politici: nelle sue pagine si discuteva anche di cucina, di moda, di igiene dei bambini. *Noi donne* voleva incoraggiare le donne alla partecipazione politica e alla lotta antifascista partendo proprio dal disagio che le donne sentivano dall'inizio della guerra: l'incapacità di assolvere con successo a quei compiti di madre e moglie che la società aveva assegnato loro da sempre. Così si legge in uno dei suoi primi numeri.

> *"[Noi donne] vuole... costruire un domani libero e felice ove sia concesso alla donna di educare i suoi bambini per un avvenire costruttivo e non per vederli ogni vent'anni gettati alla morte... Per vent'anni il fascismo ci ha scartate dalla vita nazionale, mentre disgregava le nostre famiglie, imponendo ai nostri bambini un'educazione che noi non volevamo, scatenando una guerra che noi non sentivamo e portando il nostro paese allo sfacelo economico. Noi vogliamo ricostruire la nostra famiglia ed è perciò che siamo direttamente interessate da tutti i problemi della vita nazionale, dalla guerra, dalla ricostruzione economica, dalla epurazione, ecc.".*[6]

A guerra finita, la morale corrente si aspettava che le donne ritornassero ai loro ruoli tradizionali nell'ambito della casa e della famiglia. Dopotutto questo sarebbe stato il segno più tangibile che la vita poteva ricominciare nella normalità. I compagni partigiani accettarono, a volte con difficoltà, che quelle donne che avevano combattuto con loro in montagna sfilassero al loro fianco nelle grandi parate del maggio '45 per celebrare la fine della guerra. La gente che guardava e applaudiva non la pensava tutta allo stesso modo, però. Questa è la testimonianza di una ragazza ex-partigiana:

> *"Mi ricordo che il primo anniversario della Liberazione, il 25 aprile del 1946, mi son detta: È la nostra festa! Sono andata davanti al Municipio col fazzoletto rosso intorno al collo. Certa gente mi sghignazzava in faccia. Qualcuno mi diceva: "Ma va' a fare la calzetta!"[...] Avevo una voglia di vendicarmi, di prendere un mitra e poi di andare là a dire: "Adesso vi faccio io la calza a voi!"*[7]

1   Discorso alle donne fasciste, 20 giugno 1937, *Scritti e discorsi dal novembre 1936 al maggio 1938*, Ulrico Hoepli Editore, Milano 1938.

2   Citato in M. Saracinelli, N. Iotti, "L'Almanacco della donna italiana: dai movimenti femminili ai Fasci (1920-1943)" p. 114, in *La Corporazione delle donne, Ricerche e studi sui modelli femminili nel ventennio*, a cura di M. Addis Saba, Vallecchi, Firenze 1988.

3   M. Alloisio, G. Beltrami Gadola, *Volontarie della libertà, 8 settembre 1943 - 25 aprile 1945*, Gabriele Mazzotta Editore, Milano 1981, p. 12.

4   M. Boneschi, *Santa Pazienza. La storia delle donne italiane dal dopoguerra a oggi*, Mondadori, Milano 1998, p. 8.

5   M. Alloisio, G. Beltrami Gadola, op. cit., p. 35.

6   Citato in Fernanda Alene, "Noi Donne" p. 142, in *Enciclopedia dell'antifascismo e della resistenza*" Vol. VI, La Pietra, Milano 1968.

7   Citato in Miriam Mafai, op. cit., pp. 263-4.

PAROLE DEI PROTAGONISTI A CONFRONTO

1. MUSSOLINI

i) **Sullo Stato:** *Lo Stato, così come il fascismo lo concepisce e l'attua, è un fatto spirituale e morale [...] è, nel suo sorgere e nel suo sviluppo, una manifestazione dello spirito. [...] Lo Stato non è solamente presente, ma è anche passato e, sopra tutto, futuro. È lo Stato che, trascendendo il limite breve delle vite individuali, rappresenta la coscienza immanente della Nazione. È lo Stato che, in Italia, si riassume e si esalta nella dinastia di Savoia, e nella Sacra Augusta Persona del Re.* [1] *Per il fascista, tutto è nello Stato, e nulla di umano e spirituale esiste, e tanto meno ha valore, fuori dalla Stato. In tal senso il fascismo è totalitario, e lo Stato Fascista, sintesi e unità di ogni valore, interpreta, sviluppa e potenzia tutta la vita di un popolo.* [2]

ii) **Sulle sue origini:** *Io non scendo da antenati aristocratici ed illustri; i miei antenati erano contadini che lavoravano la terra e mio padre un fabbro che piegava sull'incudine il ferro rovente. Talvolta io da piccolo aiutavo mio padre nel suo duro, umile lavoro ed ora ho il compito ben più aspro e più duro di piegare le anime.* [3]

iii) **Sulla necessità dell'Impero:** *Siamo 40 milioni serrati in questa nostra angusta e adorabile penisola che ha troppe montagne ed un territorio che non può nutrire tutti quanti. Ci sono attorno all'Italia paesi che hanno una popolazione inferiore alla nostra ed un territorio doppio del nostro. Ed allora si comprende come il problema dell'espansione italiana nel mondo sia un problema di vita o di morte per la razza italiana. Dico espansione, espansione in ogni senso: morale, politico, economico, demografico.* [4] *[...] Lo Stato fascista è una volontà di potenza e d'imperio. La tradizione romana è qui un'idea di forza. Nella dottrina del fascismo l'impero non è soltanto un'espressione territoriale o militare o mercantile, ma spirituale e morale.* [5]

iv) **Sulla marcia su Roma:** *Il fascismo non è arrivato al potere per le vie normali. Vi arrivò marciando su Roma 'armata manu', con un atto squisitamente insurrezionale. Se nessuno osò resistere, gli è perchè si comprese che era inutile resistere al destino. [...] La marcia su Roma fu l'epilogo di un lungo sacrificio. Ma fu nel tempo stesso il cominciamento di un nuovo periodo.* [6]

v) **Sulla democrazia:** *Il fascismo ... afferma la diseguaglianza irrimediabile e feconda e benefica degli uomini che non si possono livellare attraverso [...] il suffragio universale. Regimi democratici possono essere definiti quelli nei quali, di tanto in tanto, si dà al popolo l'illusione di essere sovrano, mentre la vera effettiva sovranità sta in altre forze talora irresponsabili e segrete. La democrazia è un regime senza re, ma con moltissimi re talora più esclusivi, tirannici e rovinosi che un solo re che sia tiranno.* [7]

2. DICHIARAZIONE DEL CLN
dopo l'uccisione di Mussolini e del suo seguito (Milano, 30 aprile 1945)
Il CLN dichiara che la fucilazione di Mussolini e complici da esso ordinata è la conclusione necessaria di una fase storica che lascia il nostro paese ancora coperto di macerie materiali e morali; è la conclusione di una lotta che segna per la patria la premessa della nascita e della ricostruzione. Il popolo italiano non potrebbe iniziare una vita libera e normale - che il fascismo per venti anni gli ha negato - se il CLN non avesse tempestivamente dimostrato la sua ferrea decisione di saper far suo il giudizio già pronunciato dalla storia. Solo a prezzo di questo taglio netto con un passato di vergogna e di delitti il popolo italiano poteva avere l'assicurazione che il CLN è deciso a perseguire con fermezza il rinnovamento democratico del paese [...] [8]

3. MINO MILANI
Scrittore per ragazzi, (15 anni all'epoca dei fatti), descrive i bombardamenti aerei alleati dell'agosto 1943
Era la voce della sirena a segnare il tempo dei bombardamenti: cinque suoni da un secondo erano il preallarme, che invitava a tenersi all'erta, cinque suoni da cinque secondi erano l'allarme, il cessato allarme un ululato continuato lungo un minuto. Preallarme e allarme significavano svelto scalpiccio di piedi, e poi voci, pianti, grida, il frastuono degli aerei, dei mitragliamenti, delle bombe [...] i bengala [erano] come enormi stelle rotonde dalla luce bianca che illuminavano a giorno la zona sottostante [...]. Le bombe dirompenti, quelle che si spezzavano in infinite schegge incendiarie erano le peggiori. Se ti trovavi in un posto in collina, o in montagna, la vista di una città bombardata poteva quasi sembrarti uno spettacolo di fuochi artificiali. [9]

4. MANIFESTO FASCISTA
agli abitanti della Provincia di Pavia, con minaccia di rappresaglie (senza data, autunno 1944?)
Ogni aiuto volontario da parte vostra a favore di Partigiani e di Banditi verrà considerato come Atto di Alto Tradimento. L'Alto Tradimento viene punito con la Morte e la distruzione di tutti i vostri beni. Pensate all'esempio ammonitore subito da alcuni vostri paesi, che per essere stati nidi di Partigiani, sono stati rasi al suolo. Sta a voi scegliere fra l'ordine e la distruzione e la Morte. Pensateci e agite in merito. Il Comandante. [10]

5. LUIGI MENEGHELLO
Scrittore, discute le motivazioni dei giovani intellettuali della sua generazione a farsi partigiani
[Da un lato] volevamo combattere il mondo, agguerrirci in qualche modo contro di esso; dall'altro volevamo sfuggirlo, ritirarci da esso come in preghiera. [...] Ci pareva confusamente che per ciò che era accaduto in Italia qualcuno dovesse almeno soffrire; in certi momenti sembrava un esercizio personale di mortificazione, in altri un compito civico. Era come se dovessimo portare noi il peso dell'Italia e dei suoi guai, e del resto anche letteralmente io non ho mai portato e trasportato tanto in vita mia: farine, esplosivi, pignatte, [...]. [11]

6. **NUTO REVELLI**
   Scrittore e partigiano, soldato al momento dell'armistizio
   8 settembre. La notizia dell'armistizio mi entra in casa dalla strada. Gridano che la guerra è finita, che Badoglio sta parlando. [...] La gente è raccolta di fronte ai caffè come al tempo dei discorsi del duce, come ai tempi dei campionati mondiali di calcio, del giro di Francia. [...] Riordino le idee. I tedeschi che cosa faranno? I tedeschi saranno spietati. C'è da sparare. [...] Che fare? Il gioco è grande, superiore alle nostre forze. È tremendo assistere a questa lenta agonia, sentire che la divisa, che le armi diventano un peso, un ingombro. [...] Sparare vuol dire credere in qualcosa di giusto o di sbagliato. Qui non si crede più a nulla. [...] Il grosso della 4a armata sta ripiegando in città. [...] È una valanga di gente senza comando, che sosta, che scappa. Tutto è così brutto, così spaventosamente squallido, da sgomentare. Soldati che hanno buttato le armi, sconvolti, alla ricerca affannosa di abiti borghesi. [12]

7. **NATALIA GINZBURG**
   Scrittrice
   La guerra, noi pensavamo che avrebbe immediatamente rovesciato e capovolto la vita di tutti. Invece per anni molta gente rimase indisturbata nella sua casa, seguitando a fare quello che aveva fatto sempre. Quando ormai ciascuno pensava che in fondo se l'era cavata con poco e non ci sarebbero stati sconvolgimenti di sorta, né case distrutte, né fughe o persecuzioni, di colpo esplosero bombe e mine dovunque e le case crollarono, e le strade furono piene di rovine, di soldati e di profughi. E non c'era più uno che potesse far finta di niente, chiuder gli occhi e tapparsi le orecchie e cacciare la testa sotto al guanciale, non c'era. In Italia fu così la guerra. [13]

8. **ORIANA FALLACI**
   Scrittrice, giornalista, 13 anni all'epoca dei fatti, descrive la sua esperienza come staffetta partigiana nella zona di Firenze.
   Ero staffetta per le squadre di città. Portavo armi, manifestini, copie del "Non Mollare," tenevo i contatti con le varie cellule portando messaggi e bigliettini. Ma soprattutto, in quel periodo, il mio compito era quello di accompagnare i prigionieri inglesi, americani, sudafricani verso le linee alleate. Parlo dei prigionieri scappati l'8 settembre dai campi di concentramento. In bicicletta li accompagnavo da Firenze [...] un viaggio di 40 chilometri all'andata e 40 chilometri al ritorno. [14]

9. **ANNA RAVARELLI**
   Operaia alla Magneti Marelli di Crescenzago (Milano), descrive l'inizio di uno sciopero nel marzo del 1943.
   C'era un gran fermento in fabbrica, quel giorno e una grande attesa. Quando la sirena suonò, in silenzio, senza nemmeno guardarsi in faccia, gli operai e le operaie incrociarono le braccia. [...] Il comandante [...] ci gridò: "Ma questo è un vero e proprio sciopero! Guardate che faccio intervenire le brigate nere! Che cosa volete?" [...] una donna, un'operaia non più giovane, prese dalla sua borsa un pezzo di pane, quel pane della razione che quando era ancora fresco era già duro come il marmo, e lo buttò ai piedi del colonnello. "È per questo che scioperiamo: per il pane e per la pace," disse. Molte altre la imitarono e ben presto ai piedi del colonnello c'erano diecine di razioni di pane. [15]

10. **GIORGIO BOCCA**
    Scrittore e partigiano, descrive i giorni seguenti la distruzione del villaggio di Boves da parte dei nazisti.
    La popolazione dei due paesi rimase non solo senza tetti e senza abiti, ma addirittura priva di mezzi di sussistenza. I magazzini di grano erano bruciati insieme alle case e mancava il pane.

Le formazioni partigiane misero a disposizione della popolazione le loro riserve e divisero con esse tutto quanto possedevano. [...] La popolazione [...] capì che quell'esercito mal vestito che, mentre ancora seppelliva i suoi morti e bendava i suoi feriti, già lottava e si sforzava per aiutarla, era il suo esercito; che quei ragazzi erano suoi fratelli anche e soprattutto nelle ore difficili. [16]

11. UN IGNOTO PARACADUTISTA TEDESCO
morto nella primavera del 1944 nella battaglia di Monte Cassino (da un diario ritrovato).
15 marzo 1944. Oggi a Cassino si è scatenato l'inferno. Quasi mille aeroplani hanno bombardato le nostre posizioni a Cassino e sulle colline. Non si vede nulla, solo polvere e fumo denso [...] La terra trema come per un terremoto [...]. 22 marzo 1944. Ciò che viviamo qui è indescrivibile. Non ho mai visto una cosa simile in Russia, mai un secondo di calma, solo il tuono ininterrotto delle batterie e dei mortai, e oltre a ciò gli aerei. [17]

12. MARK WAYNE CLARK
Generale della 5ª Armata, descrive l'entrata degli Alleati a Roma: *Le necessità della guerra ci avevano costretto a invadere l'Italia, a bombardare città e paesi; ma i romani ci accoglievano come liberatori e non come occupanti. Arrivai con la mia jeep sulla Via Appia e giunsi subito al Colosseo. Molti dei miei soldati si mettevano le mani nei capelli a vedere il Colosseo, e dicevano: "Mio Dio, che distruzione abbiamo fatto con i nostri bombardamenti! Come abbiamo ridotto questo bel monumento!" In Piazza del Campidoglio venni raggiunto da un sacerdote che pedalava furiosamente su una bicicletta sgangherata. Era un prete americano, Monsignor Carroll, che mi portava un messaggio di Pio XII. Il Pontefice mi voleva subito in Vaticano per incontrarmi. [...] Quando mi trovai di fronte le guardie svizzere, provai un attimo di grave imbarazzo. Perché avevo la barba lunga ed ero molto, molto sporco.* [18]

PAROLE DEI PROTAGONISTI A CONFRONTO

1   "Discorso all'Assemblea quinquennale del regime", 10 marzo 1929, in *Scritti e Discorsi dal 1929 al 1931*. Milano: Ulrico Hoepli, 1934 (pp. 26-27).

2   *Scritti e discorsi dal 1932 al 1933*. Milano: Ulrico Hoepli, 1934 (p. 71).

3   "Discorso agli operai delle acciaierie lombarde", dicembre 1922. In *Discorsi del Duce*, commento di G. Bastianini. Roma: Berlutti Editore, 1924 (pp. 16-7).

4   "Roma maestra delle genti", 1 aprile 1923. In *Mussolini, i discorsi agli italiani*, commento di A. Caprino. Roma: Berlutti Editore, 1924 (p. 16).

5   *Scritti e discorsi dal 1932 al 1933*. Milano: Ulrico Hoepli, 1934 (p. 88).

6   "Indietro non si torna", 22 luglio 1924, II 1924. In *Scritti e discorsi di Benito Mussolini*. Milano: Ulrico Hoepli, 1934 (pp. 223-4).

7   *Scritti e discorsi dal 1932 al 1933*. Milano: Ulrico Hoepli, 1934 (p. 79-80).

8   "Atti del CLNAI", citato in Giorgio Candeloro, *Storia dell'Italia moderna: la seconda guerra mondiale. Il crollo del fascismo. La resistenza 1939-1945*. Milano: Feltrinelli, 2002 (p. 340).

9   Mino Milani. *Seduto nell'erba al buio, diario di un ragazzo italiano, estate 1944*. Milano: RCS Libri, 2002 (pp. 112-113).

10   Pietro Secchia, Filippo Fossati. *Storia della resistenza. La guerra di liberazione in Italia 1943-1945*. Vol. 1. Roma: Editori Riuniti, 1965 (p. 771).

11   Luigi Meneghello. *I piccoli maestri*. Milano: Rizzoli, 1990 (p. 111).

12   Nuto Revelli. *La guerra dei poveri*. Torino: Einaudi, 1993 (pp. 116, 118, 119).

13   Natalia Ginzburg. *Lessico familiare*. Torino: Einadi, 1963 (p. 153).

14   Mirella Alloisio, Giulian Gadola Beltrami, *Volontarie della libertà, 8 settembre 1943 - 25 aprile 1945*. Milano: Gabriele Mazzotta Editore, 1981 (p. 36).

15   Ibid., p. 236.

16   Giorgio Bocca. *Partigiani delle montagne*. Borgo San Dalmazzo: Istituto Grafico Bertello, 1945 (p. 77).

17   *Il volto della guerra - Lettere e testimonianze sulla seconda guerra mondiale 1939-1945*. Milano: Sugar Editore, 1966 (p. 249).

18   Enzo Biagi. *La seconda guerra mondiale, una storia di uomini*, Vol. VI. Milano: Gruppo Editoriale Fabbri, 1985 (p. 1855).

BRUNO

di Umberto Eco

Umberto Eco, professore di semiotica e narratore italiano contemporaneo, ricorda un evento autobiografico particolarmente significativo dei suoi anni di scuola elementare durante il fascismo.

Durante le elementari, io e un ragazzo biondo eravamo i ricchi della classe, cioè appartenevamo allo stesso **ceto sociale** del maestro: io perché mio padre era impiegato e girava con la cravatta, e mia madre con il cappellino (e quindi non era una "donna" ma una "signora"); il **biondino** perché suo padre aveva un negozio. Tutti gli altri erano di ceto progressivamente inferiore (parlavano ancora dialetto con i genitori, e quindi scrivevano male) e il più povero di tutti era Bruno. Ne ricordo benissimo il cognome, perché a quell'epoca ci si chiamava per cognome, ma è significativo che ne ricordi il nome.

Essendo povero, aveva il **grembiulino** nero strappato, non aveva colletto bianco, o quando l'aveva era sporco e **liso**, e naturalmente non aveva il **fiocco azzurro**. Bruno era **rapato a zero** (unico segno di attenzione da parte di una famiglia che evidentemente temeva i **pidocchi**) ma si deve sapere che i bambini ricchi, quando venivano rapati (talora accadeva d'estate, per rinforzare i capelli), avevano un **craniotto** grigio omogeneamente vellutato, mentre i bambini poveri esibivano delle **chiazze biancastre**, forse dovute a **croste** non curate.

Il maestro era **tutto sommato** un brav'uomo ma, siccome aveva fatto la Marcia su Roma, si sentiva obbligato a educare in modo virile, e agli scolari **menava** potenti **sganassoni**. Naturalmente mai a me e al biondo, ma a Bruno più che a tutti, specie perché si presentava in classe con il grembiule **lardellato**. Bruno andava sempre dietro la lavagna. Io mai. Ovvero, una volta qualcuno mi stava tormentando dai banchi di dietro e io **debbo** avergli lanciato una pallina di carta in un momento delicato, il maestro si era infuriato e mi aveva mandato dietro la lavagna: **folgorato** da quell'**onta** inconsueta **mi ero messo a** piangere come un vitello, e dopo due minuti il maestro mi aveva rimandato al banco, accennando a una carezza di consolazione e di scusa. Solidarietà di classe.

Un giorno, dopo un'assenza, Bruno venne a scuola senza la giustificazione, e il maestro lo assalì minacciando **schiaffoni**: Bruno si mise a piangere e disse che era morto suo padre. Il maestro si commosse e chiese a tutti noi una **colletta**. Il giorno dopo ciascuno tornò con qualche moneta o un **vestito smesso** e Bruno ebbe il suo momento di solidarietà. Forse per reagire all'umiliazione, durante la marcia in cortile si mise a **camminare a quattro zampe**, e tutti pensammo che era veramente cattivo a far così dopo che gli era morto il papà. Il maestro fece osservare che mancava di ogni più elementare senso della riconoscenza. Apparteneva davvero a una razza inferiore. I lettori pensano che stia scrivendo una parodia di **Cuore**, ma giuro che riporto ricordi fedeli di vita vissuta.

Durante un'**adunata** del sabato, venuto il momento del giuramento, quando tutti dovevano gridare **Lo giuro!**, Bruno che era vicino a me, e lo **udii** benissimo, gridò **Arturo!** Si ribellava.

Fu il mio primo maestro di antifascismo.
Grazie, Bruno.

Adunata dei giovani balilla

NOTE (PRECEDUTE DAL NUMERO DELLA RIGA NEL TESTO)

3. *il ceto sociale:* classe sociale, persone che condividono la stessa condizione economica
6. *il biondino:* ragazzo dai capelli biondi
12. *il grembiulino:* piccolo grembiule, cioè la divisa portata dai bambini a scuola
14. *liso:* molto consumato
14. *il fiocco azzurro:* un nastro usato sui grembiuli dei bambini
15. *rapato a zero:* con la testa completamente rasata, senza capelli
16. *il pidocchio:* piccolo parassita che vive nei capelli e succhia il sangue
19. *il craniotto:* grosso cranio, grossa testa
20. *la chiazza biancastra:* macchia di colore bianco, o vagamente bianco
21. *la crosta:* strato secco che chiude una ferita
22. *tutto sommato:* tutto considerato, nel complesso
24. *menare:* picchiare

25. *lo sganassone:* schiaffo, sberla
27. *lardellato:* molto sporco, pieno di macchie
29. *debbo:* devo
32. *folgorato:* molto impressionato
32. *l'onta:* vergogna, offesa
32. *mettersi a:* cominciare a
38. *lo schiaffone:* schiaffo, sberla (sinonimo di sganassone)
40. *la colletta:* raccolta di denaro
41. *il vestito smesso:* vestito usato
43. *camminare a quattro zampe:* camminare usando le mani come fossero zampe
49. *Cuore:* romanzo dello scrittore Edmondo De Amicis (1846-1908), un ritratto un po' patetico della vita scolastica di un povero ragazzo all'inizio del '900
51. *l'adunata:* manifestazione fascista di stile paramilitare
53. *Lo giuro!:* prometto di essere fedele al fascismo
54. *udire:* sentire
54. *Arturo!:* un nome maschile che fa rima con "Lo giuro!"

DOMANDE DI COMPRENSIONE E DISCUSSIONE

1. A che ceto sociale apparteneva da piccolo l'autore?
2. Come si potevano distinguere i ceti sociali allora?
3. Che tipo era il maestro?
4. Come si distingueva Bruno dagli altri bambini della classe?
5. Commenta le parole di Eco: "Solidarietà di classe" alla riga 35.
6. Perché un giorno Bruno fu assente?
7. Come reagì il maestro?
8. Come reagì invece Bruno alla colletta?
9. Chi "apparteneva davvero a una razza inferiore", secondo il maestro e perché?
10. Perché l'autore definisce Bruno "il mio primo maestro di antifascismo" (riga 55)?

OSSERVAZIONI SUL TESTO

- Sottolinea tutti i verbi del primo paragrafo (fino alla riga 11). Che tempi verbali usa Eco? Giustifica la sua scelta.
- Ora vai alla riga 36 (il paragrafo che comincia con Un giorno...). Cerca e sottolinea la forma verbale al trapassato prossimo che trovi in questo paragrafo.
- Trasforma questi verbi usati nel testo dall'imperfetto al passato remoto o dal passato remoto all'imperfetto:
  Esempio: venne → *veniva*
                      veniva → *venne*
  (Attenzione alle forme irregolari!)

1. eravamo → ....
2. assalì → ....
3. girava → ....
4. ebbe → ....
5. si sentiva → ....
6. tornò → ....
7. accadeva → ....
8. fece → ....

I CONTADINI E LO STATO FASCISTA

di Carlo Levi

Nel 1935, Carlo Levi, scrittore, pittore, medico e attivista antifascista, fu arrestato e mandato dal regime fascista in confino politico ad Aliano, un villaggio della Basilicata, una regione del Sud Italia chiamata anche Lucania.
Durante questo soggiorno forzato che durò quasi un anno, Levi scoprì la civiltà diversa e sconosciuta dei contadini meridionali: con la loro semplice umanità essi si difendevano giorno per giorno da uno Stato che non li rappresentava e non li considerava come cittadini, ma li usava solo come "bestie da soma".

Questa strana e scoscesa configurazione del terreno fa di **Gagliano** una specie di fortezza naturale, da cui non si esce che per vie obbligate. Di questo approfittava il **podestà**, in quei giorni di cosiddetta
5   passione nazionale, per aver maggior folla alle adunate che gli piaceva di indire per sostenere, come egli diceva, il morale della popolazione, o per fare ascoltare, alla radio, i discorsi dei nostri governanti che preparavano la **guerra d'Africa**. Quando **don**
10 **Luigino** aveva deciso di fare un'adunata, mandava, la sera, per le vie del paese, il vecchio **banditore** e **becchino** con il tamburo e la tromba; e si sentiva quella voce antica gridare cento volte, davanti a tutte le case, su una sola nota alta e astratta: - Domattina
15 alle dieci, tutti nella piazza, davanti al municipio, per sentire la radio. Nessuno deve mancare.
- Domattina dovremo alzarci due ore prima dell'alba, - dicevano i contadini, che non volevano perdere una giornata di lavoro, e che sapevano che
20 don Luigino avrebbe messo, alle prime luci del giorno, i suoi **avanguardisti** e i carabinieri sulle strade, agli sbocchi del paese, con l'ordine di non lasciar uscire nessuno. La maggior parte riusciva a partire **pei** campi, nel buio, prima che arrivassero i sorveglianti;
25 ma i ritardatari dovevano rassegnarsi ad andare, con le donne e i ragazzi della scuola, sulla piazza, sotto il balcone da cui scendeva l'eloquenza entusiastica ed uterina di **Magalone**. Stavano là, col cappello in capo, neri e diffidenti, e i discorsi passavano su di loro
30 senza lasciar traccia.
I signori erano tutti iscritti al **Partito**, anche quei pochi, come il dottor Milillo, che la pensavano diversamente, soltanto perché il Partito era il Governo, era lo Stato, era il Potere, ed essi si sentivano
35 naturalmente partecipi di questo potere. Nessuno dei contadini, per la ragione opposta, era iscritto, come del resto non sarebbero stati iscritti a nessun altro

partito politico che potesse, per avventura, esistere. Non erano fascisti, come non sarebbero stati liberali
40 o socialisti o che so io, perché queste faccende non li riguardavano, appartenevano a un altro mondo, e non avevano senso. Che cosa avevano essi a che fare con il Governo, con il Potere, con lo Stato? Lo Stato, qualunque sia, sono «quelli di Roma», e quelli di
45 Roma, si sa, non vogliono che noi si viva da cristiani. C'è la grandine, le frane, la siccità, la malaria, e c'è lo Stato. Sono dei mali inevitabili, ci sono sempre stati e ci saranno sempre. **Ci fanno ammazzare le capre, ci portano via i mobili di casa,** e adesso ci
50 manderanno a fare la guerra. Pazienza!
Per i contadini, lo Stato è più lontano del cielo, e più maligno, perché sta sempre dall'altra parte. Non importa quali siano le sue formule politiche, la sua struttura, i suoi programmi. I contadini non
55 li capiscono, perché è un altro linguaggio dal loro, e non c'è davvero nessuna ragione perché li vogliano capire. La sola possibile difesa, contro lo Stato e contro la propaganda, è la rassegnazione, la stessa **cupa** rassegnazione, senza speranza di paradiso, che
60 curva le loro schiene sotto i mali della natura.
Perciò essi, com'è giusto, non si rendono affatto conto di che cosa sia la lotta politica: è una questione personale di quelli di Roma. Non importa ad essi di sapere quali siano le opinioni dei **confinati**,
65 e perché siano venuti quaggiù: ma li guardano benigni, e li considerano come propri fratelli, perché sono anch'essi, per motivi misteriosi, vittime del loro stesso destino. Quando, nei primi giorni, mi capitava d'incontrare sul sentiero, fuori del paese, qualche
70 vecchio contadino che non mi conosceva ancora, egli si fermava, sul suo asino, per salutarmi, e mi chiedeva: - Chi sei? *Addo vades?* (Chi sei? Dove vai?) - Passeggio, - rispondevo, - sono un confinato. - Un **esiliato?** (I contadini di qui non dicono confinato, ma esiliato). -

75 Un esiliato? Peccato! Qualcuno a Roma ti ha voluto male -. E non aggiungeva altro, ma rimetteva in moto la sua **cavalcatura** guardandomi con un sorriso di compassione fraterna.

80 Questa fraternità passiva, questo patire insieme, questa rassegnata, solidale, secolare pazienza è il profondo sentimento comune dei contadini, legame non religioso, ma naturale. Essi non hanno, né possono avere, quella che si usa chiamare coscienza politica, perché sono, in tutti i sensi del termine,

85 pagani, non cittadini: gli dei dello Stato e della città non possono aver culto fra queste **argille**, dove regna il lupo e l'antico, nero cinghiale, né alcun muro separa il mondo degli uomini da quello degli animali e degli spiriti, né le fronde degli alberi visibili dalle oscure

90 radici sotterranee.

Non possono avere neppure una vera coscienza individuale, dove tutto è legato da influenze reciproche, dove ogni cosa è un potere che agisce insensibilmente, dove non esistono limiti che non

95 siano rotti da un influsso magico.

Essi vivono immersi in un mondo che si continua senza determinazioni, dove l'uomo non si distingue dal suo sole, dalla sua bestia, dalla sua malaria: dove non possono esistere la felicità, **vagheggiata**

100 dai letterati paganeggianti, né la speranza, che sono pur sempre dei sentimenti individuali, ma la cupa passività di una natura dolorosa. Ma in essi è vivo il senso umano di un comune destino, e di una comune accettazione. È un senso, non un atto di coscienza;

105 non si esprime in discorsi o in parole, ma si porta con sé in tutti i momenti, in tutti i gesti della vita, in tutti i giorni uguali che si stendono su questi deserti.

- Peccato! Qualcuno ti ha voluto male -. Anche tu dunque sei soggetto al destino. Anche tu sei qui

110 per il potere di una mala volontà, per un influsso malvagio, portato qua e là per opera ostile di magia. Anche tu dunque sei un uomo, anche tu sei dei nostri. Non importano i motivi che ti hanno spinto, né la politica, né le leggi, né le illusioni della ragione.

115 Non c'è ragione né cause ed effetti, ma soltanto un cattivo Destino, una Volontà che vuole il male, che è il potere magico delle cose. Lo Stato è una delle forme di questo destino, come il vento che brucia i raccolti e la febbre che ci **rode** il sangue. La vita non può

120 essere, verso la sorte, che pazienza e silenzio. A che cosa valgono le parole? E che cosa si può fare? Niente.

Corazzati dunque di silenzio e di pazienza, taciturni e impenetrabili, quei pochi contadini che non erano riusciti a fuggire nei campi stavano sulla piazza,

125 all'adunata; ed era come se non udissero le **fanfare** ottimistiche della radio, che venivano di troppo lontano, da un paese di attiva facilità e di progresso, che aveva dimenticato la morte, al punto di **evocarla per scherzo**, con la leggerezza di chi non ci crede.

Foto sopra: Carlo Levi, *Fuoco a gennaio*, 1954, Olio su tela.

Foto sotto: Aliano, il paese dove Levi passò un anno di confino.

NOTE (PRECEDUTE DAL NUMERO DELLA RIGA NEL TESTO)

2. *Gagliano:* nome dato da Levi ad Aliano, il paese dove passò l'anno di confino

4. *il podestà*: rappresentante locale del governo fascista

9. *la guerra d'Africa:* campagna di invasione dell'Etiopia, conclusasi nel 1936 con la proclamazione dell'Africa Orientale Italiana

9. *don Luigino*: il podestà di Gagliano

10. *il banditore:* funzionario comunale che, prima dell'arrivo dei mezzi di comunicazione di massa, girava per i paesi facendo comunicazioni ufficiali

11. *il becchino:* chi si occupa della sepoltura dei morti al cimitero

21. *l'avanguardista:* militante del partito fascista

23. *pei:* per i

28. *Magalone:* don Luigi (Luigino) Magalone, podestà di Gagliano

31. *Partito:* il Partito fascista

48. *ci fanno ammazzare le capre*: un riferimento alla tassa istituita dal fascismo sul possesso delle capre, al fine di scoraggiare la pastorizia e incoraggiare la coltivazione del grano. Molti contadini, se non potevano pagare la tassa, dovevano uccidere le capre.

49. *ci portano via i mobili di casa:* se i contadini non pagavano le tasse, l'esattore requisiva i loro mobili

59. *cupo:* scuro, nero (qui in senso figurativo)

64. *il confinato:* oppositore al regime fascista

73. *l'esiliato:* oppositore politico costretto a vivere all'estero

77. *la cavalcatura:* attività di andare a cavallo, o su un asino

86. *l'argilla:* creta, roccia molto friabile, quasi sabbia, su cui è costruita Aliano

99. *vagheggiato:* immaginato

119. *rodere:* mangiare a piccoli bocconi, a poco a poco

122. *corazzato:* difeso, protetto come da una corazza

125. *la fanfara:* musica di una banda militare

128. *evocarla per scherzo:* qui Levi si riferisce ai discorsi di Mussolini favorevoli alla guerra

DOMANDE DI COMPRENSIONE E DISCUSSIONE

1. Quando e come il podestà approfittava della particolare configurazione del terreno di Gagliano (Aliano)?
2. Che scopo avevano le adunate?
3. Perché i contadini in quelle giornate dovevano alzarsi due ore prima?
4. Cosa dovevano fare i contadini "ritardatari"?
5. Perché i signori erano iscritti al Partito fascista?
6. Perché nessuno dei contadini, invece, era iscritto al Partito?
7. Che cosa rappresentava lo Stato per i contadini?
8. Come si difendevano i contadini dallo Stato?
9. I contadini, come consideravano i confinati?
10. Qual era il sentimento comune che univa tutti i contadini?
11. Che cosa vuol dire Levi quando scrive "[i contadini] sono, in tutti i sensi del termine, pagani, non cittadini" (righe 84-85)?
12. Secondo Levi, i contadini di Aliano sono portatori di un tipo diverso di religiosità e di cultura. Spiega in breve quali sono gli elementi più importanti che separano la "cultura contadina" di Aliano dalla "cultura ufficiale" dello Stato italiano.
13. A chi si sente più vicino Levi e perché?
14. Come reagivano i contadini ai discorsi ufficiali durante le adunate promosse dal podestà?

OSSERVAZIONI SUL TESTO

Considera l'uso del pronome **nessuno** nella seguente frase:

Nessuno dei contadini ... era iscritto [al partito fascista].

Il contrario di **nessuno/a** è **tutti/e**. Attenzione: mentre **nessuno** è seguito dal verbo alla **terza persona singolare, tutti/e** vuole la **terza persona plurale.**

Il contrario di ...

Nessuno dei contadini ... era iscritt**o** [al partito fascista].

... quindi è ...

Tutti i contadini erano iscritt**i** [al partito fascista].

Nelle seguenti frasi, cambia **nessuno** con **tutti/e**, e viceversa, facendo le modifiche necessarie:

1. Nessuno dei contadini voleva partecipare alle adunate.
2. Tutti gli abitanti di Aliano pensavano di non essere "cristiani".
3. Tutti i visitatori si erano presentati come conquistatori o nemici.
4. Nessuna delle divinità contadine era di origine cristiana.
5. Tutte le capre erano soggette alla tassa imposta dal governo fascista.

DA PICCOLA ITALIANA A INFERMIERA

di Susanna Agnelli

Gli Agnelli sono una delle famiglie più note e influenti nella storia italiana del XX secolo: fondatori e proprietari della Fiat, la fabbrica di automobili torinese, gli Agnelli hanno determinato la direzione dell'economia italiana dalla fondazione della storica azienda nel 1899 fino ai giorni nostri.
Susanna Agnelli, sorella del famoso "Avvocato", cioè del Presidente della Fiat Gianni Agnelli, racconta in questo brano, tratto dalla sua autobiografia "Vestivamo alla marinara", la sua infanzia durante il fascismo e, più tardi, la sua attività come infermiera volontaria della Croce Rossa durante i primi anni della Seconda guerra mondiale.

[Prima parte]

1933. Ho undici anni, Mussolini viene a Torino. Ci sarà un'enorme **adunata** di tutti gli studenti in divisa fascista, un saggio ginnico allo stadio, e dopo una **sfilata**, inquadrati militarmente, attraverso il centro della città. Io sono felice. Adoro cantare; canto **a squarciagola** gli inni fascisti finché l'insegnante mi prega di aprire la bocca e fingere di cantare, in silenzio, perché sono talmente **stonata** che anche in mezzo a quelle migliaia di voci si sente la mia. I giorni di "adunata" sono gli unici in cui ci sia permesso camminare da soli per la città, prendere il tram, **ciondolare** con i compagni di scuola, mangiare **bomboloni bisunti** e arrivare a casa a qualsiasi ora. Non è possibile che Miss Parker venga a prenderci perché nessuno sa quando e dove finirà l'adunata.

È così che conosco la libertà.

Anche mio padre è in uniforme fascista. Si guarda allo specchio, nella sua giacca di **orbace**, e scoppia a ridere. Per giornate intere ci descriverà le signore di Torino con i loro ridicoli **baschi** e le loro assurde uniformi nere **in deliquio** all'idea di trovarsi sullo stesso balcone col Duce. Mio padre ha ereditato da sua madre un gran senso del ridicolo. Mio nonno scuote la testa a proposito di tutte queste **sciocchezze**.

Io sono una "**piccola italiana**" molto brava. Vengo decorata con una "**croce al merito**" su un palco **imbandierato** al centro di piazza Statuto. Il federale di Torino mi appunta sulla camicetta una medaglia bianca e celeste.

Ancora oggi non so perché. Vagamente ne vado **fiera**. I miei amici, **affacciati** alle finestre che danno sulla piazza, mi dicono che si vedeva solo una piramide di capelli biondi con, in cima, un baschetto nero.

Non ricordo mia madre in uniforme fascista. Quando è nato il suo settimo figlio il "partito" le ha offerto una tessera con cui può circolare gratis su tutti i tram; mia madre ne è **raggiante** anche se mai ha preso un tram e mai lo prenderà. L'idea della tessera la affascina e la porta orgogliosamente nella borsa.

Allora penso al fascismo come qualcosa di inevitabile e comico di cui **di rado** sentiamo parlare.

Ci sono speciali negozi dove si comperano le uniformi; frange lucide, cordoni colorati, gradi da cucire sulle maniche, piccoli distintivi che indicano a quale corpo dei "**balilla**" o delle "piccole italiane" uno appartenga.

«Just fancy» dice Miss Parker «all the poor people who have to spend their money on this nonsense. Tch, tch» dice, muove la testa da una parte all'altra in segno di disapprovazione; come si può far spendere alla povera gente, per certe sciocchezze?

[Seconda parte]

«Saluto al Duce!» ha gridato una voce dentro al microfono. Poi abbiamo ascoltato la dichiarazione di guerra contro l'Inghilterra e la Francia. Gli occhi di mia madre erano pieni di lacrime. Miss Parker si è soffiata il naso. Eravamo tutti seduti intorno alla radio. Per noi, la guerra era un'avventura sconosciuta e, quando si è giovani, le cose che non si conoscono esercitano comunque un'attrazione vitale.

Vestita da **infermiera**, ogni mattina, in bicicletta, salivo all'ospedale. **Lotti** mi seguiva, in bicicletta anche lei, senza molto entusiasmo. Stavamo tutto il giorno ad assistere i **feriti** di ritorno dal fronte francese. Ci raccontavano come li avessero mandati,

65 a piedi, nella neve, senza calze dentro gli stivali di cartone che **facevano acqua**; come li avessero massacrati mentre quasi non **si rendevano conto** di quello che succedeva.

70 Una corsia, in tempo di guerra, è completamente diversa da una corsia normale. Ragazzi giovani e bruni, dall'apparenza sana, che inaspettatamente rivelano un **arto** amputato o una **piaga** sanguinosa, e il puzzo della cancrena gassosa che invade l'aria.

75 L'eccitazione, sparita così in fretta, aveva lasciato quasi tutti gli italiani preoccupati e perplessi. Lo sguardo negli occhi delle persone anziane era disperato, angosciato.

80 Noi eravamo ancora giovani e credevamo ancora che, dietro l'angolo, la vita sarebbe stata piena di alberi in fiore.

NOTE (PRECEDUTE DAL NUMERO DELLA RIGA NEL TESTO)

2. *l'adunata*: assemblea politica, spesso a carattere militare
4. *la sfilata*: parata, processione
6. *a squarciagola*: ad altissima voce
8. *stonato*: disarmonico nel canto
12. *ciondolare*: bighellonare, perdere tempo
13. *il bombolone bisunto*: ciambella, pasta fritta
18. *l'orbace*: un tipo di lana
20. *il basco*: berretto portato a lato della testa
21. *in deliquio*: innamorato di un'idea, che sta per svenire dall'emozione
24. *la sciocchezza*: stupidaggine, assurdità
25. *la "piccola italiana"*: giovane appartenente a un'organizzazione femminile fascista
26. *la "croce al merito"*: medaglia che riconosce un'azione di valore
27. *imbandierato*: decorato con le bandiere
31. *fiero*: orgoglioso
31. *affacciato*: che si sporge da una finestra o balcone
37. *raggiante*: felice
41. *di rado*: raramente, non frequentemente
45. *il "balilla"*: giovane appartenente a un'organizzazione maschile fascista (8-11 anni)
60. *l'infermiera*: chi cura o assiste i feriti
61. *Lotti*: un'amica o forse una parente di Susanna
63. *il ferito*: chi si è fatto male, infortunato
66. *fare acqua*: assorbire acqua
67. *rendersi conto*: notare, accorgersi
72. *l'arto*: parte del corpo umano, ad esempio braccia o gambe
73. *la piaga*: lacerazione, lesione della pelle

DOMANDE DI COMPRENSIONE E DI ANALISI

1. Come viene descritto in generale il fascismo nella prima parte di questa lettura?
2. A quale attività di tipo militare deve partecipare Susanna?
3. Perché un giorno lei è particolarmente felice? Che cosa gli è permesso di fare quel giorno?
4. Spiega l'ironia della frase "È così che conosco la libertà."
5. Come reagivano il padre e il nonno di Susanna agli aspetti più esteriori del fascismo?
6. Di cosa sono particolarmente fiere Susanna e sua madre?
7. Secondo te, perché la mamma di Susanna non ha "mai preso un tram e mai lo prenderà"?
8. Che cosa indignava particolarmente Miss Parker?
9. Nella seconda parte del racconto vediamo un chiaro cambiamento di tono, da leggero (nella prima parte) a serio o tragico (nella seconda parte). Che cosa determina questo cambiamento?
10. Come descrivevano la guerra i feriti dell'ospedale dove Susanna lavorava?
11. Qual è l'aspetto particolarmente triste di una corsia di ospedale, secondo Susanna?
12. Come reagivano i vecchi e i giovani alla guerra?

OSSERVAZIONI GRAMMATICALI SUL TESTO

Qui sotto troverai una lista di aggettivi usati nel testo. Ogni aggettivo è seguito da altri tre aggettivi: due sinonimi e un contrario.

Sottolinea l'aggettivo **contrario** seguendo l'esempio:

Esempio: *fiero:* orgoglioso / dignitoso / <u>umile</u>

preoccupato:	ansioso / tranquillo / nervoso
perplesso:	confuso / sicuro / sconcertato
anziano:	giovane / vecchio / veterano
angosciato:	inquieto / stressato / confortato
disperato:	speranzoso / abbattuto / afflitto
stonato:	armonioso / discordante / dissonante
raggiante:	luminoso / smorto / giubilante
sano:	malato / robusto / forte

Gruppo di Piccole Italiane della Gioventù Italiana del Littorio.

QUALE FILO DIVIDE INNOCENTI E COLPEVOLI?

di Rosetta Loy

Roma, 16 ottobre 1943, cinque del mattino: le SS tedesche irrompono nelle case del quartiere ebraico arrestando più di mille persone: famiglie intere, donne, vecchi e bambini. Due giorni dopo, verranno stipati in un vagone piombato per iniziare un lungo viaggio senza ritorno verso il campo di concentramento di Auschwitz.
Che cosa fecero e non fecero i romani per salvarli? Come reagirono i vicini di casa, i cui figli erano cresciuti e avevano giocato in strada con quei bambini che ora venivano strappati dalle loro case? Rosetta Loy ci racconta alcuni atti di solidarietà e riflette anche sulla nostra colpevolezza, "senza memoria e senza storia".

Oggi conosco storie meravigliose di persone che hanno nascosto intere famiglie dividendo per mesi il miserabile scarsissimo cibo delle **tessere annonarie** e sentendosi gelare le ossa a ogni **scampanellata** so-
5 spetta. Mirella Calò era una bambina di quattro anni con tre sorelle poco maggiori di lei. Il pomeriggio del 15 ottobre uno **stornellaro** di quartiere, Romolo Balzani, avvertì suo padre, che aveva una **bottega di sfasciacarrozze** a via del Pellegrino, di alcune voci
10 che giravano in **questura** secondo cui i tedeschi quella notte sarebbero andati a prendersi gli ebrei. Il padre abbassò la saracinesca e corse a casa, al Testaccio. Non aveva telefono e **avvertì**, come poteva, qualche parente. La moglie infilò alle bambine due paia di mutande,
15 più golf uno sull'altro, il cappotto, e uscì di casa senza toccare niente. Era già tardi, le strade **si stavano svuotando**, e non riuscendo a immaginare niente di meglio, il padre le portò tutte e cinque al **bordello** di via del Pellegrino dove la tenutaria si era detta disposta
20 a nasconderle nella cantina per una notte. Poi cercò di mettersi in salvo scappando verso la campagna.

In quella cantina Mirella con la madre e le sorelle sono rimaste otto mesi. Uscivano solo alla sera in cortile, dopo il **coprifuoco**. La «signora» o
25 il «signor Adolfo», quando tutti i clienti se ne erano andati, scendevano a portargli da mangiare. Nessuno in cantina durante il giorno poteva **fiatare** o fare il minimo rumore per via di quel **via vai** continuo per le scale, inclusi i soldati tedeschi; e per distrarre quelle
30 quattro bambine condannate al silenzio, ogni tanto il «signor Adolfo» scendeva giù a giocare a carte. Così Mirella Calò a quattro anni ha imparato il **«tresette»**, la **«mariaccia»**, **«briscola»** e lo **«scopone»**.

La zia di Mirella, Elisabetta, abitava anche lei al
35 **Testaccio**. Avvertita dal cognato uscì per strada così come si trovava, con i tre bambini e la borsa. Stava per

scattare il coprifuoco e **in preda al panico** si infilò in un tassí. Quando il tassista si voltò a chiederle dove doveva portarla «Che ne so, - rispose. - **So' giudía e i**
40 **tedeschi ce stanno a venní a prenne»**. Il tassinaro impallidì: «Madonna Santa, **mò che ce faccio con questi?** ... » Ma dopo un attimo di **sgomento** durante il quale rimasero a **fissarsi** uno più spaventato dell'altra, l'uomo rimise in moto e li portò tutti e quattro a casa sua
45 dove c'erano la moglie e due bambini. E là sono rimasti anche loro per otto mesi, uno sull'altro in due stanze, nutriti con quel poco che la moglie di Ermete, il tassista, riusciva a rimediare.

A via degli Scipioni 35, angolo via Leone IV, dove
50 la strada perde il suo carattere alto borghese con giardini e alberi di arancio per diventare una via di botteghe e palazzi **umbertini**, c'è uno di quei caseggiati con più portoni dove al numero 35 abitava la famiglia Sermoneta: padre, madre, nonno e Rosetta, che aveva allora diciasset-
55 te anni. La mattina del 16 ottobre, alle sette, la portiera accompagnò alla loro porta due SS. Mentre tutti e quattro si vestivano cercando di mettersi addosso più indumenti pesanti possibili, una delle SS, dopo aver tagliato i fili del telefono e bucato le gomme della bicicletta, ritenendo
60 che ormai tutto si stava svolgendo «regolarmente», se ne andò. La madre fece in tempo a raccogliere la biancheria migliore in una valigia e a consegnarla a degli **sfollati** che abitavano l'appartamento accanto. Dopo, davanti alla SS con il fucile imbracciato, scesero tutti e quattro nell'**an-**
65 **drone** con quel poco bagaglio che potevano portarsi appresso. Il camion non era ancora arrivato, era umido, faceva freddo e piovigginava, alcuni negozi di alimentari avevano già le **saracinesche** tirate su e una piccola fila si stava allungando davanti al fruttivendolo. Rosetta ebbe
70 il permesso di andare fino dal panettiere all'angolo a prendere il pane e tornò indietro dove i genitori con il nonno aspettavano sul portone. Qualcuno che si trovava a

passare per la strada si era intanto avvicinato a quei tre in attesa con le valige, sorvegliati dalla SS con il fucile spianato. Non era difficile capire cosa stava succedendo. In via degli Scipioni i Sermoneta li conoscevano tutti, in quella casa Rosetta era nata e fino a quando le **leggi razziali** non le avevano separate, ogni mattina aveva fatto la strada fino a scuola insieme alla figlia del **fornaio** all'angolo.

Il camion tardava; e nel giro di un quarto d'ora quei pochi che si erano avvicinati erano diventati un piccolo gruppo a cui si aggiungevano di continuo altre persone. La SS aveva allora spinto i Sermoneta sulla strada facendogli svoltare l'angolo su via Leone IV, sempre nella speranza di vedere arrivare il camion. Il gruppo che si era formato davanti al portone li aveva intanto seguiti e mentre il soldato tedesco continuava a far avanzare i Sermoneta con le valige, si andava ancora ingrossando facendosi sempre più vicino. Compatto aveva traversato dietro a loro viale Giulio Cesare, per poi svoltare su viale delle Milizie tra i grandi platani ingialliti dall'autunno. Altra gente si avvicinava, qualcuno diceva «dai, scappate!», ma i Sermoneta non trovavano il coraggio. A un tratto una ragazzina afferrò Rosetta per la manica: era la figlia della donna che aveva il banco delle verdure su viale Giulio Cesare. Di forza la tirò dentro un portone dall'altro lato della strada, ma la portiera spaventata le mandò via dicendo: no, no, qui no. La piccola folla anonima aveva intanto chiuso in mezzo la SS mentre la madre di Rosetta abbandonava in terra la valigia lasciando scivolare giù anche il cappotto pesante che la ingombrava nei movimenti. In un attimo padre, madre, figlia e nonno si ritrovarono a svoltare nella prima **traversa** a sinistra e poi ancora a destra in via Giovanni Bettolo, dove entrarono nel primo portone che si trovarono di fronte. Stavano scendendo nello **scantinato**, quando furono richiamati su: un tassì con il motore acceso li aspettava sulla strada. Non si seppe mai chi fu a chiamarlo, e da dove venisse. I Sermoneta erano troppo spaventati per fare domande; il padre diede l'indirizzo di casa del suo barbiere di piazza in Lucina che qualche tempo prima si era detto disponibile ad aiutarlo.

In casa del barbiere, al Testaccio, Rosetta e la madre restarono un paio di giorni mentre il padre e il nonno furono ospitati dal parroco della chiesa di Santa Maria Liberatrice. In seguito tutti e quattro, separatamente, cambiarono rifugio più volte e Rosetta abitò per diversi mesi nel convento delle Figlie della Carità in piazza dei Quiriti dove la superiora, suor Marguerite Bémes, già da tempo nascondeva altri ebrei ed è oggi ricordata nello stato ebraico tra i Giusti di Israele. (Si sa che la SS, in lacrime, tornò a via degli Scipioni e suono all'appartamento degli sfollati di fronte a quello dei Sermoneta suscitando un pandemonio: voleva a tutti i costi portarsi via almeno la ragazza che aveva più o meno la stessa età di Rosetta).

In Danimarca su 5600 ebrei, i tedeschi sono riusciti a deportarne non più di 513. Qualcuno avvertí in tempo le vittime predestinate e i danesi si mobilitarono in massa per metterle in salvo al di là del breve tratto di mare che separa la Danimarca dalla Svezia. Ogni mezzo in grado di **galleggiare** fu considerato buono. E la Svezia li accolse tutti, senza limitazione di numero.

«Discriminare senza perseguire». Quale filo sottile per dividere gli uomini fra buoni e cattivi. Fra innocenti e colpevoli. Perché se poi altri **si accaniscono** nel «perseguire», questo riguarda loro, i **carnefici**. Non si era Pilato lavato le mani, dimostrandosi in tal modo «innocente» della morte di Cristo?

Brucia dirlo, ma un **orlo nero** segna i nostri giorni incolpevoli, senza memoria e senza storia. E se i Levi non si sono difesi e non sono riusciti a immaginare l'inconcepibile, è anche perché si consideravano, al pari degli altri romani, partecipi di quella garanzia che faceva di Roma una **«città aperta»**. Per troppo tempo avevano condiviso con *noi* giornate tristi e felici, paure, **viltà**, speranze. Erano saliti e scesi per le medesime scale, avevano bevuto lo stesso tè e girato il cucchiaino nella tazza parlando la medesima lingua: in senso lessicale, ma anche nel senso dei sentimenti. Troppo tempo, per sentirsi *altri*. Come immaginare quella mostruosa solitudine davanti alle SS, a quegli ordini che senza inflessione nella voce, nello spazio di venti minuti, li cancellavano dall'*Humano genere*?

Nessuno ha trovato il coraggio per impedire agli uomini di **Dannecker** di far rimbombare i loro stivali su per le scale di via Flaminia 21 e irrompere nelle loro

160 stanze. Nessuno ha fermato i camion che si allontanavano con uomini e donne, bambini svegliati orrendamente dal sonno. **Pio XII** non è comparso bianco e **ieratico** alla stazione di Trastevere per mettersi davanti al convoglio fermo sul binario e 165 impedirne la partenza, così come era apparso tra la folla il giorno del **bombardamento di San Lorenzo**. I vagoni sono stati **piombati** e quel treno è partito senza incidenti, il fischio della locomotiva lungo via Salaria.

NOTE (PRECEDUTE DAL NUMERO DELLA RIGA NEL TESTO)

3. *la tessera annonaria*: documento necessario per l'acquisto di generi alimentari e altri beni di prima necessità durante la Seconda guerra mondiale
4. *la scampanellata*: suono del campanello di casa
7. *lo stornellaro*: chi diffonde notizie nel quartiere
8. *la bottega di sfasciacarrozze:* un negozio che vende rottami di metallo
10. *la questura*: sede centrale della polizia
13. *avvertire*: informare in anticipo
16. *svuotarsi*: diventare vuoto (in questo caso, senza persone o traffico)
18. *il bordello*: casa di appuntamenti per prostitute
24. *il coprifuoco*: obbligo di ritornare a casa ad una data ora
27. *fiatare*: respirare
28. *il via vai*: andirivieni, l'andare e il venire
32. *«tresette», la «mariaccia», «briscola» e lo «scopone»*: giochi di carte diffusi in Italia
35. *il Testaccio*: un quartiere di Roma
37. *in preda al panico*: dominato dalla paura
39. *"So' giudía e i tedeschi ce stanno a vení a prenne"*: dialetto romanesco per "Sono ebrea e i tedeschi stanno venendo a prenderci."
41. *"mò che ce faccio con questi?"*: dialetto romanesco per "adesso cosa faccio con queste persone?"
42. *lo sgomento*: sconcerto, spavento, paura intensa
43. *fissarsi*: guardarsi intensamente
52. *umbertino*: del periodo in cui regnò re Umberto I (1878-1900)
62. *lo sfollato*: chi ha dovuto lasciare la propria residenza abituale a causa della guerra
64. *l'androne*: entrata del palazzo
68. *la saracinesca*: serranda, porta metallica di un negozio
78. *le leggi razziali*: leggi che limitavano i diritti civili degli ebrei; furono approvate dal governo fascista nel 1938

80. *il fornaio*: panettiere, chi fa e vende il pane e la pasta
105. *la traversa*: strada o via che ne incrocia un'altra
108. *lo scantinato*: cantina, il piano sotterraneo di una casa
134. *galleggiare*: stare sull'acqua senza andare a fondo
138. *accanirsi*: infierire, combattere violentemente
139. *il carnefice*: chi esegue una condanna a morte, persecutore
142. *l'orlo nero*: metafora per indicare il lato oscuro, colpevole o vergognoso di una vicenda
147. *«città aperta»*: il 14 agosto 1943 il governo italiano del generale Badoglio dichiarò Roma "città aperta", cioè la cedette ai tedeschi senza combattimento, sperando di salvare i monumenti storici della città dalla distruzione.
148. *la viltà*: codardia, mancanza di coraggio
158. *Theodor Dannecker*: ufficiale tedesco delle SS, responsabile per la deportazione degli ebrei di Roma. Si suicidò nel dicembre 1945 dopo essere stato arrestato dall'esercito alleato
162. *Pio XXII*: il papa della Chiesa cattolica durante gli anni delle Seconda guerra mondiale e fino alla sua morte nel 1958
163. *ieratico*: immobile e solenne
166. *il bombardamento di San Lorenzo*: il 19 luglio 1943 gli Alleati bombardarono il quartiere di San Lorenzo a Roma e causarono la morte di tremila residenti, oltre alla distruzione delle loro case e della Basilica di San Lorenzo Fuori le Mura
167. *piombato*: chiuso a chiave e sigillato con il piombo

DOMANDE DI COMPRENSIONE E DI ANALISI

1. Come seppe il padre di Mirella Calò che i tedeschi avrebbero fatto una retata?
2. Dove si rifugiarono Mirella e la sua famiglia?
3. Che cosa potevano e non potevano fare nel nascondiglio?
4. Come si salvò invece Elisabetta, la zia di Mirella?
5. Che cosa fecero due ufficiali delle SS quando arrivarono nell'appartamento dei Sermoneta?
6. Perché i Sermoneta e le SS aspettavano in strada?
7. Come si comportarono gli abitanti del quartiere di fronte all'arresto dei Sermoneta?
8. Perché Rosetta Sermoneta non era più potuta andare a scuola con la sua amica, la figlia del fornaio?
9. La figlia della donna che aveva il banco delle verdure come aiutò Rosetta?
10. Che cosa abbandonò la madre di Rosetta e perché?
11. Come si salvarono i Sermoneta?
12. Perché suor Marguerite Bémes è ricordata fra i Giusti di Israele?
13. Come reagirono i danesi e gli svedesi alla deportazione degli ebrei?
14. Qual è la relazione fra la storia di Pilato nel Nuovo Testamento e le vicende narrate in questo brano?
15. Perché molti ebrei romani si sentivano sicuri e mai avrebbero immaginato la deportazione?
16. Secondo l'autrice, che cosa avrebbero potuto (e dovuto) fare il papa Pio XII e tutti i romani?

Ghetto di Roma: bassorilievo che illustra la deportazione degli ebrei del 16 ottobre 1943.

OSSERVAZIONI SUL TESTO

Considera i due usi del verbo **stare** nelle frasi seguenti:

1. … le strade si stavano svuotando (riga 16)
2. Stava per scattare il coprifuoco. (riga 36)

Nella frase 1., **stare + gerundio** indica un'azione in progresso al momento della narrazione. Anche l'**imperfetto** può avere questo uso. Difatti, le due frasi **A.** e **B.** qui di seguito hanno lo stesso significato:

A. … le strade si stavano svuotando (riga 16)
B. … le strade si svuotavano

Nella frase 2., invece, **stare per + infinito** descrive un'azione non ancora iniziata, ma in procinto di iniziare.

Stava per scattare il coprifuoco. = Il coprifuoco non era ancora scattato, ma sarebbe scattato entro poco tempo.

Ora trasforma i seguenti verbi usando le due costruzioni con stare. Segui l'esempio della prima riga.

Verbo	Stare + gerundio	Stare per + infinito
Esempio: **scendevano**	stavano scendendo	*stavano per scendere*
uscivano		
si vestivano		
faceva		
aspettavano		
conoscevano		
si aggiungevano		
continuava		
abbandonava		
ingombrava		
cancellavano		

SE QUESTO È UN UOMO

di Primo Levi

In questa poesia Primo Levi ci costringe a meditare sull'olocausto, anzi ci intima di non dimenticarlo e di ricordarlo sempre ai nostri figli.

Voi che vivete sicuri
Nelle vostre tiepide case,
Voi che trovate tornando a sera
Il cibo caldo e visi amici:
5   Considerate se questo è un uomo
Che lavora nel fango
Che non conosce pace
Che lotta per mezzo pane
Che muore per un sí o per un no.
10   Considerate se questa è una donna,
Senza capelli e senza nome
Senza più forza di ricordare

Vuoti gli occhi e freddo il **grembo**
Come una rana d'inverno.
15 Meditate che questo è stato:
Vi comando queste parole.
Scolpitele nel vostro cuore
Stando in casa andando per via,
Coricandovi alzandovi;
20 Ripetetele ai vostri figli.
O vi si **sfaccia** la casa,
La malattia vi impedisca,
I vostri nati **torcano il viso** da voi.

Internati in un campo di concentramento in Germania.

Auschwitz: donne in una baracca al momento della liberazione da parte dell'Armata Rossa.

NOTE (PRECEDUTE DAL NUMERO DELLA RIGA NEL TESTO)

13. *il grembo:* il ventre di una donna, il suo utero o parte più interna
18. *coricarsi:* andare a dormire, a letto
21. *sfare*: distruggere
23. *torcere il viso:* voltarsi bruscamente, rifiutarsi di guardare negli occhi

DOMANDE DI COMPRENSIONE E DI ANALISI

1. Quale immagine ti ha colpito di più di questa poesia?
2. Levi vuole porci dinanzi a un grande contrasto in questa poesia. Quale?
3. Commenta l'uso del modo verbale imperativo in questa poesia: considerate, meditate, ecc.
4. Le tre strofe finali hanno quasi il carattere di una maledizione. Quale tempo verbale usa l'autore per renderle così potenti e shoccanti?

OSSERVAZIONI SUL TESTO

Cambia il soggetto dei verbi all'imperativo da **voi** a **noi**, seguendo l'esempio:

Considerate se questo è un uomo → Consideriamo se questo è un uomo

Come dovrebbero cambiare gli ultimi tre versi? Segui l'esempio:

O vi si sfaccia la casa → O ci si sfaccia la casa.

Qual è l'effetto ottenuto? In che modo cambia la poesia? Perché, secondo te, Levi usa il pronome soggetto voi e non noi?

8 febbraio 1945: Quinta Armata, area di M. Grande. Un sergente maggiore e un caporale nel loro rifugio durante una giornata di pioggia (Museo Storico Italiano della Guerra, Rovereto).

L'INCONTRO CON GLI INGLESI

di Alberto Moravia

Cesira, la narratrice, e sua figlia Rosetta sono entrambe scappate da Roma a causa dei bombardamenti e vivono ora da sfollate con altre famiglie a Sant'Eufemia, un paese nelle montagne della Ciociaria, una zona non lontana da Roma. Michele è uno studente universitario, amico di entrambe, anch'egli sfollato. Due soldati inglesi si sono persi fra le montagne della Ciociaria. È il giorno di Natale, e Rosetta implora la madre di invitare a pranzo i due soldati, sfidando la possibile rappresaglia dell'esercito tedesco che occupa la zona.

Avevo imbandito la tavola di Natale con una tovaglia di lino pesante presa a prestito dai contadini. Rosetta aveva messo intorno i piatti delle **fronde** strappate alla **macchia**, verdi con della bacche rosse
5 che un po' rassomigliavano a quelle che si vedono per le feste a Roma. In un piatto c'era la gallina che per cinque persone era un po' piccola: negli altri il salame, le uova, il formaggio, le arance e il dolce. Il pane l'avevo fatto apposta per quel giorno, ed era ancora caldo del
10 forno e avevo tagliato tanti quarti di pagnotta, una per ciascuno. Mangiammo con la porta aperta, perché nella casetta non c'erano finestre e, se la porta era chiusa, restavamo al buio. Fuori della porta c'era il sole e il panorama di Fondi, bellissimo e pieno di sole, giù giù
15 fino alla **marina** che scintillava forte nel sole. Michele, dopo gli agnolotti, incominciò ad attaccare gli inglesi sul capitolo della guerra. Gliele **diceva chiare e tonde, parlando da pari a pari**; e loro sembravano un poco meravigliati, forse perché non si erano aspettati discorsi
20 come quelli, in un luogo simile, da uno **straccione** quale appariva Michele. Michele, dunque, disse loro che avevano commesso un errore a non **sbarcare** vicino a Roma invece che in Sicilia; in quel momento avrebbero potuto benissimo prendere **senza colpo ferire** Roma e
25 tutta l'Italia meridionale. Avanzando invece passo passo come facevano su per l'Italia, distruggevano l'Italia e, inoltre, facevano soffrire terribilmente le popolazioni che si trovavano, per così dire, **prese tra l'incudine** che erano loro **e il martello** che erano i tedeschi.
30 Gli inglesi rispondevano che loro non sapevano niente

di tutte queste cose, erano soldati e ubbidivano. Michele allora li aggredì con un altro ragionamento: perché facevano la guerra, per che scopo? Gli inglesi risposero che loro la guerra la facevano per
35 difendersi dai tedeschi che volevano **mettere sotto tutti quanti**, compresi loro.

Michele rispose che questo non era sufficiente: la gente si aspettava da loro che, dopo la guerra, creassero un mondo nuovo, con più giustizia,
40 più libertà e più felicità che in quello vecchio. Se loro non fossero riusciti a creare questo mondo, anche loro allora avrebbero in fondo perduto la guerra, anche se, di fatto, l'avessero vinta. L'ufficiale biondo ascoltava Michele con diffidenza e **rispondeva**
45 **corto e raro**; ma il marinaio mi sembrò che avesse le stesse idee di Michele, benché per rispetto all'ufficiale, che era il suo superiore, non avesse il coraggio di esprimerle. Alla fine l'ufficiale **tagliò corto alla discussione** dicendo che l'essenziale,
50 adesso, era vincere la guerra; e che, per il resto, lui si rimetteva al suo governo che ce l'aveva certamente un piano per creare quel mondo nuovo di cui parlava Michele. Capimmo tutti quanti che lui non voleva compromettersi in una discussione imbarazzante
55 e anche Michele, benché ci fosse rimasto male, lo capì e propose a sua volta di bere alla salute del mondo nuovo che sarebbe venuto fuori dalla guerra. Riempimmo dunque i bicchieri con il marsala e bevemmo tutti alla salute del mondo di domani.
60 Michele era persino commosso e ci aveva le lacrime

agli occhi e, dopo questo primo brindisi, volle bere alla salute di tutti gli alleati, compresi i russi che proprio in quei giorni, a quanto pareva, avevano riportato una grande vittoria sui tedeschi. E così eravamo tutti 65 contenti, proprio come lo si deve essere il giorno di Natale; e per un momento, almeno, sembrò che non ci fossero più differenze di lingua o di educazione e che fossimo davvero tutti fratelli e che quel giorno che aveva visto tanti secoli prima la nascita di Gesù nella 70 sua stalla, avesse visto anche oggi nascere qualche cosa di simile a Gesù, qualche cosa di buono e di nuovo che avrebbe reso gli uomini migliori.

Alla fine del pranzo facemmo un ultimo brindisi alla salute dei due inglesi e poi ci abbracciammo tutti 75 quanti e io abbracciai Michele, Rosetta e i due inglesi e loro abbracciarono noialtri e tutti ci dicemmo l'un l'altro: «Buon Natale e buon anno» e io mi sentii per la prima volta veramente contenta da quando ero salita a Sant'Eufemia. Michele, però, osservò, dopo un poco, 80 che questo era bene ma che si doveva anche mettere un limite al sacrificio e all'**altruismo**; e così spiegò ai due inglesi che noi due avremmo potuto offrire loro ospitalità **tutt'al più** per quella notte ma poi, loro era meglio che partissero, perché era veramente 85 pericoloso per loro e per noi che essi **si trattenessero** lassù: i tedeschi potevano sempre venire a saperlo e allora nessuno ci avrebbe salvato dalla loro vendetta. Gli inglesi risposero che capivano queste esigenze e ci assicurarono che sarebbero partiti il giorno dopo. 90 Tutto quel giorno restarono insieme con noi.

Parlarono di un po' di tutto con Michele; e io **non potei fare a meno** di notare che mentre Michele pareva benissimo informato sui paesi loro, anzi quasi quasi meglio di loro, loro, invece, sapevano poco o 95 nulla dell'Italia in cui **purtuttavia** si trovavano e facevano la guerra. L'ufficiale, per esempio, ci disse che era stato all'università, dunque era istruito. Ma Michele, **gratta gratta**, scoprì che non sapeva neppure chi fosse Dante. Ora io non sono istruita e 100 quello che ha scritto Dante non l'ho mai letto, ma il nome di Dante lo conoscevo e Rosetta mi disse che **dalle suore**, dove era stata a scuola, non soltanto gliel'avevano insegnato chi fosse Dante ma anche le avevano fatto leggere qualche cosa. Michele ce lo disse 105 piano questo fatto di Dante; e, sempre sottovoce, in un momento che quelli non ci sentivano, aggiunse

che così si spiegavano tante cose, come per esempio i bombardamenti che avevano distrutto tante città italiane. Quegli aviatori che gettavano le bombe non 110 sapevano niente di **noialtri** e dei nostri monumenti; l'ignoranza li rendeva tranquilli e senza pietà; e l'ignoranza, soggiunse Michele, era forse la causa di tutti i guai nostri e degli altri, perché la malvagità non è che una forma dell'ignoranza e chi sa non può veramente fare 115 il male.

Alleati entrano nel villaggio di Barbiano (Ravenna) nell'aprile 1945.

NOTE (PRECEDUTE DAL NUMERO DELLA RIGA NEL TESTO)

1. *imbandire:* apparecchiare per una festa
3. *la fronda:* ramo con attaccate le foglie
4. *la macchia:* bosco o sottobosco
15. *la marina:* la costa, la spiaggia
17. *dirle chiare e tonde:* parlare con sincerità, apertamente
18. *parlare da pari a pari:* trattare la persona con cui si parla come un nostro uguale, parlare con confidenza e sincerità
20. *straccione:* uomo all'apparenza povero, vestito male
22. *sbarcare:* arrivare su una costa dal mare
24. *senza colpo ferire:* senza combattere
28. *preso fra l'incudine e il martello:* messo in una situazione difficilissima dalla quale è impossibile uscire
35. *mettere sotto tutti quanti:* opprimere tutti

44. *rispondere corto e raro:* rispondere raramente e con poche parole
48. *tagliare corto alla discussione:* mettere fine a una discussione
81. *l'altruismo:* generosità e amore verso gli altri
83. *tutt'al più:* al massimo, non oltre
85. *trattenersi:* restare
92. *non potere fare a meno di:* non potere evitare di fare qualcosa
95. *purtuttavia:* nonostante questo
98. *gratta gratta:* dopo aver fatto molte domande, dopo un'accurata ricerca
102. *dalle suore:* la scuola privata gestita da religiose che Rosetta aveva frequentato
110. *noialtri:* noi

DOMANDE DI COMPRENSIONE E DISCUSSIONE

1. Che cosa aveva preparato Cesira? Perché aveva cucinato un pranzo speciale? Chi altro invitò Cesira?
2. Che errore hanno commesso gli Alleati, secondo Michele?
3. Come risposero gli inglesi alle argomentazioni di Michele?
4. Quali erano le aspettative della gente, secondo Michele?
5. Qual era la cosa essenziale, secondo l'ufficiale inglese?
6. A che cosa brindarono alla fine della discussione i protagonisti di questo brano?
7. Commenta le riflessioni di Cesira sulla festa di Natale e sul significato dell'abbraccio finale fra gli inglesi, Michele e Rosetta.
8. Qual era la differenza fra Michele e gli inglesi, in termini di istruzione?
9. In che modo potevano spiegarsi, secondo Michele, i bombardamenti che distruggevano le città italiane?

OSSERVAZIONI SUL TESTO

Considera l'uso del congiuntivo imperfetto nella seguente frase:

Volevo che gli inglesi rimanessero per il pranzo di Natale.

In questa frase il verbo principale è in un tempo **passato** ("Volevo"), pertanto il verbo nella frase dipendente deve essere al congiuntivo imperfetto.

Se si cambia il verbo principale al **presente** ("Voglio"), anche il congiuntivo deve essere al presente:

Voglio che gli inglesi rimangano per il pranzo di Natale.

Ora riscrivi le seguenti frasi cambiando il tempo del verbo principale al **presente** e facendo tutti gli altri cambiamenti necessari.

1. La gente **si aspettava** che loro, dopo la guerra, creassero un mondo nuovo …

2. … il marinaio mi **sembrò** che avesse le stesse idee di Michele benché per rispetto dell'ufficiale [...] non avesse il coraggio di esprimerle.

3. … loro **era** meglio che partissero perché **era** veramente pericoloso per loro e per noi che essi si trattenessero lassù.

GISELLA, MINISTRO DELLA REPUBBLICA DELLA VAL D'OSSOLA

di Miriam Mafai

In questo brano leggiamo la testimonianza di Gisella, una giovane donna milanese che diventa partigiana nelle montagne della Val d'Ossola, poi ministro del territorio liberato della Repubblica della Val d'Ossola. La Repubblica dura solo 40 giorni, prima dell'arrivo dei tedeschi, ma costituisce un'importante esperienza di auto-governo in territorio occupato. All'inizio della sua narrazione, Gisella è in carcere in Svizzera, arrestata per aver passato illegalmente la frontiera ma, appena liberata, ritorna in Val d'Ossola, dove scopre che i suoi compagni, durante la sua prigionia, l'hanno nominata Ministro della Repubblica.

Un gruppo di partigiani e partigiane ancora in armi nella zona di Pistoia.

Nell'autunno del 1944, quando gli Alleati premono contro la **Linea Gotica** e lo sfondamento appare questione di settimane, se non di giorni, alcune zone insorgono e si autodefiniscono Repubbliche partigiane.
5 Le forze fasciste e tedesche sono impegnate sulla linea del fronte a contenere l'avanzata angloamericana, ma quando su quella linea i combattimenti sono sospesi, i reparti specializzati possono andare all'attacco di queste fragili repubbliche e riconquistarle.
10 **Alba** rimane in mano dei partigiani per solo tre settimane, dal 10 ottobre al 2 novembre del 1944; l'**Ossola** è libera repubblica per quaranta giorni. E per la prima volta, in quella repubblica, c'è una donna ministro.
È una signora alta, bionda, profilo **botticellia-**
15 **no**, elegante anche quando ha indosso un vecchio golf troppo largo e scarponi di **vacchetta** troppo stretti. È una signora che appartiene alla buona borghesia milanese, padre finanziere, palco alla **Scala**, studi di musica severi e inverno a **Cortina**, che a un certo punto della
20 sua vita ha scelto, per rigore morale e gusto della libertà, di fare antifascismo militante assieme a un gruppo di intellettuali milanesi legati a **Giustizia e Libertà** e poi al Partito socialista. È già sposata e ha una bambina di due anni quando è costretta a lasciare Milano per
25 rifugiarsi in Svizzera. Siamo all'immediata vigilia della guerra. Il dentista di suo padre, che è anche il dentista del questore, ha sentito dire che i numerosi viaggi di quella musicista elegante e bionda cominciano a destare dei sospetti. Infinite sono le vie della salvezza.

30 Gisella si rifugia a Ginevra. Lì, tra gli emigrati italiani, continua a occuparsi di politica e di musica, raccoglie fondi per il movimento clandestino che comincia a organizzarsi in Italia, aderisce al Partito comunista. Rientra in Italia dopo il **25 luglio**, bussa alle porte di
35 tutti i suoi amici ricchi: il movimento ha bisogno di denaro. Va avanti e indietro con la Svizzera, alla ricerca di finanziamenti e solidarietà.

Quando è già costituita la Repubblica di Salò e l'Italia del Nord è occupata dai tedeschi, viene arrestata
40 dalla polizia svizzera mentre tenta, ancora una volta, di attraversare clandestinamente il confine per tornare a Milano. Resta in carcere per alcuni mesi. Esce, riattraversa il confine, ritorna a Milano, sfidando sempre la sorte, con la sua aria di signora molto perbene, i capelli
45 biondi legati sulla nuca, le belle mani da pianista strette attorno a una borsa nella quale nasconde milioni.

È arrestata di nuovo, sempre dagli svizzeri, nel corso di una di queste missioni. Poi, un giorno, la suora del carcere va nella sua cella e le dice: «Signora, le
50 do una bella notizia: le nostre frontiere sono piene di partigiani». Tutta l'Ossola era stata liberata, per un territorio che contava oltre 80.000 abitanti e 32 comuni, un territorio che confinava con il **Canton Ticino** e il lago Maggiore, e si infilava come un triangolo nella Svizzera.
55 «Dopo che la suora mi aveva dato la bella notizia, **venni scarcerata**. Furono gli stessi ufficiali svizzeri che mi avevano fatto l'interrogatorio ad accompagnarmi fino al confine. Mi **congedarono** facendomi il saluto

militare. Nel Municipio di Domodossola si era insediato il governo della nuova repubblica. Quando arrivai, Tibaldi, che era il presidente, mi annunciò che, in mia assenza, mi avevano nominato ministro. La repubblica era presidiata da quattromila partigiani che si distinguevano per il colore del fazzoletto annodato al collo. Rosso per i **garibaldini** di **Moscatelli**, azzurro per gli uomini delle formazioni dei **fratelli Di Dio**, verde per **quelli di Superti**. Io avevo il fazzoletto rosso ed ero comandante di distaccamento della Centonovantaduesima Brigata Garibaldi. Moscatelli mi regalò una rivoltella e mi insegnò ad usarla.»

Per quaranta giorni, Gisella fa il ministro. In Italia le donne non hanno ancora il diritto di voto.

«Dovevo provvedere in fretta a un minimo di assistenza. I primi aiuti arrivarono dagli amici della Croce Rossa svizzera, che organizzò anche il trasferimento verso il Canton Ticino di un certo numero di bambini bisognosi di maggiori cure e assistenza. Per la distribuzione dei soccorsi, vennero costituite commissioni nelle quali entrarono semplici cittadini dei diversi comuni della repubblica. Le donne entravano nelle commissioni di controllo dei prezzi, gli operai discutevano dei nuovi contratti di lavoro. Ci fu un trionfo, una vera esplosione di politica nella valle liberata.

Eravamo terribilmente poveri. Eravamo **privi di** cibo, di rifornimenti, di medicinali. Sentivamo il dramma della sopravvivenza. Il problema era come trovare da mangiare. Io e tutto il governo della repubblica **ci sfamavamo** con cinque patate al giorno. Il clima era disperato, ma noi ci comportavamo come se quella repubblica avesse dovuto vivere sempre. E invece visse solo quaranta giorni. Quando, a metà ottobre, la repubblica venne schiacciata dall'offensiva dei tedeschi e dei fascisti, mi preoccupai ancora dei bambini. Rac-

cogliemmo i più poveri e i più esposti. Avevamo paura delle eventuali rappresaglie. A ogni bambino misi al collo un cartello, con nome e cognome, e li affidai alla Croce Rossa. Si sarebbero salvati passando quell'ultimo inverno presso famiglie svizzere.

Quando i nazisti entrarono a Domodossola, l'ultimo **convoglio** di bambini stava passando il confine. Passarono il confine anche molti esponenti politici che sarebbero poi rientrati in Italia. Io volli rimanere. Moscatelli aveva dato l'ordine che le donne e i bambini andassero via. Adesso può sembrare un po' enfatico, ma di fronte alle sue insistenze io gli risposi che io non ero una donna, ma il ministro della repubblica. Fu allora che Moscatelli mi regalò la **rivoltella**, e mi avvertì che la **ritirata** sarebbe stata dura.»

[...]

«Camminammo per trenta giorni. Anzi, di giorno stavamo nascosti e di notte facevamo le valli passando sulle montagne. Attraverso cinque **contrafforti** sui quali in quell'inverno spaventoso era già caduta la neve, riuscimmo a raggiungere la **Valsesia**. Facevo parte di una Brigata Garibaldi che dipendeva da Moscatelli e raggiungemmo il Comando. Fui l'unica donna a fare la **traversata**, ma non è merito solo mio. È merito di mio padre che ci aveva dato un'educazione molto anglosassone, molto sportiva. Se non avessi avuto quella educazione non sarei mai riuscita a fare i contrafforti.

Arrivata in Valsesia però crollai; **per via delle** scarpe troppo strette avevo i piedi che erano tutta una **piaga**. Così dovetti passare alcune settimane in ospedale. Ne uscii che eravamo alla vigilia del Natale del 1944. È stato l'inverno più freddo della mia vita.»

NOTE (PRECEDUTE DAL NUMERO DELLA RIGA NEL TESTO)

2. *Linea Gotica*: linea difensiva fortificata nel centro-nord dell'Italia, tracciata dai nazifascisti per arginare l'avanzata delle truppe alleate. Univa la sponda tirrenica a quella adriatica, da Massa Carrara in Toscana a Pesaro nelle Marche.

10. *Alba*: comune in provincia di Cuneo. Fu sede della Repubblica Partigiana di Alba, un territorio liberato che mantenne l'indipendenza solo per 23 giorni, dal 10 ottobre al 2 novembre 1944.

12. *Ossola*: Val d'Ossola, una valle italiana alpina e prealpina, teatro delle vicende narrate in questo brano

14. *botticelliano*: somigliante ai visi dei quadri di Sandro Botticelli (1445-1510), pittore rinascimentale italiano

16. *vacchetta:* un tipo di pelle usata per fare le scarpe

18. *Scala*: Teatro alla Scala, celebre teatro d'opera di Milano

19. *Cortina*: Cortina d'Ampezzo, località sciistica nelle Dolomiti

22. *Giustizia e libertà*: movimento antifascista di ispirazione socialista fondato da espatriati italiani a Parigi nel 1929

34. *25 luglio*: il 25 luglio 1943, data che segna la fine del regime fascista: quel giorno il Gran Consiglio del Fascismo votò una mozione di sfiducia contro Mussolini

53. *Canton Ticino*: regione della Svizzera di lingua italiana

56. *venire scarcerata:* essere liberata, poter lasciare il carcere

58. *congedare*: lasciare andare qualcuno

65. *i garibaldini*: i partigiani che facevano riferimento al Partito comunista e a Moscatelli

65. *Moscatelli*: Cino Moscatelli (1908-1981), comandante delle Brigate Garibaldi della Val d'Ossola, uno dei partigiani più noti e ammirati del nord Italia

66. *i fratelli Di Dio*: Alfredo e Antonio Di Dio, due partigiani cattolici di origine palermitana, uccisi dai nazifascisti in Val d'Ossola

67. *quelli di Superti*: i partigiani associati a Dionigi Superti, ex aviatore, un comandante partigiano della Repubblica della Val d'Ossola

84. *essere privi di*: mancare di qualcosa, non avere

88. *sfamarsi*: vincere, superare la fame

99. *il convoglio*: gruppo di persone che si trasferiscono da un luogo ad un altro

107. *la rivoltella*: la pistola, il revolver

108. *la ritirata*: il ripiegamento o la fuga di un gruppo di soldati, in questo caso i partigiani, quando il combattimento è impossibile

112. *il contrafforte*: catena di montagne che blocca il passaggio

114. *Valsesia*: valle alpina ai piedi del Monte Rosa, sede della Repubblica Partigiana della Valsesia, un territorio liberato dai nazifascisti che mantenne la sua indipendenza dall'11 giugno 1944 fino alla liberazione del nord Italia, avvenuta il 25 aprile 1945

117. *la traversata*: l'attraversamento, il passaggio da una valle a un'altra

121. *per via di*: a causa di

123. *la piaga*: una ferita aperta, una lesione nella pelle

DOMANDE DI COMPRENSIONE E DISCUSSIONE

1. Quali eventi danno la possibilità ai nazifascisti di riconquistare le repubbliche partigiane?
2. Chi era Gisella? Che cosa ti sorprende della sua collocazione sociale?
3. Perché viene arrestata? Che cosa faceva per la Resistenza quando venne arrestata?
4. Quale ruolo ufficiale copriva Gisella nella Repubblica della Val d'Ossola?
5. Commenta la seguente frase: *" Ci fu un trionfo, una vera esplosione di politica nella valle liberata."* (righe 82-83)
6. Quanti giorni durò e come finì la Repubblica?
7. Commenta le seguenti parole di Gisella: *"...io non ero una donna, ma il ministro della repubblica."* (righe 105-106)
8. Quale fu il merito particolare del padre di Gisella?
9. Quale aspetto dell'esperienza di Gisella ti ha colpito di più?

OSSERVAZIONI GRAMMATICALI SUL TESTO

Considera l'uso della **voce passiva** nella seguente frase:

La repubblica era presidiata da quattromila partigiani (...)

Trasforma la **voce passiva** in **attiva**, come segue:

Quattromila partigiani presidiavano la repubblica.

Fai lo stesso con le seguenti frasi, passando dalla voce passiva alla attiva e viceversa:

1. La repubblica venne schiacciata dall'offensiva tedesca.

2. Venni scarcerata dagli ufficiali svizzeri.

3. Ero stata nominata ministro da Moscatelli.

4. Vennero costituite commissioni per la distribuzione dei soccorsi (dai partigiani).

5. Io affidai ogni bambino alla Croce Rossa.

Antonietta e Gabriele
sulla terrazza.

UNA GIORNATA PARTICOLARE
(1977), regia di Ettore Scola

INTRODUZIONE
È il 6 maggio 1938: Hitler arriva in visita ufficiale a Roma e il regime fascista di Mussolini organizza una giornata celebratoria in tutta la città.
Il grande caseggiato dove abitano Antonietta, suo marito Emanuele e i loro sei figli, si è completamente svuotato: tutti sono andati alla parata, con l'eccezione di Antonietta perché per lei viene prima il lavoro domestico. Anche un altro inquilino del palazzo, un misterioso ex-annunciatore alla radio, è rimasto a casa. I due si incontrano e, anche se hanno molto poco in comune, stabiliscono un rapporto che solo questa giornata particolare ha reso possibile.

PERSONAGGI E INTERPRETI PRINCIPALI
Antonietta (casalinga): *Sofia Loren*
Gabriele (annunciatore alla radio): *Marcello Mastroianni*
Emanuele (marito di Antonietta): *John Vernon*
La portinaia: *Francoice Berd*

NOTE CULTURALI
3 maggio 1938: Hitler arrivò a Roma in visita ufficiale.
La tassa sul celibato: il fascismo faceva pagare una tassa agli uomini celibi, non sposati.
Il confino politico: durante il fascismo, gli antifascisti e gli omosessuali erano mandati a vivere in luoghi isolati (isole, piccoli paesi del sud) per soggiorni obbligati che duravano anni. Si trattava di una specie di esilio interno.

DOMANDE DI COMPRENSIONE E DISCUSSIONE
1. Spiega il titolo: Una giornata particolare.
2. Perché, secondo te, il regista ha iniziato il film con un lungo documentario sulla visita di Hitler a Roma?
3. Chi è Antonietta? Che cosa sappiamo della sua vita?
4. Chi è Gabriele? Che cosa sappiamo della sua vita?
5. Come si conoscono Gabriele e Antonietta?
6. Che cosa hanno in comune?
7. Che cosa succede ad Antonietta e a Gabriele alla fine?
8. L'uccello di Antonietta e il romanzo che Gabriele dà ad Antonietta sono due simboli importanti nel film. Che cosa rappresentano, secondo te?

Fra le seguenti citazioni, scegline **una** che ti sembra importante per capire le tematiche del film ed i personaggi. Prepara un breve commento alla tua citazione spiegando chi pronuncia quelle parole, il contesto della scena e il suo significato. (NOTA: le citazioni non sono nell'ordine in cui appaiono nel film)

    a. È tutto così assurdo. Secondo loro dovremmo sentirci in colpa. Oggi stavo... come si dice... stavo per commettere una sciocchezza. Mi ha salvato l'arrivo di una che abita qui vicino.

b. Io non credo che l'inquilino del sesto piano sia antifascista, semmai il fascismo è anti-inquilino del sesto piano!

c. - "Il genio è solamente maschio." Lei ci crede?
   - Sono sempre gli uomini che riempiono i libri di storia.

d. C'è una frase nel tuo album: "L'uomo deve essere marito, padre e soldato" … io non sono né marito né padre e né soldato! Non mi hanno mandato via dalla radio per la mia voce … disfattista, inutile e con tendenze depravate.

e. Pure io tante volte mi sento umiliata, considerata meno di zero; mio marito con me non parla, ordina, di giorno e di notte. È da quando eravamo fidanzati che non ci facciamo più una risata insieme… lui ride fuori casa, con le altre.

f. Una lettera come quella, anche quando gli volevo bene, non gliel'ho mai scritta perché non la so scrivere.

L'UOMO CHE VERRÀ
(2009), regia di Giorgio Diritti

INTRODUZIONE

Gennaio 1943 - settembre 1944: nove lunghi mesi di privazioni e sofferenze per una famiglia contadina dell'Appennino emiliano, sempre sotto la minaccia delle rappresaglie dei tedeschi che, con l'aiuto dei fascisti, cercano di debellare la tenace resistenza partigiana del mitico Lupo e del suo gruppo. Ma questi nove mesi sono marcati anche dal concepimento e dalla nascita di un bambino, il fratellino della piccola Martina di otto anni, figlia dei contadini che vivono e lavorano in queste colline.

Armando e Lena in *L'uomo che verrà*.

Anche se i personaggi sono inventati (con l'eccezione dei due preti, don Ubaldo Marchioni e don Giovanni Fornasini) le vicende che fanno da sfondo al film sono storiche: dal 29 settembre al 5 ottobre 1944 le truppe tedesche, con l'aiuto dei fascisti, uccisero freddamente quasi ottocento civili (compresi vecchi, donne e bambini), per lo più contadini delle colline attorno a Marzabotto, in rappresaglia per le azioni di guerriglia messe in atto dai partigiani del gruppo Stella Rossa. La strage è nota come l' "Eccidio di Marzabotto" (dal nome del maggiore comune della zona).

PERSONAGGI E INTERPRETI PRINCIPALI
Martina (bambina di otto anni): *Greta Zuccheri Montanari*
Lena (madre di Martina): *Maya Sansa*
Armando (padre di Martina): *Armando Casadio*
Beniamina (zia di Martina): *Alba Rohrwacher*
Signor Buganelli: *Stefano "Vito" Bicocchi*
Signora Buganelli: *Eleonora Mazzoni*

DOMANDE DI COMPRENSIONE E DISCUSSIONE

1. Il film si apre e si chiude con chiari riferimenti all' "uomo che verrà"? Spiega il titolo del film facendo riferimento all'inizio e alla fine del film.

2. All'inizio del film che cosa cerca di ottenere il padre di Martina quando parla con il funzionario fascista?

3. Il regista decide di affidare il ruolo principale a Martina, una bambina di otto anni. Spiega il personaggio di Martina nel contesto della vita familiare e delle vicende narrate facendo riferimento ad almeno tre scene.

4. In che circostanze Martina perse la parola? Come la riacquista?

5. Perché la maestra di Martina chiama a scuola Lena, la mamma di Martina?

6. Che cosa consiglia la maestra a Lena, e perché le dà quel consiglio?

7. Com'è la vita di questa famiglia? Com'è rappresentata la vita contadina di questo periodo?

8. Che cosa ti ha sorpreso o colpito di più della vita di questi contadini?

9. Come passano il tempo i contadini la sera quando intrecciano i cesti nella stalla?

10. Beniamina, la ragazza con i capelli rossi, zia di Martina, ha una personalità particolarmente forte. Come esprime la sua ribellione alla disciplina della madre?

11. Cosa succede a Beniamina alla fine del film?

12. Chi è veramente il mercante che la famiglia ospita?

13. Lena, la madre di Martina, domanda al marito "Dov'eri?" quando i tedeschi prendono tutte le loro mucche. Questa domanda è un'anticipazione della fine del film. Spiega.

14. Il ruolo dei partigiani: come vengono rappresentati in questo film? Qual è il loro rapporto con i contadini?

15. Descrivi e commenta la scena finale.

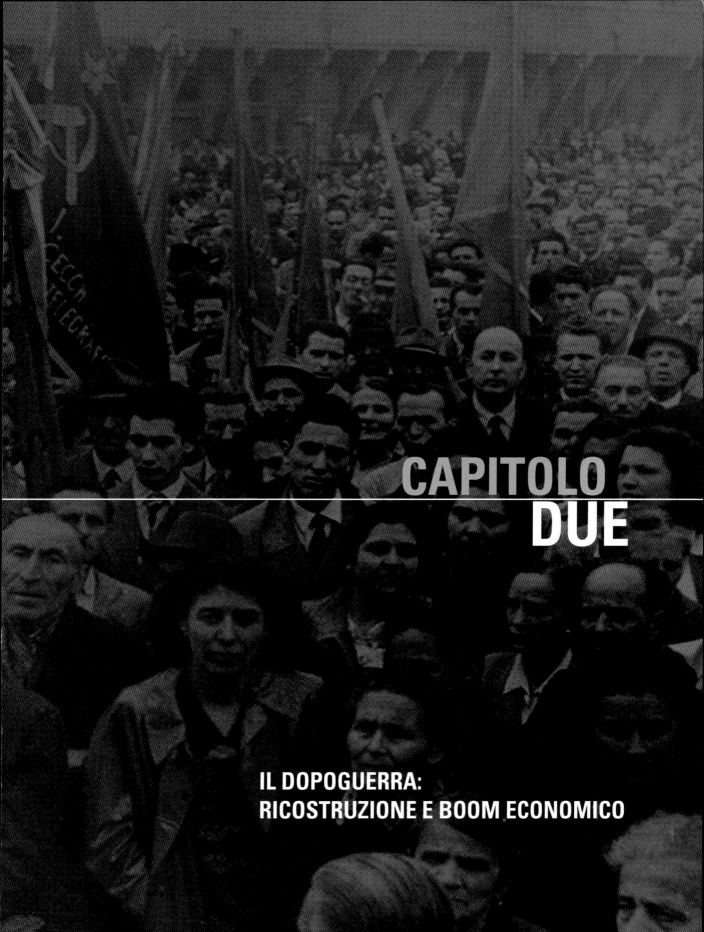

CAPITOLO
DUE

IL DOPOGUERRA:
RICOSTRUZIONE E BOOM ECONOMICO

A GUERRA FINITA, QUALE FUTURO PER LA NAZIONE?

13 maggio 1945, Vercelli. Un gruppo di partigiani riconsegna le armi dopo la smobilitazione.

L'Italia dell'immediato dopoguerra doveva affrontare tre questione fondamentali:
- La ricostruzione economica.
- La formazione di una società civile basata sulla partecipazione dei cittadini alla vita democratica dopo vent'anni di dittatura.
- L'assetto politico del nuovo Stato: più concretamente, l'Italia sarebbe rimasta una monarchia o sarebbe diventata una repubblica con una nuova costituzione?

La guerra aveva avuto effetti devastanti su tutta la penisola: i bombardamenti avevano distrutto abitazioni, industrie e infrastrutture, specialmente nel centro-nord; la lentissima avanzata degli Alleati e la conseguente ritirata dei tedeschi avevano provocato danni irreparabili al territorio nazionale. Tutti, senza eccezione, furono toccati dalla guerra: molte famiglie erano state divise (gli uomini al fronte, oppure deportati in Germania, prigionieri o dispersi, altri in montagna con i partigiani; le donne e i bambini sfollati in campagna lontano dai bombardamenti); il cibo e altri beni di immediata necessità scarseggiavano ovunque, anche per i più benestanti che potevano permettersi di comprare al mercato nero; i continui bombardamenti avevano traumatizzato la popolazione creando un senso continuo di pericolo e precarietà.

Alla fine della guerra, con il ritorno dei prigionieri e dei reduci di guerra, il numero di disoccupati raggiunse quasi i due milioni. Nonostante possa sembrare secondario in questo contesto di miseria e disperazione, non bisogna dimenticare il danno subito dal patrimonio artistico nazionale. In conclusione, gli obiettivi concreti e immediati del dopoguerra erano il ricongiungimento delle famiglie, la ricostruzione di abitazioni, strade, ponti, e ferrovie, la ripresa produttiva nelle fabbriche e nell'agricoltura, il ripristino del commercio e delle comunicazioni, e infine la creazione di posti di lavoro.

Esisteva però anche il problema della costruzione di una coscienza civile, base insostituibile di una società democratica: molti erano cresciuti ed erano stati educati sotto una dittatura che scoraggiava la partecipazione alla vita politica della nazione ed esaltava l'obbedienza cieca ad un capo. Altri ancora avevano la responsabilità morale di aver appoggiato quello stesso regime che aveva portato la nazione allo sfacelo della guerra. Il movimento di Resistenza partigiana nel centro-nord aveva indubbiamente dimostrato al resto del mondo la volontà degli italiani di fondare una nazione diversa, il cui modello erano le repubbliche democratiche create nei territori liberati ancor prima dell'arrivo degli Alleati. Ma molto restava da fare, e l'Italia rimaneva un Paese profondamente diviso.

Nuovi e vecchi caseggiati si confrontano alle Rampe Brancaccio, Napoli, anni '50.

Nel sud d'Italia, infatti, il coinvolgimento diretto della popolazione alla liberazione nazionale e alla lotta antifascista era stato limitato, a causa dell'occupazione di questi territori da parte degli Alleati: in altre parole, al contrario di quanto avvenne nel centro-nord, il sud non si era liberato ma era stato liberato dagli Alleati. Questa realtà storica contribuì ad allineare il nord su posizioni più progressiste e il sud su posizioni più conservatrici, intensificando una frattura esistente già dai tempi dell'unificazione nazionale.

In tutta Italia, comunque, la fine del regime fascista significò il risorgere di un vivacissimo dibattito politico e ideologico, accompagnato da un vero "rinascimento" in campo letterario e artistico. Bisognava costruire una nuova nazione sulle rovine della guerra, e tutti si sentivano protagonisti di uno straordinario momento storico. Ci si interrogava sulle origini del fascismo: quali erano stati i fattori che avevano permesso o favorito la nascita della dittatura fascista? Il fascismo era stato una semplice parentesi nella storia della nazione, un'anomalia prodotta dalle difficoltà del primo dopoguerra, e quindi facilmente superabile con un semplice ritorno al passato pre-fascista? Oppure era stato il prodotto logico della società italiana che non era mai riuscita a realizzare una vera democrazia liberale? Se questo era vero, il fascismo poteva ritornare in qualsiasi momento perché rappresentava, come Piero Gobetti aveva detto, "l'autobiografia della nazione".

Queste erano questioni importanti perché la risposta avrebbe determinato la direzione della nuova nazione: l'Italia del dopoguerra sarebbe stata una nazione del tutto rinnovata, costruita dopo un'operazione di taglio netto con il passato, oppure si sarebbe semplicemente tornati a uno Stato pre-fascista, senza nessun reale processo innovatore? La questione più immediata era: la **Monarchia**,

Manifestazione del Primo Maggio
1949 a Firenze.

rappresentata dalla **Casa Reale dei Savoia**, sarebbe sopravvissuta alla vergogna di aver appoggiato il fascismo, le leggi razziali, l'alleanza con Hitler e l'entrata in guerra, oppure l'Italia sarebbe diventata una **Repubblica** con una nuova **Costituzione**?

I PARTITI POLITICI ITALIANI DELL'IMMEDIATO DOPOGUERRA

La **Democrazia Cristiana (DC)** e il **Partito Comunista Italiano (PCI)** si presentarono da subito come i più importanti partiti politici. La loro contrapposizione rifletteva in parte la divisione fra i due grandi blocchi (la NATO e il Patto di Varsavia) che cominciava a delinearsi a livello internazionale con l'inizio della **guerra fredda**.

La DC era l'erede del vecchio Partito Popolare di ispirazione cattolica. Nonostante il suo ruolo marginale durante la lotta antifascista, la direzione politica di **Alcide De Gasperi** seppe trasformare la DC in un vero partito centrista e di massa, con una larga base di consensi che andava dal grande capitale alla piccola-media borghesia, e comprendeva anche la

Uscita dal lavoro, anni '50.

Un bambino lavora ad un distributore, Roma anni '50.

maggioranza del mondo contadino. La DC comprese le profonde esigenze di sicurezza e stabilità sentite dalla maggioranza della popolazione che non voleva che la guerra sfociasse in una rivoluzione sociale: presentandosi anche come l'unico partito in grado di difendere l'Italia dal pericolo del comunismo, la DC ottenne il pieno appoggio delle classi medio-alte.

La DC era garante non solo della stabilità del sistema capitalistico ma anche di quei valori cristiani nei quali la maggior parte degli italiani si riconosceva: questi comprendevano un certo livello di uguaglianza sociale sostenuta da un forte intervento dello Stato nella sanità e nel sistema pensionistico così come nei trasporti, nella pubblica istruzione e nei servizi alle famiglie. Sapendo quindi combinare, senza forti contraddizioni, una politica a sostegno del grande capitale con una politica di rafforzamento del *welfare*, cioè dello stato sociale, ispirata a principi cristiani di solidarietà e uguaglianza, la DC si assicurò l'appoggio degli Stati Uniti e anche della Chiesa cattolica con tutte le sue organizzazioni di base. La DC diventò così un vero partito di massa che seppe mantenere la maggioranza relativa alle elezioni e il controllo sul governo durante tutti i primi 45 anni del dopoguerra.

La seconda forza politica era il Partito Comunista Italiano (PCI) che, sotto la direzione di **Palmiro Togliatti**, godeva dell'appoggio attivo della classe operaia, specialmente nelle grandi città del nord. Il PCI era anche il partito con la più forte organizzazione, grazie alla quale era riuscito a sopravvivere durante gli anni più bui della repressione fascista e a riorganizzarsi negli ultimi anni di guerra, in parte all'estero, in parte sul territorio nazionale. Essendo stato il principale artefice della resistenza armata contro il nazifascismo, il PCI godeva di un grande prestigio. In politica interna, si presentava come un partito relativamente moderato, con alcune posizioni ambivalenti: da una parte sosteneva la democrazia occidentale, dall'altra la rivoluzione proletaria; non metteva in discussione il blocco occidentale (la NATO), ma conduceva anche una feroce campagna anti-americana. Secondo il PCI, la rivoluzione socialista doveva seguire una "via italiana" autonoma dal modello sovietico. Allo stesso tempo, il PCI continuava a mantenere forti legami con la "patria del socialismo" anche perché i suoi militanti consideravano l'URSS la roccaforte della resistenza contro l'avanzata del nazismo in Europa. Questa posizione ambivalente fu una delle cause dell'immobilità politica nei primi decenni del dopoguerra: la DC rimase sempre al governo e il PCI, con l'eccezione dei primi governi di unità nazionale nel periodo 1945-47, fu sempre all'opposizione. Una vera alternanza di potere fra forze conservatrici e progressiste cominciò in Italia solo alla fine degli anni '90.

Altri partiti presenti sulla scena politica italiana erano il **Partito Socialista di Unità Proletaria** (**PSIUP**), successivamente rifondato come **Partito Socialista Italiano** (**PSI**), [1] che aveva un ruolo subalterno rispetto al PCI, e il **Partito d'Azione**, un partito progressista che aveva avuto un ruolo di primo piano durante la Resistenza, ma che si sciolse nel 1946. Un altro partito dell'area democratica era il **Partito Liberale Italiano** (**PLI**), che si poneva come garante degli interessi del grande capitale, ma che non riuscì mai a sostituire la DC nel suo ruolo di grande partito popolare e centrista.

Il fattore più preoccupante dell'immediato dopoguerra fu la presenza sulla scena politica italiana di due partiti che volevano un ritorno al passato:

- Il **Partito Monarchico** voleva una continuazione della monarchia, nonostante le pesanti responsabilità che la casa reale dei Savoia aveva avuto nel sostenere il fascismo e l'entrata in guerra.

- Il **Movimento Sociale Italiano** (**MSI**) era un partito neofascista che si ispirava alla recente storia della Repubblica di Salò, lo Stato fascista che Mussolini fondò nel nord Italia con l'aiuto di Hitler nel 1943. Il MSI ottenne il 5,8% dei voti alle elezioni del giugno 1946. Ciò costituì per molti la conferma tangibile che la fine della guerra non aveva significato la morte definitiva del vecchio regime.

La posizione dell'Italia nel quadro internazionale: era possibile una rivoluzione sociale?

Nel periodo dell'immediato dopoguerra, molti italiani, specialmente nelle grandi città industriali del nord e nel centro dove il movimento partigiano era stato più forte, non volevano fermarsi alla liberazione nazionale: volevano che la lotta antifascista continuasse in una rivoluzione di tipo socialista. Molti giovani partigiani avevano rischiato la loro vita nella Resistenza, e ora volevano vedere realizzati i frutti del loro sacrificio in una nazione profondamente rinnovata, politicamente e socialmente. Le generazione uscita dalla guerra non poteva accettare un ritorno inalterato dei vecchi privilegi goduti da quella classe imprenditoriale che aveva voluto il fascismo e lo aveva mantenuto al potere: la fine del regime doveva significare anche la fine del potere di questa classe sociale.

Questa rivoluzione sociale, però, non avvenne anche grazie al ruolo di freno della dirigenza del PCI, ed in particolare alla politica moderata del suo leader, Palmiro Togliatti. Egli capì che un proseguimento della lotta armata ed una rivoluzione sociale avrebbero provocato una reazione immediata degli Stati

GLI AIUTI D'AMERICA
GRANO · CARBONE · VIVERI · MEDICINALI
CI AIUTANO AD AIUTARCI DA NOI

Mondina al lavoro nella Pianura Padana, anni '50.

Uniti, le cui forze militari erano presenti su tutto il territorio nazionale. Togliatti, inoltre, aveva ricevuto direttive precise da parte dell'URSS: l'Italia doveva rimanere nella sfera d'influenza occidentale. Questo avrebbe permesso all'Unione Sovietica di rafforzare il proprio controllo sui Paesi dell'Europa dell'Est che aveva conquistato durante l'ultima fase della guerra.

La situazione italiana dell'immediato dopoguerra era quindi estremamente fluida: da una parte c'era una forte spinta innovativa e tutti avevano la sensazione di vivere un'occasione unica per operare un vero cambiamento della società; dall'altra, invece, il destino della nazione era già segnato dall'inizio della guerra fredda e dalla divisione di influenze in campo internazionale.

Ma non furono solo le pressioni politiche interne ed internazionali a frenare una possibile rivoluzione sociale. L'Italia era semplicemente un Paese stanco che accolse a braccia aperte gli aiuti economici degli Stati Uniti, anche se questi erano accompagnati da un certo livello di influenza politica. Questo estremo bisogno di ritorno alla normalità è espresso liricamente dai versi del poeta Salvatore Quasimodo:

---

[1] Il PSI subì, nei primi decenni della storia della Repubblica, un'alternanza di scissioni da destra e da sinistra: nel 1947 si costituì il PSDI (Partito socialista democratico italiano), di tendenze socialdemocratiche moderate, e nel 1964 l'ala più radicale del partito ricostituì il PSIUP (Partito socialista italiano di unità proletaria). Nel frattempo il PSI, specialmente durante gli anni '60 quando partecipò a coalizioni governative con la DC (formando il cosiddetto "centro-sinistra") divenne sempre più apertamente un partito di governo che aveva abbandonato ogni programma di riforma radicale del sistema capitalistico.

Sopra sinistra: periferia di una grande città con nuovi quartieri e contadini al lavoro.

Sopra destra: cartello di una manifestazione operaia, anni '50.

> E ora
> che avete nascosto i cannoni fra le magnolie,
> lasciateci un giorno senz'armi sopra l'erba
> [...]
> mentre abbracciamo la donna che ci ama.[2]

Tutti i partiti antifascisti premevano per una normalizzazione: seguendo questa politica, il PCI e il PSI accettarono di far parte con la DC dei primi quattro **governi di unità nazionale** del dopoguerra (dal giugno 1946 al maggio 1947), anche se ciò significò spesso scendere a grossi compromessi con la DC. Si decise che l'obiettivo prioritario doveva essere l'unità politica e l'organizzazione delle prime elezioni per decidere la forma istituzionale della futura nazione italiana (monarchia o repubblica), e per eleggere i membri dell'**Assemblea Costituente** il cui compito sarebbe stato la stesura di una nuova costituzione. "O la Repubblica o il caos" disse Pietro Nenni, leader dei socialisti, interpretando un sentimento condiviso da tutti i partiti politici antifascisti.

Tessera della CGIL 1956-1957, sindacato di ispirazione comunista.

L'ITALIA DIVENTA UNA REPUBBLICA CON UNA NUOVA COSTITUZIONE

Le prime elezioni libere dopo il ventennio di dittatura fascista si tennero il **2 giugno 1946**. Gli italiani votarono usando due schede separate: nella prima dovevano semplicemente scegliere fra **repubblica** e **monarchia** (e queste elezioni si chiamarono **"referendum istituzionale"**); in una seconda scheda, invece, dovevano eleggere i membri dell'**Assemblea Costituente** che avrebbe redatto la nuova costituzione. Il 2 giugno 1946 è una data importante anche perché, con l'istituzione del suffragio universale, le donne poterono votare per la prima volta nella storia della nazione.

La **repubblica** vinse sulla **monarchia** con il 54% dei voti, e il **Re Umberto**

2   Salvatore Quasimodo. *Anno Domini MCMXLVII,* dalla collezione *La vita non è sogno.* Milano: Mondadori, 1949.

Comizio del sindacalista Di Vittorio in Piazza Signoria, Firenze, anni '50.

II (figlio di Vittorio Emanuele III che aveva abdicato un mese prima) partì da Roma per l'esilio in Portogallo.

Il "referendum istituzionale", però, ebbe risultati radicalmente diversi fra nord e sud: a Napoli, ad esempio, l'80% degli elettori votò a favore della monarchia, mentre in alcune zone del centro-nord le percentuali erano esattamente invertite. Ciò confermò l'esistenza di "due Italie" separate da un grande divario economico, culturale e di orientamento politico, quest'ultimo in parte determinato dal ruolo minore che il sud aveva avuto nel movimento di liberazione nazionale.

I risultati dell'elezione dell'Assemblea Costituente confermarono la tendenza alla polarizzazione fra centro e sinistra: la DC ottenne il 35% dei voti, mentre le sinistre (PCI e PSIUP) ottennero il 39% dei voti; il resto dei voti si disperse fra partiti minori. L'Assemblea Costituente che risultò da queste elezioni aveva quindi una componente progressista (PCI e socialisti) e una moderata ma di ispirazione cattolica (DC), quindi favorevole a una politica di sostegno delle categorie più deboli.

La **Costituzione** che risultò dai lavori dell'Assemblea Costituente riflette questa ambivalenza. Molti articoli sono veramente innovativi e di difficile attuazione, tanto che la Costituzione italiana è stata definita "programmatica" perché descrive un modello di società ideale da realizzare nel futuro: il lavoro, ad esempio, è un diritto, così come l'assistenza medica gratuita e l'istruzione fino ai gradi più alti per i meritevoli. La Costituzione prevede anche un forte intervento dello Stato in campo sociale, e definisce sia le libertà del singolo che i suoi doveri come partecipante attivo alla vita del nuovo Stato.

Dal punto di vista dei diritti civili, invece, la Costituzione riflette l'influenza conservatrice della Chiesa cattolica: il **Concordato** fra Stato e Chiesa (chiamato anche **Patti Lateranensi**), firmato da Mussolini e dal Vaticano nel 1929, fu confermato da un articolo costituzionale che garantisce alla religione cattolica particolari privilegi. Inoltre, la famiglia e il matrimonio sono presentati nella Costituzione come fondamenti naturali della società civile, e non come prodotti di una particolare cultura o periodo storico.

Manifesto politico di Giovannino Guareschi (elezioni del 18 aprile 1948).

Sinistra: Manifesto del Fronte
Democratico Popolare rivolto alle
donne contadine, elezioni del 18 aprile 1948.

Destra: Ragazze dell'ARI, l'Associazione Ragazze Italiane,
impegnate nella campagna elettorale per il Fronte
Democratico Popolare, marzo 1948.

LA GUERRA FREDDA IN ITALIA

La tensione fra le nazioni della NATO (alleate con gli USA) e le nazioni del Patto di Varsavia (alleate con l'URSS) continuò a far sentire i suoi effetti in Italia. Gli Stati Uniti temevano la presenza del PCI al governo perché pensavano che potesse minacciare l'adesione dell'Italia al blocco occidentale: fecero quindi pressione sulla DC, il partito che vedevano come il loro più fidato alleato, perché escludesse i partiti di sinistra dal governo. Gli aiuti economici per la ricostruzione furono in parte legati al successo di questa operazione. Fu così che la DC, il **31 maggio 1947**, mise in crisi la coalizione governativa che comprendeva anche comunisti e socialisti. Questa operazione segnò la fine dello spirito di unità nazionale formatosi durante la Resistenza antifascista quando gruppi d'ispirazione comunista, socialista e cattolica si unirono nella lotta di liberazione nazionale. Cominciò così la contrapposizione fra la DC (che rimase al governo per i successivi 45 anni) e il PCI, il secondo partito italiano, che restò sempre all'opposizione.

Le successive elezioni politiche del **18 aprile 1948** rimasero memorabili nella storia italiana del dopoguerra per i toni aggressivi della campagna elettorale che riflettevano la tensione raggiunta dalla guerra fredda a livello mondiale. La DC strumentalizzò la fede cattolica di molti italiani nella sua bellicosa campagna contro il **Fronte Popolare**, la coalizione di comunisti e socialisti che si era presentata alle elezioni usando l'immagine di Garibaldi, il leggendario protagonista del Risorgimento[3]. In questa campagna elettorale la DC fu affiancata dalla Chiesa cattolica che dipingeva i comunisti come una specie subumana di sanguinari senza-Dio. Alcuni slogan di questa campagna elettorale sono rimasti tristemente famosi: "Nel segreto della cabina elettorale Dio ti vede, Stalin no!" ammonisce un manifesto della DC. In un altro, uno scheletro vestito da soldato italiano addita il simbolo delle sinistre e incita: "Mamma, votagli contro anche per me!". Il messaggio è reso più esplicito dalle parole "100.000 prigionieri italiani non sono tornati dalla Russia" (vedi manifesto a p. 68).

Il Fronte Popolare subì una pesante sconfitta durante queste elezioni: l'opportunità di un vero rinnovamento sociale era sfuggita e si entrava ora in una fase di riflusso dopo l'eccezionale partecipazione al dibattito politico che aveva caratterizzato queste elezioni e le precedenti. Nel luglio 1949, il Vaticano dichiarò scomunicati tutti coloro che si dichiarassero comunisti.

RIFORME: QUELLE NECESSARIE E POSSIBILI, E QUELLE REALIZZATE

Nonostante questi condizionamenti interni e internazionali, esistevano le condizioni politiche per realizzare alcune riforme importanti, ad esempio in campo agrario: i contadini, specialmente al sud, premevano per una assegnazione delle terre dei grandi latifondi e organizzarono occupazioni simboliche che furono represse anche brutalmente dalla polizia. La **riforma agraria**, ap-

3 Risorgimento: il movimento politico e militare del XIX secolo che aveva come fine l'unità
   politica italiana e che si concluse nel 1861 con la proclamazione del Regno d'Italia.

provata nel **1950** in seguito a queste proteste, aveva lo scopo di creare le basi per lo sviluppo di un'economia agricola moderna e produttiva specialmente nelle zone più povere del sud. Questa riforma consentì l'espropriazione di alcuni terreni incolti e la loro assegnazione a famiglie o cooperative di contadini. Le terre espropriate, però, si dimostrarono poco produttive anche perché mancavano le infrastrutture e i macchinari agricoli necessari allo sviluppo di un'agricoltura moderna e competitiva. La riforma agraria, anche se giusta nelle intenzioni, fallì alla prova dei fatti. Per i contadini e i braccianti meridionali che avevano sperato in un futuro migliore ed erano stati delusi l'unica strada aperta fu quella dell'emigrazione al nord o all'estero.

La nazione aveva anche bisogno di una vera riforma istituzionale che avrebbe eliminato la burocrazia e le istituzioni fasciste, e sostituito quei funzionari di grado superiore che avevano fatto carriera durante il fascismo, specialmente nella polizia, nell'esercito, nella magistratura e nella scuola pubblica. Ma nessun partito si fece promotore di grandi riforme di struttura. Persino il codice penale rimase lo stesso dei tempi del fascismo, e solo nel 1956 la Corte Costituzionale di recente istituzione ne abolì alcune norme.

Se la spinta riformista e il dibattito politico si raffreddavano, lo stesso non poteva dirsi per la spinta produttiva: gli anni che seguirono furono marcati da una eccezionale crescita dell'economia, senza precedenti nella storia italiana.

BOOM ECONOMICO, EMIGRAZIONE, SQUILIBRI NORD-SUD

La Fiat 600, simbolo del nuovo boom economico.

La forte domanda di prodotti d'esportazione, i bassi costi della mano d'opera italiana e gli aiuti provenienti dagli Stati Uniti, furono alcuni dei fattori che contribuirono all'eccezionale incremento nella produzione industriale che caratterizzò la fine degli anni '50 e l'inizio degli anni '60.

Questo periodo di forte crescista dell'economia, chiamato "**boom economico**" o "**miracolo economico**", interessò principalmente il nord dove portò nuova occupazione ed un miglioramento generale degli standard di vita, anche se i salari non crebbero proporzionalmente all'incremento dei profitti e della produzione. Nel sud, invece, la riforma agraria era fallita e con essa qualsiasi speranza di sviluppare una redditizia economia agricola: i giovani che volevano un lavoro o anche solo migliorare le proprie condizioni di vita dovevano migrare al nord, dove c'era una forte domanda di operai non qualificati nelle grandi industrie e nel settore edile delle città del **triangolo industriale**, cioè Milano, Torino e Genova.

Qui gli **immigrati meridionali** trovavano, oltre a occupazioni spesso massacranti, pericolose e mal pagate alla catena di montaggio e nei cantieri, anche una società diversa nella lingua, nei costumi, nel clima, nella cucina, e molto spesso poco disposta ad accoglierli. "Non si affitta ai meridionali" era una scritta piuttosto comune nella riservatissima Torino, ma non mancavano reazioni analoghe nelle altre grandi città industriali del nord.

Gli italiani migravano non solo **dal sud al nord**, ma anche **dalle campagne alle città**: questi spostamenti di popolazione assunsero quasi i caratteri di un esodo e determinarono la fine di una cultura contadina che si era sviluppata sulla penisola nel corso di millenni. La struttura sociale della società italiana cambiò radicalmente, ed entrarono in crisi i legami tradizionali su cui si basava il mondo agricolo: man mano che l'agricoltura diventava secondaria rispetto all'industria e le campagne e i piccoli paesi di collina e montagna si spopolavano, decadeva anche il modello di famiglia patriarcale contadina caratterizzata da diverse generazioni che vivevano sotto lo stesso tetto. Diventava invece sempre più diffusa la famiglia nucleare urbana formata da solo due generazioni: genitori e uno o due figli al massimo che vivevano in un appartamento alla periferia della città, in condizioni di relativo isolamento. Goffredo Fofi, sociologo e saggista che ha studiato gli effetti dell'immigrazione meridionale a Torino, osserva:

> *La famiglia non è più, quasi automaticamente dal momento dell'arrivo, il centro, o meglio il punto di riferimento e di base per la vita dell'individuo. [...] Al di fuori di essa non esiste soltanto una rete di altri gruppi dello stesso tipo, esiste la città, l'industria, una complessità di rapporti e di relazioni che tolgono alla famiglia la sua assoluta predominanza, e dunque la mettono in crisi.*[4]

4 Goffredo Fofi. *L'immigrazione meridionale a Torino.* Milano: Feltrinelli, 1964 (p. 226)

Sinistra: vita contadina, Toscana, anni '50: una bambina riempie un secchio a una fontana pubblica.

Destra: "Lambretta 125F: piacere di viaggiare", 1954.

Nelle città industriali in forte espansione si crearono nuove forme di aggregazione e solidarietà: le organizzazioni sindacali in fabbrica, i circoli di quartiere e le sedi dei partiti politici di sinistra erano anche luoghi di socializzazione, così come i bar dove la gente si riuniva la sera per guardare i primi programmi televisivi. Man mano che la società diventava più urbana e industriale, la Chiesa cattolica e le sue organizzazioni di base perdevano le loro funzioni tradizionali di aggregazione e di intrattenimento. Una cultura più laica andava quindi a sostituire quella cultura religiosa tradizionale che aveva le sue radici in un mondo contadino ormai in declino. Fu così che in fabbrica, nelle lotte politiche e durante gli scioperi per migliorare salari e condizioni di lavoro, e nelle organizzazioni di quartiere per ottenere affitti più bassi e alloggi più dignitosi, i nuovi operai, anche e soprattutto quelli immigrati di recente dal sud, trovarono un riparo dall'anonimato delle grandi città in cui vivevano.

Anche la condizione della donna cambiò radicalmente in questo periodo: la giovane donna contadina lavorava duramente sia nei campi che a casa ed era soggetta alla volontà del marito e dei suoceri, ma godeva anche della protezione e dell'aiuto garantito dalla fitta rete di rapporti familiari. La giovane moglie dell'operaio milanese, torinese o genovese, invece, cominciò a lavorare in fabbrica fianco a fianco con gli uomini: doveva confrontarsi ora con una complessa realtà economica e sociale, senza poter più contare sull'aiuto della famiglia allargata. Acquisendo maggiore indipendenza e una nuova coscienza del suo ruolo nella società, cominciò a rivendicare la parità di diritti e di trattamento con i compagni di lavoro maschi. Le mogli dei "colletti bianchi", invece, cioè degli impiegati, più raramente lavoravano fuori casa. A metà degli anni '60 le **casalinghe** erano una categoria in forte crescita e rappresentavano il triplo delle donne che lavoravano fuori casa.[5] Per queste donne, la cui cura principale era la casa e i bambini, si prospettava una vita povera socialmente, ma ricca di nuovi desideri che il mercato in forte espansione non esitava a promuovere e soddisfare.

Nel periodo del boom economico nacque un'altra categoria sociale – la gioventù – che andò ad occupare un posto ben definito fra l'infanzia e l'età adulta. Per la prima

5   Marta Boneschi. *Santa pazienza. La storia delle donne italiane dal dopoguerra a oggi.* Milano: Mondadori, 1998 (p. 180)

Grandi Magazzini Vampa, Reggio Emilia,
1953 - Agli albori del boom-economico
nasce una nuova categoria di
consumatori: l'infanzia.

volta, i giovani fra i 18 e i 25 anni sentivano di condividere valori diversi da quelli della generazione adulta e rivendicarono perciò il diritto di essere riconosciuti come un gruppo distinto, portatore di bisogni propri e di una propria cultura. Anche questa nuova categoria sociale, al pari delle casalinghe, attirò l'attenzione della grande industria sempre attenta a promuovere nuovi beni di consumo.

I leggendari scooter, **"Vespa"** e **"Lambretta"**, diventarono, agli inizi degli anni '50, il simbolo dell'indipendenza e del nuovo benessere raggiunti, seguiti immediatamente dalla **Fiat 600**, la prima vera auto disegnata per le famiglie, il cui possesso apriva l'accesso agli svaghi della classe media: la gita domenicale e la villeggiatura estiva. I primi elettrodomestici cominciarono a popolare gli appartamenti anche degli operai del nord: la cucina a gas o "all'americana", poi il frigorifero, il telefono e, più tardi, addirittura la lavatrice. Ma l'emblema del nuovo stile di vita fu il **televisore** che cominciò ad occupare un posto centrale e privilegiato nelle cucine e nei soggiorni delle case italiane. Nel gennaio 1954 iniziarono i primi programmi della **RAI**, il servizio pubblico radiofonico e televisivo, l'unico autorizzato alle trasmissioni. In occasione del cinquantesimo anniversario della RAI, Giudo Vergani, in un articolo nel Corriere della Sera, descrisse la trasformazione operata dallo "scatolone" nelle case italiane:

> *In quel primo embrionale benessere, la televisione determinò un radicale cambiamento del costume, delle abitudini. Cominciarono a restarsene a casa davanti allo schermo i maschi italiani che avevano sempre passato la sera all'osteria [...] Si disse che il 21 pollici restituiva alle famiglie l'unione attorno a un virtuale caminetto. Non ci volle molto a scoprire che era un'unione silenziosa, senza colloquio, immusonita e inebetita.* [6]

Il boom economico portò con sé valori nuovi, quali il materialismo, il consumismo e l'individualismo: i tre "ismi"

---

6   Guido Vergani, "Noi, pionieri dello 'scatolone' rapiti da Mike e Padre Mariano",
     Corriere della Sera, 4 gennaio 2004.

del periodo moderno e post-moderno dai quali l'Italia era ancora immune e che si scontrarono inevitabilmente con la cultura cattolica tradizionale e i suoi valori di solidarietà e promozione della vita semplice. Il nuovo benessere ebbe anche una dolorosa contropartita: un danno all'ambiente e alla struttura urbanistica delle grandi città che divenne irreparabile. La costruzione di case per accogliere i nuovi lavoratori dell'industria fu spesso solo motivata da desideri di facili guadagni, e le periferie delle città si popolarono di nuove costruzioni, condomini che sorsero qua e là, senza ordine e senza un piano regolatore che prevedesse servizi pubblici essenziali. Il facile accesso a beni di consumo individuali, quali elettrodomestici e automobili, perse qualsiasi senso o attrattiva quando mancavano trasporti, scuole, ospedali, biblioteche, uffici postali. La crescita incontrollata delle grandi città negli anni del boom è all'origine del traffico che opprime oggi tutte le città italiane, e del profondo disagio di chi vive in quartieri periferici grandi come metropoli, ma privi di qualsiasi identità collettiva.

Sopra sinistra: I primi programmi televisivi per tutta la famiglia al bar del paese, anni '50.

Sopra destra: Roma anni '50, La "valle dell'inferno".

CONCLUSIONE DEL BOOM ECONOMICO: IL CENTRO SINISTRA E LE RIFORME

A vent'anni dalla fine della guerra l'Italia era un paese profondamente trasformato. L'esplosione delle città, la presenza diffusa di autostrade e auto, lo spopolamento delle campagne avevano modificato profondamente il territorio; allo stesso tempo, la nuova passione per la modernità e l'industrializzazione a qualsiasi costo aveva travolto tradizioni e modi di vita che duravano da secoli. La cultura contadina tradizionalmente cattolica lasciava spazio ad una cultura laica più dinamica, nella quale la classe operaia delle grandi città e nuove categorie – giovani, casalinghe e ceto impiegatizio - si riconoscevano.

La DC si rese conto che doveva adeguarsi ai tempi, e non poteva rappresentare più solamente il mondo cattolico e rurale: anzi, doveva farsi portavoce dei problemi delle nuove classi sociali emergenti. Negli anni '60 la formazione dei **governi di centro-sinistra** - fondati cioè su una nuova coalizione fra DC, PSI e altri piccoli partiti di centro-sinistra - fu la risposta politica alla nuova realtà sociale del dopoguerra. Anche se il Presidente del Consiglio di questi governi fu sempre democri-

Fiat 500c Topolino in uscita da Mirafiori trasportate sulle bisarche, fine anni '50.

stiano, i socialisti ebbero ministeri importanti. Gran parte dell'opinione pubblica premeva per l'attuazione di riforme istituzionali importanti, quali il decentramento amministrativo e la formazione delle regioni, come previsto dalla Costituzione, la regolamentazione del disordinato sviluppo edilizio urbano, e una programmazione economica per promuovere lo sviluppo delle regioni meridionali.

Dal '62 al '68, anno di inizio di una nuova fase storica, si può dire che le uniche vere riforme attuate furono la **nazionalizzazione dell'energia elettrica** e la **riforma della scuola media**, che istituì la cosiddetta **scuola media unificata**. Prima della riforma, infatti, esistevano due tipi di scuola media: una, di indirizzo accademico, preparava gli alunni al liceo e all'università, e un'altra, chiamata "avviamento al lavoro", preparava ad una professione, chiudendo però qualsiasi possibilità di accesso al liceo e all'università. La riforma eliminò questa distinzione e creò un unico programma di scuola media.

Il sistema di accesso all'istruzione superiore diventò quindi più democratico ed egualitario. I risultati di questa "scolarizzazione di massa" furono sicuramente positivi: nel 1971 la percentuale di italiani in possesso della licenza di scuola media inferiore era quasi triplicata rispetto al 1951, e i diplomati di scuola media superiore raddoppiarono nello stesso periodo [7].

Anche se questa riforma facilitò a tutti l'accesso alle scuole medie superiori, i programmi di studio non furono rinnovati e le strutture scolastiche rimasero totalmente inadeguate per ricevere nuove masse di iscritti. Questa contraddizione fu una delle cause del grande movimento di protesta studentesca che esamineremo nel prossimo capitolo.

7   dati dall'Archivio UIL Scuola. Disponibili su: http://www.uil.it/archiviouilscuola/web/convegno_scuola_media/documenti/dati_diagrammi.htm

DOMANDE DI COMPRENSIONE

1. Quali erano i problemi che l'Italia doveva affrontare nell'immediato dopoguerra?
2. Perché molti parlarono della necessità di una "ricostruzione morale" oltre che "materiale"?
3. Quali erano i maggiori danni prodotti dalla guerra in Italia?
4. Perché il sud fu meno coinvolto nel dibattito politico del dopoguerra?
5. Che riflessi ebbe la "guerra fredda" in Italia?
6. Che classi sociali rappresentava la DC?
7. Come riuscì a diventare un "partito di massa"?
8. Perché il PCI godeva di un grande prestigio specialmente nelle città industriali del nord?
9. Quale aspetto della politica estera del PCI lasciò sempre molto perplessi larghi strati dell'opinione pubblica italiana?
10. Perché la formazione del MSI destava tante preoccupazioni?
11. Che cosa volevano gli ex-partigiani e larghi settori della classe operaia alla fine della guerra?
12. Perché Palmiro Togliatti, leader del PCI, si oppose a qualsiasi tentativo di rivoluzione sociale?
13. Di quali riforme di struttura aveva bisogno l'Italia alla fine della guerra?
14. Quali furono gli obiettivi immediati dei primi governi di unità nazionale?
15. Che cosa decisero le prime elezioni politiche del giugno 1946?
16. Perché le sinistre vennero estromesse dal governo di unità nazionale nel maggio 1947?
17. Che cosa rese memorabili le elezioni politiche del 18 aprile 1948, e chi vinse?
18. Quali fattori determinarono il boom economico della fine anni '50 - inizio anni '60?
19. Quali furono alcune conseguenze del boom economico al nord e al sud?
20. Come cambiò la struttura delle classi sociali in Italia a seguito del boom economico?
21. Come vennero accolti gli immigrati meridionali nel nord d'Italia?
22. Come cambiò la condizione della donna?
23. Quali furono alcuni simboli tangibili del raggiunto benessere?
24. Quali furono alcuni degli squilibri provocati da questo benessere?
25. Quale fu una delle conseguenze a livello politico della nuova industrializzazione?
26. Quale riforma adottata dal centro-sinistra fu particolarmente importante per gli eventi del periodo successivo?

QUADRETTI CULTURALI

Carosello: consumismo e televisione

Si chiamava "**Carosello**" la prima serie di sport pubblicitari che andò in onda alla televisione di stato (RAI 1) dal 1957 ininterrottamente fino al 1976. Il programma si apriva con l'immagine di un teatrino, le cui tendine si aprivano e si chiudevano al ritmo di una musica ispirata a una tarantella napoletana.

Carosello acquisì una popolarità tale che un'intera generazione di nati nel dopoguerra condivide tutt'ora un entusiasmo un po' infantile per gli slogan e i personaggi dei cartoni animati resi celebri da questo programma: non esiste italiano nato negli anni del "baby boom" che non ricordi Calimero, il pulcino tutto nero, o il Gigante Buono, o Caballero e Carmencita, o l'Omino coi baffi. Parlando della generazione cresciuta con Carosello, Giusti commenta: "Tutti [abbiamo] uno o più caroselli nel cuore da rivedere segretamente"[1].

Alcuni slogan pubblicitari di questa trasmissione sono entrati anche nel linguaggio comune e hanno prodotto modi di dire ed espressioni che hanno resistito negli anni: "Ma è un'ingiustizia!" era il grido lanciato da Calimero il pulcino nero prima di essere lavato col detersivo pubblicizzato, "il logorio della vita moderna" quello che un noto attore cercava di contrastare bevendo l'amaro Cynar, "Bambina, sei già mia, chiudi il gas a vieni via" era l'ingiunzione di Caballero a Carmencita, prima di rivelare che era lui Paulista, il caffè con il "baffo che conquista". Al contrario degli spot pubblicitari odierni che, nonostante la loro brevità, vengono a malapena tollerati in attesa della ripresa delle trasmissioni, Carosello era un programma a sé stante che divertiva

MA È UN'INGIUSTIZIA!

"Ma è un'ingiustizia!". Calimero, uno dei personaggi più noti di Carosello.

© PAGOT

perché presentava scenette e cartoni animati solo vagamente collegati con il prodotto da pubblicizzare. Piaceva anche agli adulti, in quanto la sua qualità è sempre stata altissima: i migliori registi e sceneggiatori del cinema italiano contribuirono a Carosello, e gli attori più conosciuti vi parteciparono in diverse fasi della loro carriera.

Ogni spot pubblicitario doveva durare 2 minuti e 15 secondi. Solo durante gli ultimi 30 secondi (il cosiddetto "codino") era permesso menzionare, e non più di sei volte, il prodotto reclamizzato. Il risultato di questa normativa era che la centralità del programma non era il prodotto, ma la scenetta umoristica, o il cartone animato. Gli spot, inoltre, non potevano essere ritrasmessi: ciò produsse un'enorme varietà di scenette basate sugli stessi personaggi, apprezzati soprattutto dai bambini che aspettavano con ansia le nuove avventure del Gigante Buono o di Calimero che Carosello proponeva ogni settimana[2]. Andando in onda alle 9 di sera, Carosello scandiva anche i rituali delle famiglie medie italiane: si cenava prima di Carosello e i bambini andavano a letto dopo Carosello.

Intorno a Carosello si raccolse quindi la famiglia e, figurativamente, anche la nazione. Nell'Italia del dopoguerra il divario fra nord e sud era ancora enorme, ma l'avanzare del consumismo creò l'illusione che questa spaccatura potesse essere ricucita. La produzione industriale dei beni di consumo aveva infatti reso possibile l'acquisto dello stesso prodotto allo stesso prezzo su tutto il territorio nazionale: la famiglia siciliana e quella veneta potevano scegliere di mangiare lo stesso tipo di pasta e di usare lo stesso tipo di olio d'oliva che Carosello pubblicizzava ogni sera. I cibi prodotti e distribuiti regionalmente non potevano godere del marchio di qualità implicitamente dato a quelli pubblicizzati in televisione, e

Da sinistra a destra: pubblicità del Parmigiano Reggiano 1960, della lavabiancheria Candy, anni '60, dei frigoriferi Zoppas, 1955, e della Lambretta, anni '60.

il loro acquisto subì un declino. I prodotti "di marca" delle grandi industrie presero il loro posto.[3]

Carosello stimolò anche nuove forme di aggregazione. Il programma cominciò ad andare in onda quando la Tv si stava diffondendo su tutto il territorio nazionale. L'apparecchio televisivo era arrivato anche nelle zone povere e depresse del sud, forse non ancora nelle case - negli anni '50 il televisore aveva ancora il costo di tre stipendi mensili di un impiegato – ma sicuramente nel bar del paese e nel circolo del partito. La gente cominciò a uscire la sera per andare a vedere la televisione al bar come andava al cinema la domenica pomeriggio. Carosello ebbe un ruolo di primo piano nel promuovere questa nuova forma di aggregazione in quanto era l'unico programma serale adatto per tutta la famiglia, e sicuramente il più popolare. I prodotti commercializzati in Carosello erano ingredienti essenziali di uno stile di vita urbano e piccolo-borghese: i primi elettrodomestici - frigoriferi, cucine a gas, lavatrici e, per ultime, lavastoviglie -, prodotti alimentari - pasta, biscotti, bibite, caffè -, prodotti per la pulizia della casa. Carosello diventò anche uno specchio dello sviluppo della società italiana, ed in particolare della posizione sociale delle donne. Man mano che le donne si distaccavano dal ruolo tradizionale di casalinghe e cominciavano a lavorare negli uffici e nelle fabbriche, comparivano su Carosello spot pubblicitari per cibi pronti: sughi per pasta, carne in scatola e surgelati.

La RAI terminò la produzione di Carosello nel 1977: i prodotti di consumo in quegli anni erano diventati così numerosi e vari da rendere totalmente anacronistiche le regole del programma. Inoltre, Carosello non poté più sostenere la concorrenza delle nuove reti private che dovevano usare la pubblicità per finanziarsi. Dopo la "morte" di Carosello, gli spot pubblicitari diventarono brevissimi, solo alcuni secondi, e non più incentrati sulla scenetta o cartone animato, ma sul prodotto. Il messaggio passò da esplicito a implicito: il vecchio slogan "Più bianco che più bianco non si può" di un Carosello invitava a comprare quel particolare detersivo per le sue proprietà detergenti; ora, invece, gli spot pubblicitari invitano all'acquisto di un prodotto in quanto assicura il raggiungimento di un certo stile di vita o la soluzione a un problema personale. Le qualità intrinseche del prodotto diventano secondarie.[4]

Molti spettatori piansero la scomparsa di Carosello, in parte perché i suoi personaggi erano entrati a far parte di un mito collettivo, in parte perché la trasmissione era espressione dell'ottimismo e semplicità tipiche del periodo del boom economico, quando sembrava che un certo livello di benessere fosse accessibile a chiunque, forse proprio perché si trattava ancora di un benessere minimo, rappresentato dal possesso del frigorifero, della cucina a gas o della "Lambretta".

1 Marco Giusti, Il grande libro di Carosello, Sperling & Kupfer, Milano 1995, citato in Piero Dorfles, Carosello, Il Mulino, Bologna 1998, p. 56.
2 P. Dorfles, cit., pp. 16-17.
3 P. Dorfles, cit., p. 39.
4 P. Dorfles, cit., p. 115.

QUADRETTI CULTURALI

"IO STO QUI E ASPETTO BARTALI...":
CICLISMO E DOPOGUERRA

Lo sport più popolare dell'immediato dopoguerra non era il calcio, bensì il ciclismo. Non occorreva acquistare biglietti o fare prenotazioni, bastava un po' di paziente attesa al ciglio di una strada per cogliere, anche se solo per pochi secondi, uno dei momenti più emozionanti di una gara ciclistica e per vedere da vicino il proprio ciclista preferito. L'Italia infatti ospita alcune fra le gare più prestigiose di ciclismo a livello mondiale, quali il Giro d'Italia e la Milano-Sanremo. Inoltre, la bicicletta è sempre stata, a partire dagli anni '30 e fino agli anni '50, il mezzo di trasporto più usato dagli italiani, sia per recarsi al lavoro, che per trascorrere il tempo libero.

La domenica, le strade che ora portano ai laghi o al mare e che sono intasate di autoveicoli erano, negli anni del dopoguerra, coperte da fiumi di allegre comitive di ciclisti. Durante la settimana, era con la bicicletta che migliaia di operai, uomini e donne, si recavano al lavoro.

La bicicletta fu anche strumento insostituibile di lotta durante la Resistenza, specialmente all'interno delle città. Era con la bicicletta che le staffette portavano i loro messaggi: gli occupanti nazisti ne erano ben consci, tanto che a Roma ne proibirono l'uso per un certo periodo.

Nell'immediato dopoguerra, gli italiani che avevano sofferto limitazioni di movimento a causa della guerra e dell'occupazione tedesca, ricominciarono a ricongiungersi e a riprendere le ordinarie attività, e lo fecero principalmente usando la bicicletta, dato che le ferrovie non avevano ancora ripreso a funzionare pienamente. Spesso solo con la bicicletta era possibile procurarsi cibo e recarsi al lavoro. Nel film di Vittorio De Sica "Ladri di biciclette" del 1948 (vedi p. 97), la bicicletta rappresenta per il protagonista l'unico strumento di avanzata sociale. Il possederla gli permette di trovare e mantenere il proprio lavoro e, con questo, il rispetto necessario all'interno della società e della famiglia. La sua perdita comporta esattamente il contrario: disoccupazione, miseria, incapacità di essere a pieno titolo marito e padre.

L'entusiasmo nazionale per il ciclismo aveva quindi come base l'estrema familiarità che ogni italiano aveva con questo mezzo di trasporto. Lo sport raggiunse la massima popolarità nel dopoguerra anche per la presenza a tutte le gare di due "campionissimi", due ciclisti destinati a diventare leggendari:

Gino Bartali, toscano inconfondibile, di carattere litigioso e polemico, ma anche aperto, schietto, comunicativo, detto "Ginettaccio" e "intramontabile" perché ebbe una delle carriere più lunghe nella storia del ciclismo (dal 1935 al 1954).

Fausto Coppi, semplice e gentile, taciturno, un po' enigmatico, magrissimo, alto, elegantissimo in bicicletta, detto "l'uomo solo", dalla famosa frase dei telecronisti che ne annunciavano l'arrivo alle corse: "Un uomo solo al comando!"

L'Italia si divise in due: tifosi di Bartali da una parte e tifosi di Coppi dall'altra. La storia personale dei due campioni somigliava a quella di tanti italiani: nati da famiglie umili, dovettero interrompere, a causa della guerra, una carriera ciclistica già promettente proprio nel pieno della giovinezza e all'apice delle potenzialità atletiche. Ma entrambi seppero riprendersi nel dopoguerra, come i loro connazionali, riuscendo a conseguire vittorie leggendarie proprio mentre l'Italia si stava risollevando dalle devastazioni belliche.

Nell'applaudire i suoi eroi su due ruote, la generazione del dopoguerra guardava e ammirava se stessa come in uno specchio; negli sforzi dei campioni in salita, nella loro rivalità e solidarietà al tempo stesso, essa vide i propri sforzi, quelli di un popolo su due ruote che arrancava e soffriva per raggiungere un futuro migliore.

La celebre fotografia dal Tour de France del 1952 nella quale Coppi e Bartali sono ritratti su una salita, uno dietro all'altro, nell'atto di passarsi la borraccia d'acqua, è diventata l'icona di un'Italia divisa, ma solidale, nella sua scalata verso il benessere.

Sinistra: Il "campionissimo"
Fausto Coppi ritratto sulla
copertina di *La Domenica
del Corriere*, 20 luglio 1952.

Destra: Gli eroi del Giro d'Italia:
I grandi rivali Coppi e Bartali,
La Domenica del Corriere,
4 giugno 1950.

Il declino di Bartali e Coppi alla fine degli anni '50 segnò anche la fine della passione nazionale per il ciclismo e la conseguente riscoperta del calcio. Contemporaneamente, la bici dovette cedere il passo alla Lambretta e più tardi alla FIAT 600, al cui possesso anche le famiglie operaie potevano ora aspirare.

Dall'inizio del terzo millennio, il ciclismo è senz'altro in declino come sport e come attività creativa; i due campioni però non sono ancora usciti dal mito: decine di libri sono stati scritti su di loro e un museo a Novi Ligure ne ricorda le imprese; infine, una famosa canzone del cantautore Paolo Conte dal titolo "Bartali" evoca ancor oggi l'entusiasmo degli anni '50, quando molte gare ciclistiche erano destinate a entrare nella storia:

> [...]
> Oh, quanta strada nei miei sandali
> quanta ne avrà fatta Bartali
> quel naso triste come una salita
> [...]
> e vai! che io sto qui e aspetto Bartali
> scalpitando sui miei sandali
> da quella curva spunterà
> quel naso triste da italiano allegro [1]
> [...]

PAROLE DEI PROTAGONISTI A CONFRONTO

1. ALGIDE DE GASPERI
Segretario della DC, in un discorso del 29 dicembre 1953

I) *Vi è una parola che abbiamo usato e che è bene ripetere spesso: solidarismo. Solidarismo vuol dire essere solidali; collaborazione di classi. Ed anche la proprietà privata, secondo il solidarismo, deve servire all'unità e al consolidamento della famiglia e dello Stato; ma non può minacciare lo Stato e famiglia con lo sviluppo del proprio istituto* [1].

II) *Bisogna prima che si provveda ai più poveri e disagiati, anche se questi sono piccoli contadini e proprietari di misere terre, proprietari di nome o di fatto, e bisogna intervenire con provvedimenti che non peggiorino le condizioni dei ceti medi, i quali rappresentano la parte più proficua dell'iniziativa privata [...] Ecco che la nostra analisi [...] ci riporta ai nostri principi di solidarismo sociale, di protezione delle libertà personali e delle autonomie locali, alla concezione pluralistica della società.* [2]

III) *[...] il sentimento religioso costituisce ancora in Italia l'elemento più forte e più fecondo della solidarietà, tanto è vero che, anche nella polemica, ogni parte tenta di richiamarsi alla comune legge del Cristianesimo, al concetto della fraternità degli uomini, alla fraternità di Dio, concetti che operano nelle coscienze e nelle menti nel senso della solidarietà umana e della giustizia sociale. Questo sentimento è come un ponte gettato sui gruppi di interessi, un ponte spirituale, umano e nazionale, su cui il popolo, ancora in maggioranza, passa sperando in un mondo più giusto.* [3]

2. ALCIDE DE GASPERI
Discorso "Le vie della rinascita" (24 marzo 1946)

Che cosa importerebbe avere riconquistato tutte le libertà, avere rinnovato lo Stato, avere rinnovato gli organismi, quando nel commercio, nell'amministrazione, nella burocrazia non ci fosse la morale? [...] In questo senso siamo confessionali, ma lo siamo in un senso molto largo, perché non domandiamo altro che riconoscimento dell'esperienza storica fatta in Italia dai nostri padri. [...] Il mondo nuovo non può nascere che sulla civiltà cristiana e per questo abbiamo aggiunto "cristiana" alla parola democrazia, non per arrogarci da soli la qualità di cristiani e negarla ad altri, ma perché volevamo dir chiaro che la democrazia se vuol essere veramente interprete e costruttiva di nuova vita deve suggere il suo alimento all'albero secolare che si chiama Italia e popolo italiano [4].

3. PALMIRO TOGLIATTI
Segretario del PCI, in un discorso del 2 giugno 1945

L'Italia si sta rinnovando attraverso la dura prova del crollo del fascismo, della disfatta e della distruzione di tanti beni materiali e morali. [...] Quegli uomini politici i quali pensano o mostrano di pensare che tutto si possa ridurre a far compiere una rotazione al governo ad uomini che già vi passarono e dettero pessima prova più di vent'anni fa, oppure che per accontentare il popolo basti fare qualche leggina nuova o ritoccare qualche articolo di una Costituzione, si sbagliano di grosso. [...] Democrazia è un governo del popolo, nell'interesse del popolo, sotto il controllo del popolo; e una rivoluzione democratica si ha quando un governo siffatto viene conquistato attraverso un profondo sommovimento popolare, che travolge davanti a sé tutte le resistenze, come l'insurrezione nazionale del Nord ha travolto gli ultimi residui fascisti e gli invasori tedeschi [...] [5]

4. PALMIRO TOGLIATTI
in un discorso del 13 maggio 1953

Ma gli avversari [i candidati della DC], poi, hanno altre forme di organizzazione e altri modi di avvicinare le donne che noi non abbiamo. Per esempio, la Messa. Alla Messa, contrariamente al comizio, vi sono sempre più donne che uomini, e la Messa, oggi, da quando sono stati indetti i comizi elettorali, è in parte un comizio, perché credo non esista nessun predicatore, nessun commentatore del Vangelo che non ci metta, anche se non in modo sfacciato, la punta politica, elettorale. Vi è quindi qui un contatto dell'avversario con la massa elettorale femminile che noi non abbiamo. [6]

5, CARDINAL SCHUSTER
prima delle elezioni del 18.4.1948

[...] non si può dare l'assoluzione agli aderenti al comunismo o ad altri movimenti contrari alla religione cattolica: 1. quando aderiscano formalmente agli errori contenuti nelle loro dottrine; 2. o quando prestino cooperazione, anche solo materiale, specie mediante il voto, e, ammoniti, rifiutino di desistere. [7]

6. CARDINAL SIRI
prima delle elezioni del 18.4.1948
[...] commette peccato mortale chi non vota o chi vota per le liste e i candidati che non danno sufficiente affidamento di rispettare i diritti di Dio, della Chiesa e degli uomini [...] le dottrine materialistiche e conseguentemente atee nonché i metodi sui quali poggia e vive il comunismo non sono conciliabili con la fede e con la pratica cristiana [...]. [8]

7. UN LAVORATORE IMMIGRATO
La fabbrica è una galera, senza aria [...] Il sole, l'aria fina, l'aria pulita sono belle cose [...] Quando sono morto chi mi renderà i giorni che mi rubano dentro le fabbriche?" [9]

8. UN GIOVANE IMMIGRATO A MILANO
descrive l'arrivo della sua famiglia - genitori e fratelli - dal Sud
Avevano viaggiato tutta la notte in quattro dentro la cabina del camion. C'era la neve molto alta e faceva freddo maledettamente, erano intirizziti, perché poco coperti. Sul camion c'erano tutti i loro beni: 6 sedie, un letto grande, uno a una piazza e mezza, un armadio molto vecchio [...]" [10]

9. TESTIMONIANZE DI VARI IMMIGRATI MERIDIONALI A TORINO
I) *Io cerco di seguire le regole di Torino, di diventare uguale agli altri e passare inosservato. Mi piace stare con gli amici del mio paese, ma capisco che, se voglio diventare uguale a tutti, devo diventare come i settentrionali.*

II) *Tra noialtri meridionali l'amicizia è più facile. Per esempio io vado in trattoria, mi metto in un tavolo e dopo due minuti arriva un altro, e subito ci mettiamo a parlare e ci conosciamo. Ma se quest'altro è un piemontese è difficile che si riesca a tirargli fuori una parola ché subito ti guarda storto, disturbato.*

III) *Il rispetto per la religione c'è, ma di andare in chiesa non ci sentiamo tirati: al paese c'era la gente, le conoscenze, qui è tutto senza gusto.* [11]

10. UN CAPOREPARTO DELLA FIAT
Gli operai bisogna saperli prendere, ma i più difficili sono i meridionali, si arrabbiano di più, protestano di più; i piemontesi [...] sono operai più coscienti e più tranquilli. [12]

PAROLE DEI PROTAGONISTI A CONFRONTO

11. FEDERICO FELLINI
Regista
Sono partito da Rimini nel '37. Ci sono tornato nel '46. Sono arrivato in un mare di mozziconi di case. Non c'era più niente [. ..] Mi colpì l'operosità della gente, annidata nelle baracche di legno: e che parlassero già di pensioni da costruire, di alberghi, alberghi, alberghi: questa voglia di tirar su le case [...] Sono tornato a Rimini per via di questo libro [qualche anno dopo] ... Questa che vedo è una Rimini che non finisce più. Prima, intorno alla città, c'erano molti chilometri di buio [...] Apparivano soltanto, come fantasmi, edifici di stampo fascista, le colonie marine. [...] Ora il buio non c'è più. Ci sono invece quindici chilometri di locali, di insegne luminose: e questo corteo interminabile di macchine scintillanti, una specie di via lattea disegnata coi fari delle automobili." [13]

12. EDOARDO NESI
Imprenditore nel settore tessile, descrive la classe sociale imprenditoriale durante il boom economico
Vestiti di lini irlandesi e cotoni candidi, belli e fragili, vuoti e lontani, furbi e famelici, ingenui e ignoranti, sono il fior fiore di quella fortunatissima generazione di italiani senza qualifiche, entusiasta e garibaldina, che aveva avuto la fortuna di affacciarsi sulla scena del mondo all'inizio di un periodo di furiosa espansione economica che sarebbe durato decenni e avrebbe creato un mercato di centinaia di milioni di consumatori occidentali - donne e uomini infervorati di vita, felici d'essere sopravvissuti a una guerra mondiale e impazienti di ricostruire dalle macerie e ricominciare subito a vivere e a guadagnare e spendere soldi, perché si era all'inizio di un'era di progressi e l'uomo sbarcava sulla Luna, e il futuro sarebbe stato certamente mille volte migliore e più prospero del presente. [14]

1   Alcide De Gasperi. *Discorsi Politici*, a cura di T. Bozza. Roma: Edizioni Cinque Lune, 1956 (p. 233).
2   Ibid., p. 277.
3   Ibid., p. 278.
4   Ibid., p. 69-70.
5   Palmiro Togliatti. *Discorsi alle donne*. CDS, a cura della Sezione femminile del PCI (pp. 17, 18, 19).
6   Ibid., pp. 80-1.
7   citato in Antonio Gambino. *Storia del dopoguerra. Dalla Liberazione al potere DC.* Vol II. Bari: Laterza, 1978 (p. 480).
8   Ibid., p. 480.
9   Celestino Cantieri, *Immigrati a Torino*, Milano: Edizioni Avanti, 1964 (p. 64), citato in Paul Ginsborg. *Storia d'Italia dal dopoguerra a oggi.* Torino: Einaudi, 1989 (p. 304).
10 A. Antonuzzo, *Boschi, miniera, catena di montaggio*, Roma 1976, citato in Paul Ginsborg. *Storia d'Italia dal dopoguerra a oggi.* Torino: Einaudi, 1989 (p. 294).
11 Goffredo Fofi. *L'immigrazione meridionale a Torino*. Milano: Feltrinelli Editore, 1964 (p. 241) 242, 246, 275.
12 Goffredo Fofi. *L'immigrazione meridionale a Torino*. Milano: Feltrinelli Editore, 1964 (p. 157).
13 Federico Fellini. *Fare un film*. Torino: Einaudi, 1974 (pp. 34 e 36).
14 Edoardo Nesi. *Storia della mia gente*. Milano: Bompiani, 2010 (p. 47).

SMANIA DI RACCONTARE E NEOREALISMO
di Italo Calvino

In questo brano, tratto dall'introduzione al suo romanzo "Il sentiero dei nidi di ragno", Calvino discute le origini e i contenuti del neorealismo, un movimento culturale che travolse l'Italia del dopoguerra e si espresse in forme particolarmente innovative in letteratura e nel cinema.

L'esplosione letteraria di quegli anni in Italia fu, prima che un fatto d'arte, un **fatto fisiologico**, esistenziale, collettivo.

Avevamo vissuto la guerra, e noi più giovani —
5 che avevamo fatto appena in tempo a fare il partigiano — non ce ne sentivamo **schiacciati**, vinti, «bruciati», ma vincitori, spinti dalla **carica propulsiva** della battaglia appena conclusa, **depositari** esclusivi d'una sua eredità. Non era facile ottimismo,
10 però, o gratuita euforia; tutt'altro: quello di cui ci sentivamo depositari era un senso della vita come qualcosa che può ricominciare da zero, un **rovello** problematico generale, anche una nostra capacità di vivere lo **strazio** e lo **sbaraglio**; ma l'accento che vi
15 mettevamo era quello d'una **spavalda** allegria. Molte cose nacquero da quel clima, e anche il **piglio** dei miei primi racconti e del primo romanzo.

Questo ci tocca oggi, soprattutto: la voce anonima dell'epoca, più forte delle inflessioni
20 individuali ancora incerte. L'essere usciti da un'esperienza — guerra, guerra civile — che non aveva risparmiato nessuno, stabiliva un'immediatezza di comunicazione tra lo scrittore e il suo pubblico: si era **faccia a faccia**, alla pari, carichi di storie da raccontare,
25 ognuno aveva avuto la sua, ognuno aveva vissuto vite irregolari drammatiche avventurose, ci si **strappava la parola di bocca**. La rinata libertà di parlare fu per la gente al principio **smania** di raccontare: nei treni che riprendevano a funzionare, **gremiti** di persone
30 e pacchi di farina e bidoni d'olio, ogni passeggero raccontava agli sconosciuti **le vicissitudini** che gli erano occorse, e così ogni **avventore** ai tavoli delle «mense del popolo», ogni donna nelle code ai negozi; il grigiore delle vite quotidiane sembrava cosa d'altre
35 epoche; ci muovevamo in un multicolore universo di storie.

Chi cominciò a scrivere allora si trovò così a trattare la medesima materia dell'anonimo narratore orale: alle storie che avevamo vissuto di persona o di
40 cui eravamo stati spettatori s'aggiungevano quelle che ci erano arrivate già come racconti, con una voce, una

cadenza, un'espressione mimica. Durante la guerra partigiana le storie appena vissute si trasformavano e
45 **trasfiguravano** in storie raccontate la notte attorno al fuoco, acquistavano già uno stile, un linguaggio, un umore come di bravata, una ricerca d'effetti angosciosi o **truculenti**. Alcuni miei racconti, alcune pagine di questo romanzo hanno all'origine
50 questa tradizione orale appena nata, nei fatti, nel linguaggio.

Il «neorealismo» non fu una scuola. (Cerchiamo di dire le cose con esattezza). Fu un insieme di voci, in gran parte periferiche, una
55 molteplice scoperta delle diverse Italie, anche — o specialmente — delle Italie fino allora più **inedite** per la letteratura. Senza la varietà di Italie sconosciute l'una all'altra — o che si supponevano sconosciute —, senza la varietà dei dialetti e dei gerghi da far
60 **lievitare** e impastare nella lingua letteraria, non ci sarebbe stato «neorealismo».

Attorno al focolare: vita contadina in Toscana, anni '50.

NOTE (PRECEDUTE DAL NUMERO DELLA RIGA NEL TESTO)

2. *il fatto fisiologico:* fatto fisico e naturale
6. *schiacciato:* oppresso (qui in senso figurativo)
7. *la carica propulsiva:* il grande entusiasmo iniziale
8. *il depositario:* custode, colui che protegge e salvaguardia certi valori
12. *il rovello:* collera, rabbia interiore
14. *lo strazio:* sacrificio, pena
14. *lo sbaraglio:* pericolo
15. *spavaldo:* audace, sicuro di sè
16. *il piglio:* tono, espressione
24. *faccia a faccia:* uno di fronte all'altro

26. *strappare la parole di bocca:* non lasciar parlare l'altra persona, interrompere
28. *la smania:* passione, furia
29. *gremito:* pieno, affollato
31. *la vicissitudine:* difficoltà
32. *l'avventore:* cliente di un bar o di un'osteria
44. *trasfigurarsi:* alterarsi, cambiare d'aspetto
47. *truculento:* crudele, sinistro
55. *inedito:* non ancora pubblicato
59. *lievitare:* aumentare di volume, come la pasta per fare il pane

DOMANDE DI COMPRENSIONE E DISCUSSIONE

1. Come spiega Calvino l'esplosione letteraria degli anni del dopoguerra? In che modo questa "esplosione" è collegata all'esperienza della lotta partigiana?
2. Perché, secondo te, la generazione di Calvino provava una "spavalda allegria"? (riga 15)
3. Descrivi il nuovo rapporto fra scrittore e pubblico nel dopoguerra.
4. Quali furono le conseguenze della "rinata libertà" dopo la seconda guerra mondiale, secondo Italo Calvino?
5. Spiega la metafora di Calvino: *"ci muovevamo in un multicolore universo di storie."* (righe 35-36)
6. Quale era la "materia prima" delle storie che gli scrittori del dopoguerra si trovarono a narrare?
7. Perché Italo Calvino parla di "diverse Italie", al plurale?
8. Alla fine di questo brano, Italo Calvino usa una metafora per definire la "lingua letteraria". Quale?

OSSERVAZIONI SUL TESTO

Considera l'uso dell'**infinito passato** come sostantivo alle righe 20-21:

L'essere usciti da un'esperienza... = Il fatto di essere usciti da un'esperienza...

Trasforma le seguenti frasi sottolineate usando l'infinito passato o presente:

1. Il fatto che molti avevano combattuto come partigiani ha rafforzato la spavalderia dei giovani.
2. Il fatto che quasi tutti avevano sofferto durante la guerra creava un comunanza di sentimenti.
3. Il fatto che molti scrittori avevano mischiato dialetti e gerghi produsse l'evento letterario del neorealismo.
4. Il fatto che tutti si ritrovavano sui treni di nuovo in circolazione e in vari altri luoghi moltiplicò le storie sulla guerra che la gente si raccontava.

TRE DONNE E IL VOTO DEL 1946
di Alba De Cespedes, Anna Banti e Maria Bellonci

Le elezioni del 1946 rappresentarono un doppio primato per l'Italia: furono le prime a suffragio universale e anche le prime dopo vent'anni di dittatura fascista. Tre scrittrici raccontano come si avvicinarono al voto per la prima volta: Alba De Cespedes (1911-1997), romanziera e poetessa; Anna Banti (1895-1985), critica d'arte; Maria Bellonci (1902-1986), storica e traduttrice.

Alba De Cespedes

Né posso passare sotto silenzio il giorno che chiuse una lunga e difficile avventura, e cioè il giorno delle elezioni. Era quella un'avventura incominciata
5 molti anni fa, prima dell'**armistizio**, del **25 luglio**, il giorno - avevo poco più di vent'anni - in cui vennero a prendermi per **condurmi** in prigione. Ero accusata di aver detto liberamente quel che pensavo. Da allora fu come se un'altra persona abitasse in me, segreta,
10 muta, nascosta, alla quale non era neppure permesso di respirare.

È stata sì, un'avventura umiliante e penosa. Ma con quel segno in croce sulla **scheda** mi pareva di aver disegnato uno di quei **fregi** che sostituiscono la parola
15 fine. Uscii, poi, liberata e giovane, come quando ci si sente i capelli ben **ravviati** sulla fronte.

Anna Banti

Quanto al '46 e a quel che di "importante" per me, ci ho visto e ci ho sentito, dove mai **ravvi-**
20 **sarlo** se non in quel **due giugno** che, nella cabina di votazione, **avevo il cuore in gola** e avevo paura di sbagliarmi fra il segno della repubblica e quello della monarchia? Forse solo le donne possono capirmi: e gli **analfabeti**. Era un giorno bellissimo, si votava in vista
25 di un giardino dove i bambini giocavano fra i grandi che, calmi e sorridenti, aspettavano, senza impazienza, di entrare. Una riunione civilissima; e gli elettori eran tutti di campagna, **mezzadri** e **manovali**. Quando i **presentimenti neri** mi opprimono, penso a quel
30 giorno, e spero.

Maria Bellonci

Confesso che mi **mancò il cuore** e mi venne l'impulso di fuggire. Non che non avessi un'idea sicura, anzi; ma mi parvero da rivedere tutte le ragioni che mi
35 avevano portato a quest'idea, alla quale mi pareva quasi di non aver diritto perché non abbastanza ragionata, coscienziosa, pura. Mi parve di essere solo in quel momento immessa in una corrente limpida di verità;

40 e il gesto che stavo per fare, e che avrebbe avuto una conseguenza diretta, mi **sgomentava**. Fu un momento di **smarrimento**: lo risolsi accettandolo, riconoscendolo; e la mia idea ritornò mia, come rassicurandomi.

Festeggiamenti per la vittoria della Repubblica al referendum del 1946.

NOTE (PRECEDUTE DAL NUMERO DELLA RIGA NEL TESTO)

Alba De Cespedes

5. *l'armistizio:* l'8 settembre 1943 l'Italia firmò un armistizio con gli Alleati

5. *25 luglio 1943*: il re fece arrestare Mussolini: questa data segna la fine ufficiale del regime fascista

7. *condurre:* portare, accompagnare

13. *la scheda:* il documento su cui si scrive il proprio voto

14. *il fregio:* segno fatto con la penna

16. *ravviato:* pettinato

Anna Banti

19. *ravvisare:* vedere, trovare

20. *2 giugno 1946:* il giorno delle prime elezioni dell'Italia repubblicana

21. *avere il cuore in gola:* essere molto emozionato (espressione usata in senso figurativo)

24. *l'analfabeta:* illetterato, che non sa leggere o scrivere

28. *il mezzadro:* contadino che non possiede la terra che lavora

28. *il manovale:* operaio che esegue i lavori più semplici o umili

29. *il presentimento nero:* idea negativa di quello che succederà

Maria Bellonci

33. *mancare il cuore:* non avere coraggio

40. *sgomentare:* spaventare

41. *lo smarrimento:* forte disorientamento, confusione mentale

DOMANDE DI COMPRENSIONE E DISCUSSIONE

Le seguenti frasi descrivono, con parole diverse da quelle del testo, l'esperienza di ognuna delle tre donne. Scegli quale delle tre donne avrebbe potuto dire ogni frase. Poi giustifica la tua scelta usando il testo.

1. Mi sembrava che, per meritare questa conquista, avrei dovuto essere una persona migliore, con delle idee più chiare, con una mente più pura.
   (Alba De Cespedes / Anna Banti / Maria Bellonci)

2. Fu la fine di un incubo e l'inizio di una nuova vita. Mi sentii una persona diversa.
   (Alba De Cespedes / Anna Banti / Maria Bellonci)

3. Ebbi paura quel giorno come di fronte ad un esame: ma ora è un ricordo bellissimo che mi conforta nel momenti difficili.
   (Alba De Cespedes / Anna Banti / Maria Bellonci)

Quale testimonianza, fra le tre, ti ha sorpreso di più e perché?

OSSERVAZIONI SUL TESTO

Considera l'uso dei **pronomi relativi** nel testo, ad esempio nella frase:

...il giorno **che** chiuse una lunga e difficile avventura ...

Completa le seguenti frasi (alcune prese dal testo, altre no) con un pronome relativo (**che, chi, in cui, di cui, a cui**):

1. Era quella un'avventura incominciata molti anni fa, [...] il giorno - avevo poco più di vent'anni - _____ vennero a prendermi per condurmi in prigione.

2. Mi pareva di aver disegnato uno di quei fregi _____ sostituiscono la parola fine.

3. I bambini giocavano fra i grandi _____ , calmi e sorridenti, aspettavano, senza impazienza, di entrare.

4. È triste pensare a _____ non è vissuto per vedere quel giorno.

5. Quello _____ penso di più è la lotta che abbiamo dovuto sostenere per liberarci dal fascismo.

6. Il diritto di voto per le donne è la conquista _____ sono più orgogliosa.

LE SCARPE ROTTE
di Natalia Ginzburg

In questo racconto, le "scarpe rotte" diventano una metafora per la vita del dopoguerra, piena di ristrettezze, ma libera dal desiderio di "tutto quel che è piacevole ma non necessario".

Io ho le scarpe rotte e l'amica con la quale vivo in questo momento ha le scarpe rotte anche lei. Stando insieme parliamo spesso di scarpe. Se le parlo del tempo in cui sarò una vecchia scrittrice famosa, lei subito mi chiede: «Che scarpe avrai?» Allora le dico che avrò delle scarpe di **camoscio** verde, con una gran **fibbia** d'oro da un lato.

Io appartengo a una famiglia dove tutti hanno scarpe solide e sane. Mia madre anzi ha dovuto far fare un armadietto apposta per tenerci le scarpe, tante **paia** ne aveva. Quando torno fra loro, levano alte grida di **sdegno** e di dolore alla vista delle mie scarpe. Ma io so che anche con le scarpe rotte si può vivere. Nel **periodo tedesco** ero sola qui a Roma, e non avevo che un solo paio di scarpe. Se le avessi date al **calzolaio** avrei dovuto stare due o tre giorni a letto, e questo non mi era possibile. Così continuai a portarle, e **per giunta** pioveva, le sentivo **sfasciarsi** lentamente, farsi molli ed informi, e sentivo il freddo del selciato sotto le piante dei piedi. È per questo che anche ora ho sempre le scarpe rotte, perché mi ricordo di quelle e non mi sembrano poi tanto rotte al confronto, e se ho del denaro preferisco spenderlo altrimenti, perché le scarpe non mi appaiono più come qualcosa di molto essenziale. Ero stata **viziata** dalla vita prima, sempre circondata da un affetto tenero e vigile, ma quell'anno qui a Roma fui sola per la prima volta, e per questo Roma mi è cara, sebbene carica di storia per me, carica di ricordi angosciosi, poche ore dolci. Anche la mia amica ha le scarpe rotte, e per questo stiamo bene insieme. La mia amica non ha nessuno che la rimproveri per le scarpe che porta, ha soltanto un fratello che vive in campagna e gira con degli stivali da cacciatore. Lei e io sappiamo quello che succede quando piove, e le gambe sono nude e bagnate e nelle scarpe entra l'acqua, e allora c'è quel piccolo rumore a ogni passo, quella specie di **sciacquettio**.

La mia amica ha un viso pallido e maschio, e fuma in un **bocchino** nero. Quando la vidi per la prima volta, seduta a un tavolo, con gli occhiali cerchiati di tartaruga e il suo viso misterioso e sdegnoso, col bocchino nero fra i denti, pensai che pareva un generale cinese. Allora non lo sapevo che aveva le scarpe rotte. Lo seppi più tardi.

Noi ci conosciamo soltanto da pochi mesi, ma è come se fossero tanti anni. La mia amica non ha figli, io invece ho dei figli e per lei questo è strano. Non li ha mai veduti se non in fotografia, perché stanno in provincia con mia madre, e anche questo fra noi è stranissimo, che lei non abbia mai veduto i miei figli. In un certo senso lei non ha problemi, può cedere alla tentazione di **buttar la vita ai cani**, io invece non posso. I miei figli dunque vivono con mia madre, e non hanno le scarpe rotte finora. Ma come saranno da uomini? Voglio dire: che scarpe avranno da uomini? Quale via sceglieranno per i loro passi? Decideranno di escludere dai loro desideri tutto quel che è piacevole ma non necessario, o affermeranno che ogni cosa è necessaria e che l'uomo ha il diritto di avere ai piedi delle scarpe solide e sane?

Con la mia amica discorriamo a lungo di questo, e di come sarà il mondo allora, quando io sarò una vecchia scrittrice famosa, e lei girerà per il mondo con uno zaino in spalla, come un vecchio generale cinese, e i miei figli andranno per la loro strada, con le scarpe sane e solide ai piedi e il passo fermo di chi non rinunzia, o con le scarpe rotte e il passo largo e **indolente** di chi sa quello che non è necessario.

Qualche volta noi combiniamo dei matrimoni fra i miei figli e i figli di suo fratello, quello che gira per la campagna con gli stivali da cacciatore. **Discorriamo** così fino a notte alta, e beviamo del tè nero e amaro. Abbiamo un materasso e un letto, e ogni sera facciamo **a pari e dispari** chi di noi due deve dormire nel letto. Al mattino quando ci alziamo, le nostre scarpe rotte ci aspettano sul tappeto.

La mia amica qualche volta dice che **è stufa** di lavorare, e vorrebbe buttar la vita ai cani. Vorrebbe chiudersi in una **bettola** a bere tutti i suoi risparmi, oppure mettersi a letto e non pensare più a niente, e lasciare che vengano a levarle il gas e la luce, lasciare che tutto **vada alla deriva** pian piano. Dice che lo farà quando io sarò partita. Perché la nostra vita comune durerà poco, presto io partirò e tornerò da

85 mia madre e dai miei figli, in una casa dove non mi
sarà permesso di portare le scarpe rotte. Mia madre
si prenderà cura di me, m'impedirà di usare degli
spilli invece che dei bottoni, e di scrivere fino a
notte alta. E io a mia volta mi prenderò cura dei miei
90 figli, vincendo la tentazione di buttar la vita ai cani.
Tornerò ad essere grave e materna, come sempre mi
avviene quando sono con loro, una persona diversa
da ora, una persona che la mia amica non conosce
affatto.

95 Guarderò l'orologio e terrò conto del tempo,
vigile ed attenta ad ogni cosa, e baderò che i miei
figli abbiano i piedi sempre asciutti e caldi, perché
so che così dev'essere se appena è possibile,
almeno nell'infanzia. Forse anzi per imparare poi a
100 camminare con le scarpe rotte, è bene avere i piedi
asciutti e caldi quando si è bambini.

NOTE (PRECEDUTE DAL NUMERO DELLA RIGA NEL TESTO)

6. *il camoscio:* un tipo di pelle particolarmente morbida
7. *la fibbia:* fermaglio di metallo
11. *il paio / le paia:* due (plur. irregolare)
12. *lo sdegno:* sentimento di disapprovazione
14. *il periodo tedesco:* i nove mesi di occupazione tedesca di Roma (1943-1944)
15. *il calzolaio:* chi ripara le scarpe
17. *per giunta:* inoltre
17. *sfasciarsi:* andare in pezzi, disfarsi
24. *viziato:* chi ha ricevuto un'educazione troppo permissiva
37. *lo sciacquettio:* rumore che fa l'acqua quando è mossa all'interno di un recipiente
39. *il bocchino:* sostegno, generalmente di legno, per sigaretta

52. *buttare la vita ai cani:* non occuparsi più di niente, come quando si è depressi
68. *indolente:* senza energia, pigro
71. *discorrere:* parlare, discutere
74. *fare pari e dispari:* gioco che permette di decidere fra due persone
77. *essere stufi:* essere stanchi e infastiditi
79. *la bettola:* bar o osteria di pessima qualità
82. *andare alla deriva:* non reagire più (come una barca trasportata dalle correnti)
88. *lo spillo:* filo di metallo che sostituisce il bottone e serve per unire due pezzi di stoffa
92. *avvenire:* succedere, capitare

Soldati italiani a un posto di blocco, Roma (8 settembre 1943).

DOMANDE DI COMPRENSIONE E DISCUSSIONE

1. Che cosa unisce Natalia e l'amica con cui abita ora? Che cosa separa Natalia dalla sua famiglia?
2. Perché durante "il periodo tedesco" non poteva portare le scarpe dal calzolaio?
3. Perché anche ora porta le scarpe rotte?
4. Com'era la sua vita prima di venire a Roma?
5. Com'era la sua vita durante il primo anno a Roma? Perché Roma le è così cara?
6. In quali cose le due amiche sono simili e in quali cose sono diverse?
7. Che cosa si domanda Natalia riguardo al futuro dei suoi figli?
8. Le due amiche come immaginano il loro futuro?
9. L'amica di Natalia dice che *vorrebbe buttar la vita ai cani* (righe 52 e 78). Che cosa vuol dire? Spiega con parole tue. Perché Natalia non può *buttare la vita ai cani?*
10. In che modo cambierà la vita di Natalia quando tornerà dai suoi figli e da sua madre?
11. *Le scarpe rotte* e *le scarpe solide e sane* sono metafore di due scelte di vita opposte. Spiega.

OSSERVAZIONI SUL TESTO

Completa le seguenti frasi ipotetiche usando i tempi giusti:

1. L'amica di Natalia non aveva figli, ma se avesse avuto figli, ...

2. Natalia e l'amica non avrebbero dovuto giocare a pari e dispari tutte le sere se.............................

3. Natalia si sarebbe comprata un paio di scarpe nuove se...

4. Se Natalia non avesse abitato sola a Roma durante l'occupazione tedesca ....
....

LUNA E GNAC
di Italo Calvino

Marcovaldo, il protagonista di questa storia e di molte altre raccolte nell'omonima raccolta, è una specie di Alice nel paese del "boom economico". Povero, ma dotato di determinazione, iniziativa e curiosità, egli scopre che "le meraviglie" della città moderna si scontrano con la natura che sembra sempre più lontana e irriconoscibile.
In questo racconto, Marcovaldo e la sua famiglia provano a godere dalla loro finestra lo spettacolo naturale più bello e accessibile: il cielo stellato e la luna nelle sere d'estate. Ma questo piacere è interrotto ogni venti secondi da una réclame luminosa. Marcovaldo riuscirà a riprendersi la notte, le stelle e la luna, ma sarà una vittoria di breve durata...

La notte durava venti secondi, e venti secondi il GNAC. Per venti secondi si vedeva il cielo azzurro variegato di nuvole nere, la **falce** della luna crescente dorata [...] fino allo **spolverio** della Via Lattea, tutto questo visto in fretta in fretta [...] perché i venti secondi finivano subito e cominciava il GNAC.

Il GNAC era una parte della scritta pubblicitaria SPAAK-COGNAC sul tetto di fronte, che stava venti secondi accesa e venti spenta, e quando era accesa non si vedeva nient'altro. La luna improvvisamente **sbiadiva**, il cielo diventava uniformemente nero e piatto, le stelle perdevano il brillio, e i gatti e le gatte che da dieci secondi lanciavano **gnaulii** d'amore [...] ora, col GNAC, s'acquattavano sulle **tegole** a pelo ritto, nella fosforescente luce al neon.

Affacciata alla mansarda in cui abitava, la famiglia di Marcovaldo era attraversata da opposte correnti di pensieri [...] Daniele e Michelino, otto e sei anni, **sgranavano** gli occhi nella notte e si lasciavano invadere da una calda e soffice paura d'esser circondati di foreste piene di briganti; poi, il GNAC! e **scattavano** coi pollici dritti e gli indici tesi, l'uno contro l'altro: - Alto le mani! Sono Superman! - Domitilla, la madre, a ogni **spegnersi** della notte pensava: «Ora questi ragazzi bisogna ritirarli, quest'aria può far male. E Teresina affacciata a quest'ora è una cosa che non va!» Ma tutto poi era di nuovo luminoso, elettrico, fuori come dentro, e Domitilla si sentiva come in visita in una casa **di riguardo**. [...]

Marcovaldo cercava d'insegnare ai figlioli la posizione dei corpi celesti.

- Quello è il **Gran Carro**, uno due tre quattro e lì il **timone**, quello è il **Piccolo Carro**, e la Stella Polare segna il Nord.

- E quell'altra, cosa segna?

- Quella segna *ci*. Ma **non c'entra** con le stelle. E l'ultima lettera della parola COGNAC. Le stelle invece segnano i punti cardinali. Nord Sud Est Ovest.

La luna ha la **gobba** a ovest. Gobba a **ponente**, luna crescente. Gobba a **levante**, luna **calante**.

- Papà, allora il cognac è calante? La *ci* ha la gobba a levante!

- Non c'entra, crescente o calante: è una scritta messa lì dalla ditta Spaak.

- E la luna che **ditta** l'ha messa?

- La luna non l'ha messa una ditta. È un satellite, e c'è sempre.

- Se c'è sempre, perché cambia di gobba?

- Sono i quarti. Se ne vede solo un pezzo.

- Anche di COGNAC se ne vede solo un pezzo.

- Perché c'è il tetto del palazzo Pierbernardi che è più alto.

- Più alto della luna?

E così, ad ogni accendersi del GNAC, gli **astri** di Marcovaldo andavano a confondersi coi commerci terrestri. [...] Daniele e Michelino coi pugni davanti al viso giocavano al **mitragliamento** aereo, - Ta-ta-tà ... - contro la scritta luminosa, che dopo i venti secondi si spegneva.

- Ta-ta-tà ... Hai visto, papà, che l'ho spenta con una sola **raffica**? - disse Daniele, ma già, fuori della luce al neon, il suo fanatismo guerriero era svanito e gli occhi gli si riempivano di sonno.

- Magari! - **scappò detto** al padre, - andasse in pezzi! Vi farei vedere il Leone, i Gemelli...

- Il Leone! - Michelino fu preso d'entusiasmo. - Aspetta! - Gli era venuta un'idea. Prese la **fionda**, la caricò del **ghiaino** di cui sempre aveva in tasca una riserva, e tirò una **sventagliata** di sassolini con tutte le forze contro il GNAC.

Si sentì la **gragnuola** cadere **sparpagliata** sulle tegole del tetto di fronte, [...] una voce in strada: - Piovono pietre! Ehi lassù! Mascalzone! - Ma la scritta luminosa proprio sul momento del tiro s'era spenta per la fine dei suoi venti secondi. E tutti nella **mansarda** presero mentalmente a contare: uno due tre, dieci undici, fino a venti. Contarono diciannove, tirarono il respiro, contarono venti, contarono ventuno ventidue nel timore d'aver contato troppo in fretta, ma no, nulla, il GNAC non si riaccendeva, restava un nero **ghirigoro** male decifrabile intrecciato al suo castello di sostegno come la vite alla **pergola**. - Aaah! - gridarono tutti e la cappa del cielo s'alzo infinitamente stellata su di loro.

Marcovaldo, interrotto a mano alzata nello **scapaccione** che voleva dare a Michelino, si sentì come proiettato nello spazio. Il buio che ora regnava all'altezza dei tetti faceva come una barriera oscura che escludeva laggiù il mondo dove continuavano a **vorticare geroglifici** gialli e verdi e rossi, e **ammiccanti** occhi di semafori, e il luminoso navigare dei tram vuoti, e le auto invisibili che spingono davanti a sé il cono di luce dei **fanali**. Da questo mondo non saliva lassù che una diffusa fosforescenza, vaga come un fumo. E ad alzare lo sguardo non più **abbarbagliato**, s'apriva la prospettiva degli spazi, le costellazioni si dilatavano in profondità, il firmamento ruotava per ogni dove, sfera che contiene tutto e non la contiene nessun limite, e solo uno **sfittire** della sua trama, come una breccia, apriva verso Venere, per farla risaltare sola sopra la cornice della terra, con la sua ferma **trafittura** di luce esplosa e concentrata in un punto.

Sospesa in questo cielo, la luna nuova [...] rivelava la sua natura di sfera opaca illuminata intorno dagli **sbiechi** raggi d'un sole perduto dalla terra, ma che pur conservava - come può vedersi solo in certe notti di piena primavera - il suo caldo calore. E Marcovaldo a guardare quella stretta riva di luna tagliata là tra ombra e luce, provava una nostalgia come di raggiungere una spiaggia rimasta miracolosamente soleggiata nella notte.

Così restavano affacciati alla mansarda, i bambini spaventati dalle **smisurate** conseguenze del loro gesto [...] La mamma si riscosse: - Su, su, è notte, cosa fate affacciati? Vi prenderete un **malanno** sotto questo chiaro di luna!

Michelino puntò la fionda in alto. - E io spengo la luna! - Fu **acciuffato** e messo a letto.

Così per il resto di quella e per tutta la notte dopo, la scritta luminosa sul tetto di fronte diceva solo SPAAK-CO e dalla mansarda di Marcovaldo si vedeva il firmamento. [...]

Ma la mattina del secondo giorno, sul tetto, tra i castelli della scritta luminosa **si stagliavano** esili esili le figure di due elettricisti in tuta, che verificavano i tubi e i fili. Con l'aria dei vecchi che prevedono il tempo che farà, Marcovaldo mise il naso fuori e disse: - Stanotte sarà di nuovo una notte di GNAC.

Qualcuno bussava alla mansarda. Aprirono. Era un signore con gli occhiali. - Scusino, potrei **dare un'occhiata** dalla loro finestra? Grazie, - e si presentò: - Dottor Godifredo, agente di pubblicità luminosa.

« Siamo rovinati! Ci vogliono far pagare i danni! - penso Marcovaldo e già si mangiava i figli con gli occhi, dimentico dei suoi rapimenti astronomici. - Ora guarda alla finestra e capisce che i sassi non posson essere stati tirati che di qua». Tentò di **mettere le mani avanti**: - Sa, son ragazzi, tirano così, ai passeri, **pietruzze**, non so come mai è andata a guastarsi quella scritta della Spaak. Ma li ho **castigati**, eh, se li ho castigati! E può star sicuro che non si ripeterà più.

Il dottor Godifredo fece una faccia attenta. - Veramente, io lavoro per la «Cognac Tomawak », non per la «Spaak». Ero venuto per studiare la possibilità d'una réclame luminosa su questo tetto. Ma mi dica, mi dica lo stesso, m'interessa.

Fu così che Marcovaldo, mezz'ora dopo, concludeva un contratto con la «Cognac Tomawak», la principale concorrente della «Spaak». I bambini dovevano tirare con la fionda contro il GNAC ogni volta che la scritta veniva riattivata.

- Dovrebb'essere la **goccia che fa traboccare il vaso**, - disse il dottor Godifredo. Non si sbagliava: già sull'orlo della **bancarotta** per le forti spese di pubblicità sostenute, la «Spaak» vide i continui guasti alla sua più bella réclame luminosa come un cattivo auspicio. La scritta che ora diceva coGAC ora coNAc ora coNc diffondeva tra i creditori l'idea d'un dissesto; a un certo punto l'agenzia pubblicitaria si rifiutò di fare altre riparazioni se non le venivano pagati gli arretrati; la scritta spenta fece crescere l'allarme tra i creditori; la «Spaak» fallì.

Nel cielo di Marcovaldo la luna piena **tondeggiava** in tutto il suo splendore.

Era l'ultimo quarto, quando gli elettricisti tornarono a **rampare** sul tetto di fronte. E quella notte, a caratteri di fuoco, caratteri alti e spessi il doppio di prima, si leggeva COGNAC TOMAWAK, e non c'erano più luna né firmamento né cielo né notte, soltanto COGNAC TOMAWAK, COGNAC TOMAWAK, COGNAC TOMAWAK che s'accendeva e si spegneva ogni due secondi.

[...]

NOTE (PRECEDUTE DAL NUMERO DELLA RIGA NEL TESTO)

3. *la falce*: attrezzo agricolo a forma di mezzaluna
4. *lo spolverio*: piccole luci, sparse e fini come la polvere
10. *sbiadire*: perdere la luminosità
13. *il gnaulio d'amore*: suono emesso dai gatti quando sono in amore
14. *la tegola*: elemento di argilla o pietra che forma il tetto
16. *affacciato*: con la testa e il busto fuori dalla finestra
18. *sgranare*: aprire (come chi toglie i semi o i grani dai frutti)
21. *scattare*: fare un movimento improvviso e veloce
23. *spegnersi*: estinguersi
28. *di riguardo*: importante, rispettato
31. *il Gran Carro*: una costellazione
32. *il timone*: un attrezzo per manovrare una nave (qui riferito ad una parte della costellazione)
32. *il Piccolo Carro*: una costellazione
35. *non c'entrare*: non avere alcuna rilevanza
38. *la gobba*: curvatura
38. *ponente*: direzione ovest
39. *levante*: direzione est
39. *calante*: che decresce
44. *la ditta*: azienda, impresa
53. *l'astro*: stella
56. *il mitragliamento:* colpi rapidi e continui di arma da fuoco
59. *la raffica*: scarica di colpi
62. *scappare detto*: dire qualcosa impulsivamente, senza pensarci
66. *la fionda*: arma rudimentale per lanciare un sasso o una pietra
66. *la ghiaia, il ghiaino:* piccoli sassi, pietrisco
67. *la sventagliata*: scarica o raffica di proiettili a 180 gradi
69. *la gragnuola:* caduta veloce e fitta di sassi
69. *sparpagliare:* diffondere
73. *la mansarda:* soffitta
79. *il ghirigoro:* linea curva che forma una parola illeggibile
81. *la pergola:* sostegno per la vite che forma una copertura orizzontale, spesso usato nei giardini
84. *lo scapaccione:* schiaffo, sberla
87. *vorticare:* girare velocemente, come in un vortice
88. *i geroglifici:* sistema di scrittura usato nell'antico Egizio
88. *ammiccante:* sguardo eloquente e malizioso, che comunica senza bisogno di parole
91. *il fanale:* luce fissa che serve per illuminare la strada
93. *abbarbagliato:* colpito, quasi acciecato, da una forte luce
97. *sfittire:* diventare meno fitto, più rado
99. *la trafittura:* colpo, puntura, fitta
103. *sbieco:* inclinato
111. *smisurato:* enorme, che non si può misurare
113. *il malanno:* malattia
116. *acciuffare:* prendere, catturare
122. *stagliarsi:* profilarsi, emergere con le linee del proprio contorno
128. *dare un'occhiata:* guardare brevemente
135. *mettere le mani avanti:* prevenire, difendersi
137. *la pietruzza:* piccola pietra o sasso
138. *castigato:* punito
150. *la goccia che fa traboccare il vaso:* l'ultimo evento negativo che obbliga a una decisione (frase usata in senso figurativo)
152. *la bancarotta:* fallimento
161. *tondeggiare:* prendere una forma rotonda
164. *rampare:* arrampicarsi

DOMANDE DI COMPRENSIONE E ANALISI

1. Perché la notte durava solo venti secondi per Marcovaldo e per la sua famiglia?
2. Che cos'è GNAC?
3. Che cosa succedeva quando GNAC si illuminava?
4. Come reagivano i bambini e la madre ogni volta che la notte "si spegneva"?
5. Che cosa insegnava Marcolvado ai suoi figli?
6. Qual è l'aspetto umoristico della conversazione fra Marcolvaldo e i suoi figli?
7. Che cosa fece Michelino per vedere la costellazione del Leone?
8. Quale fu il risultato dell'azione di Michelino?

9. Dopo l'azione di Michelino si creò un "mondo laggiù" e un "mondo lassù". Che cosa sono questi mondi e come li descrive l'autore?
10. A che cosa assomigliava la luna, secondo Marcovaldo?
11. Perché Marcovaldo pensò "Siamo rovinati!"?
12. Che cosa voleva in realtà il Dottor Godifredo?
13. A che cosa si riferisce il Dottor Godifredo quando dice "Dovrebb'essere la goccia che fa traboccare il vaso"?

14. Alla fine Marcovaldo e la sua famiglia poterono continuare a godersi il cielo stellato? Spiega.
15. Natura e città si scontrano in questo racconto: chi vince e chi perde? Che ruolo hanno Marcolvaldo e la sua famiglia in questa lotta?

OSSERVAZIONI SUL TESTO

Per ogni vocabolo usato nel testo scegli quello di significato contrario fra i due in parentesi. Segui l'esempio:

Esempio:
bello (carino / <u>brutto</u>)

1. in fretta (lentamente / velocemente)
2. spento (acceso / estinto)
3. crescente (calante / sognante)
4. levante (oriente / ponente)
5. buio (notte / luce)
6. alto (basso / largo)
7. lassù (là dietro / laggiù)
8. luminoso (brillante / oscuro)
9. fuori (dentro / all'esterno)
10. guastare (riparare / rovinare)
11. castigare (lodare / punire)

ESSERE E AVERE

di Gianni Rodari

Un gruppo di operai meridionali insegna una lezione importante al professor Grammaticus: gli "errori di grammatica" sembrano irrilevanti quando tutta la società è piena di sbagli. Gianni Rodari, scrittore per bambini, ci fa sorridere anche se un po' amaramente presentandoci l'emigrazione del boom economico come un esilio forzato e non come una libera scelta.

Il professor Grammaticus, viaggiando in treno, ascoltava la conversazione dei suoi compagni di scompartimento. Erano **operai meridionali**, emigrati all'estero in cerca di lavoro: erano tornati in Italia per
5 le elezioni, poi avevano ripreso la strada del loro **esilio**.

- Io *ho andato* in Germania nel 1958, - diceva uno di loro.

- Io *ho andato* prima in Belgio, nelle miniere di carbone. Ma era una vita troppo dura.

10 Per un poco il professor Grammaticus li stette ad ascoltare in silenzio. A guardarlo bene, però, pareva **una pentola in ebollizione**. Finalmente il coperchio saltò, e il professor Grammaticus esclamò, guardando severamente i suoi compagni:

15 - *Ho andato! Ho andato!* Ecco di nuovo il benedetto **vizio** di tanti italiani del Sud di usare il verbo avere al posto del verbo essere. Non vi hanno insegnato a scuola che si dice: «sono andato»?

Gli emigranti **tacquero**, pieni di rispetto per
20 quel signore tanto **perbene**, con i capelli bianchi che gli uscivano di sotto il cappello nero.

- Il verbo andare, - continuò il professor Grammaticus, - è un verbo intransitivo, e come tale vuole l'ausiliare essere.

25 Gli emigranti **sospirarono**. Poi uno di loro tossì per **farsi coraggio** e disse:

- Sarà come lei dice, signore. Lei deve aver studiato molto. Io ho fatto la seconda elementare, ma già allora dovevo guardare più alle pecore che ai libri.
30 Il verbo andare sarà anche quella cosa che dice lei.

- Un verbo intransitivo.

- Ecco, sarà un verbo intransitivo, una cosa importantissima, non discuto. Ma a me sembra un verbo triste, molto triste. Andare a cercar lavoro in
35 casa d'altri ... Lasciare la famiglia, i bambini.

Il professor Grammaticus cominciò a **balbettare**.

- Certo... Veramente... Insomma, però.... Comunque si dice *sono andato*, non *ho andato*. Ci vuole il
40 verbo «essere»: io sono, tu sei, egli è ...

- Eh, - disse l'emigrante, sorridendo con gentilezza, - io sono, noi siamo! ... Lo sa dove siamo noi, con tutto il verbo essere e con tutto il cuore? Siamo sempre al paese, anche se *abbiamo andato* in Germania
45 e in Francia. Siamo sempre là, è là che vorremmo restare, e avere belle fabbriche per lavorare, e belle case per abitare.

E guardava il professor Grammaticus con i suoi occhi buoni e puliti. E il professor Grammaticus aveva
50 una gran voglia di darsi dei pugni in testa. E intanto **borbottava** tra sé: - Stupido! Stupido che non sono altro. Vado a cercare gli errori nei verbi... Ma gli errori più grossi sono nelle cose!

Arrivo di un immigrato alla stazione di Porta Nuova a Torino. 1960 circa.

NOTE (PRECEDUTE DAL NUMERO DELLA RIGA NEL TESTO)

3. *l'operaio meridionale:* lavoratore del Sud d'Italia
5. *l'esilio:* allontanamento forzato dalla patria
12. *la pentola in ebollizione:* metafora usata per descrivere una persona molto arrabbiata o adirata
15. *"Ho andato!":* uso grammaticalmente scorretto dell'ausiliare "avere" con il verbo "andare"
16. *il vizio:* difetto, sbaglio

17. *tacere:* non parlare, stare zitto
20. *perbene:* rispettabile
25. *sospirare:* espirare, respirare leggermente
26. *farsi coraggio:* prepararsi a una prova difficile
36. *balbettare:* tartagliare, parlare con difficoltà, interrompendosi più volte
51. *borbottare:* mormorare

DOMANDE DI COMPRENSIONE E DISCUSSIONE

1. Secondo te, in che periodo storico ha luogo questa storia?
2. Chi sono i compagni di viaggio del Professor Grammaticus? Perché viaggiano in treno?
3. Perché il professore "pareva una pentola in ebollizione"?
4. Come si spiega che gli emigranti non sanno che il verbo andare è un verbo intransitivo?
5. Perché, secondo uno degli emigranti, il verbo andare è un "verbo triste"?
6. Che cosa significa il verbo essere per gli emigranti?
7. Che cosa impara il professor Grammaticus dal suo incontro con gli emigranti?
8. Quali sono gli "errori nelle cose"? In questa storia ce ne sono almeno due.
9. Come si conclude questa storia?

OSSERVAZIONI SUL TESTO

Per i seguenti verbi al **passato remoto**, identifica l'**infinito** e forma il **passato prossimo** con essere o avere. Segui l'esempio della prima riga:

Forma del passato remoto come appare nel testo	Infinito del verbo	Passato prossimo
Esempio: disse	dire	ha detto
1. stette		
2. saltò		
3. esclamò		
4. tacquero		
5. sospirarono		
6. tossì		

STRANIERI IN PATRIA: "TERRONI" O "POLENTONI"

di Marta Boneschi

In questo breve saggio, l'autrice mette in risalto le contraddizioni e gli squilibri dell'immediato dopoguerra, quando la rapida crescita dell'edilizia nel nord alimentò un primo flusso migratorio dal sud. L'incontro delle due culture - quella dei "polentoni" e quella dei "terroni" - "non fu festoso", commenta l'autrice, ma ancora più triste fu il confronto fra le due Italie degli anni '50: quella che era ormai risorta dalle distruzioni della guerra, e quell'altra Italia dimenticata, dalla quale chi appena poteva fuggiva.

Pasquale Sinisi parte dal **foggiano** a sedici anni, nel '52. La sua meta è Milano, dove c'è lavoro per tutti. «Avevo fame» racconta «ma fame di lavoro. Ero disposto a fare qualsiasi cosa, ma basta, **non ne potevo più** né dell'arretratezza né dell'essere povero.» Pasquale trova un posto di **garzone** presso un **ortolano** a 15 mila lire al mese. Guadagna come una cameriera. Alle sei del mattino, prima di attaccare a portare pacchi e cassette, compera il «Corriere della Sera» perché tutti i milanesi lo leggono e lui, ormai, è un milanese. Di ragazzi come Pasquale sono popolati tutti gli anni Cinquanta. La crescita **edilizia** delle città industriali del Nord, soprattutto Milano e Torino, è alimentata dall'arrivo di ondate successive di nuovi cittadini.

Due popoli s'incontrano in questa circostanza e non sempre l'incontro è festoso. La lingua che parlano non è la stessa, il modo di vivere degli uni è sconosciuto agli altri. I nuovi arrivati paiono selvatici e **retrogradi** agli indigeni, che li chiamano «terroni». Gli «intrusi» si vendicano, **mettendo alla berlina** lo **scipito** menù dei settentrionali «**polentoni**». Come ogni fenomeno del progresso, anche questo nuovo passo avanti dell'unità nazionale è accompagnato da rancori e intolleranza. Sui «terroni» fioriscono racconti di leggendaria sporcizia, di insopportabile invadenza, di monumentale pigrizia. Alle famiglie del Nord va bene avere una cameriera, ma è meglio che sia settentrionale. Ai proprietari di case è gradito un inquilino, purché non sia un «terrone».

A Torino – mai a Milano – la discriminazione è ben evidente sui cartelli che offrono appartamenti. A Milano, la differenza tra i due popoli stranieri in patria assume un carattere più **bonario** che razzista. Abituata agli «stranieri», ne ha visti di ogni nazionalità nella sua storia di **crocevia** commerciale. «Milano è una grande madre che accoglie tutti nel suo abbraccio» dice Gaetano Afeltra con enfasi. A Torino non è affatto volgare esibire un signorile **ribrezzo** per gli immigrati, mentre a Milano l'epiteto di «terrone» si usa solo confidenzialmente e si guarda con paterna comprensione a quelle famiglie ammucchiate in pochi metri quadrati, a quell'attaccamento **tribale** tra parenti, a quella espansività primitiva. La biografia di un sindaco di Milano, Marco Formentini, registra questo aneddoto. In casa Gariboldi, a Cusano Milanino, la graziosa Augusta annuncia a papà che sposerà il giovane Marco, laureato in legge. Il padre s'informa: «**L'è un terùn?**».

Il Sud è un mondo a parte, per chi non ci è nato. Alla storica povertà si sono aggiunti i disastri della guerra e chi può, chi è giovane, chi ha fiducia nell'avvenire, scappa. Così il **Meridione** continua a restare un mondo a parte, dal quale affiorano fenomeni di straordinaria inciviltà e qualche volta di insospettabile virtù. Agli occhi del Nord appare vergognoso che, per esempio, in Calabria 9 Comuni su 10 non possiedano una scuola e che metà degli adulti maschi siano illetterati. Le differenze tra Nord e Sud resistono, anche se con il passare degli anni cambiano i termini di paragone: nel '58, quando l'auto è piuttosto diffusa, solo una su mille porta una targa **calabrese**. Il peggio del Sud, che il fascismo **teneva in sordina**, desta grande impressione al Nord: a Matera, **capoluogo** di provincia, si fa scuola in una stalla dove mancano anche i banchi. A Jotta, in Calabria, il maestro Paolo Carobella insegna ai ragazzini di seconda e quarta elementare, tutti insieme, da una **cattedra** che è costituita da un'asse appoggiata su due pile di mattoni. La lavagna è un lusso e le carte geografiche – quando ci sono – risalgono a prima della guerra, quando la Dalmazia era italiana e su Tripoli sventolava il **tricolore**.

NOTE (PRECEDUTE DAL NUMERO DELLA RIGA NEL TESTO)

1. *il foggiano:* zona intorno a Foggia, in Puglia
4. *non poterne più:* non sopportare più
6. *il garzone:* ragazzo che lavora in un negozio, addetto a semplici mansioni
7. *l'ortolano:* chi vende frutta e verdura, cioè i prodotti dell'orto
12. *l'edilizia:* industria che si occupa della costruzione di case e edifici di ogni tipo
20. *retrograde:* molto arretrato, che non conosce il progresso
20. *"terroni":* termine denigratorio usato per definire gli abitanti del sud d'Italia, quelli che lavorano "la terra"
21. *mettere alla berlina:* prendere in giro, schernire
22. *scipito:* che non ha sapore, senza sale
22. *"polentoni":* termine denigratorio usato per definire gli abitanti del nord d'Italia, quelli che mangiano la polenta, un piatto a base di mais

34. *bonario:* gentile, di carattere allegro
36. *il crocevia:* incrocio, punto di incontro di più vie (anche figurativo)
39. *il ribrezzo:* disgusto, ripugnanza
43. *tribale:* di una tribù, o clan
49. *"l'è un terun?":* è un meridionale? (in dialetto milanese)
53. *il Meridione:* il sud dell'Italia (cfr. il Settentrione, il nord dell'Italia)
63. *il/la calabrese:* della Calabria, una regione del Sud
64. *tenere in sordina:* nascondere, non rendere pubblico o parlarne
65. *il capoluogo:* città più importante di una provincia o regione
69. *la cattedra:* tavolo usato da professori o maestri per insegnare
73. *il tricolore:* la bandiera italiana

DOMANDA DI COMPRENSIONE E DISCUSSIONE

1. Perché ragazzi come Pasquale Sinisi emigrano al nord?
2. Che lavoro fa Pasquale? Come cerca di integrarsi nella sua nuova città?
3. Spiega perché l'incontro fra i due popoli (quello proveniente dal sud e quello del nord) "non è festoso", secondo l'autrice?

4. Qual è la differenza fra Milano e Torino nel loro atteggiamento verso gli immigrati?
5. Quale aspetto dell'arretratezza del Sud ti ha colpito di più?

OSSERVAZIONI SUL TESTO

Considera l'uso del **congiuntivo** nella seguente frase (righe 29-30):

Ai proprietari di case è gradito un inquilino, <u>purché non sia</u> un terrone (cioè: Ai proprietari di case..., <u>a condizione che non sia</u> un terrone).

Il **congiuntivo** va usato dopo queste congiunzioni: *purché, a condizione che, a patto che, a meno che non, affinché, sebbene, nonostante.*

Unisci le seguenti frasi usando la **congiunzione** giusta e il **congiuntivo:**

1. I padroni di casa affittano anche a famiglie povere .... non .... (venire) dal sud.

2. La famiglia di Augusta acconsente al suo fidanzamento con Marco .... lui non .... (essere) un meridionale.

3. Il giovane Pasquale legge il Corriere ....i milanesi ....(vedere) che anche lui è uno di loro.

4. A Pasquale piace abitare a Milano, ... (lui) .... (fare) un lavoro duro e mal pagato.

5. .... la guerra .... (finire, al passato) da dieci anni, il Sud è ancora in uno stato di arretratezza rispetto al nord.

6. Non ti sposerò, ... tu non .... (smettere) di mangiare polenta!

LADRI DI BICICLETTE
(1948), regia di Vittorio De Sica

Antonio, Bruno e la bicicletta.

INTRODUZIONE
Nella Roma dell'immediato dopoguerra, Antonio, da tempo di-
soccupato, è stato chiamato dal Comune per un lavoro come
attacchino. Ad una condizione, però: che possa disporre di
una bicicletta. Il futuro di Antonio e della sua famiglia (moglie
e due figli) diventa da quel momento legato al possesso di
questo mezzo di trasporto. Bruno, il figlio di Antonio inter-
pretato dal bravissimo Enzo Staiola, accompagna il padre in
un'angosciosa ricerca della bicicletta rubata, attraverso una Roma domenicale e popolana, dove la miseria sembra troppo
vicina e il benessere altrettanto a portata di mano.

Il film ha ricevuto l'Oscar nel 1949 come miglior film straniero e innumerevoli altri riconoscimenti nazionali ed
internazionali.

PROTAGONISTI E INTERPRETI PRINCIPALI
Antonio (il padre): *Lamberto Maggiorani*
Maria (la madre): *Lianella Carell*
Bruno (il figlio): *Enzo Staiola*
Alfredo (il ladro): *Vittorio Antonucci*
La Santona: *Ida Bracci Dorati*

DOMANDE DI COMPRENSIONE E DISCUSSIONE
1. Dove vivono Antonio e la sua famiglia? Descrivi il quartiere e la casa.
2. Perché Antonio dice all'impiegato dell'Ufficio di Collocamento: "La bicicletta ce l'ho e non ce l'ho..."?
3. Com'è il Monte di Pietà dove Maria e Antonio si recano per lasciare in pegno le lenzuola?
4. Perché Maria va dalla Santona?
5. Descrivi la prima mattina di lavoro per la famiglia. Com'è l'atmosfera in casa? Come si comporta il figlio Bruno?
6. Mentre Antonio sta denunciando il furto della sua bicicletta al commissariato, un giornalista si avvicina e domanda
   al commissario di che cosa si tratta; il commissario risponde: *"Niente, solo un furto di bicicletta"*. Commenta la sua
   risposta alla luce della tragedia personale di Antonio.
7. La ricerca della bicicletta attraverso una Roma domenicale si trasforma in un'odissea. Quali sono le tappe di questa
   odissea? Com'è la Roma e come sono i romani di questo film?
8. Com'è il rapporto fra padre e figlio nel corso della loro ricerca? Il furto della bicicletta cambia moralmente Antonio?
   In che modo? Dai degli esempi.
9. Perché il titolo al plurale: *Ladri di biciclette*? C'è una grande differenza fra Antonio, il protagonista, e Alfredo, il ladro?
10. Ecco alcune scene significative nel film: l'affissione del poster dell'attrice americana Rita Hayworth, le prove per lo
    spettacolino teatrale, la "mensa dei poveri", l'uscita dallo stadio dei tifosi di calcio la domenica pomeriggio, il salvataggio
    di un uomo dalle acque del Tevere, il pedofilo che avvicina Bruno al mercato delle biciclette usate, la famiglia ricca che
    pranza al ristorante. Quale di queste scene ti ha colpito di più? Ci sono altre scene altrettanto significative, secondo te?
11. **La bicicletta**. Che cosa rappresenta veramente per Antonio e per la sua famiglia?
12. Qual è il ruolo di Bruno in tutta la vicenda?
13. Potremmo paragonare Antonio al tipico eroe "hollywoodiano" che ha subito un torto e cerca giustizia da solo e contro
    tutti? Motiva la tua risposta.
14. "Il film è pessimista". Sei d'accordo con questa affermazione? Si intravede una speranza alla fine?

IL SORPASSO

(1962), regia di Dino Risi

Bruno e Roberto al ristorante.

INTRODUZIONE

Bruno è un appassionato di auto sportive, uno spirito libero e spregiudicato, dalla battuta sempre pronta, ma anche narcisista e un po' volgare. Nella Roma deserta di Ferragosto, Bruno incontra casualmente Roberto, uno studente universitario, timido, solo e complessato. I due iniziano un viaggio senza meta, una spericolata gita in macchina che li porta, fra un sorpasso e l'altro, fino alle spiagge della Versilia. La diversità fra i due giovani è fonte di intensa comicità: Roberto considera Bruno un pazzo maniaco della velocità, privo di ogni moralità. Bruno considera Roberto un complessato che non sa trarre alcun piacere dalla vita. Eppure sono entrambi affascinati l'uno dell'altro. Il viaggio lungo la costa tirrenica diventa anche un viaggio nelle illusioni e negli eccessi del primo consumismo.

Il film ha ottenuto il Nastro d'Argento (1963) e il Premio David di Donatello a Vittorio Gassman come miglior attore.

PERSONAGGI E INTERPRETI PRINCIPALI

Bruno: *Vittorio Gassman*
Roberto: *Jean Louis Trintignant*
Lilly (figlia di Bruno): *Catherine Spaak*
Bibi (fidanzato di Lilly): *Claudio Gora*
Gianna (ex-moglie di Bruno): *Luciana Angiolillo*

DOMANDE DI COMPRENSIONE E DISCUSSIONE

1. Come appare Roma in questa giornata di Ferragosto?
2. Come si incontrano Bruno e Roberto?
3. Che impressione abbiamo dei due protagonisti dalle prime scene del film e dal loro primo incontro?
4. Bruno collega la popolare canzone di Modugno *L'uomo in frak* con il film *L'eclisse* di Antonioni. In che modo? Questo collegamento è importante per il film?
5. Come passano il Ferragosto le famiglie italiane che Bruno e Roberto vedono dalla macchina?
6. Bruno come pensa di trarre vantaggio dall'incidente di macchina successo qualche minuto prima del loro arrivo?
7. Quale episodio umoristico ci dimostra che Roberto è eccessivamente timido?
8. Bruno come risolve il problema della multa?
9. Bruno e Roberto hanno idee diverse sui legami sentimentali. Spiega.
10. Che cosa confessa Roberto a Bruno mentre stanno arrivando nella casa di campagna dei parenti di Roberto, nei pressi di Grosseto?
11. Quali segreti dei parenti di Roberto scopre Bruno durante la loro breve visita? [1]
12. Che effetto fa l'arrivo di Bruno ai parenti di Roberto?

I   Attenzione al termine "occhiofino" (cioè occhio acuto, bello), inversione di "finocchio" (termine derisorio per "omosessuale").

13. Che cosa pensa Roberto mentre guarda lo zio Alfredo? Gli sembra attraente quel futuro di avvocato?
14. Che cosa pensa Bruno della vita in campagna?
15. Che consiglio dà Bruno a Roberto riguardo a Valeria, la ragazza di cui Roberto è innamorato?
16. Perché Bruno lascia Roberto da solo quando arrivano a Castiglioncello?
17. Roberto va alla stazione e incontra una ragazza. Che cosa le dice? Perché è importante il loro incontro?
18. Che cosa succede in discoteca?
19. Che cosa pensa Gianna, la moglie di Bruno, riguardo l'ex marito?
20. Come reagisce Bruno quando la figlia Lilly gli presenta Bibi, il fidanzato?
21. Che tipo è Bibi?
22. Dove si risvegliano i due amici?
23. Quali sono gli eventi più significativi della giornata?
24. Com'è il rapporto fra padre e figlia?
25. Bruno come riesce a recuperare 50.000 lire?
26. Come cambia Roberto nel corso del film?
27. Potresti pensare a un finale diverso per questo film?
28. Perché sentiamo solo i pensieri di Roberto e mai quelli di Bruno?
29. Commenta le ultime parole di Bruno: "Si chiamava Roberto. Il cognome non lo so. L'ho conosciuto ieri mattina."
30. Quali sono le tue reazioni alle diverse Italie che vedi in questo film (non solo i paesaggi e le città, ma anche le persone)?
31. I dialoghi sono molto importanti in questo film. Commenta le seguenti citazioni (si tratta di spezzoni di dialoghi fra i due protagonisti). Scegli i dialoghi che meglio illustrano, secondo te, la personalità dei due protagonisti e alcuni valori del boom economico:

> Roberto (pensa) "Sono nelle mani di un pazzo"
> Bruno: "Hai paura?"
> Roberto: "No, guida bene, Lei..."
> [...]
> Roberto: "Tu conosci il tedesco?"
> Bruno: "No, ma me lo immagino!"
> [...]
> Roberto: "Perché hai detto che sto sbagliando tutto?"
> Bruno: Io capirei studiare diritto spaziale: due astronavi si scontrano. Chi paga? Oppure: i terreni sulla luna si possono lottizzare? Va be' che quando arriva Krushov ci trova le palazzine della immobiliare..."
> Roberto (pensa): "E se fosse vero che sto sbagliando tutto?"
> [...]
> Bruno: "Qual è l'età più bella, secondo te? Quella che uno ha, giorno per giorno".
> Roberto: È più facile diventare amico di un estraneo piuttosto che di una persona che conosci da molto tempo."
> [...]
> Bruno: "Lei m'ha lasciato perché diceva che ero più innamorato della macchina che di lei".
> Roberto: "Era vero"?
> Bruno: "Sì, c'aveva una ripresa... Adesso sono sei anni che non mi faccio vivo..."
> "Una volta mi ha dato 600.000 da dare a un Monsignore per l'annullamento, ma io non glieli ho dati...."
> Roberto: "Ti sei tenuto 600.000 lire? Bene, ben fatto!"
> [...]
> Bruno: "Sei un tipo strano: non bevi, non fumi... non sai nemmeno guidare la macchina. Ma come campi?"
> Roberto: "Prima di buttarmi, mi chiedo sempre dove andrò a cadere. Così non mi butto. Sono un cretino".
> [...]

CAPITOLO
TRE

Il '68 E GLI ANNI '70:
MOVIMENTI DI PROTESTA
E "ANNI DI PIOMBO"

D'ORA IN POI DECIDO IO

Daniela Bartalesi-Graf

IL '68 E GLI ANNI '70: MOVIMENTI DI PROTESTA E "ANNI DI PIOMBO"

CARATTERISTICHE GENERALI DEL MOVIMENTO STUDENTESCO DEL "SESSANTOTTO"

Alla fine degli anni '60 una forte ondata di protesta scosse le università italiane, special-mente nelle grandi città, quali Roma, Milano e Torino. Gli studenti cominciarono a sfidare apertamente l'autorità dei professori e i contenuti spesso antiquati e reazionari dei programmi di studio. Le critiche degli studenti, però, non si fermarono al potere delle gerarchie universitarie (e dei "baroni", cioè dei professori, secondo un'espressione derisoria da loro usata). Presto anche la famiglia, i luoghi di lavoro, l'esercito, e tutte le istituzioni dello Stato, apparvero agli studenti come tanti anelli in una lunga catena di oppressione dalla quale bisognava liberarsi.

L'autoritarismo arbitrario di queste istituzioni doveva essere demolito, secondo gli studenti: scuole, università, fabbriche e uffici dovevano essere gestiti "collettivamente e democraticamente", cioè "dal basso". Anche i rapporti all'interno della famiglia andavano ribaltati: da qui il rifiuto della condizione di subordinazione della donna e dell'autorità del padre sui figli.

La cultura dominante venne attaccata anche nelle sue espressioni più esteriori. Si rifiutò un certo modo di vestire definito "borghese" che prevedeva una rigida diversità fra i due sessi: vestiti e gonne per le donne, giacca e cravatta per gli uomini erano considerati imposizioni arbitrarie di una morale reazionaria e furono sostituiti da una nuova moda unisex che comprendeva jeans, comodi maglioni, e scarpe basse. Anche il matrimonio cadde sotto i colpi di questa rivoluzione culturale: confinare i rapporti sessuali a questa istituzione fu considerata una imposizione della morale cattolica, mentre esercitare la propria sessualità senza limitazioni esterne sembrò un *sine qua non* della liberazione dell'individuo e della società.

Le forme di protesta, generalmente pacifiche, furono l'occupazione delle università e l'organizzazione di gruppi di studio (chiamati "collettivi") su temi quali la "natura dello Stato borghese", "l'imperialismo" o "la guerra nel Vietnam". Lo scopo di queste riunioni era formulare un'alternativa ai valori impartiti durante le lezioni ufficiali, mentre gli obiettivi immediati degli studenti erano l'ottenimento del diritto all'assemblea, una maggiore demo-crazia interna, la riduzione delle tasse universitarie, e la creazione di programmi serali per gli studenti lavoratori. [1]

In alto: Studenti pendolari in sciopero per i trasporti, 1969.

In basso: Manifestazione di donne a favore della legalizzazione dell'aborto, 18 gennaio 1975.

[1] È interessante esaminare, a questo proposito, la "carta rivendicativa" votata in assemblea dagli studenti dell'Università di Pavia nella primavera del '67:
a) per ogni singolo insegnamento l'assemblea composta dagli studenti iscritti a quell'insegnamento e dal professore decide argomento, modalità didattiche e di esami.
b) il settore deve avere come organo decisionale l'assemblea di settore costituita da tutti i docenti e gli studenti del settore.
c) la facoltà deve avere come organo decisionale un organismo paritetico tra studenti e docenti sotto il diretto controllo dell'as-semblea di facoltà composta dagli studenti e dai docenti. (citato in Maria Corti. *Le pietre verbali*. Milano: Einaudi, 2001, p. 101)

In alto: Sciopero di studenti per la "Libertà di cultura", Reggio Emilia 1970.

Sinistra: Manifesto del movimento studentesco di Bologna 1968.

QUALI ERANO LE CAUSE DI QUESTO MOVIMENTO DI PROTESTA?

Alla fine degli anni '60 apparve chiaro alla generazione nata nell'immediato dopoguerra che il cosiddetto "miracolo" o "boom economico" aveva portato un benessere illusorio solo a pochi, ed aveva provocato nuove diseguaglianze e contraddizioni nel paese: il divario fra nord e sud si era inasprito, la speculazione edilizia aveva distrutto l'ambiente e creato "quartieri dormitorio", mentre l'agricoltura, specialmente al sud, era in stato di abbandono. Anche i valori che accompagnarono il "boom", e che erano relativamente nuovi per l'Italia, cioè consumismo, individualismo e speranza di carriera, non alimentavano più i sogni dei giovani, anzi erano rifiutati e derisi. [2]

Allo stesso tempo, nuove schiere di studenti di famiglia operaia ebbero ora la possibilità di accedere ai più alti livelli d'istruzione, grazie a una seconda importante riforma della scuola: dopo l'istituzione della scuola media unificata (vedi cap. 2), l'accesso a tutte le facoltà universitarie fu aperto anche agli studenti provenienti da qualsiasi scuola media superiore, compresi gli istituti tecnici tradizionalmente frequentati da studenti dei ceti sociali più svantaggiati. Questa riforma, da lungo tempo attesa perché applicava quanto previsto dall'articolo 34 della Costituzione, purtroppo riuscì a intaccare solo la questione formale dell'accesso all'università, senza migliorare nei fatti l'istruzione superiore per tutti.

Le strutture universitarie, infatti, erano fisicamente incapaci di ospitare i nuovi iscritti: mancavano aule e alloggi per gli studenti non residenti; docenti e biblioteche erano del tutto insufficienti per rispondere alle esigenze dei nuovi iscritti. Ma il fattore scatenante della protesta studentesca era meno palpabile, anche se più profondo: le università erano rimaste istituzioni d'élite, i programmi erano antiquati, i professori non insegnavano, ma

---

2   Paul Ginsborg. *Storia d'Italia dal dopoguerra a oggi.* Torino: Einaudi, 1989 (p. 407)

Manifestazione operai - studenti contro la repressione, Reggio Emilia 1969.

impartivano verità assolute dalle loro cattedre, e mantenevano il potere arbitrario di promuovere o bocciare durante esami che erano per lo più orali e quindi difficilmente contestabili.

Secondo gli studenti, l'università funzionava come strumento di trasmissione dell'ideologia dominante e serviva solo a preparare i dirigenti del futuro che a loro volta avrebbero sfruttato le classi più povere. Da questa analisi nacque il rifiuto di far parte passivamente di un sistema d'istruzione superiore che continuava la "selezione di classe" presente nella società. Guido Viale, uno dei leader del movimento studentesco, scrisse nel '68:

> *"[...] per alcuni [studenti] inserirsi nella struttura di potere dell'Università non è che un primo passo del loro inserimento nelle strutture di potere della società, mentre per la maggioranza degli studenti la subordinazione al potere accademico non è che l'anticipazione della loro condizione socialmente subordinata all'interno delle organizzazioni produttive in cui sono destinati a entrare."* [3]

La nuova generazione constatò che, non solo la scuola, ma nessuna delle istituzioni pubbliche era stata riformata o migliorata per tenere il passo con la crescita economica e con le trasformazioni della società italiana. Al contrario, le università, così come gli ospedali e gli altri servizi pubblici, erano ancora gestiti da burocrazie reazionarie e corrotte che poco erano cambiate nella sostanza dai tempi del fascismo.[4] In conclusione, secondo l'analisi dei giovani che erano nati subito dopo la guerra, era giunto il momento di completare il lavoro lasciato incompiuto dalla generazione precedente, dagli antifascisti che avevano fatto la Resistenza e avevano combattuto per una società più giusta e egalitaria: questa generazione aveva sconfitto il fascismo, costruito la Repubblica, scritto una nuova Costituzione, ma non era riuscita a cambiare la società reale che era rimasta ingiusta e classista.

Il movimento studentesco italiano ricevette anche un forte stimolo dai movimenti di liberazione dei popoli oppressi in varie parti del mondo: la **guerra del Vietnam**, le **rivolte dei**

3 Guido Viale. *Contro l'Università*. In "Quaderni Piacentini" n. 33, 1968, p. 447.   **4** P. Ginsborg, op. cit., pag. 292.

Sinistra: "Intensifichiamo la lotta", manifesto dei comitati unitari di base operai-studenti, primi anni '70.

Destra: La Dc e il Msi (partito dell'estrema destra) votarono insieme "Sì" al referendum di abrogazione della legge sul divorzio, mentre tutti gli altri partiti votarono "No". 1975.

neri negli USA, i movimenti di **guerriglia nel centro e sud America**, e di **liberazioni del popolo palestinese**, erano tutti caratterizzati dalla opposizione fra popolazioni povere di piccole nazioni del cosiddetto "Terzo mondo", con le quali gli studenti si identificavano, e grandi potenze militari di ricche nazioni occidentali. Anche la **rivoluzione culturale cinese** fu interpretata dai giovani del movimento studentesco come un modello di lotta contro i valori individualistici della cultura borghese.

Secondo la visione degli studenti, il movimento di protesta nelle università era l'espressione locale di una rivoluzione inarrestabile che stava prendendo forma a livello mondiale, e che vedeva vacillare un vecchio ordine di valori.

IDEOLOGIA DEL MOVIMENTO STUDENTESCO

Il movimento del '68 non fu **riformista**, cioè non voleva semplicemente migliorare la società, ma si proclamò subito **rivoluzionario**, anche se gli episodi di violenza furono rari, almeno nella fase iniziale: "Lo stato borghese si abbatte e non si cambia" era uno degli slogan più diffusi. L'ideologia politica del movimento era un marxismo "democratico": si sognava una società in cui i mezzi di produzione fossero gestiti collettivamente, e le decisioni prese democraticamente da tutti, in forma assembleare e senza deleghe.

Il movimento, dapprima spontaneo, generò presto gruppi politici organizzati, i cosiddetti "extra-parlamentari", così chiamati perché conducevano la loro azione politica in modo legale ma al di fuori dei partiti politici tradizionali rappresentati in parlamento. Queste nuove formazioni politiche, alle quali si unirono presto anche intellettuali e operai, si collocavano alla sinistra del PCI, che era considerato un partito riformista, burocratico e troppo disposto al compromesso con il "sistema", e rifiutavano sia il capitalismo che il socialismo autoritario e centralizzato realizzato nell'Unione Sovietica.

Un valore che questi gruppi extra-parlamentari ereditarono invece dal PCI fu la centralità della lotta politica: l'individuo era visto nel contesto di un movimento rivoluzionario inarrestabile, e i suoi bisogni dovevano essere subordinati ai bisogni collettivi. Il linguaggio del movimento era

fitto di termini che esaltavano questa dimensione: le masse, la base, il popolo, il proletariato. Questa visione si scontrava frontalmente con i valori del consumismo e dell'individualismo che erano diventati prevalenti nel periodo del boom economico, insieme alla valorizzazione della sfera del privato e della famiglia.[5] Solo alla metà degli anni '70, i movimenti femministi ricorderanno ai "compagni maschi" che non bastava abbattere lo "Stato borghese" per liberare l'individuo, ma che era necessario soprattutto ribaltare i rapporti di potere all'interno della famiglia e della coppia.

In alto: Corteo di operai a Torino, 1974.

In basso: Giovani operai a una manifestazione, 1974.

IL MOVIMENTO OPERAIO

Non solo gli studenti nelle università, ma anche gli operai nelle fabbriche cominciarono a organizzare vari scioperi e rivendicazioni in occasione del rinnovo del contratto di lavoro dei metalmeccanici nel '69. Questo periodo d'intense agitazioni operaie (chiamato **"autunno caldo"**) segnò l'inizio del movimento operaio che proseguì negli anni successivi, coinvolgendo tutti i settori dell'industria e del terziario. L'unione e la contemporaneità fra il movimento operaio e quello studentesco, e la loro estrema politicizzazione, furono elementi che contraddistinsero l'Italia rispetto ad altre nazioni europee e agli Stati Uniti dove i movimenti di protesta alla fine degli anni Sessanta furono di più breve durata e più frammentari.

In Italia le rivolte studentesche e operaie ebbero cause simili. L'ingresso nelle università di un alto numero di studenti provenienti dalle classi sociali più basse fece emergere la natura

---

5   P. Ginsborg, op. cit., pag. 462.

reazionaria di quelle istituzioni. In modo simile, l'entrata di migliaia di immigrati dal sud nelle grandi fabbriche del nord fece esplodere la protesta contro le condizioni di vita e di lavoro nelle città industriali: i ritmi alla catena di montaggio erano massacranti, il salario troppo basso, e gli alloggi ed i servizi (scuole, trasporti, ospedali) del tutto inadeguati.

Questi nuovi lavoratori delle industrie si resero presto conto che il benessere derivato dal boom economico - di cui loro non avevano goduto - era reso possibile dai bassi salari che ricevevano e dalle condizioni di sfruttamento che dovevano sopportare nelle fabbriche. Il loro sentimento di alienazione nei confronti del lavoro e della società si trasformò ben presto in rivolta. Non a caso, il centro delle lotte operaie fu proprio il triangolo industriale, e in particolare la Fiat di Torino, che aveva il più alto tasso di immigrazione dal sud.

Al contrario delle università, dove il PCI aveva poca presa a causa del carattere libertario e antiautoritario del movimento studentesco, nelle fabbriche la presenza del PCI era radicata, anche per ragioni storiche; la **CGIL** (Confederazione Generale Italiana del Lavoro), il sindacato legato al PCI, si presentava come relativamente indipendente dal partito e riuscì ad attirare la fiducia anche di molti lavoratori non comunisti. Gli altri sindacati, la **CISL** (Confederazione Italiana Sindacati Lavoratori), di ispirazione cattolica, e la **UIL** (Unione Italiana del Lavoro) di ispirazione socialista, erano anch'essi relativamente indipendenti da influenze di qualsiasi partito politico, e ottennero così il consenso di vasti settori della classe lavoratrice.

Ben presto però, come successe anche per il movimento studentesco, le rivendicazioni degli operai non si fermarono al miglioramento delle condizioni materiali di vita, ma divennero sempre più politiche: gli operai chiedevano maggior controllo sul processo lavorativo, garanzie di sicurezza del posto del lavoro, parità di salario fra uomo e donna, riduzione della settimana lavorativa, degli straordinari ed eliminazione del "cottimo", cioè la retribuzione basata sulla quantità di lavoro completato piuttosto che sulle ore di lavoro impiegate a completare quel lavoro. Questo sistema costringeva ad aumentare i ritmi di lavoro e quindi il rischio di infortuni. Infine, i lavoratori lottavano anche per ottenere la libertà di assemblea e di riunione all'interno delle fabbriche.

RISULTATI DEL MOVIMENTO STUDENTESCO E OPERAIO: RIFORME

Il governo reagì in modi diversi e spesso contraddittori alle rivolte operaie e studentesche. Specialmente all'inizio, invece di aprire un dialogo con gli studenti, si cercò di soffocare e reprimere la rivolta con gli apparati di polizia. Questa scelta da parte del governo fu la conferma, per studenti e operai, che lo Stato era ancora "fascista", nei contenuti se non nella forma costituzionale, perché esercitava un potere arbitrario e poliziesco. "Lotta antifascista" e "antifascismo militante" cominciarono a significare non solo opposizione ai gruppi di neofascisti, ma anche e soprattutto opposizione allo Stato e a qualsiasi governo, fosse esso un monocolore democristiano o una coalizione di centro-sinistra con l'appoggio dei socialisti.

A loro volta, la DC e soprattutto il PSI capirono che la rivolta non poteva essere ignorata o repressa perché era troppo generalizzata, e che, se volevano sopravvivere come partiti di governo, dovevano mostrare qualche segno di vitalità e di apertura. L'immobilismo in questa fase avrebbe significato il suicidio politico.

Manifesto di un gruppo della sinistra extra-parlamentare a favore del divorzio, anni '70.

Propaganda per il Referendum
sul divorzio, 12 maggio 1974.

Il governo attuò quindi diverse riforme nel corso degli anni '70. Nel 1970 venne approvato lo **Statuto dei lavoratori**, una legge che ammette il licenziamento di un lavoratore, una volta passato il periodo di prova, solo per "giusta causa": venivano vietati pertanto i licenziamenti arbitrari e punitivi a seguito di scioperi o agitazioni sindacali. Un'altra importante conquista contrattuale, furono le cosiddette "**150 ore**", corrispondenti a quasi quattro settimane lavorative. Questo periodo di congedo pagato poteva essere usato dai lavoratori per seguire corsi di cultura generale e permise a molti operai di ottenere il diploma di licenza media.

Nel 1970 due altre importantissime conquiste in campo istituzionale e civile furono l'**istituzione delle regioni,** a 22 anni dall'approvazione della Costituzione che ne prevedeva l'esistenza, e la **legge sul divorzio.** La DC e la destra in generale si erano sempre opposte al decentramento amministrativo perché temevano che la sinistra sarebbe emersa come vincitrice in elezioni locali. Difatti, così avvenne: con l'istituzione delle regioni, la Toscana, l'Emilia-Romagna e l'Umbria ebbero governi regionali controllati da coalizioni di sinistra. I servizi sociali per le famiglie e i lavoratori (asili, case popolari e trasporti) organizzati da queste amministrazioni locali di sinistra diventarono presto modelli imitati anche a livello internazionale. La legge sul divorzio, anche se estremamente moderata in quanto prevedeva il divorzio solo dopo cinque anni di separazione e dopo una lunga procedura, trovò nella DC e nella Chiesa due strenui oppositori, ma finì per passare nel 1970, e fu anche riconfermata nel 1974 da un referendum popolare.

Altre importanti conquiste in campo civile furono l'approvazione del nuovo **diritto di famiglia** (1975) che prevedeva l'assoluta parità fra uomo e donna all'interno della famiglia, e fra figli legittimi ed illegittimi, sancendo così la scomparsa, almeno sul piano giuridico, della famiglia patriarcale. Sempre nel 1975 venne abbassata la **maggiore età a 18 anni.** Nel 1978 passò la legge che regola l'**interruzione volontaria della gravidanza**, confermata da un referendum del 1981 e, nello stesso anno, fu approvata la **legge 180** che prevedeva la **chiusura dei manicomi** e maggiori diritti per i malati psichiatrici.

La Banca dell'Agricoltura di Piazza Fontana a Milano, dopo l'attentato del 12/12/1969.

REAZIONI DALLA DESTRA EVERSIVA: LA "STRATEGIA DELLA TENSIONE"

Le reazioni della destra - istituzionale ed extraparlamentare - ai movimenti operai e studenteschi fu così violenta che rischiò di sovvertire le istituzioni democratiche e di restaurare nel Paese un regime autoritario. Alcuni settori dell'esercito e dei servizi segreti, temendo un avanzamento delle sinistre, si allearono con le organizzazioni neofasciste allo scopo di creare nel Paese un clima di caos e di paura (chiamato in seguito "**Strategia della tensione**") che avrebbe giustificato la limitazione delle libertà civili e l'esercizio di ampi poteri di repressione da parte della polizia e dell'esercito. L'obiettivo finale di queste forze reazionarie era l'avvento di un governo autoritario, e i modelli ai quali si ispiravano erano il colpo di stato militare in Grecia nel 1967 e quello in Cile nel 1973.

La **Strage di Piazza Fontana** segnò l'inizio della "**Strategia della tensione**" e rappresentò il primo anello di una lunga catena di attentati messi in atto dall'estrema destra: il **12 dicembre 1969** una bomba esplose alla **Banca dell'Agricoltura** di Piazza Fontana a Milano, uccidendo sedici persone, per lo più agricoltori. Subito la polizia incolpò le sinistre, ed in particolare gli anarchici. Uno di questi, **Giuseppe Pinelli**, a tre giorni dall'arresto, morì cadendo durante un interrogatorio da una delle finestre delle questura di Milano. La polizia dichiarò che si trattava di suicidio, ma le circostanze della sua morte non furono mai chiarite. Più tardi la magistratura stabilì che gli anarchici erano innocenti, e furono invece arrestati alcuni appartenenti a gruppi neofascisti. Nel corso delle indagini vennero anche alla luce collegamenti fra questi gruppi neofascisti ed alcuni elementi dei servizi segreti italiani (SID) e anche della CIA. I vari processi andarono molto per le lunghe, e furono trasferiti e sospesi più volte. La lentezza nel condurre le indagini e il rifiuto da parte del governo di rendere disponibili alcuni documenti dei servizi segreti portarono la sinistra ad accusare il governo di "insabbiatura" del processo, cioè di voler ostacolare il lavoro dei magistrati. La Strage di Piazza Fontana venne presto definita "**Strage di Stato**". I neofascisti arrestati e condannati inizialmente furono assolti per insufficienza di prove, e la Strage di Piazza Fontana rimane quindi a tutt'oggi senza responsabili ufficiali.

La Strage di Piazza Fontana fu il primo di una serie di attentati terroristici di marca neofascista che colpirono l'Italia durante gli anni '70 e l'inizio degli anni '80: nel 1974, a Brescia, otto persone furono uccise da una bomba durante una manifestazione sindacale. Altri attentati provocarono decine di vittime sui treni. Il più grave fu l'attentato alla stazione di Bologna nell'agosto del 1980, durante il grande esodo estivo, nel quale più di ottanta persone persero la vita. Per molti di questi attentati, come per quello di Piazza Fontana, si è ancora in attesa di una condanna definitiva di esecutori e mandanti.

Destra: Manifesto per protestare la lentezza degli organi dello Stato nel trovare e punire i responsabili della strage alla Stazione di Bologna (2 agosto 1980), e delle altre "Stragi di Stato".

LE RISPOSTE DELLA SINISTRA ALLA "STRATEGIA DELLA TENSIONE"

Le reazioni della sinistra alla "Strategia della tensione" furono diverse: il PCI, consapevole del pericolo di un colpo di stato e della tragica fine delle sinistre in Grecia (1967) e in Cile (1973), rispose con una proposta moderata: il cosiddetto **"compromesso storico"**, cioè un'ampia alleanza governativa, che comprendesse la DC, il PSI e il PCI, con lo scopo di allontanare la DC da alleanze di tipo reazionario e di rafforzare così la democrazia in quel momento di crisi delle istituzioni. Secondo l'analisi del PCI, la DC era un partito corrotto ai vertici, ma sano alla base: rappresentava le grandi masse cattoliche e i ceti medi che in Italia non si potevano ignorare. Il modello da seguire, secondo il PCI, era la storia sindacale: i sindacati d'ispirazione comunista, socialista e cattolica si erano uniti in confederazione (**CGIL-CISL-UIL**), e lo stesso sarebbe dovuto accadere nella coalizione governativa. Il "compromesso storico", appoggiato anche dai settori progressisti della DC, non si realizzò mai, in parte perché il PCI aveva sottovalutato le obiettive e profonde differenze ideologiche che lo separavano dalla DC: sul fronte dei diritti civili (ed in particolare divorzio e aborto) DC e PCI avevano infatti posizioni diametralmente opposte. Inoltre, la base del PCI, essendo anche influenzata dalla cultura del '68 che voleva un cambiamento radicale, era istintivamente contraria a un compromesso con un partito che vedeva come conservatore e corrotto. Il "compromesso storico" era di difficile attuazione anche perché il PCI aveva posizioni ancora troppo ambigue in campo internazionale e non si schierava chiaramente a favore del blocco occidentale: una presenza del PCI nel governo avrebbe seriamente preoccupato gli alleati americani per i quali l'Italia era un Paese strategicamente importante nel Mediterraneo e in Europa.

La reazione alla "Strategia della tensione" da parte di alcune frange dell'estrema sinistra fu ben diversa e portò a tragiche conseguenze per la nazione. Questi individui non si riconoscevano più nella sinistra extra-parlamentare che consideravano troppo moderata, né tantomeno nel PCI, giudicato un "nemico di classe" al pari della DC. Secondo questi gruppi di estrema sinistra, lo Stato era violento e fascista nella sua essenza, e le "Stragi di Stato" lo dimostravano. La logica conseguenza di questa analisi era che bisognava agire come avevano fatto i partigiani durante la guerra di liberazione: essi avevano resistito con le armi alla violenza fascista, e ne erano usciti vincitori. Anche ora, secondo questi gruppi, era dovere storico della sinistra organizzarsi militarmente e costituirsi come avanguardia armata del popolo per rispondere con la violenza alla violenza dello Stato e dei gruppi neofascisti. Questa nuova resistenza doveva cominciare colpendo singoli individui: magistrati, giornalisti, uomini politici della destra. Si costituirono così le **Brigate Rosse (Br)** i cui mezzi di lotta, per il loro carattere sovversivo e violento, portarono presto i propri membri nella clandestinità.

Nel corso di tutti gli anni '70, le Br compirono azioni di vario tipo: rapine di autofinanziamento, uccisioni e "gambizzazioni", cioè ferimenti alle gambe di giornalisti, giudici, dirigenti d'azienda ed esponenti politici, sequestri di persona, e varie altre azioni dimostrative. Le Br contavano solo su poche migliaia di militanti attivi, ma avevano anche molti simpatizzanti fra operai, studenti ed intellettuali. Altri, pur condannando l'uso della violenza contro singoli individui, pensavano che l'analisi politica delle Br fosse corretta: pertanto, non arrivarono mai a denunciare apertamente i brigatisti che definivano semplicemente come "compagni che sbagliano".

L'azione più eclatante delle Br, ma anche quella che segnò l'inizio della loro fine, avvenne il **16 marzo 1978** nel pieno centro di Roma: il rapimento di **Aldo Moro** e l'uccisione di cinque uomini della sua sconta. Aldo Moro era un uomo politico di primo piano, rispettato e conosciuto anche all'estero per la sua integrità e le sue abilità di mediazione: era stato segretario della DC, e Primo ministro di vari governi. Dopo 55 giorni di prigionia, fu ritrovato morto nel bagagliaio di un'auto in un luogo non lontano dal sequestro. La relativa facilità del rapimento, le lettere che Moro scrisse durante la prigionia a uomini politici e alla famiglia chiedendo che si impegnassero in una mediazione con i suoi rapitori e, infine, la sua brutale uccisione, colpirono profondamente la nazione e l'opinione pubblica. Nei tre anni successivi alla tragica fine di Moro, quando la vio-

Francobollo commemorativo in occasione del 25° anniversario dell'uccisione di Aldo Moro.

lenza si acuì e altri innocenti vennero uccisi dalle Br, risultò chiaro anche ai simpatizzanti che uccisioni e sequestri non avevano portato a nessuna riforma, né tantomeno avvicinato la causa rivoluzionaria. Al contrario, i movimenti di sinistra furono emarginati perché l'opinione pubblica cominciò a interpretare ogni protesta o manifestazione come una minaccia alle istituzioni democratiche, equiparabile agli attacchi violenti delle Br.

Lo Stato alla fine sconfisse il cosiddetto "terrorismo rosso". Le Br si indebolirono con il passare degli anni e, paradossalmente, con l'aumento dei militanti: la clandestinità di centinaia di persone, protratta per diversi anni, diventò insostenibile. Inoltre, polizia e magistratura fecero largo uso di una nuova legge che riduceva il carcere per chi accettava di collaborare. Si riuscì così a convincere molti brigatisti arrestati a rivelare nomi e rifugi dei loro compagni ancora in clandestinità. In questo modo si effettuarono centinaia di arresti e si prevennero altri attentati. Molti, però, giudicarono discutibile dal punto di vista etico una legge che concedeva pene minime a brigatisti **pentiti** o **dissociati**, ma colpevoli di omicidio, mentre altri "irriducibili" (come venivano chiamati) languirono in carcere per molti anni, anche quando erano semplicemente accusati di "partecipazione a bande armate", senza però alcuna prova che avessero mai usato armi da fuoco.

CONCLUSIONI

Verso la fine degli anni '70 la grande stagione delle lotte operaie e studentesche arrivò alla sua naturale conclusione. Si erano indubbiamente ottenuti molti grandi avanzamenti sociali: alcuni furono vere conquiste, come lo Statuto dei lavoratori. A livello culturale, il '68 portò una vera rivoluzione dei costumi: intaccò irreversibilmente i valori gerarchici e autoritari all'interno della famiglia e della società, mise in discussione i ruoli tradizionali della donna, portò all'attenzione di tutti i problemi di categorie fino allora ignorate, quali disoccupati, immigrati e studenti-lavoratori. Ma la grande rivoluzione sognata da milioni di giovani semplicemente non avvenne: anzi, malgoverno e corruzione procedevano impuniti mentre la DC manteneva sempre il suo fermo controllo sul governo. Allo stesso tempo, forze reazionarie e neofasciste si preparavano a creare un clima che avrebbe posto le premesse per una svolta autoritaria. Mentre il PCI rincorreva il sogno del compromesso storico con la DC, alcuni membri della sinistra più radicale scelsero la via della lotta armata, con conseguenze disastrose per la società in generale, ma soprattutto per le classi subalterne. Se il '68 e i primi anni '70 furono gli anni della "spontaneità" degli studenti e della "politicizzazione" delle lotte operaie, la fine degli anni '70 furono giustamente chiamati gli **anni di piombo** in quanto le istituzioni democratiche sembrarono vacillare sotto il peso, da una parte, degli attentati terroristici dei neofascisti, e dall'altra, degli attacchi delle Br a uomini politici, magistrati, industriali e giornalisti. Lo Stato alla fine vinse sul terrorismo, e una calma, forse solo apparente, tornò nel paese.

Manifestazione per i funerali delle vittime dell'attentato alla Stazione di Bologna (3 agosto 1980).

Chi aveva creduto in un vero cambiamento, ma aveva sempre rifiutato violenza e terrorismo, provò una delusione simile a quella della generazione che aveva combattuto nel movimento di Resistenza antifascista. Ci fu un ritorno al privato con una conseguente rivalutazione del consumismo, dell'individualismo, e del carrierismo. Ma un'altra grande rivolta si preparava all'orizzonte, di carattere "vellutato" questa volta, e partita più dall'alto che dal basso, forse più distruttiva per lo "status quo" di quanto non lo fosse stato il movimento del '68. Questa è la storia degli anni '80 e '90.

DOMANDE DI COMPRENSIONE

1. Discuti alcuni aspetti della cultura dominante attaccati dai movimenti di protesta del '68.
2. Che cosa pensavano i "sessantottini" del boom economico?
3. Quali furono alcuni aspetti positivi della riforma della scuola?
4. Che cosa non era migliorato nelle università, nonostante la riforma della scuola?
5. Che cosa volevano cambiare gli studenti nelle scuole?
6. Quale era il collegamento fra la lotta di Resistenza partigiana e il movimento del '68?
7. Quali furono gli eventi a livello internazionale che influenzarono il '68?
8. Il Movimento studentesco si sentiva rappresentato nel PCI? Spiega.
9. Che cosa avvenne nell' "autunno caldo"?
10. Che cosa contraddistinse l'Italia rispetto ad altri paesi europei o agli Stati Uniti?
11. Le cause del Movimento studentesco e dell' "autunno caldo" furono simili. Spiega.
12. Gli operai lottavano solo per migliorare i loro salari?
13. Quali erano i principali sindacati e qual era il loro orientamento politico?
14. Qual era il ruolo del PCI nelle fabbriche?
15. Qual era il significato di "lotta antifascista" per il movimento studentesco?
16. Quale delle riforme discusse nel capitolo "Risultati del movimento studentesco e operaio: riforme" ti sembra il risultato più diretto delle lotte del '68?
17. Che cosa fu la "Strategia della tensione" e chi la volle?
18. Quale fu il primo evento della "Strategia della tensione"?
19. Perché la Strage di Piazza Fontana fu presto chiamata "Strage di Stato"?
20. Perché il PCI voleva un "compromesso storico" con la DC?
21. Perché le Br pensavano che fosse giunto il momento di usare la violenza?
22. Quali tipi di attentati misero in atto le Br?
23. Vedi una differenza fra le azioni delle Br e le azioni dei neofascisti che volevano attuare la "Strategia della tensione"? Spiega.
24. Quale fu l'atto più brutale delle Br?
25. Come furono sconfitte le Br?
26. Credi che sia stato giusto dare pene minori a quei brigatisti che accettavano di collaborare (i cosiddetti "pentiti")?
27. Quali sono stati i risultati positivi e negativi del '68, secondo te?
28. Perché gli anni '70 furono anche chiamati "anni di piombo"?

QUADRETTI CULTURALI

Uova marce contro il nemico di classe:
la prima della Scala del 1968

Milano, 7 dicembre 1968: festa di Sant'Ambrogio, patrono della città e serata di apertura della stagione lirica al Teatro alla Scala di Milano. Va in scena il *Don Carlos* di Giuseppe Verdi. Tradizionalmente questa è una serata di gala, ritrovo di tutte le famiglie più in vista della città che amano mostrarsi ai fotografi nei loro abiti eleganti. I giornali del giorno dopo di solito riportano fotografie delle signore impellicciate fuori dal teatro, e delle stesse signore con i loro folgoranti abiti da sera nell'atrio in attesa dello spettacolo. La mattina dell'8 dicembre '68, però, il *Corriere della Sera* dovrà riportare notizie ben diverse, fra il serio, il comico e il grottesco. Quei signori eleganti erano stati investiti, al loro arrivo a teatro, da una gragnola di ...uova e pomodori. I tiratori? Studenti in protesta. La polizia non ha reagito questa volta; dopotutto non è successo niente di grave: qualche signora dovrà pagare un conto elevato in lavanderia quel mese. Questo curioso evento ha finito per simboleggiare l'inizio del movimento studentesco del '68 in Italia.

La situazione a Milano era già tesa: pochi giorni prima gli studenti del Movimento Studentesco avevano organizzato una manifestazione che si era conclusa con scontri protratti fra polizia e dimostranti in tutto il centro cittadino. Gli studenti protestavano l'uccisione da parte della polizia di due braccianti ad Avola, in Sicilia, durante una protesta per il miglioramento dei salari e delle condizioni di lavoro. Il collegamento fra gli eventi sanguinosi di Avola e l'iniziativa del 7 dicembre era evidente nei cartelli di tono sarcastico portati da alcuni studenti, insieme alle uova marce, davanti al teatro milanese: "I braccianti di Avola vi augurano buon divertimento".[1]

Mario Capanna, organizzatore della manifestazione, descrive così l'inizio dell'attacco a base di proiettili "organici" contro la borghesia milanese: "Una coppia, impeccabilmente addobbata, fende sinuosamente i cordoni della polizia, a tre metri dagli studenti. Parte un uovo. Centro perfetto sulla spalla dell'uomo. Schizzi giallastri massacrano di rimbalzo lo stupendo abito della sua compagna. Per brevi minuti è tutto un via vai, in aria, di uova e cachi. [...] I tiri sono per lo più esatti. I bersagli colpiti, numerosissimi. Elevata la percentuale di smoking, toupè e pellicce messi fuori uso."[2]

Secondo il *Corriere della Sera* dell'8 dicembre 1968, la manifestazione è stata semplicemente una "Gazzarra davanti alla Scala", e i manifestanti erano "maoisti" che hanno messo in atto "un'azione sediziosa". Il lancio di uova, frutta e vernice rossa, secondo il quotidiano è stato accompagnato anche dalle minacciose urla di "Ricchi, godete, sarà l'ultima volta", "La NATO sarà il nostro Vietnam", "Falce e martello, borghesi al macello".

Il tiro di uova agli "scaligeri" ha acquisito notorietà col tempo: non solo perché ha osato disturbare l'evento più importante della mondanità milanese, ma perché, in retrospettiva, commuove ancora per la sua ingenuità e benevolenza. Dieci anni dopo i fatti della Scala, si proverà nostalgia per quei tempi quando, al massimo, gli studenti lanciavano uova marce contro la borghesia, chiaramente senza intenzione di far male a nessuno. L'egualitarismo portato all'estremo, l'idea che ci si dovesse vergognare della ricchezza quando nel sud i contadini vivevano ancora in miseria, era un concetto profondamente cattolico, ripreso anche da Don Milani nella sua "Lettera a una professoressa"; faceva quindi parte della cultura nella quale quei ragazzi erano cresciuti. Più tardi, quando le uova si trasformarono in proiettili veri contro uomini politici e magistrati, e l'Italia sembrò ripiombata in un'altra guerra civile, si guardò con rimpianto a quelle idee di ispirazione un po' francescana che avevano animato gli studenti in quella lontana sera del 7 dicembre 1968.

---

1 Mario Capanna, *Formidabili quegli anni*, R.C.S.
Libri e grandi Opere, Milano 1994, p. 38.

2 Ibid., pp. 38-39.

PAROLE NUOVE PER GLI '70: I NEOLOGISMI DELLA RIVOLTA

La contestazione del '68, continuata poi negli anni '70, portò con sé una rivoluzione dei costumi che ebbe il suo riflesso nella lingua. Nuovi modi di vita e di aggregazione richiedevano nuove parole; così anche il linguaggio dei giovani cambiò e si arricchì di neologismi che, analizzati ora, ci offrono una chiave di lettura di quel periodo.

Un "**cattocomunista**" era un comunista che aveva avuto un'educazione profondamente cattolica, rinnegata poi in età adulta, ma dalla quale aveva ereditato la tendenza alla dedizione totale e al credo indiscusso, tipica di alcuni settori del cristianesimo. Secondo Giorgio Bocca, scrittore e giornalista, il "cattocomunista", per la sua formazione ideologica, divenne un ottimo candidato per il terrorismo rosso:

> *"Si è trovato persino un nome per il padre del terrorismo rosso: cattocomunismo. Non solo perché alcuni dei terroristi più noti come Renato Curcio [e altri] sono stati dei cattolici praticanti così come Alberto Franceschini [e altri] sono stati iscritti al partito comunista; ma per il modo totalizzante proprio dei cattolici e dei comunisti di porsi di fronte alla vita e alla società, perché è cattolico e comunista il bisogno di risposte totali e definitive, il rifiuto del dubbio, la sostituzione del dovere ragionato con la fede, il bisogno di Chiesa, di autorità, di dogma giustificato dal solidarismo sociale e l'attesa dell'immancabile paradiso, in cielo o in terra".* [3]

Un "**autonomo**" era un "compagno" che non si voleva allineare con nessun gruppo politico parlamentare o extra parlamentare. Gli autonomi, paradossalmente, finirono per costituire il loro gruppo, che si chiamò appunto gli "autonomi", anche se la loro organizzazione fu sempre molto informale. Alla fine degli anni '70, riuscirono ad organizzare manifestazioni che finirono in scontri violenti con la polizia; anche se gli autonomi non entrarono mai in clandestinità, come fecero le Br, e non organizzarono mai attentati o rapimenti, la loro posizione all'interno del movimento è sempre stata ai limiti della legalità.

"**Indiani metropolitani**" si autodefinivano alcuni gruppi di giovani che vivevano nelle periferie più povere delle città, generalmente emarginati e disoccupati, portatori di una contro-cultura giovanile che rifiutava qualsiasi associazione con gruppi della sinistra, parlamentare e non. Gli indiani metropolitani rivendicavano il diritto di esprimere liberamente la loro sessualità, di entrare ai concerti gratuitamente, di occupare spazi abitativi nella città e di vivere in comunità, di consumare liberamente droghe leggere. Nel nome che si sono dati è racchiuso il senso di estraneità che questi giovani sentivano verso la "cultura borghese dominante": proprio come gli indiani americani sono confinati in riserve al di fuori della società civile, così questi giovani si sentivano confinati nelle periferie delle grandi città, le loro "riserve" appunto. Gli indiani metropolitani si presentavano alle manifestazioni della sinistra in modo un po' teatrale e decisamente rumoroso, portando la loro musica, le loro danze, i loro coloratissimi abbigliamenti e trucchi, e il loro slogan, che si richiamava appunto alla tradizione dei nativi americani: "Abbiamo disotterrato l'ascia di guerra!".

Ciellini erano gli aderenti all'associazione Comunione e Liberazione (CL), che raccoglieva molti consensi fra i giovani cattolici. I Ciellini erano integralisti, cioè volevano una società nella quale la Chiesa cattolica ed in particolare il Papa avrebbero avuto un ruolo di guida spirituale

---

3   Giorgio Bocca, *Il terrorismo italiano 1970-1978*, Garzanti
    Editore, Milano 1978, pp. 7-8.

riconosciuta e universale. Per questi motivi erano disprezzati e derisi da molte organizzazioni della sinistra extra-parlamentare.

Sanbabilini erano giovani neofascisti dell'area milanese che usavano ritrovarsi negli anni '70 nei bar attorno a Piazza San Babila, nel centro di Milano. I sanbabilini furono protagonisti di diversi attacchi a giovani della sinistra, soprattutto se questi osavano passare per Piazza San Babila (che i neofascisti consideravano loro "territorio") vestiti con un **eschimo**, cioè un giaccone con cappuccio, costituito da una tela grigio-verde, foderata di una finta pelliccia di lana bianca. **Eschimo**, jeans e **clarks** - basse scarpe stringate, di pelle sfoderata - erano elementi insostituibili della "divisa" dei membri della sinistra extra-parlamentare. Giaccone di pelle e occhiali da sole "Rayban" caratterizzavano invece il guardaroba dei "sanbabilini".

I sanbabilini furono rimpiazzati, agli inizi degli anni '80, dai **paninari**, cioè quei ragazzi che cominciarono ad aggregarsi intorno ai primi "fast food" (i paninari erano appunto i "mangiatori di panini"); estremamente coscienti dei "trend" della moda, i paninari avevano una loro "divisa" molto più dettagliata di quella dei "compagni" e dei "sanbabilini": scarpe, giacca, occhiali, orologio, perfino le calze, dovevano essere di una certa marca. Il paninaro si distingueva dal sanbabilino perché era **qualunquista** dichiarato e fiero di esserlo, cioè totalmente disinteressato alla politica per la quale provava disprezzo.

Anche il movimento operaio produsse i suoi neologismi, soprattutto nell'area delle lotte all'interno delle fabbriche. All'inizio degli anni '70, gli operai idearono nuovi tipi di sciopero: nacquero così lo **sciopero a gatto selvaggio**, attuato senza preavviso e solo da ristretti gruppi, al fine di ostacolare il lavoro anche per chi non scioperava; lo **sciopero a scacchiera**, nel quale si programmava lo sciopero in momenti diversi in vari reparti della produzione; lo **sciopero a singhiozzo**, nel quale si alternavano periodi di sciopero e periodi di ripresa del lavoro.

Infine, anche il terrorismo di sinistra fu molto produttivo dal punto di vista linguistico.

Gambizzare era la tecnica di ferire alle gambe, senza voler uccidere, personaggi che, secondo le Brigate rosse, rappresentavano il potere oppressivo dello Stato: giornalisti, capireparto, uomini politici, professori universitari, ecc. **Pentitismo** era il fenomeno per cui brigatisti arrestati decidevano di collaborare con i rappresentanti della giustizia, ricevendo in cambio pene minori e protezione speciale.

È interessante notare che molti di questi neologismi definivano la posizione politica di un individuo o una forma di lotta. Non a caso quelli furono gli anni della politicizzazione di massa. Era impossibile vivere in quegli anni e rimanere estranei o indifferenti a quello che stava succedendo nel Paese. Solo i "paninari" ci riuscirono, ma essi anticipano già la cultura della metà degli anni '80, definiti da Sebastiano Vassalli "gli anni banali"[4], nei quali, come vedremo nel prossimo capitolo, trionferà l'ideale della ricerca del piacere individuale.

Ritorno alla campagna: giovani contadini toscani vendono i loro prodotti a una fiera. Fine anni '70.

4   Sebastiano Vassalli, *Il Neoitaliano, le parole degli anni '80*, Zanichelli, Bologna 1989 (prefazione).

PAROLE DEI PROTAGONISTI A CONFRONTO

1. MARIO MOSCA
Operaio della Pirelli Bicocca di Milano
Il '68 è stato l'anno più bello della mia vita. L'anno in cui mi sono sentito come lavoratore protagonista e padrone del mio destino. E questa sensazione ce l'avevo dentro anche nei due anni successivi. Era bello vivere. [1]

2. MARIO MORETTI
Operaio tecnico alla Siemens, diventato in seguito brigatista, descrive il '68 in fabbrica
I giovani operai respirarono l'aria che veniva dalle università anche se non le avevano mai viste. C'era bisogno di partecipare, di decidere ognuno con gli altri quali lotte, per che cosa, come, quando. Gli operai fecero propria l'assemblea, la moltiplicarono nelle assemblee di reparto, ne fecero lo strumento maggiore di autodeterminazione. Se ne impadronirono e le imposero al sindacato [...] Ai funzionari l'assemblea appare un caos, è incontrollabile, ed effettivamente è il momento di massima creatività, dove si inventano anche nuove forme di lotta, gli scioperi articolati per reparto, i cortei interni, le occupazioni pacifiche. Al sindacato siamo iscritti tutti, qualcuno di noi è anche un dirigente a livello regionale..."[2]

PAROLE DEI PROTAGONISTI A CONFRONTO

3. GUIDO VIALE
Leader del Movimento studentesco del '68 parla della sua esperienza di studente all'Università di Torino
I. All'università entrano in molti e escono in pochi. Escono innanzitutto coloro per i quali la collocazione professionale in una posizione dirigenziale è già garantita dalla situazione sociale della famiglia di provenienza. I figli dei medici faranno i medici, e i figli dei farmacisti faranno tutti i farmacisti. Se il padre ha un'impresa, i figli si laureano ed ereditano l'impresa, coloro che provengono da un ambiente colto hanno dei grandi vantaggi sugli altri, che si traducono nella facilità con cui studiano e apprendono. Costituiscono la schiera eletta degli studenti che i professori seguono con particolare attenzione, a cui dedicano la maggior parte del loro tempo, nei seminari [...] e durante la preparazione delle tesi. [3]

II. [Tramite gli esami orali] l'università si presenta allo studente lavoratore: un poliziotto denominato per l'occasione docente, che in 15-10 minuti liquida l'imputato con una serie di domande. Per gli studenti che frequentano l'esame è una prova di abilità: bisogna conoscere la psicologia e i pallini del docente, compiere una serie di gesti che faranno credere al docente che chi gli sta davanti è una persona intelligente e sicura ... Per gli studenti lavoratori, che non conoscono il professore, l'esame è un gioco d'azzardo... si traduce in una conferma per gli studenti che fanno parte dell'Università, e in un massacro per quelli che ne sono esclusi. Fanno parte dell'Università gli studenti che frequentano; per chi lavora, l'essere iscritto all'università è una beffa e una truffa. L'Università li accoglie quando si iscrivono per far loro pagare le tasse e per far loro credere che hanno le stesse possibilità di promozione sociale e di acquisizione culturale degli altri. Li seleziona agli esami, perché non possono esibire le stesse credenziali culturali degli altri.[4]

4. UNO STUDENTE
interviene a una assemblea all'Università Statale di Milano nel 1968
Stiamo combinando qualcosa di grosso, è bene che ce ne rendiamo conto appieno. Le nostre lotte, qui in Italia, sono il segmento di un risveglio che è mondiale. Forse comincia la svolta

di un'epoca. Le nostre gambe camminano insieme a quelle del contadino vietnamita e cinese, dell'operaio della Pirelli, dello studente americano, tedesco, francese, giapponese, brasiliano, messicano. Siamo la parte di un tutto. E sentiamo di esserlo. Questa è la maggiore novità." [5]

5. MARIO CAPANNA
Dirigente del Movimento studentesco di Milano
Avevamo capito che il migliore e più rigoroso trattato di economia, ad esempio, non era e non sarà mai in grado di dirti qual è sul serio la condizione di lavoro alla catena di montaggio, né i sentimenti dei compagni quando tu perdi la vita sul lavoro negli incidenti, cioè negli "omicidi bianchi", che avvenivano in media uno ogni due ore in Italia." [6]

[...] il richiamo alla Resistenza venne pressoché naturale. Sentivamo come una sorta di continuità ideale fra le nostre lotte e la grande pagina drammatica, scritta poco più di vent'anni prima, della guerra popolare di Liberazione nazionale. Sentimento che fu incentivato via via dalle aggressioni fasciste e poliziesche che dovevamo frequentemente subire. Le speranze di allora – di libertà, di giustizia, di eguaglianza, di pace – le sentivamo in tutto simili alle nostre. [...] Leggendari comandanti partigiani – come Cino Moscatelli, Giovanni Pesce, l'audacissimo gappista Vittorio Vidali – diventarono quasi di casa alla Statale, tenendo lezioni, dibattiti, discussioni a non finire." [7]

6. GIUSEPPE SEVERGNINI
Scrittore e giornalista, ricorda i primi anni '70 quando frequentava il liceo
[...] il liceo mi appare come una lunga festa, e ho il sospetto che lo fosse davvero. La nostra generazione subiva infatti le conseguenze cinetiche del '68: continuavamo a muoverci, senza sapere esattamente il perché. La politica era un potente rumore di fondo. Indipendentemente dalle convinzioni ... avere un'idea e osteggiarne un'altra ci costringeva a ragionare, a parlare dentro un microfono e a diffidare dell'autorità. [8]

7. RENATO CURCIO
uno dei fondatori delle Brigate rosse, condannato a 57 anni di carcere per partecipazione a bande armate e concorso morale in omicidio: uno dei cosiddetti "irriducibili"
Io, per quel che ho fatto, non ritengo di dover subire alcun tipo di punizione. Non mi sento responsabile di alcun reato. Le mie iniziative di militante rivoluzionario sono state tutte interne a un progetto e a una vicenda organizzativa di tipo politico. Ed è politicamente che il nostro problema va affrontato. Se l'Italia è cambiata e si è modernizzata in modo così radicale, ciò è dovuto anche allo scontro sociale degli anni '70 di cui le Brigate rosse sono state una componente. Un giorno questa storia andrà raccontata sul serio. E io sarò disposto a collaborare, ma parlando da libero, non da accusato. [9]

8. PATRIZIO PECI
"Pentito" delle Brigate rosse
Le Br volevano essere nient'altro che un gruppo di avanguardia del proletariato, un gruppo che voleva sensibilizzare, coinvolgere le masse e portarle a prendere il potere con la violenza, visto che in altri modi non viene concesso. Il fatto che poche decine di persone, noi brigatisti, volessimo decidere per tutti e guidare queste masse non mi sembrava affatto un controsenso, perché la storia insegna che tutte le rivoluzioni sono iniziate da un manipolo di uomini. [10]

La Fiat per noi rappresentava il cuore dello Stato, atterrarla avrebbe significato l'inizio della vittoria. Ma l'operaio di tutto questo capiva solo quel che gli serviva al momento. Capiva che se azzoppavamo un capetto il giorno dopo gli altri capetti erano tutti buoni, non facevano storie se uno stava mezz'ora al gabinetto. Dicevano: "Gli sta bene." Questo lo sanno tutti. Ma da qui a rischiare di perdere il posto di lavoro ce ne corre. [11]

9. UN BRIGATISTA PENTITO DAL CARCERE

Mi sono posto l'interrogativo se la vita umana che avevo distrutto valesse la collaborazione, e nella risposta affermativa mi convincevo della necessità di un atto riparatorio. Quindi un problema di coscienza: dovevo alla società qualcosa per ripagarla del male fatto. Sapevo perlatro che la mia scelta avrebbe comportato per me una condanna a morte - fuori, io avrei fatto lo stesso - ma la necessità di distruggere l'organizzazione veniva soprattutto dalla voglia di porre fine a un disastro umano, ad una tragedia generazionale. So anche che in un certo senso la collaborazione è un atto di violenza, ma speravo che l'annientamento di me stesso lasciasse un segnale anche per gli altri: è possibile dare un taglio al passato [...] Ho scelto la diserzione attiva per il peso morale che mi sentivo addosso, il dovere di fare qualche cosa di altrettanto significativo che, mi illudevo, potesse essere un atto riparatorio verso la società". [12]

10. ALDO MORO

nell'ultima lettera alla moglie, prima dell'esecuzione

Mia dolcissima Loretta, siamo ormai, credo, al momento conclusivo... Non mi pare il caso di discutere della cosa in sé, e dell'incredibilità di una sanzione che cade sulla mia mitezza e la mia moderazione. Vorrei restasse ben chiara la piena responsabilità della DC, con il suo assurdo e incredibile comportamento, non si è trovato nessuno che si dissociasse! ... Ma non è di questo che vi voglio parlare... ma di voi... che amo ed amerò sempre... della gratitudine che vi devo... della gioia indicibile che mi avete dato nella vita... del piccolo che amavo guardare e cercherò di guardare fino all'ultimo. C'è, in questo momento, la tenerezza infinita per voi, il ricordo di tutti e di ciascuno... un amore grande grande, carico di ricordi apparentemente insignificanti... in realtà preziosi... Ora, improvvisamente, quando si profilava qualche esile speranza, giunge incomprensibilmente l'ordine di esecuzione. Loretta dolcissima... Sono nelle mani di Dio... e tue. Che Dio vi aiuti tutti. Un bacio di Amore a tutti. Aldo [13]

11. VALERIO MORUCCI

uno dei brigatisti che partecipò al sequestro di Aldo Moro, discute le motivazioni delle Br nel rapimento e uccisione di Moro

L'idea di colpire la DC in Moro risale al '75... Un chiodo fisso delle Br. La diretta conseguenza della linea strategica: colpire il cuore dello Stato. Con quella linea in testa nel '76... due brigatisti operaisti del nord scesero a Roma come su Marte... L'apparato ideologico delle Br che cala su Roma - chi in Italia non fa la sua marcia su Roma?... Il Sim, o Stato imperialista delle multinazionali, è il supergoverno capitalistico mondiale di cui Moro è il rappresentante in Italia come leader della DC. Egli, per conto del Sim, sta rinnovando il potere democristiano e, quando sarà presidente della Repubblica, compirà la riforma autoritaria della Costituzione. [14]

1 Citato in Paul Ginsborg. *Storia d'Italia dal dopoguerra a oggi,* cit., p. 434.

2 Mario Moretti, intervista di Carla Mosca e Rossana Rossanda. *Brigate rosse, una storia italiana.* Milano: Baldini & Castoldi, 2000 (p. 10).

3 Guido Viale. *Contro l'Università.* "Quaderni Piacentini", Antologia 1962-1968. Milano: Gulliver Edizioni, 1977 (p. 430).

4 Ibid., p. 432.

5 Mario Capanna. *Formidabili quegli anni.* Milano: Garzanti, 2007 (p. 65).

6 Ibid., p. 127.

7 Ibid., p. 135.

8 Beppe Severgnini. *Italiani si diventa.* Milano: RCS Libri, 1998 (p. 127).

9 Mario Scialja. *Non mi pento, non rinnego.* "l'Espresso". 18 gennaio 1987, p. 28.

10 Patrizio Peci. *Io l'infame,* a cura di Giordano Bruno Guerri. Milano: Mondadori, 1983 (p. 45).

11 Ibid., p. 49.

12 Adolfo Bachelet. *Tornate a essere uomini.* Milano: Rusconi Libri, 1989 (p. 83).

13 citato in Giorgio Bocca. *Io, Moro e Le Br.* "l'Espresso", 2 dicembre 1984, p. 8.

14 Giorgio Bocca. *Perché le Br uccisero Moro.* "l'Espresso", 30 settembre 1984, p. 7.

IL DISCORSO DEI CAPELLI

di Pier Paolo Pasolini

Pier Paolo Pasolini, uno dei più grandi intellettuali del XX secolo, criticò aspramente la nascente società italiana dei consumi nei suoi libri, saggi e film. In questo brano, tratto da "Scritti Corsari", una raccolta di saggi pubblicati in vari giornali e riviste fra il 1973 e il 1975, Pasolini discute il linguaggio dei "capelli lunghi" adottato dai giovani precursori della rivolta giovanile del '68, chiamati anche "capelloni".

La prima volta che ho visto i **capelloni**, è stato a Praga. Nella hall dell'albergo dove alloggiavo sono entrati due giovani stranieri, con i capelli lunghi fino alle spalle. Sona passati attraverso la hall, hanno raggiunto un angolo
5 un po' **appartato** e si sono seduti a un tavolo. Sono rimasti lì seduti per una mezzoretta, osservati dai clienti, tra cui io; poi se ne sono andati. Sia passando attraverso la gente ammassata nella hall, sia stando seduti nel loro angolo appartato, i due non hanno detto parola (forse
10 - benché non lo ricordi - **si sono bisbigliati** qualcosa tra loro: ma, suppongo, qualcosa di strettamente pratico, inespressivo).

Essi, infatti, in quella particolare situazione - che era del tutto pubblica, o sociale, e, starei per dire,
15 ufficiale - non avevano affatto bisogno di parlare. Il loro silenzio era rigorosamente funzionale. E lo era semplicemente, perché la parola era superflua. I due, infatti, usavano per comunicare con gli **astanti**, con gli osservatori - coi loro fratelli di quel momento - un altro
20 linguaggio che quello formato da parole.

Ciò che sostituiva il tradizionale linguaggio verbale, rendendolo superfluo - e trovando del resto immediata collocazione nell'ampio dominio dei «segni», nell'ambito cioè della **semiologia** - era *il linguaggio dei
25 loro capelli*.

Si trattava di un unico segno - appunto la lunghezza dei loro capelli cadenti sulle spalle - in cui erano concentrati tutti i possibili segni di un linguaggio articolato. Qual era il senso del loro messaggio silenzioso
30 ed esclusivamente fisico? Era questo: «Noi siamo due Capelloni. Apparteniamo a una nuova categoria umana che **sta facendo la comparsa** nel mondo in questi giorni, che ha il suo centro in America e che in provincia, (come per esempio - anzi, soprattutto - qui a Praga) è
35 ignorata. Noi siamo dunque per voi una Apparizione. Esercitiamo il nostro **apostolato**, già pieni di un sapere che ci **colma** e ci esaurisce totalmente. Non abbiamo nulla da aggiungere oralmente e razionalmente a ciò che fisicamente e **ontologicamente** dicono i nostri capelli.

40 Il sapere che ci riempie, anche **per tramite del** nostro apostolato, apparterrà un giorno anche a voi. Per ora è una Novità, una grande Novità, che crea nel mondo, con lo scandalo, un'**attesa**: la quale non verrà tradita. I borghesi fanno bene a guardarci con odio e terrore,
45 perché ciò in cui consiste la lunghezza dei nostri capelli li contesta in assoluto. Ma non ci prendano per della gente maleducata e selvaggia: noi siamo ben consapevoli della nostra responsabilità. Noi non vi guardiamo, **stiamo sulle nostre**. Fate così anche voi, e attendete gli Eventi.»

50 Io fui destinatario di questa comunicazione, e fui anche subito in grado di decifrarla: quel linguaggio **privo di** lessico, di grammatica e di sintassi, poteva essere appreso immediatamente, anche perché, **semiologicamente** parlando, altro non era che una forma di
55 quel «linguaggio della presenza fisica» che da sempre gli uomini sono in grado di usare.

Capii, e provai una immediata antipatia per quei due.

60 Poi dovetti rimangiarmi l'antipatia, e difendere i capelloni dagli attacchi della polizia e dei fascisti: fui naturalmente, per principio, dalla parte del **Living Theatre**, dei **Beats** ecc.: e il principio che mi faceva stare dalla loro parte era un principio rigorosamente
65 democratico.

I capelloni diventarono abbastanza numerosi - come i primi cristiani: ma continuavano a essere misteriosamente silenziosi; i loro capelli lunghi erano il loro solo e vero linguaggio, e poco importava aggiungervi
70 altro. Il loro parlare coincideva col loro essere. L'**ineffabilità** era l'*ars retorica* della loro protesta.

Cosa dicevano, col linguaggio inarticolato consistente nel segno **monolitico** dei capelli, i capelloni nel '66-67?
75 Dicevano questo: «La civiltà consumistica ci ha nauseati. Noi protestiamo in modo radicale. Creiamo un anticorpo a tale civiltà, attraverso il rifiuto. Tutto pareva andare per il meglio, eh? La nostra generazione doveva essere una generazione di integrati? Ed ecco invece come

80 si mettono in realtà le cose. Noi opponiamo la follia a un destino di "executives". Creiamo nuovi valori religiosi nell'**entropia** borghese, proprio nel momento in cui stava diventando perfettamente laica ed edonistica. Lo facciamo con un clamore e una violenza rivoluzionaria
85 (violenza di non-violenti!) perché la nostra critica verso la nostra società è totale e **intransigente**.»

Non credo che, se interrogati secondo il sistema tradizionale del linguaggio verbale, essi sarebbero stati in grado di esprimere in modo così articolato l'**assunto**
90 dei loro capelli: **fatto sta che** era questo che essi in sostanza esprimevano. Quanto a me, benché sospettassi fin da allora che il loro «sistema di segni» fosse prodotto di una sottocultura di protesta che si opponeva a una sottocultura di potere, e che la loro rivoluzione non
95 marxista fosse sospetta, continuai per un pezzo a essere dalla loro parte, assumendoli almeno nell'elemento anarchico della mia ideologia.

[...]

Venne il 1968. I capelloni furono assorbiti dal Movimento Studentesco; sventolarono con le bandie-
100 re rosse sulle barricate. Il loro linguaggio esprimeva sempre più «cose» di Sinistra. (**Che Guevara** era capellone ecc.)

Nel 1969 - con la **strage di Milano**, la Mafia, gli **emissari dei colonnelli greci**, la complicità dei
105 Ministri, la **trama nera**, i provocatori - i capelloni si erano enormemente diffusi: benché non fossero ancora numericamente la maggioranza, lo erano però per il peso ideologico che essi avevano assunto. Ora i capelloni non erano più silenziosi: non delegavano al
110 sistema **segnico** dei loro capelli la loro intera capacità comunicativa ed espressiva. Al contrario, la presenza fisica dei capelli era, in certo modo, declassata a funzione distintiva. Era tornato in funzione l'uso tradizionale del linguaggio verbale.

NOTE (PRECEDUTE DAL NUMERO DELLA RIGA NEL TESTO)

1. *il capellone:* ragazzo con i capelli lunghi
5. *appartato:* tranquillo, isolato
10. *bisbigliare:* parlare piano, sottovoce
18. *l'astante:* persona presente in un dato luogo
24. *la semiologia:* disciplina che studia il significato dei segni
32. *fare la comparsa:* emergere, apparire
36. *l'apostolato:* l'attività di un apostolo, cioè il rappresentante di una religione, ad esempio un missionario che diffonde la sua fede
37. *colmare:* riempire completamente
39. *ontologicamente:* da "ontologia", la scienza che studia la natura dell'essere (in questo caso, "come i nostri capelli spiegano chi siamo")
40. *per tramite di:* attraverso, per mezzo di
43. *l'attesa:* tempo in cui si aspetta
48. *stare sulle mie, sulle tue, ecc.:* rimanere isolato, non parlare con nessuno
52. *privo di:* mancante, senza
54. *semiologicamente:* in un modo che si riferisce al linguaggio dei segni
62. *Living Theatre:* teatro sperimentale fondato a New York nel 1947
63. *Beats:* movimento letterario e artistico che si sviluppò negli anni '50 negli Stati Uniti. I suoi principali rappresentanti furono gli scrittori Allen Ginzburg, Jack Kerouack e William Burroughs
70. *l'ineffabilità:* quello che non si può spiegare
73. *monolitico:* unico, intero, senza parti separate
82. *l'entropia:* tendenza all'uniformità di un sistema
86. *intransigente:* che non concede nessun compromesso o deviazione da un'idea
89. *l'assunto:* tesi, ragionamento
90. *fatto sta che:* la conclusione è che
101. *Che Guevara (1928-1967):* rivoluzionario e guerrigliero di fama internazionale, nativo dell'Argentina. Fu uno degli artefici della rivoluzione cubana e partecipò anche ai movimenti di liberazione nazionale in Sud America e in Africa
103. *la Strage di Milano:* attentato neofascista alla Banca dell'Agricoltura di Milano del 12 dicembre 1969 che causò la morte di 17 persone
104. *gli emissari dei colonnelli greci:* neofascisti italiani collegati alla cosiddetta "dittatura dei colonnelli", una giunta militare che prese il potere in Grecia nel 1967 e lo mantenne fino al 1974
105. *la trama nera:* riferimento ai vari tentativi di colpo di stato in Italia negli anni '60
110. *segnico:* pertinente ai segni

DOMANDE DI COMPRENSIONE E DISCUSSIONE

1. Pasolini dove ha visti i "capelloni" per la prima volta?
2. Che reazione hanno suscitato nello scrittore e nelle altre persone le loro presenza?
3. Pasolini scrive che il silenzio dei capelloni "era rigorosamente funzionale". Spiega questa affermazione.
4. Secondo Pasolini, si può comunicare non solo con le parole ma anche con i segni. Che cosa comunicavano i capelloni con il "segno" dei loro capelli?
5. Quale classe sociale vogliono contestare i "capelloni"?
6. Pasolini usa varie metafore di origine cristiana per parlare dei "capelloni": apostolato, Novità (in maiuscolo), attesa, Eventi (in maiuscolo). Perché, secondo te?
7. Commenta il breve paragrafo che comincia con "Io fui destinatario …" (riga 50).
8. Commenta anche la frase di Pasolini: "Il loro parlare coincideva col loro essere" (riga 70).
9. Quale critica muovevano i "capelloni" alla società borghese?
10. I "capelloni", secondo Pasolini, stavano dalla parte dei valori laici ed edonistici o proponevano dei valori religiosi?
11. Come si è trasformato il linguaggio dei "capelloni" nel '68?

OSSERVAZIONI SUL TESTO

Considera l'uso di "sapere" nella seguente frase.

> Esercitiamo il nostro apostolato, già pieni di un **sapere** che ci colma e ci esaurisce totalmente.

L'infinito "sapere" è usato come un sostantivo (il sapere). Invece di "sapere" si potrebbe usare il sostantivo "conoscenza", e riscrivere la frase come segue:

> Esercitiamo il nostro apostolato, già pieni di una **conoscenza** che ci colma e ci esaurisce totalmente.

Riscrivi le seguenti frasi (alcune tratte dal testo) usando uno degli infiniti qui sotto al posto dei sostantivi sottolineati:
il loro andarsene, il loro essere, il loro parlare, il loro stare appartati, il loro tacere

1. Il loro linguaggio privo di lessico, di grammatica e di sintassi, poteva essere appreso.

2. Il loro silenzio era emblematico del loro messaggio.

3. Il loro isolamento mi colpiva profondamente.

4. La loro partenza fu inaspettata.

5. Il loro parlare coincideva con la loro natura.

Ragazza in Piazza di Spagna, Roma, 1970.

LETTERA A UNA PROFESSORESSA
di La Scuola di Barbiana

Don Milani, sacerdote ed educatore, fondò a metà degli anni '60 la Scuola di Barbiana, una scuola media per i ragazzi poveri della zona montagnosa del Mugello, in Toscana. Questi ragazzi erano stati bocciati nella scuola media statale, ma ritrovarono una passione nuova per lo studio nella scuola antiautoritaria e a tempo pieno di Don Milani.
"Lettera a una professoressa" racconta questa esperienza usando una scrittura corale, cioè tutti i ragazzi della scuola ne sono autori.
Il libro fu estremamente influente all'inizio del movimento studentesco del '68 per la sua critica al carattere individualista e classista della scuola italiana e della società in generale. Quando gli autori usano il "voi" si rivolgono a immaginari interlocutori della classe privilegiata, chiamati nel testo anche "Pierino". Quando usano il "lei" si rivolgono ad un'immaginaria "professoressa", anch'essa rappresentante della classe borghese, quella "professoressa" che li aveva bocciati nella scuola pubblica.

Cara signora,
lei di me non ricorderà nemmeno il nome. Ne ha bocciati tanti.

Io invece ho ripensato spesso a lei, ai suoi colleghi, a quell'istituzione che chiamate scuola, ai ragazzi che «**respingete**».

Ci respingete nei campi e nelle fabbriche e ci dimenticate.

Due anni fa, in prima magistrale, lei mi intimidiva.

Del resto la **timidezza** ha accompagnato tutta la mia vita. Da ragazzo non alzavo gli occhi da terra. **Strisciavo** alle pareti per non esser visto.

Sul principio pensavo che fosse una malattia mia o al massimo della mia famiglia. La mamma è di quelle che si intimidiscono davanti a un modulo di telegramma. Il babbo osserva e ascolta, ma non parla.

Più tardi ho creduto che la timidezza fosse il male dei **montanari**. I contadini del piano mi parevano sicuri di sè. Gli operai poi non se ne parla.

Ora ho visto che gli operai lasciano ai **figli di papà** tutti i posti di responsabilità nei partiti e tutti i **seggi** in parlamento.

Dunque **son** come noi. E la timidezza dei poveri è un mistero più antico. Non glielo so spiegare io che ci son dentro. Forse non è né viltà né eroismo. È solo mancanza di **prepotenza**.

I montanari

Alle elementari lo Stato mi offrì una scuola di seconda categoria. Cinque classi in un'aula sola. Un quinto della scuola cui avevo diritto.

È il sistema che **adoprano** in America per creare le differenze tra bianchi e neri. Scuola peggiore ai poveri fin da **piccini**.

Finite le elementari avevo diritto a altri tre anni di scuola. Anzi la Costituzione dice che avevo l'obbligo di andarci. Ma a Vicchio non c'era ancora la scuola media. Andare a Borgo era un'**impresa**. Chi ci s'era provato aveva speso un monte di soldi e poi era stato respinto come un cane.

Ai miei poi la maestra aveva detto che non **sprecassero** soldi: «Mandatelo nel campo. Non è adatto per studiare».

Il babbo non le rispose. Dentro di sè pensava: «Se si stesse di casa a Barbiana sarebbe adatto».

A Barbiana tutti i ragazzi andavano a scuola dal prete. Dalla mattina presto fino a **buio**, estate e inverno. Nessuno era «negato per gli studi».

Ma noi eravamo di un altro popolo e lontani. Il babbo stava per arrendersi. Poi seppe che ci andava anche un ragazzo di S. Martino. Allora si fece coraggio e andò a sentire.

Quando tornò vidi che m'aveva comprato una **pila** per la sera, un **gavettino** per la minestra e gli stivaloni di gomma per la neve.

Il primo giorno mi accompagnò lui. Ci si mise due ore perché ci facevamo strada col **pennato** e la **falce**. Poi imparai a farcela in poco più di un'ora.

Passavo vicino a due case sole. Coi vetri rotti, abbandonate da poco. A tratti mi mettevo a correre per **una vipera** o per un pazzo che viveva solo alla Rocca e mi gridava di lontano.

Avevo undici anni. Lei sarebbe morta di paura. Vede? ognuno ha le sue timidezze. Siamo pari dunque.

Barbiana, quando arrivai, non mi sembrò una scuola. Né cattedra, né lavagna, né banchi.

Solo grandi tavoli intorno a cui si faceva scuola e si mangiava.

D'ogni libro c'era una copia sola. I ragazzi gli **si stringevano** sopra. Si faceva fatica a accorgersi che uno era un po' più grande e insegnava.

Il più vecchio di quei maestri aveva sedici anni. Il più piccolo dodici e mi riempiva di ammirazione. Decisi fin dal primo giorno che avrei insegnato anch'io.

La vita era dura anche lassù. Disciplina e scenate da far perdere la voglia di tornare.

Però chi era senza basi, lento o **svogliato** si sentiva il preferito. Veniva accolto come voi accogliete il primo della classe. Sembrava che la scuola fosse tutta solo per lui. Finché non aveva capito, gli altri non andavano avanti.

Non c'era ricreazione. Non era vacanza nemmeno la domenica.

Nessuno di noi se ne dava gran pensiero perché il lavoro è peggio. Ma ogni borghese che capitava a visitarci faceva una **polemica** su questo punto.

Un professorone disse: «Lei reverendo non ha studiato pedagogia. Polianski dice che lo sport è per il ragazzo una necessità fisiopsico…».

Parlava senza guardarci. Chi insegna pedagogia all'Università, i ragazzi non ha bisogno di guardarli. Li sa tutti a mente come noi si sa le tabelline.

Finalmente andò via e Lucio che aveva 36 mucche nella stalla disse: «La scuola sarà sempre meglio della merda». [...]

Sandro in poco tempo s'appassionò a tutto. La mattina seguiva il programma di terza. Intanto prendeva nota delle cose che non sapeva e la sera **frugava** nei libri di seconda e prima.

A giugno il «cretino» si presentò alla licenza e vi toccò passarlo.

Gianni fu più difficile. Dalla vostra scuola era uscito analfabeta e con l'odio per i libri.

Noi per lui si fecero acrobazie. Si riuscì a fargli amare non dico tutto, ma almeno qualche materia. Ci occorreva solo che lo riempiste di **lodi** e lo passaste in terza. Ci avremmo pensato noi in seguito a fargli amare anche il resto.

Ma agli esami una professoressa gli disse: «Perché vai a una scuola privata? Lo vedi che non ti sai esprimere?» « ….. »[1]

Lo so anch'io che Gianni non si sa esprimere. **Battiamoci** il petto tutti quanti. Ma prima voi che l'avevate buttato fuori di scuola l'anno prima.

Bella cura la vostra.

Del resto bisognerebbe intendersi su cosa sia lingua corretta. Le lingue le creano i poveri e poi seguitano a rinnovarle all'infinito. I ricchi le cristallizzano per poter **sfottere** chi non parla come loro. O per bocciarlo.

Voi dite che **Pierino del dottore** scrive bene. Per forza, parla come voi. Appartiene alla ditta. Invece la lingua che parla e scrive Gianni è quella del suo babbo. Quando Gianni era piccino chiamava la radio lalla. E il babbo serio: «Non si dice lalla, si dice aradio».

Ora, se è possibile, è bene che Gianni impari a dire anche radio. La vostra lingua potrebbe fargli comodo. Ma intanto non potete cacciarlo dalla scuola. «Tutti i cittadini sono eguali senza distinzione di lingua». L'ha detto la Costituzione pensando a lui.[2]

[...]

Quando possederemo tutti la parola, gli arrivisti seguitino pure i loro studi. Vadano all'università, **arraffino** diplomi, facciano **quattrini**, assicurino gli specialisti che occorrono.

Basta che non chiedano una **fetta** più grande di potere come han fatto finora.

[...]

Si potrebbe fare due scuole. Una chiamarla «Scuola di Servizio Sociale» dai 14 ai 18 anni. Ci vanno quelli che hanno deciso di spendere la vita solo per gli altri. Con gli stessi studi si farebbe il prete, il maestro (per gli otto anni dell'obbligo), il sindacalista, l'uomo politico. Magari con un anno di specializzazione.

Le altre le chiameremo «Scuole di Servizio dell'Io» e si potrebbe lasciare quelle che c'è ora senza **ritocchi.**

La Scuola di Servizio Sociale potrebbe levarsi il gusto di mirare alto. Senza voti, senza registro, senza gioco, senza vacanze, senza debolezze verso il matrimonio o la carriera. Tutti i ragazzi indirizzati alla dedizione totale.

Poi per strada qualcuno può colpire un po' meno alto. Trovare una figliola, adattarsi a amare una famiglia più ristretta.

Se ha passato gli anni migliori della vita a prepararsi per la famiglia immensa, non avrà perso nulla. Anzi sarà un babbo o una mamma migliore, pieno di ideali, capace di tirar su un ragazzo che torni a quella scuola.

1 A questo punto volevamo mettere la parola che ci venne alla bocca quel giorno. Ma l'editore non la vuol stampare.

2 Veramente gli onorevoli costituenti pensarono ai tedeschi del Sud-Tirolo (Alto Adige) ma senza volerlo pensarono anche a Gianni.

NOTE (PRECEDUTE DAL NUMERO DELLA RIGA NEL TESTO)

6. *respingere:* bocciare
11. *la timidezza:* insicurezza, vergogna
13. *strisciare:* avanzare lentemente, come un rettile
19. *il montanaro:* chi abita e lavora in montagna
21. *il figlio di papà:* ragazzo di famiglia ricca, che non deve lavorare
23. *il seggio:* carica, posto in Parlamento
24. *son:* abbreviazione di "sono", dal verbo "essere"
27. *la prepotenza:* arroganza
32. *adoprare:* adottare, usare
34. *il piccino:* bambino piccolo
38. *l'impresa:* industria, azienda
42. *sprecare:* perdere, sciupare
47. *il buio:* mancanza di luce, notte
54. *la pila:* lampada elettrica portatile
54. *il gavettino, la gavetta:* contenitore di metallo per portare un pasto

57. *il pennato:* attrezzo agricolo
58. *la falce:* strumento per tagliare usato in agricoltura
61. *la vipera:* serpente velenoso
70. *stringersi:* stare molto vicino a qualcuno
77. *svogliato:* pigro, senza energia
85. *la polemica:* dibattito, disaccordo
97. *frugare:* cercare, ispezionare
105. *la lode:* complimento
112. *battere:* colpire
118. *sfottere:* prendere in giro
119. *Pierino del dottore:* ragazzo immaginario, ricco e figlio di un dottore
130. *Quando possederemo tutti la parola:* quando tutti sapremo parlare l'italiano standard
132. *arraffare:* afferrare con forza
132. *i quattrini:* soldi, denaro
134. *la fetta:* porzione
145. *il ritocco:* cambiamento, alterazione

DOMANDE DI COMPRENSIONE E DISCUSSIONE

1. Qual è il destino dei ragazzi poveri quando sono respinti dalla scuola?
2. L'autore come descrive e spiega la differenza fra i poveri (montanari, contadini e operai) e i ricchi ("figli di papà")?
3. Secondo l'autore, quale sistema usa lo Stato, in Italia come in America, per creare le differenze di classe?
4. Perché l'autore non continuò la scuola dopo la quinta elementare?
5. Quali erano le caratteristiche della Scuola di Barbiana a confronto con quelle della scuola statale?
6. Perché il babbo dell'autore comprò una pila, un gavettino e un paio di stivali?
7. Descrivi il percorso dell'autore a scuola e le difficoltà che incontrava.
8. Chi erano i maestri di questa scuola?
9. Quali erano le critiche dei professori di pegagogia alla Scuola di Barbiana? Spiega la reazione di Lucio.
10. Perché Gianni fu bocciato all'esame della scuola statale?
11. Che lingua parla Pierino e che lingua parla Gianni?

12. Perché la scuola non può bocciare Gianni se non sa la lingua di Pierino?
13. Sei d'accordo con la definizione di lingua data dall'autore?
14. Qual è la differenza fra l'ipotetica "Scuola di servizio sociale" e la "Scuola di servizio dell'Io"?
15. Fra le due scuole, quale sceglieresti di frequentare e perché?
16. Riassumi le principali critiche che fanno i ragazzi della Scuola di Barbiana alla scuola pubblica statale. Sei d'accordo con la loro critica?

OSSERVAZIONI SUL TESTO

Espressioni idiomatiche

Nelle frasi seguenti abbiamo <u>sottolineato</u> un'espressione idiomatica. Scegli il sinonimo di quella espressione fra le due frasi in parentesi:

1. Ci si mise due ore perché <u>ci facevamo strada</u> (ci aprivamo un varco / camminavamo veloci) col pennato e la falce.

2. Nessuno era «<u>negato per gli studi</u>». (poco adatto a studiare / diligente nello studio).

3. Poi <u>imparai a farcela</u> (capii il problema / riuscii ad arrivare) in poco più di un'ora.

4. <u>Si faceva fatica a</u> (Era difficile / Bisognava) accorgersi che uno era un po' più grande e insegnava.

5. Ma ogni borghese che capitava a visitarci <u>faceva una polemica</u> (presentava una tesi / cominciava una discussione) su questo punto.

6. La vostra lingua potrebbe <u>fargli comodo</u> (risultargli difficile / essergli utile).

7. La Scuola di Servizio Sociale potrebbe <u>levarsi il gusto di</u> mirare alto (rifiutarsi di / accettare la sfida di).

8. Anzi sarà un babbo o una mamma migliore, pieno di ideali, capace di <u>tirar su</u> (curare / educare) un ragazzo che torni a quella scuola.

Uso del "si impersonale"

In Toscana è comune l'uso del "si impersonale" al posto del "noi". Ad esempio, si può dire "Noi si va" invece di "Noi andiamo".

Nelle frasi tratte dal testo e riportate qui sotto, il "si impersonale" è usato al posto del "noi". Riscrivi queste frasi usando "noi" come pronome soggetto invece del "si impersonale". Segui l'esempio:

Esempio:
Se <u>si stesse</u> di casa a Barbiana sarebbe adatto.
→ Se noi stessimo di casa a Barbiana sarebbe adatto.

1. Ci <u>si mise</u> due ore.

2. Solo grandi tavoli intorno a cui <u>si faceva</u> scuola e <u>si mangiava</u>.

3. … come noi <u>si sa</u> le tabelline.

4. Noi per lui <u>si fecero</u> acrobazie.

5. <u>Si riuscì</u> a fargli amare non dico tutto, ma almeno qualche materia.

Don Milani e la sua scuola.

I ragazzi della scuola di Barbiana.

FORMIDABILI QUEGLI ANNI

di Mario Capanna

Mario Capanna, scrittore, politico e saggista, fu uno dei leaders del movimento studentesco milanese del '68: in questo brano ci racconta l'inizio delle agitazioni studentesche a Milano. Come ci spiega egli stesso nella sua introduzione, il titolo "Formidabili quegli anni" fu ispirato da una frase che un tassista milanese usò con l'autore per descrivere il periodo di lotte operaie e studentesche del '68.

Da noi il Sessantotto iniziò l'anno prima e continuò l'anno successivo.

Le agitazioni in molte università cominciano nell'autunno '67, all'inizio dell'anno accademico. Ai primi di novembre è occupata la facoltà di Sociologia a Trento, con una impostazione molto netta di rifiuto del suo ruolo di allevamento di sociologi **in batteria** a servizio del potere. È un **pugno nello stomaco** per la Dc, che aveva voluto l'università nella «bianca» Trento proprio come **vivaio** di future **teste d'uovo**. Passano i giorni e pochissimi si curano di quello che quasi tutti considerano un episodio isolato e magari un po' eccentrico.

A metà novembre, incredibilmente, **scendono in campo** gli studenti dell'Università Cattolica a Milano. Segno dei tempi. Unica università confessionale del Paese, era stata per decenni, durante e dopo il fascismo, un **caposaldo** di stabilità culturale e politica. Gioiello delle gerarchie ecclesiastiche, era tenuta sotto controllo direttamente dal Vaticano tramite l'assidua supervisione di un suo **fiduciario**.

Ad animare il movimento sono gli studenti alloggiati nei due **collegi** universitari (uno maschile, l' «Augustinianum», l'altro femminile, il «Marianum», separati da un muro invalicabile, letteralmente), **pupille degli occhi** della Cattolica. Basti dire che lì, prima di noi, avevano compiuto i loro studi **Francesco Cossiga** e **Ciriaco De Mita**, solo per fare due nomi.

Per accedere ai due collegi bisognava superare una selezione durissima e un implacabile esame d'ammissione. Per potervi restare, continuando a usufruire del presalario statale (300 mila lire l'anno), occorreva ottenere i massimi voti a ogni esame, in pratica la **media del 30** in ogni anno accademico.

Le vittime che restavano lungo il percorso erano numerose. Perciò studiavamo come pazzi. Fallire un esame avrebbe significato l'interruzione degli studi. Per me sarebbe stato senz'altro così: i miei fratelli non avrebbero potuto darmi di più. L'eventualità mi atterriva.

Studiavamo, dunque, di giorno e di notte. Ma non solo le materie d'esame. Leggevamo Marx e altri autori marxisti, praticamente proibiti nell'insegnamento ufficiale. E leggevamo teologi allora innovatori e di frontiera, come **Karl Rahner, Edward Schillebeeckx, Hans Urs von Balthasar**. Sugli uni e gli altri facevamo **sovente** discussioni che duravano fino all'alba. Proprio lì il **dissenso cattolico**, crescente nel Paese, si nutriva di razionali e solidi argomenti. Era il segnale di un disagio che si ramificava e diveniva profondo. Era il preannuncio della politica.

Questa emerge e si dispiega pienamente a metà novembre. L'occasione è data da un improvviso aumento delle tasse di iscrizione alla Cattolica. Il 14 è indetto lo **stato di agitazione** e va avanti per tre giorni. Si verifica anche qualche episodio curioso, come il duello oratorio tra il **rettore** Ezio Franceschini e me.

Mi piazzo di buon mattino all'ingresso dell'ateneo e per ore, da un microfono collegato a un altoparlante, informo gli studenti, che stanno entrando, di **quanto bolle in pentola**. Si avvicina il rettore e, come termino il breve comizio volante, mi chiede il microfono. Indicandomi, dice: «**Badate**, quello lì non è un prete». Quindi spiega che l'aumento delle tasse è inevitabile. Torno a parlare io e ribadisco i motivi dell'agitazione. Reinterviene lui sempre precisando il punto del prete.

Siccome pioviggina, indosso un impermeabile nero, lungo fino alle caviglie, prestatomi da un sacerdote assistente universitario. Abbottonato fino al collo, mi fa davvero sembrare un uomo di chiesa ed è la cosa, evidentemente, che preoccupa di più il rettore. Uomo tenace, Franceschini non **abbandona il campo** se non dopo due ore.

Il 17 novembre un'assemblea di più di mille studenti, riunita nella grande aula «Gemelli» (il fondatore dell'università), dopo ore di dibattito, a mezzanotte decide l'occupazione a tempo indeterminato.

Per la prima volta il sacrilegio viene sancito con

voto palese e democratico, per di più alla presenza del rettore che prende la parola, tentando, inutilmente, la dissuasione.

La **piattaforma rivendicativa** è essenziale: ritiro degli aumenti delle tasse, pubblicità dei bilanci dell'università - **inaudito**! -, democrazia, riconoscimento dell'assemblea degli studenti come istanza decisionale.

Poche ore dopo, alle 3 del mattino, è chiamata la polizia a irrompere nell'università e ci porta fuori di peso, a centinaia. Per la prima volta le **forze dell'ordine** violano la «sacralità» della Cattolica, rispettata persino durante il fascismo.

[...]

Nel '67 gli iscritti all'università ammontano ormai in Italia a 500 mila, più del doppio rispetto a quindici anni prima. Che fossero tutti e solo **rampolli** borghesi è cosa che appartiene alla mitologia. Non ero solo io figlio di povera gente. Elevato, anche se, questo sì, non maggioritario, era il numero degli studenti lavoratori e quello degli studenti meridionali, molti per nulla agiati, emigrati a studiare e a inseguire una laurea negli atenei di Roma e del Nord, ritenuti culturalmente e scientificamente più validi.

Ma tutti vivevamo, anche se con gradi di intensità diversa, quella che sentivamo essere e chiamavamo una condizione di «proletarizzazione»: perché costretti a uno studio obsoleto, il cui **scarto** con la realtà era spesso **abissale**; perché inseriti in un meccanismo, quello delle gerarchie accademiche, assolutamente non democratico; perché decimati dalla selezione lungo il percorso degli studi; perché era quasi la regola l'**impiego dequalificato** dopo la laurea, quando la prospettiva non era la disoccupazione; perché apparivano sempre più estranei i valori della cultura dominante, secondo cui era giusto tutto, dal genocidio in Vietnam al consumismo (per chi poteva), dalla miseria per moltissimi all'emarginazione e allo sfruttamento chiamati disciplina del lavoro.

Ecco perché il movimento studentesco italiano, che parte in forme **frastagliate** quanto a modi, tempi e luoghi della mobilitazione, inizia la lotta centrandola su rivendicazioni specifiche concernenti il concreto dello studio e della scuola e velocemente arriva alla «contestazione globale del sistema». A **porsi** cioè in una posizione di antagonismo all'organizzazione del potere esistente e a immaginare una lotta di lunga **lena**, in grado di costruire una società delle eguaglianze e del rispetto dei diritti.

Questo spiega anche perché, ovunque, gli studenti si pongano presto, e in vario modo, il problema del collegamento e dell'unità con la classe operaia, individuata come il soggetto portante del processo rivoluzionario di cambiamento.

Mario Capanna discute con Ezio Franceschini, rettore dell'Università Cattolica, 1967.

NOTE (PRECEDUTE DAL NUMERO DELLA DELLA RIGA NEL TESTO)

7. *in batteria:* in serie
8. *il pugno nello stomaco:* (fig.) colpo, sconfitta
9. *bianca:* (fig.) politicamente a maggioranza democristiana (in opposizione a "rossa", una regione a maggioranza comunista)
10. *il vivaio:* allevamento, luogo di formazione
10. la testa d'uovo: intellettuale, accademico (in senso dispregiativo)
14. *scendere in campo:* (metafora calcistica) iniziare ad agire
18. *il caposaldo:* (fig.) luogo principale di difesa
21. *il fiduciario:* chi promuove gli interessi di un'organizzazione
23. *il collegio universitario:* la residenza degli studenti
25. *la pupilla degli occhi:* la cosa più apprezzata, più preziosa e cara
27. *Francesco Cossiga (1928-2010):* ex Presidente del Consiglio e Presidente della Repubblica, membro della DC
28. *Ciriaco De Mita (1928):* ex Presidente del Consiglio, membro della DC
34. *la media del 30:* i voti più alti negli esami universitari (il voto massimo in Italia è 30)
44. *Karl Rahner (1904-1984):* teologo tedesco fra i più influenti del XX secolo, tollerante verso altre fedi religiose
44. *Edward Schillebeeckx (1914-2009):* teologo belga fra i più influenti nell'ispirare le riforme del Concilio Vaticano Secondo

45. *Hans Urs von Balthasar (1914-2009):* teologo svizzero che sfidò alcuni postulati della modernità
46. *sovente:* spesso, frequentemente
47. *il dissenso cattolico:* movimento cattolico sviluppatosi negli anni '60. Critici verso le posizioni ufficiali del Vaticano, i dissidenti cattolici si pronunciarono a favore dei movimenti di liberazione nel mondo, in particolare in Vietnam e Sud America.
54. *lo stato di agitazione:* protesta politica, sciopero
56. *il rettore:* presidente dell'università
59. *quanto bolle in pentola:* (fig.) quello che sta per succedere
62. *badare:* fare attenzione
71. *abbandonare il campo:* (metafora calcistica) lasciare il luogo dell'azione, andare via
79. *la piattaforma rivendicativa:* lista di richieste avanzate da un movimento sindacale o politico
81. *inaudito:* mai sentito prima
86. *le forze dell'ordine:* polizia
92. *il rampollo:* discendente di una famiglia nobile o ricca
103. *lo scarto:* differenza
104. *abissale:* profondo, senza limiti
107. *l'impiego dequalificato:* lavoro di qualità inferiore al proprio livello di istruzione
115. *frastagliato:* diverso, variegato
119. *porsi:* mettersi
121. *la lena:* forza, energia

DOMANDE DI COMPRENSIONE E DISCUSSIONE

1. Dove cominciarono le prime proteste studentesche e perché l'autore le definisce "un pugno nello stomaco per la Dc"?
2. Perché sembra così eccezionale che anche gli studenti dell'Università Cattolica inizino a protestare?
3. Quali erano le condizioni per accedere ai collegi universitari della Cattolica, e per avere il diritto di restarci durante gli anni di studi universitari?
4. Che cosa erano costretti a fare gli studenti dei collegi?
5. Come nacque il dissenso cattolico, e perché era un segnale di cambiamento?
6. Qual è l'evento che diede inizio allo stato di agitazione alla Cattolica?
7. Perché il rettore Franceschini disse «Badate, quello lì non è un prete» riferendosi all'autore?
8. Perché l'autore parla di "sacrilegio" riferendosi alla decisione degli studenti del 17 novembre?
9. Perché l'intervento della polizia fu particolarmente grave?
10. Gli iscritti all'università nel '67 provenivano solo dalle classi privilegiate? Spiega.
11. Capanna sostiene che gli studenti vivevano una "condizione di proletarizzazione". Come giustifica questa affermazione?
12 Come si trasformò la lotta degli studenti?
13. La "condizione di proletarizzazione" di cui parla Capanna descrive anche la situazione attuale del sistema universitario che conosci?

OSSERVAZIONI SUL TESTO

In questo brano, Mario Capanna usa diverse metafore.

Per ogni frase scegli l'equivalente della metafora in **grassetto** fra le due espressioni fra parentesi.

1. A metà novembre, incredibilmente, gli studenti dell'Università Cattolica a Milano **scendono in campo** *(iniziano le loro azioni rivendicative / arrivano ad un compromesso con il rettore)* .

2. Da un microfono collegato a un altoparlante, informo gli studenti **di quanto bolle in pentola** *(di quello che sta succedendo / delle mie riflessioni personali)*.

3. Gli studenti alloggiati nei due collegi universitari sono le **pupille degli occhi** *(gli studenti più ribelli / gli studenti migliori)* della Cattolica.

4. È un **pugno nello stomaco** *(una vittoria / una sconfitta)* per la DC, che aveva voluto l'università nella «bianca» Trento.

5. L'università di Trento doveva essere un **vivaio di future teste d'uovo** *(luogo dove lavorano / luogo dove si formano; intellettuali / dissidenti)*.

"NON HO SEME DA SPARGERE"

di Patrizia Cavalli

Non ho **seme** da **spargere** per il mondo
non posso **inondare** i **pisciatoi** né
i materassi. Il mio **avaro** seme di donna
è troppo poco per offendere. Cosa posso
5   lasciare nelle strade nelle case
nei **ventri infecondati**? Le parole

quelle moltissime
ma già non mi assomigliano più
hanno dimenticato la furia
10   e la **maledizione**, sono diventate signorine
un po' **malfamate** forse
ma sempre signorine.

NOTE (PRECEDUTE DAL NUMERO DELLA RIGA NEL TESTO)

1. *il seme:* sperma, germe
1. *spargere:* diffondere, gettare, seminare
2. *inondare:* riempire d'acqua, allagare
2. *il pisciatoio:* bagno pubblico per urinare destinato ai soli uomini
3. *avaro:* attaccato al denaro e all'eccessivo risparmio, spilorcio

6. *il ventre:* utero, grembo
6. *infecondato:* sterile
10. *la maledizione:* parola forte e violenta di condanna, imprecazione
11. *malfamato:* di cattiva fama, non rispettabile

DOMANDE DI COMPRENZIONE E ANALISI

1. Quali due elementi si contrappongono nella poesia per rappresentare l'uomo e la donna? Scegli fra i seguenti e motiva la tua risposta:
   a. la maledizione / le signorine
   b. il seme / le parole
   c. i pisciatoi / i ventri infecondati
2. Che tipo di parole vorrebbe avere l'autrice?
3. Come descrive le uniche parole che può usare?
4. Che significa, secondo te, la metafora "le parole sono signorine"?

4. Ho molte commissioni _____ (per / da) fare.

5. Ci sono tanti musei interessanti _____ (per / da) visitare in Italia.

6. Ricordare nuove parole è importante _____ (per / da) migliorare la competenza linguistica.

7. Mi sveglio presto _____ (per / da) andare in palestra.

8. Mi ha dato un libro _____ (per / da) leggere.

OSSERVAZIONI SUL TESTO

Considera l'uso di "da" e di "per" prima dell'infinito nei versi:
   Non ho seme da spargere …

   è troppo poco per offendere

In genere, la preposizione "da" è preceduta da un nome (o un pronome) che è anche l'oggetto dell'infinito. Ad esempio:
   Ho una bella notizia da darti!

La "bella notizia" è anche l'oggetto del verbo "dare" ("dare una bella notizia").

La preposizione "per", invece, introduce una finalità o un obiettivo. Ad esempio:
   Studio per imparare. (L'obiettivo del mio studiare è l'apprendimento, cioè imparare).

Ora scegli la preposizione giusta per completare ogni frase:

1. Ti ho telefonato _____ (per / da) parlarti.

2. Vorresti qualcosa _____ (per / da) mangiare?

3. Si semina in primavera _____ (per / da) raccogliere i frutti in estate.

Aldo Moro, fotografato dalle Br durante la prigionia.

IL PRIGIONIERO
di Anna Laura Braghetti

Anna Laura Braghetti fu una militante di primo piano delle Brigate rosse: partecipò al sequestro dello statista della Democrazia cristiana, Aldo Moro, e ad altri attentati che risultarono nella morte di un magistrato e due agenti della polizia. Fu condannata all'ergastolo nel 1980, ed è in libertà provvisoria dal 2002. Questo brano è tratto dal libro autobiografico della Braghetti che racconta i 55 giorni del sequestro Moro. Aldo Moro è già nella sua "prigione", un locale ricavato in un appartamento di una zona signorile di Roma, e Anna Laura Braghetti, Mario Moretti, Prospero Gallinari e altri due brigatisti sono i suoi carcerieri.

Sulla porta [Mario Moretti] esitò un attimo: Moro mi parla moltissimo della sua famiglia, disse. Pensa che si disgregherà senza di lui. È il motivo principale per il quale chiede di uscire vivo da qui.

5 Usò poche parole. È stato sempre un tipo laconico, e andava di corsa.

Rimasti in tre, qualche commento lo facemmo. Quella prima volta, ci **infastidì** che il presidente della Democrazia cristiana, uno degli uomini più potenti del 10 paese, davanti a un pericolo e a una minaccia, mettesse le mani avanti dicendo "**tengo famiglia**": un comportamento da italiano medio, da uomo qualunque. Eravamo colpiti dal contrasto fra il manto di potere che ancora avvolgeva Moro, fosse pure rinchiuso nella 15 prigione del popolo e ridotto all'impotenza, e la realtà delle sue angosce personali, della sua paura. [...]

Ma c'era di più. Che Moro parlasse a Mario della sua famiglia mi **faceva pena**, e quindi mi disturbava profondamente. La pietà non era contemplata, Moro 20 non ne era degno, la mia pietà era riservata a coloro che lui e il suo partito opprimevano e mettevano in condizioni di **schiattare** di miseria e di lavoro.

Non era questa la sola ragione che mi **induriva il cuore** e mi spingeva sull'orlo del sarcasmo. 25 Nonostante tutto, il dolore di Moro non era ignoto e indifferente né a me né agli altri. Per ognuno, infatti, l'angoscia dell'ostaggio ne risvegliava una segreta e personale, dalla quale dovevamo difenderci. **Varcando la soglia** della lotta armata tutti avevamo saputo più 30 o meno lucidamente di compiere un passo grave e in certa misura irreversibile. Tutti avevamo lasciato persone alle quali eravamo legati. Non avevamo previsto, però, quanto ci saremmo sentiti spezzati, e quante energie avrebbe richiesto il tenere a bada l'affollarsi di 35 emozioni elementari.

Ma noi, almeno, qualche parola potevamo scam-

biarla, fosse pure **a mezza bocca**, e ripetendoci l'un l'altro che anche la nostalgia e il rimpianto erano prezzi da pagare alla lotta rivoluzionaria: non eravamo i primi 40 nella storia a versare questo tributo. Moro invece era solo, e forse non voleva tenere per sé la sua angoscia, o non poteva. La comunicava a Mario perché era l'unica persona che vedeva, che aveva a disposizione. Fra i due si erano aperti degli **spiragli** di umanità, nonostante 45 quella terribile situazione.

Rapporti del genere si creano in qualunque carcere, come avrei imparato più tardi per esperienza diretta. Non è possibile evitare che fra alcuni carcerieri e alcuni carcerati nasca un filo di dialogo. Nell'**istituto di** 50 **massima sicurezza** di Voghera, dove avrei trascorso due anni, uno degli obiettivi che venivano perseguiti era quello della spersonalizzazione delle detenute attraverso una pressione psicologica fortissima e ininterrotta. Fu ordinato alle guardie carcerarie di non rivolgersi a noi 55 **se non** per comandare, di non chiamarci per nome e di non dirci qual era il loro. Solo così fu impedito ogni rapporto, rendendo impossibile che le guardie, donne come noi, scambiassero qualche parola, magari un commento sulla foto di un bambino, e che apparissimo loro 60 per quello che eravamo, non numeri ma esseri umani, esseri umani infelici. Moro praticò spontaneamente nei nostri confronti quella stessa strada, per farci capire che era un uomo, non soltanto il simbolo dello Stato, il capo del partito di regime, l'incarnazione delle ragioni per le 65 quali lo avevamo scelto, e rapito nel sangue.

Spesso mi capitava di andare a letto prima degli altri, e lasciavo i miei compagni ai loro libri, o davanti alla televisione. La sera che Mario partì, invece, Prospero si coricò presto, con me. Al buio mi confidò che 70 Moro parlava soprattutto del nipotino, Luca, un bambino piccolo che viveva a periodi alterni con lui e sua moglie, perché i suoi genitori passavano un momento

di difficoltà. Era di Luca che Moro si preoccupava.
Quando ricordava quel bambino, a Mario probabil-
75 mente veniva in mente Marcello, suo figlio, lasciato
per le Brigate rosse quando era ancora piccino, mai più
rivisto. Anch'io penso ai miei, **bisbigliò** Prospero, non
posso far arrivare loro nessuna notizia.

Furono queste le ragioni per le quali fu permes-
80 so a Moro di scrivere ai suoi il giorno di Pasqua, dieci
giorni dopo il sequestro. Per lui dovette essere un giorno
tremendo. Io lo trascorsi a casa di zia Franca, provando a
comportarmi come sempre e cercando salvezza in cucina
o in bagno quando mi sembrava di non farcela più.

NOTE (PRECEDUTE DAL NUMERO DELLA RIGA NEL TESTO)

8. *infastidire:* disturbare, dare noia o fastidio
11. *"tengo famiglia":* ho una famiglia (espressione de-
rivata dal dialetto napoletano, usata per giustificare
qualsiasi azione o comportamento con la necessità
di soddisfare i bisogni della propria famiglia)
18. *fare pena:* muovere pietà o compassione
22. *schiattare:* (fig.) morire, scoppiare per la fatica o la
stanchezza
23. *indurire il cuore:* (fig.) diventare indifferenti

28. *varcare la soglia:* (fig.) entrare, passare dall'altra
parte
37. *a mezza bocca:* parlare in modo indiretto
44. *lo spiraglio:* (fig.) piccola apertura
49. *l'istituto di massima sicurezza:* prigione per
detenuti pericolosi
55. *se non:* eccetto che
77. *bisbigliare:* parlare piano, sottovoce

DOMANDE DI COMPRENZIONE E ANALISI

1. Di che cosa parlava Moro con Moretti?
2. Di che cosa avrebbe dovuto parlare invece, secondo i brigatisti?
3. Perché erano infastiditi i brigatisti e che cosa li colpiva?
4. Quale sentimento non potevano provare i brigatisti verso Moro? A chi era riservato questo sentimento?
5. Quale angoscia avevano in comune i brigatisti e Moro?
6. Spiega le parole dell'autrice: "Non avevamo previsto, però, quanto ci saremmo sentiti spezzati".
7. Quale vantaggio emotivo avevano i brigatisti su Moro?
8. Come si comportavano le guardie dell'istituto di massima sicurezza con i carcerati?
9. Che fine raggiunse Moro con il suo comportamento?
10. Chi era Luca e perché Moro ne parlava tanto?
11. A chi pensava Mario quando Moro parlava di Luca e perché?

OSSERVAZIONI SUL TESTO

Considera il seguente caso di "dislocazione a sinistra", cioè di anticipazione dell'oggetto diretto. Questa costruzione è colloquiale ma comune anche nella lingua scritta, e serve a dare enfasi all'oggetto diretto piuttosto che al soggetto.

Il libro, Marco l'ha già letto.

In questa frase l'ordine convenzionale delle parole dovrebbe essere:

Marco ha già letto il libro.

Riscrivi le seguenti frasi tratte dal testo eliminando la "dislocazione a sinistra" (frase sottolineata) e usando l'ordine convenzionale delle parole (soggetto-verbo-oggetto diretto o indiretto). Fai anche tutti gli altri cambiamenti necessari:

1. Rimasti in tre, qualche commento lo facemmo.
2. Che Moro parlasse a Mario della sua famiglia mi faceva pena, e quindi mi disturbava profondamente.
3. Ma noi, almeno, qualche parola potevamo scambiarla.
4. Era di Luca che Moro si preoccupava.

Accio e Manrico in una scena del film.

MIO FRATELLO È FIGLIO UNICO

(2007), regia di Daniele Luchetti

INTRODUZIONE

La lotta fra due opposte ideologie (fascismo e comunismo) divide due fratelli, Accio e Manrico: entrambi cercano nell'estremismo populista di queste due "chiese" laiche una risposta alla povertà della loro famiglia e al chiuso provincialismo di Latina, piccola città del Lazio. Gli scontri fra i due fratelli, ma anche il loro profondo affetto, verranno ulteriormente complicati dall'amore per la stessa ragazza, Francesca.

PERSONAGGI E INTERPRETI PRINCIPALI

Accio: *Elio Germano*
Manrico: *Riccardo Scamarcio*
Violetta: *Alba Rohrwacher*
Mario: *Luca Zingaretti*
Bella (moglie di Mario): *Anna Bonaiuto*
Amelia (madre di Accio, Manrico e Violetta): *Angela Finocchiaro*
Ettore (padre di Accio, Manrico e Violetta): *Massimo Popolizio*
Francesca: *Diane Fleri*

DOMANDE DI COMPRENSIONE E PUNTI DI DISCUSSIONE

1. Descrivi la famiglia di Accio: la loro classe sociale, i rapporti fra i familiari, in particolare i rapporti fra i due fratelli, Accio e Manrico.
2. Perché, quando ritorna dal seminario, Accio esclama in tono sarcastico "Bella accoglienza!"
3. Mario e Bella, sono l'"altra famiglia" di Accio. Chi è Mario e che tipo di "educazione" impartisce ad Accio? Quale "educazione" riceve invece da Bella?
4. Come descrive il fascismo Mario ad Accio?
5. Com'è divisa politicamente la famiglia?
6. Chi è Francesca, e come entra nella vita di Accio e Manrico?
7. Che rapporto si crea fra Francesca e Accio?
8. Che tipo di protesta organizza un giorno in fabbrica Manrico?
9. Che cosa induce Accio a stracciare la tessera del partito?
10. Perché la mamma ha votato il "partito della casette"?
11. Mario picchia Accio un giorno e gli dà tre pugni, ognuno per un motivo diverso. Quali sono questi motivi?
12. In che direzione si trasforma l'attività politica di Manrico?
13. Perché Accio va "in esilio" in Piemonte?
14. Come vive Francesca quando Accio la incontra di nuovo a Torino?
15. Perché Accio si arrabbia tanto con Francesca e scende dalla macchina?
16. Che cosa chiede Manrico a Accio quando gli telefona dopo diversi mesi di silenzio?
17. Perché Accio porta l'esempio del padre quando parla con Manrico nel bar di Torino?
18. Dai pugni all'abbraccio finale: che cosa ti colpisce dell'ultimo incontro fra Accio e Manrico?

19. Con chi ritorna a Latina Accio e perché?
20. Qual è l'ultima azione politica di Accio? Com'è diversa dalle altre azioni politiche sue e di Manrico?
21. Qual è la scena conclusiva del film? Dov'è Accio e chi guarda?
22. Perché, secondo te, è Accio il protagonista di questo film, e non il fratello Manrico?
23. Spiega il titolo del film. Che cosa ti ha colpito in particolare del rapporto fra i due fratelli?
24. Questo film come rappresenta i conflitti sociali degli anni '70? È una rappresentazione convincente?

Braccio e Concilio in una scena del film.

LA MIA GENERAZIONE

(1996), regia di Wilma Labate

INTRODUZIONE

Primavera del 1983. Da Palermo, in Sicilia, a Milano, nel nord: il viaggio di una giornata in un furgone blindato della polizia. Il prigioniero trasportato è Braccio - condannato a 30 anni di carcere duro a Palermo per appartenenza ad un gruppo terrorista dell'estrema sinistra. Braccio sta per essere trasferito a Milano dove potrà avere frequenti colloqui con Giulia, la ragazza che ama e che non vede da tre anni. Un capitano dei Carabinieri, istruito, intelligente e chiacchierone, lo accompagna: durante il viaggio, i due si confrontano apertamente sulle scelte prese dai giovani della loro generazione. All'arrivo Braccio scoprirà che il suo trasferimento aveva uno scopo ben diverso da quello "ufficiale" e sarà costretto a prendere una decisione che determinerà il corso della sua vita e di quella di Giulia. Il film ci offre una prospettiva diversa, intima e carica di risvolti psicologici, sugli "anni di piombo".

Il film fu scelto per rappresentare l'Italia alla nomina degli Oscar del 1997. Il Ministero Italiano della Cultura lo ha designato "film d'interesse culturale nazionale".

PERSONAGGI E INTERPRETI PRINCIPALI

Capitano dei Carabinieri: *Silvio Orlando*
Braccio: *Claudio Amendola*
Giulia: *Francesca Neri*
Concilio: *Vincenzo Peluso*

DOMANDE DI COMPRENSIONE E PUNTI DI DISCUSSIONE

1. Che cosa capiamo di Braccio dalle prime scene del film? Perché viene trasferito a Milano?
2. Chi è Giulia? Dove abita? Che cosa intuiamo sulla sua vita dalle prime scene?
3. Perché, secondo il Capitano, hanno dato una sentenza troppo dura a Braccio?
4. Perché il Capitano dice "È un peccato davvero", parlando della vita di Braccio. Perché Braccio gli risponde allo stesso modo?
5. Spiega le seguenti parole del capitano a Braccio: "Siamo sui lati opposti della barricata. Soltanto che le barricate non le fa più nessuno. Il terrorismo ha perduto. La rivoluzione, che prima era un desiderio, adesso è diventata un rimorso, e la democrazia ha vinto."

6. Perché Giulia va al Tribunale di Milano?

7. Chi sono i "ladroni" che il capitano vorrebbe mettere in prigione e che cos'è il "marcio" di cui parla (conversazione sul traghetto)?

8. Che cosa fa nel frattempo Giulia a Milano?

9. Il Capitano parla a Braccio del Carcere di Vasciano dove stanno i "pentiti". Che giudizio dà di quel carcere? Come risponde Braccio?

10. Perché il Capitano deve prendere sul furgone anche Concilio? Che tipo di prigioniero è Concilio?

11. Perché il processo d'appello di Braccio sarà così difficile e lungo, secondo l'avvocato di Braccio (conversazione con Giulia in Tribunale)?

12. Quali sono le obiezioni che Concilio fa a Braccio? Che "lavoro" faceva Concilio prima di essere arrestato?

13. Perché devono fermarsi a Sant'Alba? Perché, quando il furgone arriva, viene attaccato dalla folla?

14. Che importante rivelazione fa Concilio a Braccio mentre aspettano un altro furgone a Sant'Alba?

15. Conversazione fra Braccio e il Capitano a Sant'Alba. Che cosa vuole sapere da Braccio il Capitano? Commenta le seguenti parole del Capitano: "Lei poteva fare della sua vita quello che voleva. Poteva diventare professore, ricercatore universitario. E cosa si mette a fare? Lo scemo con le pistole in mano! (...) Il fatto è che più siete intelligenti più mi fate rabbia."

16. Qual è il significato dello scambio di fotografie fra Braccio, il Capitano e Concilio?

17. Commenta il seguente segmento di conversazione fra il Capitano e Braccio: "Vi è andata male perché a un certo punto la vostra storia è diventata solo una storia di morte. E in quelle storie lì non si vince mai."..."Ma non lo vedi che è un Carabiniere, che è lo Stato? Ti fidi dello Stato?"

18. Perché Giulia va a cercare Gabriele fuori dalla scuola dove insegna? Che cosa gli rimprovera? Come si giustifica Gabriele? Secondo Giulia, che cosa non farebbe mai Braccio?

19. Che cosa vuol dire Gabriele con queste parole: "Tutto è come prima, anzi peggio di prima. Noi giocavamo a guardia e ladri e guarda come ci troviamo adesso"?

20. Che cosa pensa Concilio dell'amore? E Braccio?

21. Perché, quando arrivano a Bologna, Concilio consegna la sua pistola a Braccio?

22. Perché, nella sua lettera a Giulia, Braccio le aveva chiesto di non andare a trovarlo?

23. Quale rivelazione fa il capitano a Braccio quando ormai sono arrivati alla periferia di Milano? Quale informazione cruciale dovrebbe dare Braccio al magistrato che si occupa delle indagini? Quali vantaggi riceverebbe Braccio se decidesse di parlare? Quali saranno le conseguenze se si rifiuta di parlare?

24. Commenta le seguenti parole del capitano: "È inutile fare gli eroi quando la guerra è finita. E questa guerra è finita, tu lo sai meglio di me. (...) Tu stai pagando per le colpe degli altri. Sei giovane, Braccio. La tua vita vale molto di più di quello che noi ti stiamo chiedendo (...) Dimmi che hai ancora voglia di vivere."

25. Quali alternative ha Braccio a questo punto?

26. Commenta il seguente stralcio di conversazione fra Braccio e la prostituta: "Buttala quella, che se te la trovano, ti ammazzano. Che cavolo ci hai nella testa?" "Non ho niente nella testa, niente."

27. Perché, secondo il Capitano, Braccio sta facendo "una cazzata grossa come una casa"?

28. Come si conclude il film? Che cosa pensi della scelta finale di Braccio?

CAPITOLO QUATTRO

GLI ANNI '80 E '90: DALLA PRIMA ALLA SECONDA REPUBBLICA

TRASFORMAZIONI NELLA SOCIETÀ CIVILE E NEI COSTUMI

Sinistra: Operai organizzano un picchetto contro la chiusura della fabbrica Ansaldo di Sesto San Giovanni, 1990.
Destra: Manifesto della coalizione di centro sinistra "Uniti nell'Ulivo", 2000.

Le trasformazioni in campo politico e sociale degli anni '80 e '90 furono paragonabili, per celerità e ampiezza, ai grandi cambiamenti portati dal boom economico nel dopoguerra. L'ultimo ventennio del XX secolo vide il **crollo delle grandi utopie**: il comunismo cessò di rappresentare quel modello di società ideale sognato dal movimento studentesco e operaio degli anni '60 e '70; anche la Chiesa cattolica e il suo "braccio politico", la DC, persero l'autorità di cui godevano, in parte perché la società in generale era diventata più laica, più urbana, più aperta verso altre culture e religioni. Uno dei tanti indicatori di questa secolarizzazione è la crescita dei matrimoni civili di circa l'8% dal 1971 al 2001.[1]

Le cause di questa evoluzione sono molteplici: in parte gli stessi cattolici erano diventati più indipendenti nelle loro opinioni, meno inclini a seguire i dogmi del Vaticano e della DC. Infatti, gli anni '70 avevano dimostrato che era possibile portare avanti un messaggio cristiano di solidarietà civile e di riforma sociale senza passare attraverso i canali ufficiali del partito o della Chiesa, anzi spesso in una posizione critica rispetto a entrambi.

Inoltre, il movimento operaio, che era stato protagonista dei grandi cambiamenti sociali negli anni '70, cominciò ad entrare in crisi all'inizio degli anni '80, e trascinò nel suo declino anche il movimento comunista italiano. Le innovazioni tecnologiche e l'automazione dei processi produttivi, infatti, determinarono una riduzione numerica della classe operaia.[2] Molte fabbriche del nord chiusero;

---

1   dati tratti da Treccani il 21.11.2017: http://images.treccani.it/ enc/media/share/images/orig/system/galleries/L_Italia_e_le_ sue_regioni/figura2tasodimatrimoni_fig_vol3_00030_002.jpg

2   Si calcola, a questo proposito che, alla fine del XX secolo, quasi la metà dei lavoratori dipendenti lavorava nei servizi (3,1 milioni) a fronte di 3,8 milioni che lavoravano nell'industria (D. Di Vico."I nuovi operai senza lotta di classe" *Corriere della Sera*, 10 marzo 2004).

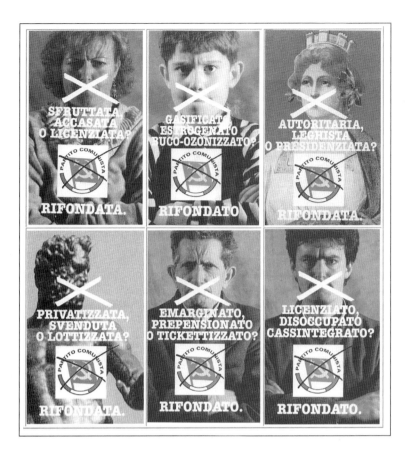

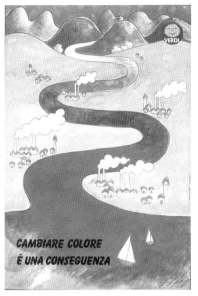

Sinistra: Manifesti di Rifondazione Comunista, 1991.

Destra: Manifesto del Partito dei Verdi.

altre, spinte dalla globalizzazione, si smembrarono o si trasferirono all'estero per ridurre i costi di produzione. La classe operaia, già ridotta numericamente, perse quell'orgoglio e quell'identità di classe che l'avevano resa un'importante forza di rinnovamento della società. L'ideologia comunista, sostenuta dal movimento operaio e studentesco degli anni '70, cessò di ispirare le giovani generazioni in cerca di un'alternativa al capitalismo.

Gli anni '80 e '90 furono anche caratterizzati dal superamento della cosiddetta "**economia mista**", cioè del sistema economico italiano descritto nell'art. 41 della Costituzione repubblicana e basato sulla coesistenza dell'industria privata e pubblica. Negli anni del dopoguerra, il massiccio intervento dello Stato nella sfera economica garantiva determinati servizi a prezzi contenuti: ad esempio, le Ferrovie dello Stato fornivano un servizio di trasporto relativamente efficiente e poco costoso, anche se non sempre confortevole. Negli anni '90, invece, si è passati ad una privatizzazione delle aziende statali senza peraltro promuovere la concorrenza, con il risultato che il passaggio dal monopolio dello Stato al monopolio di grandi aziende private ha determinato, insieme ad un aumento dei guadagni delle imprese, anche un aumento dei prezzi dei servizi.

Questo nuovo scenario sociale ha portato anche ad un declino della militanza politica e religiosa, cioè dell'impegno personale in un partito, sindacato o movimento per il raggiungimento di un progetto politico unico e la promozione di valori universali. Non potendo più essere "comunista" o "cattolico" o "liberale", l'individuo ha cominciato a cercare la sua identità in altri spazi della società civile, entrando a far parte di associazioni con obiettivi locali più concreti e fattibili.

Le energie sprigionate dai movimenti degli anni '70, cioè la coscienza dell'importanza della dimensione sociale e della solidarietà verso i più deboli, erano ancora presenti alla fine del XX secolo, e trovarono un nuovo canale di espressione al di fuori delle organizzazioni politiche e sindacali esistenti. Nacque così il **movimento del volontariato**, cresciuto in Italia in modo sorprendente a partire dagli anni '80, e chiamato "il terzo settore" (il "primo settore" è l'intervento dello Stato, il "secondo settore" l'economia privata). Molti italiani colmarono così con il loro lavoro il vuoto lasciato dalla **riduzione dello stato sociale**, rispondendo anche ai problemi urgenti legati all'invecchiamento della popolazione. Molti genitori cominciarono a contribuire alla gestione della scuola dei figli, altri ad associazioni che aiutano gli immigrati ad inserirsi nella società italiana, o gli anziani non più autosufficienti; altri hanno formato gruppi a sostegno della tutela dell'ambiente e delle tradizioni locali. [3]

In politica un esempio di questa nuova tendenza anti-ideologica è il **Partito dei Verdi** (fondato nel 1986 e ora chiamato Federazione dei Verdi). Questo nuovo movimento aveva l'obiettivo di arginare il disastro ecologico perpetrato negli anni del boom economico: le problematiche legate all'ambiente e alla protezione dei beni paesaggistici, infatti, erano state sottovalutate dal movimento operaio, più concentrato sulla difesa dei posti di lavoro di quelle stesse fabbriche che inquinavano il territorio circostante.

Mentre la politica nazionale perdeva di interesse, la politica locale, invece, a livello comunale o regionale, continuò ad animare vivaci dibattiti fra gli elettori: la nuova legge elettorale del 1993 prevedeva l'**elezione diretta dei sindaci** stabilendo un rapporto di responsabilità dell'eletto nei confronti del suo elettorato. Infine, la **riforma costituzionale del 2001** rafforzò il decentramento delegando maggiori funzioni alle regioni e istituendo anche il federalismo fiscale, cioè il pagamento delle tasse e il loro utilizzo a livello locale piuttosto che nazionale. Se la politica si riavvicinò progressivamente al cittadino questo successe su un piano meno ideologico, più locale e più pragmatico. L'elettore, piuttosto che domandarsi quale partito si collocasse a sinistra o a destra o al centro, cominciò a chiedersi: Chi sono i candidati e i partiti che sanno concretamente risolvere i problemi della mia città, quelli che toccano da vicino la mia vita di tutti i giorni, quali traffico, inquinamento, carenza di servizi?

Alla crisi delle grandi utopie, però, non tutti risposero con un impegno diverso nel sociale: molti smisero di pensare in termini collettivi, con la conseguenza che gli interessi del singolo, e tutt'al più della famiglia, presero il sopravvento. Così, alla metà degli anni '80, si verificò un **forte incremento dei consumi**, anche favorito da una ripresa economica a livello nazionale ed europeo; l'Italia diventò in quel periodo, secondo alcuni, la 5ª potenza economica a livello mondiale; gli standard di vita specialmente nelle grandi città, raggiunsero livelli veramente alti, anche se il nuovo benessere finì per allargare notevolmente la distanza economica fra chi stava alla base e chi stava al vertice della scala sociale.

Sinistra: Boggi, negozio di abbigliamento maschile, via Montenapoleone, Milano, 2005.

Destra: Signore della "Milano bene" fanno compere in via Montenapoleone, anni '90.

3   Questo nuovo impegno nel sociale continua anche oggi con grande successo: attualmente gli italiani si fidano molto di più dei volontari: l'80% degli italiani ha dichiarato di avere fiducia nelle associazioni di volontariato, mentre solo il 40% dice di avere fiducia nella Chiesa (dati da Famiglia Cristiana "Volontariato, L'Europa più bella", 3 aprile 2011). Online 9 novembre 2017: http://www.famigliacristiana.it/articolo/volontariato-cosi-in-europa_030411100025.aspx

Sinistra: Roma 1986. Le ballerine Lorella Cuccarini e Alessandra Martinez durante le prove dello spettacolo "Fantastico 7".
Destra: Una giovane donna si allena in palestra, anni '90.

Sempre nel quadro di questo disimpegno nel sociale, si cominciò ad assistere a fenomeni nuovi per gli italiani, quali la passione per vacanze e prodotti esotici, e il culto della bellezza e della salute, che si manifestò nel fiorire di palestre, corsi yoga ed altre discipline orientali, di prodotti cosmetici, di diete "alternative", di prodotti biologici. I giovani, che prima trovavano un facile terreno di aggregazione nel gruppo politico della scuola, del quartiere o della fabbrica, cominciarono a cercare coetanei che condividevano un comune interesse per il possesso di una giacca di marca o di un certo tipo di orologio o accessorio: allo stesso tempo, partecipavano alle elezioni politiche in percentuali sempre più basse.

Questa nuova cultura di ritorno al privato e di enfatica ricerca del piacere individuale si sviluppò di pari passo con la nascita dei **canali televisivi privati** all'inizio degli anni '80. La **RAI**, cioè il servizio pubblico di trasmissioni televisive e radiofoniche, aveva sempre avuto una funzione educativa: dall'inizio delle trasmissioni televisive nel 1954, si era distinta per l'uso limitato della pubblicità e per la produzione di programmi educativi e culturali, e di sceneggiati basati su importanti opere letterarie. Lo scenario cambiò negli anni '80, quando la RAI si trovò a competere con molte televisioni private che diffondevano un diverso modello basato sul divertimento, lo spettacolo e la pubblicità. La RAI fu costretta ad adeguarsi, perdendo la sua funzione di "fabbrica di cultura popolare" per acquisire un ruolo più commerciale: il telespettatore si trasformò da ricettore di cultura a potenziale consumatore. Furono così importati molti sceneggiati di bassa qualità che diventarono, tuttavia, popolarissimi, quali "telenovelas" dal Sud America e soap opera dagli USA, "reality shows", "talk shows", varietà e balletti di ogni tipo nei quali l'assenza dei contenuti era colmata dall'esibizione costante di corpi femminili seminudi.

Infine, i **ruoli all'interno della famiglia** cambiarono radicalmente nell'ultimo decennio del XX secolo, specialmente nelle grandi città del nord dove i costi della vita diventarono altissimi. Un solo reddito, tradizionalmente quello del marito, non era più sufficiente nemmeno alle coppie benestanti. Quindi, anche le donne delle classi sociali medio-alte cominciarono a lavorare a tempo pieno, come avevano fatto le mogli degli operai negli anni '60, ricorrendo a babysitters o badanti, data l'inadeguatezza del sistema di servizi sociali. Il nuovo ruolo all'interno del mondo del lavoro, non diede necessariamente alla donna una condizione di reale parità con l'uomo: continuando a lavorare anche quando i figli erano piccoli, la donna cominciò a sentirsi schiacciata fra le pressanti esigenze della carriera, da una parte, e della famiglia dall'altra.

Infatti, le grandi conquiste legislative del movimento femminista italiano degli anni '60 e '70 (divorzio, nuovo diritto di famiglia, interruzione volontaria della gravidanza, parità sul luogo di lavoro) non riuscirono a tradursi in un corrispondente cambiamento culturale nelle due decadi successive: la donna italiana, anche se uscì

Manifesto elettorale di Alleanza Nazionale, 2001.

dalla sfera domestica, continuò ad avere un ruolo marginale specialmente in economia e in politica: un mondo patriarcale ancora molto radicato nei suoi costumi e pregiudizi impedì alla donna di far sentire la propria voce in tutti gli ambiti della vita civile. Purtroppo il femminismo italiano, forte e avanzato sul piano organizzativo e teorico quanto il momento studentesco ed operaio, non riuscì a tradurre le sue conquiste legislative in uno sfondamento del "soffitto di vetro" della società italiana. Anzi, negli anni '80, il movimento di liberazione della donna, che aveva trionfato negli anni '70, sembrò subire una triste metamorfosi nei canali televisivi privati: la nudità della donna non era frutto di una scelta liberatoria ma solo una risposta commerciale ad un desiderio di mercato del pubblico maschile.

NUOVI GOVERNI E NUOVI PARTITI

A questi grandi cambiamenti nei costumi e nella composizione delle classi sociali non poteva non corrispondere una trasformazione in campo politico. I primi segnali di una scossa più profonda, che negli anni '90 avrebbe sconvolto tutto l'establishment politico, si fecero sentire già negli anni '80: la DC, pur rimanendo partito maggioritario al governo, perse molta della sua indiscussa egemonia politica.

Nel **giugno 1981, Spadolini** del PRI (Partito repubblicano italiano) diventò il primo ministro non democristiano del dopoguerra, seguito nel 1983 da **Bettino Craxi**, segretario del PSI, che resterà primo ministro fino al 1987, a guida del governo più lungo nella storia della Repubblica. [4]

Bettino Craxi apparteneva alla corrente moderata e diede un'impronta nuova e moderna al PSI cercando di allineare il partito con i grandi partiti socialdemocratici del nord Europa e minimizzando la sua eredità storica di partito operaio. Anche il simbolo del PSI cambiò: la vecchia falce e martello, fu sostituita da un rassicurante garofano rosso. Craxi non fu un grande intellettuale o teorico, ma un leader pragmatico che si preoccupò sempre di mantenere un'immagine di modernità ed efficienza e di consolidare il suo potere personale all'interno del partito. Craxi introdusse anche il culto dell'immagine e dello spettacolo che fu poi continuato da Berlusconi, ad imitazione delle *conventions* americane. Molti esponenti del PSI imitarono con entusiasmo lo stile di Craxi e diventarono sempre più interessati al mantenimento e al consolidamento del proprio potere che all'attuazione di un programma politico progressista. Bisogna riconoscere però che il governo Craxi, durato quattro anni consecutivi - un vero record per le legislature italiane - riuscì ad attuare alcune importanti riforme, quali:

- Una riforma fiscale che aveva l'obiettivo di porre fine all'evasione fiscale, costringendo anche i piccoli commercianti a emettere regolari ricevute. [5]
- L'eliminazione della **"scala mobile"**, cioè del sistema automatico di adeguamento dei salari all'aumento dei prezzi. Questa riforma aveva l'obiettivo di ridurre l'inflazione.
- Una modifica del **Concordato fra Stato e Chiesa**, un accordo stipulato fra la Chiesa e Mussolini nel 1929 ed ancora in vigore, secondo il quale la religione cattolica era religione di stato. Questa norma venne abolita nel nuovo

---

4   Il governo Berlusconi superò quello di Craxi in longevità: Berlusconi rimase in carica con alcune interruzioni, dal maggio 2001 fino al 2011.

5   La maggior parte delle tasse erano (e sono tutt'ora) pagate dai lavoratori dipendenti perché su di essi si può operare un controllo fiscale e la detrazione delle tasse avviene alla fonte.

Sinistra: Cartelli stradali in italiano e il dialetto nelle zone della Lombardia amministrate dalla Lega Nord.

Destra: Manifesto della Lega Nord.

accordo e l'insegnamento della religione cattolica nelle scuole pubbliche divenne opzionale. Questo nuovo accordo prevedeva anche il cosiddetto "8 per 1000", cioè la possibilità per i cittadini di destinare l'otto per mille delle tasse alla Chiesa Cattolica o ad un'altra istituzione religiosa.

Un'altra novità in campo politico - a cavallo fra gli anni '80 e '90 - fu la formazione di un nuovo partito - la **Lega Nord** - e la trasformazione in senso moderato del più grande partito d'opposizione, il PCI.

La Lega Nord (ora Lega) nacque nel **1989**, e prese il nome dalla lega dei Comuni lombardi che si formò nel 1167 per resistere all'Imperatore Federico Barbarossa: il simbolo del partito è l'immagine di Alberto da Giussano, il guerriero della lega che sconfisse il Barbarossa. Queste vicende di storia medievale, secondo la Lega, portano con sé un'importante lezione anche per il presente: le regioni del nord d'Italia dovrebbero organizzarsi e difendersi dallo strapotere del governo centrale di Roma come fecero i Comuni lombardi quando lottarono per la loro indipendenza nel Medioevo.

Le regioni del nord-est, dove la Lega riscosse i primi successi, erano state, fino al secondo dopoguerra, zone di grande povertà e di emigrazione, ma negli anni '80 si arricchirono con l'espansione della piccola e media industria a carattere familiare. In queste regioni trionfava la DC, la cui politica trascendeva le particolarità regionali e addirittura nazionali, opponendo al localismo il messaggio universale del cristianesimo. Negli anni '90, il declino della DC permise che si sprigionassero quelle tendenze localiste e regionaliste rimaste fino allora assopite. La Lega nacque quindi come espressione di quei ceti medi del nord-est, arricchitisi negli anni '80, e portatori di un forte spirito imprenditoriale e di una radicata etica del lavoro e del risparmio, e caratterizzati da una struttura familiare che seppe diventare anche struttura produttiva. Questi ceti medi imprenditoriali si opponevano da sempre al forte controllo accentratore da Roma e alle tasse imposte da un governo da loro percepito come oppressore e inibitore delle loro capacità imprenditoriali.

Coerente con questa narrativa, la Lega, nei primi anni della sua esistenza, propose quindi la secessione dall'Italia e la costituzione di una **Repubblica del Nord**, sostenendo che esisteva una **"questione settentrionale"** in opposizione alla storica **"questione meridionale"** dibattuta nella nazione fin dalla sua unificazione. Secondo la Lega, il sud d'Italia godeva di generosi aiuti economici prevenienti, per la maggior parte, dalle tasse dell'industrioso nord, e non era affatto abbandonato o dimenticato dallo Stato, come da sempre sostenevano i partiti della sinistra. Con questa posizione, la Lega esprimeva l'esasperazione condivisa da molti di fronte al mancato progresso economico e sociale nel sud, nonostante tutti i programmi d'investimento adottati dal governo: il ripiegamento sul localismo e sulla difesa dei propri interessi immediati prese il posto della solidarietà verso una parte del Paese, il sud d'Italia, che peraltro aveva aiutato con l'emigrazione lo sviluppo industriale del nord durante il boom economico degli anni '50-'60.

Se nuovi partiti nascevano, altri rinnovarono nome, simbolo e programma. Il PCI eliminò, oltre alla parola "comunista", anche i simboli centrali alla sua ideologia, cioè la falce e il martello: nel 1991 cessò di esistere e diventò **Partito Democratico della Sinistra**, modificato successivamente in DS (o **Democratici della Sinistra**). Questo fu un evento di enorme portata anche internazionale se si considera che il PCI era il più grande partito comunista dell'Occidente, definito da molti come la "religione civile" degli italiani.[6] La fine del PCI segnò anche la fine, sul piano teorico, di qualsiasi alternativa al capitalismo. È importante sottolineare che il crollo del Muro di Berlino, pur essendo stato uno degli eventi storici più importanti degli anni '80, ebbe un ruolo irrilevante in questa trasformazione: il riferimento ai Paesi socialisti dell'Est Europa da parte della sinistra italiana, infatti, aveva già perso vigore alla fine degli anni '70.

All'estremo opposto dell'arco politico, anche l'**MSI-Destra Nazionale** subì un'evoluzione in senso moderato. Nel 1995, questo partito di estrema destra cambiò nome diventando **Alleanza Nazionale**. Sotto la direzione del moderato Gianfranco Fini, questo nuovo partito tagliò ogni legame nostalgico con il passato fascista, del quale invece il vecchio MSI si considerava l'erede e il portavoce.

Manifesto di denuncia di alcuni problemi della società italiana contemporanea, 1993.

Mani Pulite e Tangentopoli

I cambiamenti in ambito politico descritti più sopra sembrano irrilevanti se confrontati con la grande "rivoluzione di velluto" che travolse tutti i partiti politici dell'area governativa negli anni '90 - uno scossone che solo pochi anni prima sarebbe sembrato inimmaginabile. **DC, PSI, PRI, PLI, e PSDI** erano già in crisi a causa dei profondi cambiamenti nella società italiana degli anni '80, ma ricevettero il colpo di grazia da un gruppo di giudici milanesi che indagavano la corruzione dei partiti politici. La rete fittissima di rapporti fra corrotti e corruttori rivelata dalle inchieste prese il nome di "**Tangentopoli**", cioè "città delle tangenti", mentre la serie di arresti e processi che seguirono fu chiamata operazione "**Mani pulite**". Non fu quindi un movimento popolare a porre fine al vecchio sistema dei partiti, ma una rivoluzione dall'alto.

Era da tempo noto che molti esponenti politici, specialmente a livello locale, consideravano la nomina politica un privilegio personale che li autorizzava alla riscossione di **tangenti** (chiamate anche "**mazzette**" o "**pizzi**"), cioè percentuali sull'assegnazione di lavori pubblici. Nessuno si immaginava, però, che la corruzione fosse così diffusa. I politici e gli uomini d'affari coinvolti spesso si giustificavano dicendo che "lo facevano tutti da sempre".

Enrico Berlinguer, leader del PCI deceduto nel 1984, si era più volte espresso contro la corruzion● nei partiti governativi. Manifesto del PDS, 1992.

---

6   Paolo Pombeni. "Il sistema dei partiti dalla Prima alla Seconda Repubblica". In
     L'Italia contemporanea dagli anni 80 a oggi, Vol. III, a cura di Colarizzi, Giovagnoli
     e Pombeni. Roma: Carocci, 2014 (p. 330)

Manifesto del PCI contro
l'"immobilità istituzionale", 1985
(disegno del vignettista Chiappori).

"Tangentopoli" funzionava (e purtroppo funziona ancora) così: quando l'amministrazione locale - comune, provincia o regione - deve effettuare dei lavori pubblici indice una gara di appalto, cioè invita imprese private a proporre il proprio progetto, e assegna il progetto alla ditta disposta a pagare la più alta tangente a uno o più esponenti politici, invece che alla ditta che garantisce il miglior rapporto qualità-prezzo. Si è saputo più tardi che le ditte inserivano regolarmente nel loro bilancio una percentuale, spesso del 10%, destinata specificamente alle tangenti ai politici, come se fosse una regolare spesa d'esercizio.

Le indagini partirono da Milano (dal cosiddetto "**pool**" dei **giudici milanesi**) e si allargarono a macchia d'olio in tutta la penisola, scoprendo anche un vasto sistema di finanziamenti illegali dei partiti che coinvolgeva gran parte del mondo industriale e finanziario. A poco a poco, esponenti politici di tutti i partiti governativi, ma specialmente della DC e del PSI, vennero coinvolti nelle inchieste. La grande delusione per molti elettori fu l'emblematico decadimento del PSI, da partito progressista con una tradizione storica di rappresentanza della classe operaia e di lotta per i diritti civili, a partito opulento, corrotto, dominato dall'arroganza di potere. Bettino Craxi, che era stato l'artefice di questa involuzione dei valori del partito, fu implicato nelle indagini di "Mani Pulite" e, per evitare l'arresto, fuggì nella sua villa al mare in Tunisia, dalla quale non si mosse più fino alla sua morte avvenuta qualche anno dopo.

"Mani pulite" fu la rivoluzione silenziosa, priva di manifestazioni e di scontri di piazza, che travolse il sistema politico italiano: tutti i partiti governativi - DC, PSI, PSDI, PRI e PLI - uscirono dalla scena politica.

Propaganda elettorale di Forza Italia, 2004.

Perché "Mani pulite" fu possibile solo nel 1992? La corruzione non nacque certo in quell'anno: al contrario, era maturata in tutto il periodo del dopoguerra, nel corso di quarant'anni di governi della DC. "Tappatevi il naso e votate DC" aveva ammonito il giornalista Indro Montanelli usando una frase che diventò memorabile: con questo voleva dire che, nonostante la corruzione e le provate collusioni con la mafia, la DC restava l'unica valida alternativa ad un'avanzata del comunismo. La caduta del Muro di Berlino, la fine della minaccia comunista e il conseguente declino del PCI sicuramente sottrassero alla DC gran parte della sua ragione di essere. Infine, nel 1992, l'assassinio mafioso di Falcone e Borsellino, due giudici siciliani che si erano impegnati in una lotta impari e quasi solitaria contro mafia e corruzione, scosse profondamente l'opinione pubblica, che sostenne con grande vigore i giudici milanesi di "Mani pulite".

FORZA ITALIA E SILVIO BERLUSCONI

Il vuoto creato dalla caduta dei partiti tradizionali dopo "Mani Pulite" fu in parte colmato da **Forza Italia**, un nuovo partito di centro-destra fondato nel 1993 da **Silvio Berlusconi**. "Forza Italia" è lo slogan dei tifosi durante le partite internazionali di calcio: Berlusconi capì che la passione nazionale per il calcio avrebbe unificato gli italiani anche in politica. Come ha osservato uno storico italiano, "fino ad allora i partiti erano prima comunisti, socialisti, repubblicani, ecc., poi italiani. Un nome come Forza Italia, scelto di persona da Berlusconi e testato a lungo prima della presentazione, non era pensabile in un paese imbrigliato dalla Guerra fredda [...]." [7]

Propaganda elettorale di Forza Italia, 2001.

Quando fondò Forza Italia, Berlusconi possedeva un piccolo impero economico con aziende che controllavano canali televisivi, cinema, editoria, sport, immobiliari e servizi finanziari, ed era uno degli uomini più ricchi del mondo. Era anche l'uomo più popolare d'Italia, almeno fra i bambini: un'inchiesta del 1992 nelle scuole elementari lo piazzò al primo posto fra i personaggi più amati, con maggiori preferenze addirittura di Gesù! [8]

Berlusconi si presentò da subito come un personaggio nuovo e dinamico nella politica italiana: aveva costruito una fortuna immensa dal nulla e proponeva di offrire il suo genio manageriale alla nazione italiana con la promessa di un milione di posti di lavoro e la privatizzazione delle aziende pubbliche per sanare il bilancio dello Stato. Altri punti del suo programma si richiamavano alle idee del liberismo classico: limitazione dell'intervento dello Stato e generale riduzione delle tasse.

Alla ricerca di una nuova "chiesa" in cui credere, gli italiani abbracciarono con entusiasmo il mito del benessere per tutti proposto da Berlusconi, apprezzando il suo ottimismo, la sua schiettezza e il suo senso dell'umorismo, qualità che erano sempre mancate ai leader politici tradizionali. Imitando e migliorando lo stile politico introdotto da Craxi, Berlusconi volle enfatizzare le sue qualità personali come leader, piuttosto che

Propaganda elettorale di Forza Italia, 2004.

---

7   Gianfranco Baldini. "Forza Italia: un partito unico". In *L'Italia contemporanea dagli anni Ottanta a oggi*, vol. III, a cura di Colarizi, Giovagnoli, Pombeni. Roma: Carocci, 2014 (p. 427).

8   C. Gallucci, "Silvio Ross Berlusconi", *L'Espresso*, 28 giugno 1992.

Sinistra: Manifesto di Alleanza Nazionale, l'erede del vecchio MSI.

Destra: La coalizione Uniti nell'Ulivo propone una modifica allo slogan di Berlusconi, 2004.

l'ideologia o il programma politico del partito stesso. Il partito di Berlusconi, in effetti, non ebbe mai la tipica organizzazione dei partiti tradizionali, con sezioni sparse nel territorio e diverse migliaia di militanti e iscritti pronti a lavorare come volontari nelle campagne elettorali. Forza Italia, al contrario, nacque dall'alto e la sua identità era definita unicamente dal capo, un po' come un'azienda di proprietà familiare.

Anche se Forza Italia si presentava come una formazione politica nuova, alcune pratiche comuni nei governi precedenti continuarono indisturbate. Per sua stessa ammissione, Berlusconi mantenne intorno a sé una cerchia di "fedelissimi" amici: gran parte dei deputati di Forza Italia in Parlamento erano stati suoi collaboratori aziendali. Durante il suo primo governo risultò preoccupante anche la nomina di dirigenti della RAI di sua fiducia. Infine, i suoi continui attacchi alla Magistratura, accusata di essere in mano alle sinistre, sembravano partire da un tentativo di difesa dei suoi interessi personali, dato che Berlusconi fu coinvolto in vari procedimenti penali per corruzione e falso in bilancio.

In coalizione con altri partiti di centro e di destra (Lega Nord e Alleanza Nazionale), Forza Italia vinse più volte le elezioni, e Berlusconi fu **Primo ministro** di varie legislature dal 1994 al 2011, nonostante le numerose accuse di un conflitto di interessi fra la sua carica di Capo dello Stato e il suo ruolo come proprietario di un enorme impero economico. Molti consideravano eticamente inaccettabile che un Primo ministro avesse anche il monopolio dell'informazione essendo proprietario della maggior parte delle reti televisive, e di gran parte della stampa e dell'editoria.

LA FORMAZIONE DI COALIZIONI

La riforma elettorale realizzata nel 1993 a seguito di un referendum popolare fu un altro importante elemento che contribuì al cambiamento del quadro politico. Il nuovo sistema elettorale incoraggiò i partiti a formare coalizioni al fine di superare la frammentazione politica e la conseguente fragilità dei governi: i partiti di centro destra (Forza Italia, Lega Nord e Alleanza Nazionale) si presentarono uniti alle elezioni del 1994 con la denominazione di **Polo della Libertà**, diventato poi **Casa della Libertà** alle elezioni del 2001; i partiti di sinistra o centro sinistra (Democratici di sinistra, Rifondazione comunista, e altre formazioni politiche minori) formarono la coalizione

Giovani in via Torino, Milano, 2002.

dell'**Ulivo**, scegliendo come simbolo un rametto dell'albero rappresentativo delle culture mediterranee.

La comparsa di queste coalizioni politiche determinò anche un periodo di alternanza fra governi di centro-destra e di centro-sinistra. Questa alternanza era sempre mancata dalla fondazione della repubblica, e i governi che si erano succeduti alla guida del Paese si erano sempre assomigliati l'un l'altro: erano stati governi monocolori, cioè formati dalla sola DC, o governi con la partecipazione anche del PSI e di altri partiti di centro, ma nei quali la DC aveva sempre avuto un ruolo di guida. Il risultato di questa situazione fu un'estrema immobilità politica, con la DC eternamente al governo e il PCI eternamente all'opposizione.

Quest'alternanza al governo fra destra e sinistra, del tutto nuova per l'Italia, fu sicuramente positiva in quanto introdusse un elemento di vitalità in campo politico e diede fiducia all'elettorato nella possibilità di un cambiamento reale.

Conclusioni:

Movimenti e tendenze culturali alla fine del duemila

I cambiamenti nello scenario politico degli ultimi due decenni del XX secolo furono tali che si cominciò a parlare dell'avvento di una **Seconda Repubblica**: se la **Prima Repubblica** aveva segnato la storia italiana del dopoguerra con la contrapposizione fra DC e PCI, la Seconda Repubblica rappresentava un elemento

Tessera della CGIL, 1996.

Destra: Bruzzano, quartiere alla periferia di Milano, 2001.

di discontinuità, con l'arrivo in scena di nuovi partiti politici e la scomparsa delle vecchie contrapposizioni ideologiche.

Le nuove formazioni politiche si trovarono ad affrontare vecchie contraddizioni interne che il Paese si trascinava dal dopoguerra: la disoccupazione, specialmente giovanile, e la stagnazione economica al sud; la forbice fra ricchi e poveri, fra sud e nord, che si allarga tuttora progressivamente, invece di richiudersi; le tendenze centrifughe e separatiste di cui la Lega era ed è un sintomo; la persistente corruzione nonostante l'azione di Mani pulite.

Infine, il Paese si stava trasformando anche culturalmente con l'arrivo di nuovi immigrati da ogni parte del mondo, in fuga da guerre, fame e persecuzioni religiose. I nuovi "sfruttati" cominciarono ad essere gli immigrati, i **"proletari dei servizi"** dispersi in una miriade di piccole aziende del terziario, e i cosiddetti **co.co.co.**,[9] lavoratori assunti con contratti temporanei e "a progetto".

L'Italia del terzo millennio deve anche affrontare le sfide legate alla globalizzazione: la sua storia, quindi, è anche in parte la storia delle politiche europee, della rivoluzione tecnologica, della nascita di nuove potenze economiche, come la Cina e l'India, e delle migrazioni massicce e inarrestabili che ora coinvolgono popoli da tutto il mondo.

9 co.co.co.: contratti di collaborazione coordinata e continuativa.

DOMANDE DI COMPRENSIONE

1. Come cambiò la società italiana negli anni '80?
2. Quali furono le cause di questi cambiamenti?
3. Come cambiò l'economia italiana?
4. Spiega le origini e la natura della nascita del movimento di volontariato negli anni '80.
5. Quali furono le conseguenze della crisi d'ideali e del declino delle grandi utopie?
6. Quali furono le conseguenze della riforma istituzionale del 2001?
7. Come cambiò lo standard di vita degli italiani negli anni '80?
8. Come cambiò il ruolo della televisione?
9. Quali altri cambiamenti in ambito culturale e sociale sono rilevanti per capire questo periodo?
10. Quale fu il primo segnale che qualcosa cominciava a cambiare anche nella sfera politica?
11. In che direzione trasformò il suo partito Bettino Craxi?
12. Quali sono le caratteristiche della Lega Nord che ti colpiscono di più, in senso positivo o negativo?
13. Che tipo di trasformazione subirono il PCI e l'MSI-Destra Nazionale, e quali possono essere le cause di queste trasformazioni?
14. Che cosa vuol dire "riscuotere una tangente'?
15. In che cosa consisteva "Tangentopoli"?
16. Quali furono le conseguenze politiche di "Mani pulite"?
17. Chi promosse le inchieste contro la corruzione?
18. Perché Berlusconi chiamò "Forza Italia", la sua nuova formazione politica?
19. Quali possono essere le cause del successo di Forza Italia?
20. Perché Berlusconi era già così famoso quando fondò Forza Italia?
21. Quali caratteristiche personali portò nell'ambito della politica?
22. Quali erano i punti principali del suo programma politico?
23. Quali furono gli aspetti più controversi della sua attività politica?
24. Quali conseguenze ebbe la riforma elettorale del 1993?
25. Quali sono le caratteristiche principali della Seconda Repubblica a confronto con la Prima Repubblica?

QUADRETTI CULTURALI

L'OMICIDIO SENZA SENSO DI MARTA RUSSO

È il 9 maggio 1997, 11.30 di mattina circa. Marta Russo è una studentessa di giurisprudenza di 22 anni che cammina tranquillamente, chiacchierando con un'amica, nel vialetto fra due cortili della Facoltà di Giurisprudenza dell'Università La Sapienza di Roma. È una bellissima giornata e molti studenti si stanno godendo all'aperto un sole quasi estivo. Ad un certo punto, da una finestra dell'Università, qualcuno spara un colpo di arma da fuoco e Marta Russo cade, colpita alla testa. È in coma e morirà in ospedale qualche giorno dopo. Qual è il movente di questo omicidio? Gelosia, passione, rivalità, vendetta? Gli investigatori scandagliano e analizzano la vita privata di Marta, e scoprono solo che Marta era una normalissima ragazza: studentessa modello (30 a tutti gli esami), viveva con i genitori e la sorella, aveva un ragazzo da due anni, era stata campionessa di scherma, aveva tanti amici e nessuno avrebbe desiderato la sua morte. È subito chiaro che non esiste alcun movente anche perché le due amiche hanno scelto quel percorso per caso e all'ultimo momento.

La tragica assurdità di questo omicidio sconvolge dapprima Roma e poi il paese intero che segue con apprensione le indagini. Gli inquirenti sentono forse la pressione dell'opinione pubblica che vuole dare un nome e un viso al "mostro dell'università". Per diversi giorni la polizia brancola nel buio, poi sembra prendere forma un'ipotesi: il colpo sarebbe partito dall'Aula 6, una stanza frequentata da assistenti, docenti e ricercatori della Facoltà di Filosofia del Diritto. A spararlo sarebbero stati due assistenti, due giovani e brillanti ricercatori, che hanno davanti a sé una carriera accademica, ammirati e stimati da colleghi e studenti, incensurati. Il motivo sarebbe, secondo gli inquirenti, proprio l'assenza di motivo, cioè il dimostrare a se stessi e l'uno all'altro di essere invincibili, di poter disporre impunemente di altre vite umane. Le testimonianze di due studentesse e di una segretaria sembrano confermare la presenza dei due assistenti nella stanza al momento dell'assassinio. Rimangono tuttavia forti dubbi: pare che i sospetti iniziali si basassero sulla presenza di una particella di polvere ritrovata dalla polizia sulla finestra dell'Aula 6, contenente metalli compatibili con quelli emessi da un colpo di arma da fuoco. In seguito viene accertato che questa particella può derivare da inquinamento atmosferico, e si è constatato che simili particelle erano presenti in altre zone dell'università. Inoltre, le testimonianze delle tre testi sembrano poco attendibili, in quanto contraddittorie, o arrivate molti giorni dopo i fatti, o forse indotte dalla paura di un'accusa di favoreggiamento.[1]

La conclusione della vicenda è che entrambi gli imputati sono stati condannati in primo e, successivamente, in secondo grado: uno per omicidio colposo, l'altro per favoreggiamento.

Troppe domande rimangono aperte: perché due giovani già affermati e senza turbe psichiche avrebbero sparato in quella direzione e ad altezza d'uomo in uno stretto passaggio pedonale, dove era quasi sicuro che avrebbero colpito qualcuno? E perché avrebbero voluto uccidere una giovane studentessa che non conoscevano? Per gioco, per noia, per provare un'arma, per una scommessa, per attuare il "delitto perfetto", insolubile proprio perché privo di movente? Forse è stato un caso di "tiro all'uomo", forse è stato un incidente. Una sola cosa è certa: l'arma del delitto non è mai stata ritrovata.

L'assoluta mancanza di qualsiasi ragione logica o folle o deviata in quest'omicidio, sembra compatibile con la vacuità e la totale assenza di valori che hanno caratterizzato gli anni '90. Lo scrittore Aldo Nore ha immaginato che Marta potesse elencare i moventi assurdi del suo omicida:

"*Sono la ragazza innocente uccisa da un folle [...] per fare qualcosa per provare il brivido di un'azione inconsulta per vedere scorrere il sangue per vedere la folla accorrere attorno al mio corpo per vedere un corpo crollare per vedere la scena la concitazione per sentire parlare al telegiornale...*"[2]

1 Per una dettagliata discussione dell'inchiesta e del processo, vedi G. Valentini, *Il Mistero della Sapienza, il caso Marta Russo*, Baldini & Castoldi, Milano 1999.
2 Aldono Nove, *Superwoobinda*, Einaudi, Torino 1998, p. 165.

QUADRETTI CULTURALI

Il telefonino, la "bella figura" e i messaggini: riflessioni sui gadgets degli italiani

In Italia, il telefonino (o cellulare) arrivò negli anni '90 e diventò in poco tempo onnipresente: cominciò a vedersi e a farsi sentire ovunque. In treno, in autobus, nei caffè all'aperto, in qualsiasi luogo pubblico, o semplicemente per strada, il telefonino - appendice quasi naturale di ogni mano libera - è diventato ormai il microfono involontario di milioni di vite private. È inevitabile non ascoltare le conversazioni private o d'affari dei vicini casuali di treno o di tavolo al ristorante. Beppe Severgnini, giornalista e scrittore di satire, ha colto l'aspetto umoristico della mania tutta italiana del cellulare:

"Cosa dobbiamo dirci? Be', dobbiamo annunciare alla moglie "Guarda che sto arrivando"; dobbiamo spiegare al figlio dove siamo stati, e chiedere alla figlia dov'è stata; dobbiamo dire ad amici e parenti "Indovina da dove chiamo", che è un giochetto insulso, ma ci piace da morire. [...] Nessuno tira fuori il cellulare quanto un italiano, nessuno lo mostra, lo maneggia, lo coccola e lo esibisce come noi. [...] Noi lo portiamo appeso alla cintura, lo sfoderiamo, lo puntiamo al posto del dito indice. Siamo i pistoleri telematici del Duemila ...." [1]

Dalla fine del XX secolo il telefonino è presente praticamente in ogni casa: il 90% degli italiani ne possiede uno. Le ragioni di questo enorme successo sono probabilmente molteplici. Fino agli anni '80, le procedure per l'allacciamento di una nuova linea telefonica fissa erano lunghe e complicate, e le tariffe telefoniche ufficiali piuttosto elevate. Inoltre, la diffusione di telefoni pubblici sul territorio nazionale è sempre stata molto scarsa e il loro funzionamento del tutto inaffidabile: se si era fuori casa e si aveva necessità di fare una telefonata, bisognava solo sperare nella buona fortuna. La possibilità, quindi, di acquistare facilmente un telefono che funzionasse ovunque e a tariffe convenienti è stata accolta da tutti con entusiasmo. Il telefonino, un'iniziativa dei privati, ha così finito per colmare, almeno in parte, un vuoto lasciato dal settore pubblico.

Il telefonino si è anche incontrato felicemente con la passione sfrenata dell'italiano medio per i gadgets e diventò da subito "oggetto di comunicazione" oltre che "mezzo di comunicazione": proprio come è sempre avvenuto per le moto e le auto, i pregi, i difetti e tutte le funzioni di una particolare marca di cellulare sono oggetto di lunghe discussioni.

Il telefonino ha anche soddisfatto un bisogno diffuso: quello di assumere una posa o un contegno in pubblico, di farsi notare in qualche modo. In questo senso, ha sostituito il fumo, ora bandito da tutti i luoghi pubblici. La sigaretta era infatti, fino agli anni '80, l'oggetto più comune da tenere in mano: poco ingombrante, poco costosa, ed estremamente accessibile. L'abbigliamento, naturalmente, mantiene sempre un ruolo di prim'ordine nel raggiungimento del giusto contegno e della "bella figura": a seconda degli ambienti, della classe sociale, della stagione, dell'età - un paio di occhiali, o di scarpe, una giacca o dei pantaloni di marca garantiscono un certo livello di ammirazione da parte di vicini occasionali o passanti. I più fortunati possono anche esibire una moto o un'auto di lusso. L'uso del telefonino negli anni '90, però, diventò lo strumento più universale ed economico di contatto fra gli italiani e il mondo, l'oggetto che permetteva di perfezionare la "bella figura", cioè l'arte di presentare al mondo il meglio di sé.

Esiste però anche il lato oscuro dell'uso del telefonino: la dipendenza - simile a quella per gli oggetti della tecnologia avanzata, quali la televisione, il computer, i video-giochi - che si nota quando il cellulare viene allontanato e la "vittima da assuefazione" presenta segni di irritabilità e nervosismo. Una funzione del cellulare che ha sicuramente

---

1 Beppe Severgnini. *Manuale dell'imperfetto viaggiatore.* Milano: RCS Libri, 2000
   (pp.123-125)

Giovani italiani 1994-1995.

provocato una "sindrome comportamentale" specialmente fra i giovani, è l'SMS, cioè la possibilità di mandare i cosiddetti "messaggini" per i quali si è inventato un nuovo linguaggio dei segni. Eccone alcuni esempi che stanno per "treno", "ci sei?", "rotto", "però":

3no   c6   r8   xò

Messaggi essenziali, quindi, ma non ristretti a comunicazioni di tipo pratico: ci si conosce, ci si innamora e ci si lascia tramite SMS. Già alla fine del XX secolo, tra i giovani di età compresa fra i 15 e i 24 anni, tre su quattro si corteggiavano usando il telefonino e uno su cinque si lasciava mandando messaggini [2]. Addio, quindi ai vecchi carteggi amorosi, alle telefonate che duravano ore, alle lunghe spiegazioni sotto il portone di casa: "ti amo" e "ti lascio" in fondo sono messaggini, niente di più.

2 Mangiarotti A. "Ti lascio. Un Sms per dirsi addio", *Corriere della Sera*, 4 maggio 2004

PAROLE DEI PROTAGONISTI A CONFRONTO

1. MARIO CHIESA
Assessore ai lavori pubblici di Milano e primo arrestato (1992) nell'operazione "Mani pulite", descrive come ricevette la prima mazzetta da un'impresa di costruzioni

Affidai l'incarico a un amico di vecchia data [...]. Nella piazza centrale del paese incontrò un uomo di cui gli avevo dato la descrizione fisica fattami dall'industriale. Prese una busta, ermeticamente chiusa. Me la portò a casa mia, la stessa sera. Depositai i duecento milioni sul conto corrente. Mi sentii un politico tutto d'un pezzo. Da cima a fondo. [...] Ero diventato assessore dopo anni di apprendistato. Grazie a quella carica potevo raccogliere i primi quattrini e gestirli secondo miei, personalissimi criteri. E poiché il mio interesse ultimo non era quello di crearmi un patrimonio per andare a passare il resto dei miei giorni ai Caraibi, ma di fare politica, di conquistare sempre più potere e di salire la scala del partito, quei soldi mi servivano. Eccome. [1]

2. ENZO MATTINA
all'Assemblea Nazionale del PSI (luglio 1987)

Vedo dirigenti del partito con case lussuose, yacht da centinaia di milioni, ville al mare e in montagna, apparati personali costosissimi. Che cosa dobbiamo concludere? Che abbiamo sposato tutti mogli ricche? Ma è possibile che tutte le ragazze ricche sposino dirigenti del partito? [2]

3. MATTEO CARRIERA
Dirigente del PSI

Io comperavo le tessere perché tutti sapessero nel partito che disponevo di duemila tessere. Era come avere un pacchetto di azioni, chi aveva il pacchetto più grosso faceva carriera. [3]

4. ANTONIO DI PIETRO
Giudice del pool di Milano che condusse le indagini di Mani pulite, spiega come un piccolo imprenditore, suo conoscente, gli fece capire il mondo della corruzione politica

Era una persona assolutamente estranea al Palazzo di Giustizia, che mi racconta come funzionava la "Milano da bere", la Milano di quegli anni. Questa persona [...] mi spiega come funzionava il clientelismo nei rapporti con la Pubblica amministrazione, e il mondo imprenditoriale. [Era] un piccolo imprenditore che non era mai riuscito ad affermarsi perché altri - più furbi di lui - riuscivano sempre a sorpassarlo ricorrendo a mazzette e corruzioni. [Questa persona] mi racconta soprattutto come funziona il meccanismo: quando si tratta di gestire gli appalti o di fare le nomine, si passa sempre attraverso le segreterie di partito, prima ancora di arrivare agli organi istituzionali, agli assessorati e così via. Le segreterie di partito, insomma, sono la chiave di lettura di questo sistema. [4]

5. GIUSEPPE TURANI
Giornalista

Quando ero più giovane e abitavo in provincia si parlava di un ospedale dove i partiti si erano divisi, in base ai voti, le tangenti per aree. Il partito più grande riscuoteva il pizzo sul riscaldamento e la fornitura di carne, il secondo in lista traeva il suo reddito dal pane e dalla frutta, il terzo da chi assicurava il servizio di lavanderia e pulizia, e così via. Fino al partito più piccolo che doveva accontentarsi di "tosare" il giardiniere che si occupava dei pochi metri quadrati di prato e delle poche siepi del piccolo ospedale. [5]

6. SILVIO BERLUSCONI
quattro volte Presidente del Consiglio, dal 1994 al 2011, fondatore di Forza Italia

I. <u>Sulle tasse</u>: Mi candido alle elezioni europee, e per il 2005 il governo ridurrà le tasse. Sono troppo alte, chi paga più del 50% è moralmente autorizzato all'evasione fiscale[6]. Ventotto milioni di italiani pagano meno, abbiamo pronto un secondo modulo per i ceti medi, un terzo riguarderà i più abbienti... non bisogna guardarli come ricchi ma come benefattori che rischiano in proprio e fanno il loro interesse, certo, ma danno benessere all'intera comunità.[7]

II. <u>Sui suoi collaboratori</u>: Eravamo forti perché eravamo amici, tra noi c'era un'intesa profonda e una totale identità di valori, c'era un affidamento reciproco, il senso di un impegno e di un traguardo comune, la gratificazione di lavorare insieme e di condividere la gioia dei nostri successi.[8]

III. <u>Sulla sua vita</u>: Mai nulla mi è stato facile per arrivare, da figlio di un impiegato di banca, ho dovuto lavorare, lavorare e ancora lavorare. [...] Ma questa è l'unica ricetta che conosco. In tutte le attività in cui mi sono impegnato ho dimostrato che si può arrivare a risultati che possono apparire irraggiungibili. Occorre sapersi dare degli obiettivi ambiziosi, quasi delle missioni impossibili.[9] Ho una famiglia, una barca, posso andare in posti bellissimi, non sto qui per smania di potere. [10]

IV. <u>Sui risultati ottenuti dal suo governo</u>: Abbiamo già una scuola migliore, che ci darà dei ragazzi capaci di realizzarsi al meglio in Italia e dovunque. La pressione fiscale è diminuita e proprio in questi giorni, mentre Le scrivo, stiamo lavorando per diminuire le aliquote delle imposte sul reddito personale al 23 e al 33 per cento. Abbiamo riformato il mercato del lavoro che è diventato il più flessibile d'Europa. L'occupazione è in costante crescita. La sicurezza dei cittadini è aumentata perché, anche con l'introduzione del poliziotto e del carabiniere di quartiere, le forze dell'ordine sono concentrate sulla prevenzione dei reati e non solo sulla loro repressione. L'immigrazione clandestina è stata dimezzata.[11]

7. FRANCESCO SAVERIO BORRELLI
Procuratore Generale di Milano, nel discorso alla cerimonia di inaugurazione dell'anno giudiziario (12 gennaio 2002)

Questo non è un discorso di conservazione. Nessuna istituzione, lo so bene, nessun principio, nessuna regola sfugge ai condizionamenti storici e dunque all'obsolescenza, nessun cambiamento deve suscitare scandalo. Purché sia assistito dalla razionalità e purché il diritto, inteso come categoria del pensiero e dell'azione, non subisca sopraffazione dagli interessi. Ma ai guasti di un pericoloso sgretolamento della volontà generale, al naufragio della coscienza civica nella perdita del senso del diritto, ultimo, estremo baluardo della questione morale, è dovere della collettività "resistere, resistere, resistere" come su una irrinunciabile linea del Piave.

8. OSCAR LUIGI SCALFARO
Presidente della Repubblica dal 1992 al 1999

Ho vissuto un'intera stagione politica, dalla fine della guerra ad oggi: questo è il periodo più negativo per l'assenza di valori. Con un'aggravante: i valori non sono contestati, formalmente anzi sono riconosciuti, ma nella prassi vengono meno. Ho conosciuto anche il regime. Non dirò mai che il fascismo è alle porte, so bene che i fenomeni storici non si riproducono mai. Però c'è qualcosa che ritorna. La tendenza ad adeguarsi, a non reagire. Se qualcuno avesse reagito quando il fascismo impose la tessera, quando dettò le leggi razziali, quando ci condusse in una guerra disastrosa [...] Sono così tante le campane con cui si possono trasformare la propaganda in verità, il potere in dominio. [12]

9. PIER LUIGI BERSANI E ANTONIO PANZERI
Candidati al Parlamento europeo (circoscrizione del nord-ovest) per la lista di Uniti nell'Ulivo

Occupazione e lavoro. Il nostro impegno è valorizzare il lavoro e combattere la precarietà, promuovendo la qualificazione dei lavoratori con investimenti in formazione e ricerca. [...] Welfare. Il modello sociale europeo deve essere difeso. La sicurezza sociale è un bene che va garantito a tutti e, in particolar modo, ai più deboli [...] Pari opportunità. Il grado di civiltà della nuova Europa si potrà misurare sul coinvolgimento e sulla partecipazione delle donne nei vari ruoli sociali. Sono le donne, infatti, a subire maggiormente la precarietà lavorativa e il carico delle responsabilità familiari e domestiche.[13]

10. UMBERTO BOSSI
Leader della Lega Nord

La cosiddetta Transpadania mantiene non solo Roma ladrona, ma anche monsignori e cardinali. [...] Bisognerebbe togliere l'8 per mille alla Chiesa, rimetterli a piedi nudi e dar loro la possibilità di fare i francescani. Finalmente così si salverà la religione.[14] [...] Noi siamo certi che la minestra di banane non la mangeremo spesso, ma tutti i giorni continueremo a mangiare la minestra di riso. [...] Fu la diversità a rendere grande la storia della produttività culturale del Paese. Fu il biondo dei capelli alpini e lo scuro della grande pianura riarsa dal solleone e dall'afa estiva. Fu la nebbia del Po e dei fiumi, la gentilezza delle donne delle colline e dei laghi, il passo scattante delle ragazze di mare a moltiplicare l'inventiva e l'arte, definite italiane. E l'Italia del potere, che tutto questo ha ereditato dalla diversità dei suoi popoli, rinnega la diversità. [...] Viene il tempo della fine per chi non si è preparato ed ha oppresso, per chi non ha saputo farsi amare. I dinosauri alla fine crollano.[15]

PAROLE DEI PROTAGONISTI
A CONFRONTO

11. MASSIMO TOMASETTI
35 anni, operaio

Mi sento ancora un operaio con la O maiuscola, il lavoro che faccio è sempre lo stesso, cambiano i padroni ma non la catena. Le mani me le sporco sempre come tanti anni fa, però mi accorgo che oggi la classe operaia non è più una priorità sociale né per i politici né per il sindacato. Più si è pochi, più è difficile avere potere contrattuale in azienda. E noi siamo sempre di meno.[16]

12. BARBARA GUFONI
una co.co.co.

Credi di essere libera, di poterti organizzare. Invece sei più schiava del lavoro di chi ha il classico contratto a tempo indeterminato. Non puoi programmare un giorno di ferie ... essere precari sia sul fronte professionale che su quello sentimentale mette a dura prova le persone più equilibrate. E poi mi sono trovata a dover chiedere un mutuo per comprare casa. La banca non si è accontentata delle mie garanzie, alla fine si è dovuto esporre mio fratello. Nella mia condizione, il fatto di non avere figli è una fortuna.[17]

13. CLARA BONA
Architetto milanese, due figli

Per il mio carattere, il lavoro è un pezzo di me stessa a cui non posso rinunciare. Ma alle mie figlie non mi sento di dare consigli. L'ideale sarebbe poter scegliere. Anche se ormai fare la mamma a tempo pieno sta diventando un privilegio anche per chi ne ha la vocazione, visto che due stipendi sono necessari nella maggioranza delle famiglie.[18]

14. LUIGI COPIELLO
Segretario della Fim-Cisl Veneto

L'individualismo e la flessibilità hanno cambiato radicalmente l'ideologia operaia tradizionale.

Per fortuna, dico io. Noi veneti, negli anni '70 eravamo marxisti e cattolici, egualitari e solidali, ma il nostro comportamento sociale era legato all'impossibilità di scegliere la professione e la carriera che più ci piaceva. [19]

15. BETTINO CRAXI
discorso alla Camera dei Deputati del 29 aprile 1993

... è in realtà la profonda crisi di un intero sistema. Del sistema istituzionale, della sua organizzazione, della sua funzionalità, della sua credibilità, della sua capacità di rappresentare, di interpretare e di guidare una società profondamente cambiata che deve poter vivere in simbiosi con le sue istituzioni e non costretta ad un distacco sempre più marcato. Del sistema dei partiti, che hanno costituito l'impianto e l'architrave della nostra struttura democratica, e che ora mostrano tutti i loro limiti, le loro contraddizioni e degenerazioni al punto tale che essi vengono ormai sistematicamente screditati ed indicati come il male di tutti i mali [...] ciò che bisogna dire, e che tutti sanno del resto, è che buona parte del finanziamento politico è irregolare o illegale. I partiti, specie quelli che contano su apparati grandi, medi o piccoli, giornali, attività propagandistiche, promozionali e associative, e con essi molte e varie strutture politiche operative, hanno ricorso e ricorrono all'uso di risorse aggiuntive in forma irregolare o illegale. Se gran parte di questa materia deve essere considerata materia puramente criminale, allora gran parte del sistema sarebbe un sistema criminale.

PAROLE DEI PROTAGONISTI
A CONFRONTO

1   M. Andreoli, *Andavamo in Piazza Duomo*, Sperling & Kupfer Editori, Milano 1993, pp. 58-9.

2   Citato da G. Pansa, *Incapaci, menefreghista e anche un po' ladri*, *L'Espresso*, 25 novembre 1999.

3   Citato da G. Bocca, *I corrotti? Sanno vivere*, *L'Espresso*, 14 febbraio 2002.

4   G. Valentini, a cura di, *Antonio Di Pietro, Intervista su Tangentopoli*, Editori Laterza, Bari 2001, pp. 6-7.

5   G. Turani, *L'economia della mazzetta*, *Corriere della Sera*, 20 febbraio 1992.

6   Citato in *Voto e tasse, Berlusconi all'attacco*, trafiletto in prima pagina senza autore, *Corriere della Sera*, 18 febbraio 2004.

7   Citato in G. G. Vecchi, *Berlusconi: irreale una mia sconfitta*, *Corriere della Sera*, 25 maggio 2004.

8   Citato in *Una storia italiana*, numero speciale di *Linea Azzurra*, ed. Guido Possa, Mondadori, Milano 2001, pp. 37-38.

9   Ibid., pp. 45-46.

10 Citato in M. Galluzzo, *Il premier mette in riga i ministri: così non ci sto più*, *Corriere della Sera*, 25 ottobre 2003.

11 Da una lettera spedita a tutti gli elettori, datata "Roma, maggio 2004" e firmata Silvio Berlusconi.

12 A. Cazzullo, *Le accuse di Scalfaro: sulla Costituzione come tarme*, *Corriere della Sera*, 15 gennaio 2004.

13 Da un opuscolo elettorale a cura dell'Unione regionale DS Lombardia (elezioni europee e provinciale del 12-13 giugno 2004).

14 Citato in L. Michilli, *Bossi contro la Chiesa, Fini incalza il premier*, *Corriere della Sera*, 1 marzo 2004.

15 Intervento di U. Bossi, Seduta Pontida, 4 giugno 2000 (riportato sul sito web ufficiale della Lega Nord: www.leganord.org/)

16 D. Di Vico, *I nuovi operai senza lotta di classe ora sono individualisti e itineranti*, *Corriere della Sera*, 10 marzo 2004.

17 Citato in R. Querzè, *Donne a Milano, assunte anche per un giorno solo*, *Corriere della Sera*, 7 maggio 2004.

18 R. Querzè, *Una mamma che non lavora non mi piacerebbe*, *Corriere della Sera*, 9 maggio 2004.

19 D. Di Vico, *I nuovi operai senza lotta di classe ora sono individualisti e itineranti*, *Corriere della sera*, 10 marzo 2004.

Loretta Goggi, Heather Parisi e Beppe Grillo negli studi RAI durante la registrazione della prima edizione del programma TV "Fantastico" (1979).

QUANDO GLI ITALIANI SMISERO DI MORIRE PER LA POLITICA

di Alexander Stille

Alexander Stille è un giornalista americano di origine italiana, autore di diversi saggi sulla società italiana. In questo brano ci descrive le profonde trasformazioni all'inizio degli anni '80 usando lo sguardo di uno straniero che si avvicina alla cultura italiana con curiosità, intelligenza e rare capacità di analisi.

Nel 1980, quando venni a vivere in Italia per la prima volta, il paese era molto diverso rispetto alla ricca società dei consumi dell'era Berlusconi.

Roma era relativamente povera e **trasandata**,
5 con l'intonaco che si staccava dalle sue case color ocra. Molti, anziché l'italiano, parlavano il dialetto della propria regione, un legame vivente con l'Italia preunitaria e con la sua vita contadina, radicata in una tradizione millenaria. Passeggiando per Trastevere,
10 prima che fosse trasformato in un quartiere alla moda, si trovavano vicoli pieni di donne adagiate sulle sedie disposte sui marciapiedi, dove passavano il pomeriggio a **sventagliarsi**, chiacchierare e parlare con le vicine, come succede ancora oggi in città come
15 Napoli o Palermo. Quasi nessuno parlava inglese ed erano ancora di meno quelli che erano stati oltreoceano. Gli italiani di sinistra, per non portare denaro ai paesi capitalisti, andavano in vacanza in Iugoslavia e in Unione Sovietica.
20 Benché l'Italia fosse in crescita economica, conservava le **vestigia** di una cultura precapitalista. Io rimasi due anni senza telefono perché ottenere un allacciamento in meno di nove mesi era considerato quasi impossibile e il **gioco sembrava non**
25 **valere la candela**. C'era **penuria** di **spiccioli**, per cui i negozianti come resto ti davano manciate di caramelle. Alla fine della settimana avevi le tasche gonfie di mentine e gomme da masticare. Ad agosto negozi e ristoranti erano quasi tutti chiusi, perché i
30 proprietari non rinunciavano alle **ferie** nemmeno davanti alla certezza di grossi guadagni.

Il paese era **lacerato** dalla violenza politica e ideologica di sinistra e di destra. Non passava quasi giorno senza che le Brigate rosse uccidessero,
35 **gambizzassero** o rapissero qualcuno, o i terroristi di destra non facessero esplodere qualche bomba. A Palermo era in corso una violenta guerra di mafia che sarebbe costata centinaia di vite. Quando mi trasferii a Milano, conobbi persone con guardie del corpo e
40 auto blindate, persone le cui madri o i cui parenti erano stati rapiti o che da anni non sapevano nulla dei propri fratelli maggiori, presumibilmente discesi negli inferi di una qualche organizzazione terroristica. Era già evidente che la lotta armata era destinata a
45 fallire, che aveva perso ogni sostegno popolare, ma i terroristi, come animali feriti e messi all'angolo, a mano a mano che il movimento procedeva verso il declino scatenarono un crescendo di violenza: la rivoluzione armata degenerò in un vero e proprio
50 **bagno di sangue**.

Il terrorismo era un fenomeno **sconcertante**, se si pensava che l'Italia era un posto decisamente piacevole in cui vivere, e non solo per i ricchi. E quella violenza era esplosa dopo venticinque anni di una crescita economica che non aveva precedenti nella storia moderna del paese.

Una volta andai a trovare un amico di famiglia, un vecchio giornalista che viveva con la moglie in un bellissimo appartamento sopra piazza Navona. All'improvviso qualcuno bussò alla porta e tutti **rimanemmo con il fiato sospeso**. Il nome del giornalista - che pure aveva fatto il partigiano durante la seconda guerra mondiale - era stato trovato nell'elenco degli obiettivi delle Brigate rosse. A bussare per fortuna era un'amica, una ragazza che volevano presentarmi.

«Tu al liceo eri in Lotta continua?», chiese la moglie del giornalista alla ragazza. Lotta continua, come molti gruppi estremisti degli anni Settanta, si era sciolta qualche anno prima, quando l'entusiasmo rivoluzionario aveva iniziato a perdere **abbrivio**. Molti giovani italiani che conobbi venivano ancora identificati con i gruppi politici di cui avevano fatto parte al liceo o all'università, un po' come accade ai giovani americani con le università che hanno frequentato.

Vivere in un ambiente così intensamente politicizzato era **tonificante**. Quando andai all'università, nel 1974, la guerra del Vietnam **era agli sgoccioli** e i campus americani erano perlopiù depoliticizzati. In Italia, invece, nella casa editrice per cui lavoravo si tenevano spesso degli scioperi per protestare contro un omicidio o una legge governativa. Questi scioperi **facevano a pugni con** le mie americanissime idee di efficienza ed etica lavorativa, ma apprezzavo il fatto che le persone si appassionassero tanto e parlassero così animatamente di politica.

A Milano la domenica pomeriggio andavo spesso in piazza del Duomo, dove si trovavano, immersi in accesi dibattiti politici, **capannelli** di anziani - a volte composti anche da trenta o quaranta persone - **assiepati** come gli stormi di piccioni attorno alle briciole sul sagrato della chiesa. Di solito erano uomini che avevano abbondantemente superato i sessant'anni, i cui cappelli, baffi, bretelle e abiti grigi parevano usciti da un'altra epoca. Discutevano animatamente usando il linguaggio di un'era perduta: erano anarchici e liberali **giolittiani**, monarchici e fascisti, che ricordavano gli oratori improvvisati dell'Italia del primo Novecento. Io trovavo il loro linguaggio corporeo - l'oratoria **accalorata**, i gesti animati, la natura della folla simile a quella di uno stormo che si spingeva in avanti per assistere al dibattito politico come se ci fosse stato un premio in palio - più interessante delle idee su cui si dibatteva. Questo stormo di vecchi ingrigiti con i loro cappelli,

le loro bretelle e i loro baffi **a manubrio** era l'ultima reliquia di un'era in cui le piazze delle città erano piene di persone che volevano discutere. Per questi vecchi, nati molto prima della televisione, uscire di casa e parlare di politica era una forma di divertimento e socializzazione.

Ma c'erano già alcuni segni che le cose stavano cambiando. Erano i primi anni del cosiddetto «riflusso», del rifiuto dell'impegno politico. I ranghi dispersi della sinistra rivoluzionaria si stavano sparpagliando in varie direzioni: alcuni si trasformavano in Hare Krishna, altri si mettevano ad allevare polli, altri ancora iniziavano ad arricchirsi con la pubblicità o con la finanza, molti finivano tra le braccia delle droghe pesanti. I parchi, le strade e i bagni pubblici delle città italiane in quegli anni erano pieni di siringhe e si calcolava che vi fossero circa 200.000 tossicodipendenti e che ogni anno ne morisse per overdose un migliaio.

Nello stesso anno del mio arrivo in Italia, il 1980, Silvio Berlusconi creò Canale 5, la prima rete televisiva nazionale privata. Dato che non avevo neanche il televisore, non me ne accorsi. Poi un giorno la portinaia del mio palazzo, impietosita da questo giovane straniero che viveva senza telefono e senza tv, insistette per regalarmi un vecchio ed enorme apparecchio a colori di cui un altro inquilino voleva **sbarazzarsi**. Doveva essere uno dei primi televisori a colori venduti in Italia, dove il colore era approdato solo nel 1977; quell'apparecchio infatti aveva già l'aria di un pezzo di antiquariato: era grande quasi come un frigorifero, ci metteva qualche minuto a riscaldarsi e dava a tutti i volti una tonalità arancione o violacea.

Non prestai molta attenzione al canale di Berlusconi, perché per me era solo una riproposizione in italiano dei lati peggiori della mia cultura americana: soap-opera e sitcom dozzinali, *General Hospital, Love Boat, Dallas, Magnum P.I.*, repliche di ignobili B-movie americani. I programmi originali coinvolgevano invariabilmente delle soubrette seminude e un pubblico di italiani vestiti in modo orribile che battevano le mani a ritmo o salutavano la telecamera. Ma di fatto i colori **sgargianti** del mondo televisivo di Berlusconi, pur in tutta la loro apparente stupidità e frivolezza, rappresentarono una rivoluzione nel mondo in bianco e nero della vita italiana. Nei tardi anni Settanta gli italiani non passavano molto tempo davanti all'apparecchio, al punto che la Rai non teneva nemmeno il conto di quante persone guardassero la tv e di quanto tempo ci dedicassero.

Oggi gli anziani non si trovano più in piazza del Duomo. I vecchi italiani restano a casa molto di più e guardano in media cinque ore di televisione al giorno. E più televisione guardano, più probabilità ci saranno che votino per Silvio Berlusconi. Il calcio ha sostituito la politica come principale argomento di conversazione.

Gli anni Ottanta, il decennio di Reagan e della Thatcher, costituirono un **punto di svolta** tanto negli Stati Uniti quanto in Europa. Fu il decennio in cui il consenso sullo **stato assistenziale** che proseguiva dal secondo dopoguerra iniziò a **sbriciolarsi**. I governi si misero a privatizzare e deregolamentare le industrie, la vecchia economia manifatturiera cedette il passo a un'economia postindustriale e il lavoro sindacalizzato a un tipo di occupazione più flessibile e precaria, le contrapposizioni politiche del XX secolo (comunismo contro democrazia capitalista) e i tradizionali partiti politici di massa si atrofizzarono e furono sostituiti da una forma politica più personalizzata. La cultura della solidarietà (il New Deal e la Great Society negli Stati Uniti, il Sessantotto e lo stato assistenziale in Europa) fu sostituita da un nuovo insieme di valori basati sul successo personale e sulla ricchezza. Le vecchie virtù piccolo-borghesi del risparmio e della frugalità, che avevano contribuito a finanziare l'economia manifatturiera, cedettero il passo a un'economia dei consumi alimentata da una cultura del debito basata sulla carta di credito e da un approccio del tipo «shopping o morte».

Berlusconi, con l'introduzione della televisione commerciale in Italia, fu forse il principale agente di questi cambiamenti nella vita del paese. Prima degli anni Ottanta quasi tutto il settore televisivo europeo era controllato dai governi. In Italia Berlusconi spezzò il monopolio statale della Rai e creò un proprio monopolio televisivo personale e privato. La vecchia Rai era sostanzialmente uno specchio fedele dell'Italia del dopoguerra. I partiti politici controllavano i diversi canali e i telegiornali erano letteralmente cronometrati, assegnando i minuti e i secondi dei commenti in modo che ciascun partito politico avesse voce in misura proporzionale alla sua forza numerica in parlamento. Era una forma di pluralismo piuttosto **grezza**, ma comunque di pluralismo si trattava.

La RAI conteneva in sé gli aspetti migliori e quelli peggiori dell'*ancien régime* italiano. Da una parte c'era una nutrita **messe** di **sprechi**, inefficienze e corruzione, raccomandazioni politiche e personale assunto che faceva poco o nulla. I contenuti erano spesso noiosi ma improntati a elevati principi. Al posto delle soap-opera e dei quiz americani, gli spettatori potevano assistere alla messa domenicale del papa e rivedere i classici del cinema italiano. La Rai commissionò a Roberto Rossellini una serie di film sulla storia della scienza e finanziò diverse delle ultime pellicole di Fellini. Ma la Rai rifletteva per molti versi la cultura italiana delle «due chiese», quella cattolica e quella del Pci, entrambe caratterizzate da un certo sospetto nei confronti del libero capitalismo e della cultura commerciale; ed entrambe sostenitrici di una certa cultura della solidarietà in contrapposizione a quella della concorrenza **sfrenata**.

Berlusconi scatenò una rivoluzione culturale introducendo i valori commerciali americani in questo mondo all'antica, lento e paternalistico. Prima di lui la televisione italiana era tecnicamente arretrata: per esempio, i conduttori dei telegiornali tenevano lo sguardo basso per consultare i propri testi anziché leggerli da un **gobbo** e guardare in camera. Berlusconi, un venditore nato libero da queste idee antiquate, prendeva a modello Hollywood. E iniziò ad acquistare intere *libraries* di film e programmi televisivi, aggiungendovi un tocco italiano con programmi originali come *Colpo grosso*, forse il primo gioco televisivo al mondo in cui comparvero dei nudi. Erano programmi che rispondevano allo spirito dei tempi: la piccola borghesia, stanca del terrorismo e del **parossismo** ideologico degli anni Settanta, era pronta a godersi un periodo di prosperità in mezzo a prodotti di consumo **smerciati** sulle reti di Berlusconi.

Il calcio - un altro dei settori strategici in cui Berlusconi **fece il proprio ingresso** e destinati a diventare dominanti - ha sostituito la politica come argomento di conversazione. Televisione e calcio hanno proceduto fianco a fianco in una marcia inarrestabile. Ai vecchi tempi la Rai aveva in programmazione una partita di calcio alla settimana, mandava in onda solo uno dei due tempi e lo faceva **in differita** nella convinzione che nessuno sarebbe andato allo stadio se le partite fossero state trasmesse in diretta. Berlusconi infranse anche questo tabù, trasmettendo ogni settimana diverse partite di calcio, oltre a numerosi talk-show in cui allenatori da Bar Sport parlavano delle partite la domenica sera, il lunedì e per buona parte della settimana. Berlusconi acquistò la squadra di calcio più vincente del paese, il Milan, che forse ancora più delle reti televisive fu in larga parte la fonte della sua popolarità. Non è affatto una coincidenza il fatto che Berlusconi abbia chiamato il suo partito Forza Italia. Se i richiami alla rivoluzione e alla patria si sono indeboliti, la nazionale di calcio è più o meno l'unica cosa che sappia ingenerare potenti sentimenti nazionalisti nella maggior parte degli italiani, e Berlusconi è stato molto astuto nell'incanalare questi sentimenti verso i propri obiettivi politici.

Ricordo un episodio particolarmente strano dell'estate del 1994, durante il primo governo Berlusconi, che coincise con i mondiali di calcio. Berlusconi aveva appena sostituito il consiglio di amministrazione

e i direttori delle tre reti Rai - i principali concorrenti del suo network televisivo privato - con persone vicine ai suoi interessi (molte delle quali erano o erano state
270 alle sue dipendenze), ma questo evento - esattamente il genere di **sfacciato** conflitto di interessi che in campagna elettorale Berlusconi aveva giurato non si sarebbe mai verificato - passò senza che vi fosse alcuna reazione **di rilievo**; intanto le vie di Roma si riempivano di auto
275 **strombazzanti** e folle **giubilanti** si assiepavano per strada fino a tarda ora urlando a **squarciagola**: «Forza, Italia! Forza, Italia!» e sventolando il tricolore. Si trattava di un brillante esempio di pubblicità gratuita, per un valore di decine di miliardi di lire. Fu un mo-
280 mento surreale di politica postmoderna: dalla miscela

di intrattenimento, sport, televisione e politica, nasceva un potere nuovo e terrificante.

Berlusconi contribuì a far passare l'Italia da quella che **Marshall McLuhan** chiamava la **Galas-
285 sia Gutenberg**, la cultura basata sulla stampa del XIX e XX secolo in cui la politica era uno scontro di ideologie, a un mondo postmoderno in cui le forze **motrici** della politica sono la personalità, la celebrità, il denaro e il controllo dei mezzi di comunicazione.
290 Una conseguenza positiva ci fu: gli italiani smisero di morire per la politica. A fronte di un effetto negativo: non c'erano più idee politiche per cui valesse la pena di lottare o di discutere.

NOTE (PRECEDUTE DAL NUMERO DELLA RIGA NEL TESTO)

4. *trasandato:* disordinato, squallido
13. *sventagliarsi:* muovere un oggetto rapidamente per farsi fresco, fare vento
21. *la vestigia:* tracce di un tempo passato
24. *il gioco sembrava non valere la candela:* non valeva la pena
25. *la penuria:* mancanza, scarsità
25. *lo spicciolo:* denaro minuto, moneta che non vale molto
30. *le ferie:* vacanze
32. *lacerare:* distruggere, squarciare
35. *gambizzare:* sparare alle ginocchia
50. *il bagno di sangue:* massacro
51. *sconcertante:* disturbante, allarmante
61. *rimanere con il fiato sospeso:* smettere di respirare per la paura o l'emozione
70. *l'abbrivio:* progresso, avanzamento
76. *tonificante:* stimolante, rinvigorente
77. *essere agli sgoccioli:* essere alla fine
82. *fare a pugni con:* essere in conflitto con
88. *il capannello:* piccola folla, gruppo di persone
90. *assiepato:* affollato
96. *giolittiano:* del periodo di Giovanni Giolitti (1842-1928), più volte primo ministro di tendenze liberali prima dell'avvento del fascismo nel 1922
99. *accalorato:* appassionato
105. *a manubrio:* ricurvo
130. *sbarazzarsi:* liberarsi, mandare via
140. *General Hospital, Love Boat, Dallas, Magnum P.I.:* programmi televisivi popolari dagli USA

146. *sgargiante:* brillante, luminoso
162. *il punto di svolta:* cambiamento decisiso
164. *lo stato assistenziale:* sistema di governo che offre molti servizi sociali, specialmente alle classi sociali più basse
165. *sbriciolarsi:* (fig.) dissolversi, crollare
199. *grezzo:* poco sofisticato
203. *la messe:* raccolta, grande quantità
203. *lo spreco:* dissipazione di ricchezza
218. *sfrenato:* eccessivo, esagerato
225. *il gobbo:* schermo con il testo che il telecronista deve leggere
234. *il parossismo:* momento intenso
236. *smerciato:* venduto, pubblicizzato
239. *fare il proprio ingresso:* (fig.) entrare
245. *in differita:* in ritardo, non in tempo reale
271. *sfacciato:* impudente, insolente
274. *di rilievo:* importante
275. *strombazzante:* che suona il clacson di un'auto
275. *giubilante:* gioioso
276. *a squarciagola:* ad alta voce, forte
283. *Marshall McLuhan (1911-1980):* fisolosofo e sociologo canadese
283. *Galassia Gutenberg:* un libro di McLuhan in cui si analizza l'influenza che l'avvento della stampa nel XV secolo ebbe sull'individuo e la società
287. *motrice:* (fig.) che mette in moto o causa

DOMANDE DI COMPRENSIONE E ANALISI

1. Quale aspetto della descrizione di Roma nel 1980 ti ha sorpreso di più?
2. Come giustifica l'autore la sua affermazione che l'Italia era un paese ancora immerso in una cultura precapitalista?
3. Spiega come l'autore descrive la violenza presente nella società italiana del 1980.
4. Perché l'autore trova "sconcertante" la violenza politica nell'Italia del 1980?
5. Che cosa ti ha colpito nell'episodio della visita al giornalista in Piazza Navona?
6. Cosa pensava l'autore della politicizzazione della società italiana di quel periodo? Gli piaceva o no, e perché?
7. Perché l'autore andava in piazza del Duomo la domenica pomeriggio? Che cosa avveniva nella piazza?
8. Quali erano i primi segnali di "riflusso" della politica?
9. Quale grande cambiamento portò in Italia Berlusconi con il suo canale 5, e l'inizio della tv a colori?
10. A livello europeo, quale ti sembra la trasformazione più importante fra quelle descritte da Stille?
11. Sei d'accordo con l'affermazione dell'autore "la RAI conteneva in sé gli aspetti migliori e quelli peggiori dell'ancien régime italiano"? Motiva la tua risposta.
12. Quali erano i contenuti della "rivoluzione culturale" scatenata da Berlusconi attraverso la televisione?
13. Che cosa avevano in comune "le due chiese", quella cattolica e quella del PCI, secondo l'autore?
14. Che ruolo cominciò ad avere il calcio, nella società italiana e nei canali televisivi di Berlusconi?
15. Che cosa rappresenta la nazionale di calcio per molti italiani?
16. Perché il grido dei tifosi di calcio "Forza Italia" era un "un brillante esempio di pubblicità gratuita", secondo l'autore?
17. Quali sono le conclusioni dell'autore? Sei d'accordo?

OSSERVAZIONI SUL TESTO

Nella seguente frase considera l'uso del pronome relativo "cui" con una preposizione:

*L'Italia era un posto decisamente piacevole **in cui** vivere* (riga 52).

Il pronome relativo "cui" può essere sostituito da "quale". Quando si usa "quale" come pronome relativo, la preposizione deve essere combinata con l'articolo determinativo. Ecco la stessa frase con il pronome "quale":

*L'Italia era un posto decisamente piacevole **nel quale** vivere.*

Riscrivi le seguenti frasi sostituendo "cui" con "quale" e facendo tutti i cambiamenti necessari.

1. Molti giovani italiani che conobbi venivano ancora identificati con i gruppi politici **di cui** avevano fatto parte al liceo o all'università.
2. In Italia, invece, nella casa editrice **per cui** lavoravo si tenevano spesso degli scioperi.
3. Io trovavo il loro linguaggio corporeo più interessante delle idee **su cui** si dibatteva.
4. Questo stormo di vecchi ingriti era l'ultima reliquia di un'era **in cui** le piazze delle città erano piene di persone che volevano discutere.
5. Poi un giorno la portinaia del mio palazzo insistette per regalarmi un vecchio ed enorme apparecchio a colori **di cui** un altro inquilino voleva sbarazzarsi.

La Croce Verde in servizio notturno.

PICCOLI FALÒ NELLA CITTÀ DI GHIACCIO

(Profondo Nord / La vita di una metropoli nei racconti di chi assiste gratuitamente i malati senza speranza, i tossico dipendenti, gli emarginati) Sono 15.000 i volontari della solidarietà che operano a Milano.
di Corrado Stajano

Milano non è solo "città di ghiaccio": la capitale lombarda, teatro dei più duri scontri di piazza negli anni '70, ha perso, all'inizio degli anni '90, la sua natura di grande città dell'industria. Da allora è cominciata la sua ascesa come centro finanziario e della moda.
L'attivismo degli anni '70 si è ora trasformato in attività di volontariato verso le categorie più deboli e meno protette.
Lo scrittore Corrado Stajano ci racconta la storia di questi "piccoli falò" di solidarietà.

I volontari della solidarietà parlano volentieri di quel che fanno, **reticenti** o quasi, invece, sulle ragioni che li hanno spinti a fare: aiutare poveri soli, emarginati, extracomunitari, **disagiati**, vecchi, handicappati, tossicodipendenti, alcolisti, carcerati alla ricerca di un lavoro, malati giunti al termine dell'esistenza.

Nella Milano fredda degli inizi dell'anno, gli uomini e le donne del volontariato sembrano quasi metaforici falò, piccoli **punti d'approdo**. Il contrario di quei **ganci** indecenti messi dal Comune sulle grate della metropolitana per impedire lo spettacolo, è stato detto, dei corpi **sdraiati** e ineleganti che cercano di assorbire le **folate** di caldo che arrivano da sotto. Quindicimila volontari di ogni ceto, età, condizione sociale, riuniti in 150 gruppi, associazioni, comunità operanti a Milano, servono a far conoscere l'altra città, una **ragnatela** che attraversa tutti i quartieri senza barriere di costume, di idee politiche, di fedi religiose. Dentro e dietro le storie di alcuni si può leggere la Storia di una metropoli: la vita e la morte, le speranze perdute e

quelle **rinate**, la fine della politica così come è stata intesa e la nuova possibile politica, quelli che sanno del passato, quelli che non ne vogliono sapere e quelli che non sanno. In un momento di disordine in cui è caduto il vecchio mondo, ma non ce n'è uno nuovo a **rimpiazzarlo**, sembra che contino ancora di più le scelte individuali **affiorate** quasi dal **sottosuolo**.

Chi sono i volontari? "Milano è un vulcano, in questo campo", mi dice una di loro. La legge, una legge della Regione Lombardia, una delle prime in Italia (7 gennaio 1986), cinque anni in anticipo sulla legge-quadro del Parlamento, li descrive così: "È volontario il servizio reso dai cittadini in modo continuativo, **senza fini di lucro**, attraverso **prestazioni** personali, volontarie e gratuite, individualmente o in gruppi, nell'ambito delle strutture pubbliche o private di assistenza o in proprio."

Si capisce come la scelta del volontariato coinvolga la vita collettiva. Lo Stato sociale e il suo **smembramento**, la caduta di solidarietà istituzionale e la **supplenza** dei singoli, oltre che la fede, la speranza e la carità. E spesso è anche difficile una definizione: differenziare il volontariato dal privato sociale, dal mutuo aiuto, dalla cooperazione di solidarietà sociale. Ma si capisce che qui siamo dentro una società parallela che cerca, si arrangia, si prodiga, reagisce, per amore o per rabbia, e trova delle gratificazioni negate altrove.

LA NOTTE SULLE AMBULANZE. Cominciò a 15 anni a correre sulle ambulanze, **barò** persino sull'età per farsi accettare dalla **Misericordia** di Milano nata sul modello delle Misericordie fiorentine, gratuite, a differenza di molte Croci. Si chiama Michele Spinelli, di una famiglia di architetti conosciuti, trent'anni nel '93. Adesso fa il medico, quel che ha sempre desiderato di fare, lavora all'Ospedale di Magenta. Per dieci anni, una volta la settimana, ha passato la notte sulle ambulanze, dalle sette di sera alle sette della mattina. Prima era il numero 4, poi il numero 3, poi **il capoequipaggio**. Ripeterebbe l'esperienza, è stato un modo duro di conoscere la vita e di capire cos'è il mondo. Sì, c'è il rischio del vivere quelle notti come un'avventura, il telefilm, la velocità, la tensione, il piccolo gruppo elitario. La coscienza, per molti, viene dopo, ma tra tutti quanti hanno vissuto quell'esperienza resta un profondo legame di fratellanza. Difficili da dimenticare le notti di Natale e di Capodanno passate sull'ambulanza e quella volta che ci fu una **fuga di gas** ad Assago e lui e i suoi compagni riuscirono a **tirar fuori** dalle macerie sette persone. Erano gli anni del terrorismo, la città era **cupa** e deserta, sembrava che non arrivasse mai un'alba.

Carla Morganti, figlia anche lei di architetti, medico dell'ospedale di Cantù, ha vissuto la stessa esperienza. Per cinque anni sulle ambulanze della Misericordia, dall' '85 al '90. Per chi aveva appena finito il liceo e aveva vissuto in una società protetta e rassicurante è stato un modo per aiutare gli altri e poi per uscire da se stessi, per trovare degli spazi più **ampi**, per capire le diversità fra uomini e classi. E per imparare che cosa significa avere a che fare con il sistema sociale e qual è l'impossibile rapporto con la burocrazia. Quegli anni, poi, sono stati nel profondo il primo incontro di ragazzi inconsapevoli con la morte. Non dimenticherà mai, Carlo, il giovane motociclista che sembrava **illeso** e sull'ambulanza, parlava, parlava della sua morte che sentiva venire.

LA FABBRICA UMANITARIA. Al **Giambellino** sono **rispuntati** i fantasmi del lavoro politico degli anni '70. Una quindicina di giovani volontari ha creato in uno **scantinato** del quartiere il Centro arti e mestieri libertari, un **miscuglio** di esperienze cristiane, marxiste, anarchiche, terzomondiste. Ne parlo con Serena Fogaroli che si sta laureando in Scienze politiche alla Statale di Milano con una tesi, relatore il Professor Nando Dalla Chiesa, su una comunità del Salvador dove ha vissuto. Che cosa fanno i giovani del Giambellino? Hanno **messo su** una scuola popolare per adulti che non hanno il diploma di terza media, una scuola alternativa che prende i suoi modelli da **Tolstoj** a **Freyre** a **Don Milani**. Hanno inventato il gruppo Mangiafuoco per far giocare i bambini del quartiere, hanno aperto una scuola per insegnare l'italiano agli **extracomunitari**, una cinquantina, hanno **impiantato** un gruppo teatrale, organizzano anche delle feste, la domenica pomeriggio, per far divertire la gente del vicinato e ballano il liscio tutti insieme, giovani e vecchi.

Cercano di autofinanziarsi come possono: a Sant'Ambrogio hanno venduto vestiti vecchi e **vin brulé**, un milione di guadagno che gli è sembrato un tesoro, e poi riparano biciclette, **imbiancano** case, **imbottigliano** vino, distribuiscono libri. Orgoglio, passione e umiltà. Qual è il fine, aiutare il prossimo, favorire il pro-movimento sociale e civile? "No, no" mi dice Serena, figlia di un ingegnere della Olivetti, brava, sorridente e puntigliosa, "Non solo quello. Il fine è il cambiamento, la trasformazione dei ruoli sociali." "La rivoluzione?" "Sì, anche la rivoluzione".

IL PRETE DEGLI ULTIMI. Don Virginio Colmegna abita alla periferia di Sesto San Giovanni, parroco della chiesa della Resurrezione. Ha lavorato in Curia a Milano, **addetto** ai problemi della vita sociale e del lavoro. Il Cardinale Martini, due anni fa, l'ha voluto qui in questa **parrocchia di frontiera**. Alto, bruno, non ancora cinquantenne, potrebbe essere un attore cinematografico. Certo non ha nulla in comune con le tradizionali immagini clericali. L'idea della vecchia carità cattolica ha perso ogni significato per questo prete attivo ma non attivista, totale ma non integralista, uno che avrebbe fatto felice **don Primo Mazzolari**, prete contadino, colto, padre degli ultimi della terra. Don Colmegna passa attraverso le idee, più laico dei laici che hanno preso l'abitudine di inginocchiarsi davanti ai cardinali e alla Chiesa. La sua è una solidarietà di interventi, non di parole, concreta, lombarda. Detesta l'assistenzialismo, detesta il pietismo, preferisce salvarsi con il fare quotidiano [...] sapendo bene che a chi ha bisogno **tocca di diritto** il massimo della dignità. Ha creato una catena di iniziative, oltre che di progetti di prevenzione e di formazione professionale. Il suo sogno è che la solidarietà riesca a diventare impresa sociale. Trecento volontari lavorano con lui, oltre agli **obiettori di coscienza**. Ma è anche un piccolo imprenditore, alla fine del mese deve pagare infatti 90 stipendi di dipendenti. In poco tempo ha messo in piedi la Comunità Parpagliona, handicappati; la Bottega creativa per vendere prodotti artigianali; la Cascina Gatti, anziani, handicappati; il laboratorio "Pelli dure" che produce articoli di pelletteria; un **dopo scuola** per i ragazzi;

una comunità per minori fondata sul concetto della **famiglia allargata**; un **Centralino** sociale sui problemi del disagio mentale; un Centro di ascolto a sostegno delle famiglie dei **tossicodipendenti**; la Cooperativa "detto fatto", serigrafia, assemblaggio, stampa, dove tra gli altri lavorano due ex-terroristi, Vittorio Alfieri e Franco Bonisoli, in semilibertà.

155

160

Il parroco è duro con chi sfrutta i volontari e ne fa dei soggetti di lavoro nero. È duro anche con quelli che chiama santoni del volontariato "Chi sono?" "I soliti che **compaiono** alla TV a dire **banalità**, quelli che dimenticano di chiedere ai drogati "perché vi drogate?" "Don Virginio, pensava che fare il prete fosse questo?". Mi guarda e ride. "No, no. So però che mi piace, ha un senso".

NOTE (PRECEDUTE DAL NUMERO DELLA RIGA NEL TESTO)

2. *reticente:* riservato, riluttante

4. *disagiato:* in difficoltà, che deve affrontare delle sfide

9. *il punto d'approdo:* luogo di arrivo

10. *il gancio:* oggetto appuntito a forma di uncino

12. *sdraiato:* coricato, disteso

13. *la folata:* colpo di vento caldo

17. *la ragnatela:* (fig.) tela di ragno

21. *rinato:* nuovo, nato una seconda volta

27. *rimpiazzare:* sostituire

28. *affiorare:* emergere, apparire

28. *il sottosuolo:* (fig.) sotto la terra

34. *senza fini di lucro:* che non ha l'obiettivo di ottenere un profitto, *non profit*

35. *la prestazione:* servizio, lavoro

39. *lo smembramento:* disgregazione, indebolimento

41. *la supplenza:* sostituzione, aiuto

49. *barare:* imbrogliare, dire il falso

50. *Misericordia:* confraternita che opera in Italia dal Medioevo, dedita ad attività di volontariato, quali il servizio autoambulanze

59. *il capoequipaggio:* persona responsabile

68. *la fuga di gas:* perdita o fuoriuscita di gas

69. *tirar fuori:* togliere, estrarre, salvare

71. *cupo:* buio, scuro, malinconico

80. *ampio:* largo, esteso

86. *illeso:* senza danno, non ferito

88. *Giambellino:* quartiere periferico di Milano

89. *rispuntare:* riemergere, riapparire

91. *lo scantinato:* cantina, locale sotto un edificio

92. *il miscuglio:* mescolanza

98. *mettere su:* fondare, cominciare un'attività

101. *Tolstoj:* Lev Tolstoj (1828-1910) scrittore russo, fra i maggiori della letteratura mondiale

101. *Freyre:* Gilberto De Mello Freyre (1900-1987) sociologo brasiliano

101. *Don Milani (1923-1967):* prete ed educatore, fondatore della famosa Scuola di Barbiana, dedicata ai ragazzi poveri esclusi dalla scuola di stato

104. *l'extracomunitario:* immigrato proveniente da un Paese fuori dalla Comunità Europea

105. *impiantare:* formare, fondare

110. *vin brulé:* vino rosso servito caldo e con delle spezie

112. *imbiancare:* dipingere o pitturare di bianco

113. *imbottigliare:* mettere del liquido (generalmente vino) nelle bottiglie e fiaschi

123. *addetto:* incaricato, assegnato

125. *la parrocchia di frontiera:* chiesa in una zona periferica e difficile (usato in senso metaforico)

131. *don Primo Mazzolari (1890-1959):* prete cattolico, conosciuto per il suo lavoro a favore dei più svantaggiati

139. *toccare [a qualcuno] di diritto:* essere dovuto a qualcuno come un diritto inviolabile

143. *l'obiettore di coscienza:* chi decideva di svolgere un lavoro in campo sociale invece di fare il servizio militare obbligatorio

150. *il dopo scuola:* attività per i ragazzi nel pomeriggio

151. *la famiglia allargata:* famiglia composta di più generazioni

151. *il centralino:* ufficio dove si ricevono molte telefonate da clienti o utenti

154. *il tossicodipendente:* consumatore di droghe

161. *comparire:* apparire, presentarsi

161. *la banalità:* discorso o contenuto di scarso interesse, noioso

DOMANDE DI COMPRENSIONE E DISCUSSIONE

1. Che cosa fanno i volontari della solidarietà a Milano?
2. Perché lo scrittore usa la metafora dei falò per descrivere le attività di volontariato?
3. Che cosa ha fatto invece il Comune, andando nella direzione opposta dei "falò"?
4. Com'era il vecchio mondo di cui parla lo scrittore nel secondo e nel quarto paragrafo, e com'è il mondo attuale?
5. Quali sono gli aspetti più straordinari dell'esperienza di volontario di Michele Spinelli e di Carla Morganti?
6. L'autore descrive le attività del Centro arti e mestieri al Giambellino come "un miscuglio di esperienze cristiane, marxiste, anarchiche, terzomondiste". Fra le attività descritte ne trovi alcune che potresti abbinare a una di queste ideologie?
7. Come finanziano queste attività i ragazzi del Giambellino?
8. Qual è il loro fine? Ti sembra realizzabile e perché?
9. Quale fra le attività di Don Virginio Colmegna ti sembra che corrisponda di più ad un'impresa tradizionale, ad un'attività di prevenzione e ad un'attività di formazione professionale?
10. Con chi è particolarmente "duro" Don Virginio Colmegna e perché?

OSSERVAZIONI SUL TESTO

Considera l'uso dei prefissi **ri-** e **im-** in alcuni verbi nella lettura. Ad esempio:

*Al Giambellino sono **rispuntati** i fantasmi del lavoro politico degli anni '70* (righe 88-90).

*... **imbiancano** case ...* (riga 112).

Il prefisso **ri-**, come nel verbo **rispuntare,** aggiunge un significato di ripetizione oppure intensifica il significato del vocabolo.

Il prefisso **im-**, come nel verbo **imbiancare**, ha il significato di "fare diventare" oppure "mettere dentro".

Segui l'esempio usando i prefissi **ri-** o **im-**

Esempio:

rendere bianco → *imbiancare*
spuntare di nuovo → *rispuntare*

1. nascere di nuovo →
2. mettere nelle bottiglie →
3. piantare molto bene →
4. unire insieme →
5. cercare con impegno →

IL DIDITÌ, O IL DROGATO DA TELEFONINO

di Stefano Benni

Stefano Benni, giornalista e scrittore di satire, ci offre una descrizione divertente di un nuovo tipo di "drogato", colui che non può rinunciare, neppure per un attimo, a ricevere o mandare messaggi.

Creatura recentemente apparsa ma ormai tristemente nota. Il suo dramma non è il cellulare, ma la dipendenza, cioè il non saper rinunciare al telefonino nei luoghi più improbabili e nelle situazioni più scomode. Per questa ragione è detto DDT, ovvero Drogato Da Telefonino.

Ad esempio, il DDT è appena entrato nel bar e il cellulare **trilla** mentre sta bevendo un cappuccino. Il DDT continua a bere con la destra e risponde con la sinistra, oppure **intinge** il cellulare nella tazza e si attacca una brioche all'orecchio. Va alla toilette telefonando, e dentro si odono rumori molesti, **sciabordio**, e **schianti** dovuti alla difficoltà di compiere certe operazioni con una mano sola. Spesso quando esce ha il cellulare **grondante** e strane macchie sui pantaloni. Inoltre ogni anno circa duemila telefonini spariscono in **turche** o **gorghi porcellanati**. Una leggenda metropolitana li vuole clonati e usati dai ratti di fogna al posto della comunicazione ultrasonica.

Il DDT risponde in qualsiasi situazione, posizione, e occasione. La sua prerogativa è infatti "l'effetto Colt": non può sentire un trillo senza estrarre di tasca l'arma, vive sempre all'erta come un **pistolero**, risponde velocissimo non solo al trillo del suo cellulare, ma anche a quello del vicino, al trillo della cassa, ai trilli dei telefoni in televisione e, in campagna, anche al canto dei **grilli**.

Ma soprattutto due sono le situazioni in cui la nevrosi del DDT esplode in tutta la sua violenza. La prima è quando è a una **tavolata** di ristorante e ha lasciato il cellulare nel cappotto.

Udendo il trillo fatidico, che riconosce tra gli altri come il **vagito** del primogenito, balza sul tavolo, calpesta antipasti, rovescia sedie, ribalta tavoli e parte come una belva verso l'**attaccapanni**. Qua butta in aria pellicce e cappotti altrui, a volte per far prima li **squarcia** con un coltello, infila la mano nella **fodera**, sbaglia tasca, bestemmia e raggiunge il cellulare non appena questo ha smesso di trillare. A questo punto lo porta con sé sul tavolo, parcheggiandolo vicino al piatto. Dopodiché lo osserverà con odio tutta la sera, perché il cellulare resterà silenzioso, e suonerà solo una volta rimesso nel cappotto.

Un altro evento che mette in crisi il cellularista DDT è quando si accorge che nel locale il telefonino non riceve il segnale. Questo lo **atterrisce** come se gli si fermasse lo stimolatore cardiaco. Il DDT inizia a **percorrere in lungo e in largo** la stanza, striscia contro i muri, sale sui tavoli, salta come un canguro alla disperata ricerca di un segno di vita della sua creatura. Spesso si può vedere il DDT in una delle seguenti posizioni:

a. modello "Statua della libertà", in piedi sul tavolo col telefonino innalzato verso il soffitto;

b. modello **"Gogna"**, con mezzo busto fuori dalla finestra, braccio proteso e mezzo congelato;

c. modello "Frontiera", **deambulante** avanti e indietro attraverso la porta, in un vortice di **spifferi** e proteste;

d. modello "Fisherman", col cellulare legato a una canna da pesca infilata nello **spioncino** dell'aerazione in alto a destra;

e. modello **"Delega"**, nervosissimo dopo aver pagato un ragazzino perché gli tenga il cellulare fuori dal locale. La percentuale di restituzione è del cinquanta per cento, ma pur di avere il telefonino in funzione, il DDT corre questo rischio;

f. modello "Eremita", seduto sul **cesso** tutta la sera perché lì è l'unico punto dove riceve.

Che tipo di importante conversazione impegna il **cellularista** DDT? Quasi sempre è difficile stabilirne la logica e soprattutto la necessità.

Ne facciamo qui alcuni esempi, riportando solo le frasi del cellularista, e lasciando alla vostra fantasia la parte dell'interlocutore.

Telefonata progettuale

Sì, io sto qui, tu dove sei?
Ah, e dopo dove vai?

Ho capito, allora ci sentiamo stasera?

No, stasera non lo so, perché tu dove vai?

80 Sì, forse vengo anch'io, ma tu ci sei?

Allora stasera ti chiamo per sentire se ci sei, se no mi dici dove sei, se no dove sei domani.

Sì, domani io sto qua, tu vai via o stai qua?

85 Se vado via, chiama che ti raggiungo. Se no ti chiamo io per dirti che non vengo e che è inutile che chiami.

Senti, e per le vacanze dove vai?

No, io non torno là, tu ci torni?

Beh, magari ti telefono se decido che torno, se 90 no, se decidi che torni, mi chiami tu.

Va bene, sì, ciao, ciao.

Senti, e a Capodanno cosa fai?

Ad libitum.

Conversazione urgente di lavoro

95 Sono Borghi, c'è il dottor Lamanna?

Lamanna? No, sono Borghi, vorrei il dottor Lamanna.

Dottor Lamanna, sono Borghi ... Ah, non è lei, me lo può passare da lì?

100 Sono sempre Borghi. Santodio, mi può passare Lamanna?

Scusi, ma è un'ora che dite che mi passate Lamanna, me lo passate o no?

Borghi, sono Borghi, perdio!

105 Come "Cosa voglio?". Voglio il dottor Lamanna!

Lamanna? Ah, ciao, sono Borghi, scusa ti posso richiamare tra un'oretta che adesso ho da fare?

Conversazione di mercato

Nico, sono qua al negozio ma la camicia verde 110 a righe grandi non ce l'hanno.

Ce l'hanno a righine verdi piccole, chiare ...

Piccole quanto non saprei, diciamo come un capello.

Che ne so se è un capello mio o un capello tuo, 115 comunque non hanno la taglia cinquantaquattro.

Non so se va bene il cinquantadue, senti non hai un metro per misurarti il collo, misuratelo e poi richiama e mi devi anche aiutare a comprare i formaggi.

NOTE (PRECEDUTE DAL NUMERO DELLA RIGA NEL TESTO)

8. *trillare:* suonare (del telefono o della sveglia)

10. *intingere:* immergere (ad esempio, nel caffè)

12. *lo sciabordio:* rumore che fa l'acqua quando scende

13. *lo schianto:* urto, fragore

15. *grondante:* molto bagnato, gocciolante acqua

17. *la turca:* un tipo di gabinetto senza sedile

17. *il gorgo:* vortice o mulinello d'acqua

17. *porcellanato:* fatto o ricoperto di porcellana

23. *il pistolero:* chi usa la pistola per professione

27. *il grillo:* insetto che salta ed emette un suono caratteristico

30. *la tavolata:* tavola apparecchiata con molte persone riunite per un pasto

33. *il vagito:* pianto di un bambino appena nato

35. *l'attaccapanni:* mobile per appendere giacche e cappotti (generalmente posto all'entrata di un appartamento o casa)

37. *squarciare:* lacerare, rompere

37. *la fodera:* tessuto che ricopre l'interno di un abito

46. *atterrire:* spaventare

47. *percorrere in lungo e in largo:* camminare in tutte le direzioni

54. *la gogna:* strumento di punizione o tortura formato da tre aperture, una per il collo e due per le braccia

56. *deambulante:* che cammina o deambula

57. *lo spiffero:* corrente d'aria

60. *lo spioncino:* piccola apertura

62. *la delega:* trasferimento di un compito ad un'altra persona

67. *il cesso:* gabinetto rudimentale

70. *il cellularista:* chi usa il telefono cellulare

DOMANDE DI COMPRENSIONE E DISCUSSIONE

1. Chi è il DDT?
2. Che cosa fa quando sta bevendo un cappuccino e suona il telefono?
3. Come si comporta nei bagni pubblici?
4. Che cosa racconta una leggenda metropolitana?
5. Qual è l' "effetto Colt" di cui il DDT è un esperto?
6. Che cosa fa il DDT quando è al ristorante e si accorge di aver lasciato il telefonino nel cappotto?
7. Qual è l'altro evento che mette in crisi il DDT al ristorante, e come reagisce a questa situazione?

8. Quali delle posizioni adottate trovi più umoristica?
9. Pensi di essere un DDT? Se sì, hai mai adottato una delle posizioni, o modelli, descritti?
10. Le conversazioni telefoniche riportate come esempi sono importanti? Motiva la tua risposta.
11. Quali trovi più umoristica e perché?
12. Hai mai avuto una conversazione di questo tipo? Puoi descriverla?

OSSERVAZIONI SUL TESTO

Considera l'uso dei **pronomi oggetto diretto** e **indiretto**, dei **pronomi combinati** e dei pronomi **"ne"** e **"ci"**.

Completa ogni frase usando uno dei seguenti pronomi, semplici o combinati:
ci, mi (2), ti (2), telo, ne, me lo (2)

1. Che tipo di importante conversazione impegna il cellularista DDT? Quasi sempre è difficile stabilir _____ la logica.
2. Senti, e per le vacanze dove vai? No, io non torno là, tu _____ torni?
3. Vorrei il dottor Lamanna. _____ può passare da lì?
4. Scusi, ma è un'ora che dite che _____ passate Lamanna, _____ passate o no?
5. Ciao, sono Borghi, scusa, _____ posso richiamare tra un'oretta che adesso ho da fare?
6. Se hai un metro per misurar_____ il collo, misura_____ e poi richiama e _____ devi anche aiutare a comprare i formaggi.

Cooperativa di consumo di Massenzatico, Reggio Emilia 1947.

Vetrina di Dior, via Montenapoleone, Milano, 2005.

L'ASSASSINO
di Michele Serra

Pedrotti, l' "omicida dei negozi", ha ucciso senza apparente motivo varie persone in negozi diversi, e viene intervistato in carcere da uno psicologo che è anche la voce narrante. Nel corso dell'intervista scopriamo che Pedrotti non sopporta un particolare aspetto del nuovo consumismo degli anni '80-'90: il fiorire dei negozi pretenziosi nei quali la merce non si vende più per quello che è, ma per l'immagine o lo stile di vita che rappresenta.

Hanno finalmente arrestato l'omicida dei negozi. Sei vittime tra proprietari e commesse, una vera strage. Naturalmente un insospettabile, come sempre in casi come questi. […]

5   Questo, poi, era un assassino speciale. Raramente ho visto tanta coerenza e tanto zelo nell'individuare le vittime. Aveva un taccuino dove annotava, in due colonne bene ordinate e in stampatello chiaro, i nomi che un negozio poteva avere e i nomi che non

10 poteva avere. Non li ricordo tutti, anche se ho avuto quel taccuino in mano per quasi un mese, ma per darvene un'idea vi dirò che i **nomi che si potevano** erano quelli come panetteria, drogheria, ferramenta, abbigliamento, articoli sportivi, e insomma le insegne

15 che dichiaravano con dignitosa semplicità ciò che era in vendita. I nomi che non si potevano erano **ludoteca, goloseria, modern woman, il gelatiere, bicchieroteca** e tutti quelli che aggiungevano pretese o toglievano onesta sostanza al vecchio mestiere del commercio:

20 "come se se ne vergognassero – mi spiegava l'assassino – e avessero bisogno di **ammiccare** e strizzare l'occhio, di alludere a chissà quale furba intesa tra loro e i clienti per sentirsi aggiornati. Che parola sgradevole 'aggiornati', vero dottore? È così volgare…" […]

25   "Vede – diceva l'assassino Pedrotti – un tempo i negozi della mia città erano come certe chiese

30 protestanti che ho visto al Nord. Che sono disadorne e silenziose, e proprio perché niente ti costringe a pregare hai voglia di farlo. Le merci erano le sole presenze avvertibili, e senza di loro non c'era negozio: quando mio padre dovette vendere e vuotò tutto, rimasi incredulo a guardare quel niente che rimaneva.

35   Sparite le scatole, le bocce di vetro piene di pastiglie, i mazzi di scope appesi al muro, le cassettine con i rotoli di liquirizia, le pile di **Vim** che allora era blu con la scritta gialla, si capiva finalmente che un negozio è fatto solo da quello che c'è dentro. I negozi erano al

40 servizio delle merci, capisce, e non viceversa. Come le chiese esistono per le persone, e non le persone per le chiese…"

    Cercavo di capire.

    "Poi c'è stata una specie di controriforma. Insegne chiassose, **luminarie**, filodiffusione, vetrine piene di piante, sassi, rami e fronzoli che non c'entrano

45 niente con la merce. Un barocco, le dico, un barocco, **dell'altro mondo**. Per impressionare, per stordire, imbrogliare. La merce non riesce più a venire fuori bella netta, pulita, con i suoi odori e la sua dignità. Lei non pensa che la merce abbia una sua dignità?"

50   "Io non sono qui per dirle la mia opinione. Sono qui per ascoltare lei, per capire perché ha ucciso sei persone".

"Io non volevo proprio uccidere. Volevo che capissero, ma **non c'è stato verso**. E ho fatto di tutto, le giuro, per aiutarli a salvarsi. Ho sempre dato la possibilità di ragionare.

Ma lei non immagina quanto sia diventato difficile, oggi, ragionare con la gente… Il primo delitto è stato due anni fa. Prima avevo fatto solo qualche attentato dimostrativo: contro una merceria del mio quartiere ristrutturata dai nuovi proprietari e chiamata 'Le robe di Roby'. Ho bruciato due volte l'insegna, ma l'hanno sempre rifatta uguale. Forse la prima vittima sarebbe stato proprio Roby se un giorno non fossi entrato nella **bicchieroteca** dell'angolo".

"La bicchieroteca? Sì, ricordo. Nel suo taccuino era sottolineata due volte in rosso…"

"Vedo che ha memoria. Quello era stato un bel **casalinghi** pieno di cose, ricordo benissimo gli **spremiarance** di maiolica, i vassoi di legno laccato, le moka, i **portauovo** fatti a nanetto. Non sempre di gusto, ma vivace, sistemato con un certo amore, e poi tenevano anche le **presine** di amianto con Bambi quando erano passate di moda già da anni, e io ho sempre avuto molta stima per i negozianti che tengono anche le cose che non piacciono più, è come quelle famiglie che si rifiutano di mandare gli anziani in ospizio. Mi segue?"

"Continui."

"Un giorno cambia tutto. Il proprietario va in pensione e lascia il casalinghi alla figlia. Addio presine con Bambi e portauovo a nanetto. Solo tazze e bicchieri. Si è mai visto un negozio di sole tazze e bicchieri?"

"Non saprei. Ma con ciò?"

"Con ciò quel bel bazar di **chincaglierie** e cose inutili diventa una specie di boutique pretenziosa, con enormi scaffali di vetro decorati di piantine grasse e al centro un bicchierino, una tazzina, una coppetta. Roba cara e **rachitica** messa lì come in un museo etrusco. Una mattina entro dentro per chiedere ragione, educatamente, le giuro, di quell'insegna così cretina: bicchieroteca. E per sapere dove avevano messo i portauovo a nanetto e le presine con Bambi, gliene ho già parlato, forse…"

"Me ne ha già parlato".

"Bene, entro dentro e c'è una ragazza che mi chiede subito che cosa mi serve. Già questo mi indispone, perché è il cliente che deve parlare per primo, il negoziante deve solo salutare e aspettare. Se uno entra in un negozio è ovvio che gli serve qualcosa, non le pare?"

"Vada avanti, per favore".

"Dico: se mi serve qualcosa? Mi servirebbero quelle belle presine con Bambi che non avete più. Ma già che ci sono mi faccia vedere i bicchieri. E sa che cosa è successo?"

"Cosa è successo?"

"Che quella mi mostra un servizio di bicchieri qualunque e dice: questa potrebbe essere una soluzione simpatica."

"Una soluzione simpatica?"

"Ecco, vede dottore che anche lei rimane colpito. Mi disse che comprare dei bicchieri era una soluzione simpatica. Chiesi alla signorina: signorina, mi saprebbe spiegare perché comprare dodici bicchieri può definirsi 'una soluzione' e soprattutto perché 'simpatica'? 'Perché questi qui sono una soluzione simpatica per qualunque esigenza', rispose. **Parlava a pappagallo**, senza sapere quello che stava dicendo. Non avevo mai sentito mio padre vendere niente, fosse una **mentina** o un cesto di frutta secca da duecentomila, dicendo che erano una soluzione per le esigenze di **chicchessia**. Erano mentine e basta, e lui era lì per venderle, e chi entrava nel negozio entrava per comprarle. E questo è tutto."

"Come questo è tutto? Lei ha aspettato l'orario di chiusura e ha investito la commessa della bicchieroteca con la macchina".

"È vero, l'ho fatto. Ma guardi che sarebbe bastato poco per impedirlo. Sarebbe bastato che quella sciagurata riflettesse su quello che stava dicendo. Ma non si rendono conto, non fanno nemmeno un piccolo sforzo."

"Passiamo al secondo delitto."

"Fu il delitto della **Sorbetteria** della Nonna."

"La Sorbetteria della Nonna? Ma non ci fu prima il delitto della Cochonnerie?"

"Ma no, ma no. La Cochonnerie è una faccenda di pochi mesi fa. Prima toccò alla Sorbetteria. Guardi che ho scritto tutto, sono preciso io."

"Va bene. Cominciamo dalla Sorbetteria della Nonna".

"Dunque c'era questo nuovo gelataio che aveva rilevato un bar con biliardo. Un bar bellissimo, avrebbe dovuto vederlo, con il bancone di legno, i tavolini di acciaio con il buco in mezzo per metterci l'ombrellone d'estate, sa quegli ombrelloni di tipo hawaiano con le frange, e poi i portacenere **Punt e Mes**: tutto uguale da dopo la guerra."

"Chissà l'igiene."

"Oh, l'igiene. Cosa vuole che siano un po' di **cicche** per terra. Beh: smantellato tutto. Mettono su un locale di plastica rosa, con i tavolini rosa, gli *abat-jours* finto-liberty, le stampe di damine e cavalieri alle pareti. Un fasullo, un **kitsch**, una **porcheria** mai vista. E centodieci tipi di gelato."

"Mi sembrano tanti."

"Tanti? Dottore, un incubo. I gusti si chiamavano 'gran spagnola', 'pasticciata', 'oba-oba', 'madagascar', 'meletta verde', 'bumba lady'. Ecco 'bumba lady' era già una faccenda da risolvere con le buone o con le cattive, ma il fatto grave fu un altro."

"Quale?"

"Ordinai un cono crema e cioccolato. Crema e cioccolato, le dico. Va bene?"

"Va bene, ma non si arrabbi con me. Mi spieghi meglio."

"Dietro il bancone c'era un giovanotto vestito di lilla, una specie di tuta lilla, le assicuro. E con il berretto lilla."

"Ho capito. Lilla. E poi?"

"Quello mi risponde: crema e cioccolato? Quali tipi di crema e cioccolato? Come sarebbe quali tipi? Gli faccio: ho detto crema e cioccolato. E sa cosa mi ha detto lui?" "Cosa?"

"Mi ha detto: come crema abbiamo **fiordipanna**, biancofiocco, dolcelatte, milky, burroneve e vaniglietta; come cioccolato c'è **testadimoro**, grancacao, super-gianduia, bacio, sgnappy, duevecchi, giamaica, negretto e Robertino. Quali vuole?"

"E lei cosa rispose?"

"Niente. Che cosa avrei dovuto rispondere? Capisce, dottore, cosa voglio dire quando le parlo di barocco? Centodieci tipi di gelato non esistono, sono una pura invenzione, fumo negli occhi, insomma merda. La merce ha una sua classicità, un suo stile, una sua memoria. Mio padre era riuscito ad avere otto tipi di liquirizia, e qualche tipo, per esempio i pesciolini, già si vergognava di venderli perché costavano di più solo per via della forma un po' strana. E allora perché dobbiamo sopportare l'esistenza dei gelati al Robertino?"

"Lei era liberissimo di non ordinarli e di andarsene. E invece ha bruciato la Sorbetteria della Nonna con quattro persone dentro, e due sono morte in maniera orribile."

"Purtroppo non il proprietario. Il proprietario è riuscito a salvarsi."

"Andiamo avanti. L'atroce delitto della **Cochonnerie**."

"Quella della Cochonnerie fu una storia nella quale fui tirato per i capelli. Non volevo ammazzarlo, le giuro. Era un salumiere quasi normale, dalla faccia sanguigna, addirittura con la matita infilata nell'orecchio per abitudine; anche se ormai i calcoli si fanno tutti a macchina. Ero disposto anche a perdonargli un'insegna così sciagurata, perché dopotutto era la prima salumeria del quartiere, da anni, a non chiamarsi 'alla gran baita', e tutto sommato gliene era grato.

Ma insistette troppo per darmi in omaggio la tabella dei valori nutrizionali."

"Che cos'è?"

"Era una specie di tovaglia con una **tabellina**: sopra c'era scritto, in grande, 'Good Food: la dieta bilanciata per i clienti top'. Sotto le indicazioni di quello che dovevi mangiare mattina e sera tutti i giorni della settimana; e c'era anche la Special Card per avere uno sconto sui cibi fastdigestion.

Io glielo avevo detto: lasci perdere, non mi provochi. Non mi diede retta."

"È così lei passò alle coltellate. E la settimana successiva allo strangolamento."

"Strangolamento. Si fa presto a dire. Ho semplicemente stretto un po' più forte di quanto avrei voluto. Ma con lei voglio essere sincero: se c'è un delitto di cui non mi pentirò mai, è quello. Il negozio si chiamava 'L'**alluce** e il **pollice**'. Vendevano calze e guanti. Una merceria elegante, insomma, niente di più. Mi servivano delle calze e… mi scusi, sto ancora male a pensarci. Maledetta gallina."

"Lei sta parlando di Lostumbo Katiuscia, la sua vittima?"

"Sì, lei. Le chiesi di farmi vedere dei calzini. Era anche gentile, quella gallina. Ma sa cosa mi disse?"

"Che le disse di così tremendo?"

"Mi disse: guardi questo calzino, è molto valido. Un calzino valido. Ricordo benissimo che cercai di aiutarla. Discutemmo per almeno cinque o dieci minuti. Perché, ragazza mia, un calzino deve essere valido? Da quando? Esistono calzini invalidi? No, signorina, glielo dico io: non esistono calzini validi. Esistono calzini belli o brutti, che piacciono o non piacciono, caldi o leggeri, di tinta vivace o classica. Ma calzini validi non ne ho mai visti."

"La ragazza le **diede retta**?"

"No, macché, continuava a ripetere: noi teniamo solo prodotti validi, **linee che vanno molto**. Vanno molto? E dove vanno? Dove? Me lo dica! Risponda, si spieghi, reagisca, faccia qualcosa per migliorare la sua sventurata situazione! Mi scusi dottore, sto urlando. Ma è firmato, teniamo solo cose firmate, insisteva la gallina. E se non fossero firmate?

Eh? Se non fossero firmate e valide dove bisogna mettersele le calze, nel **culo** bisogna mettersele cara la mia signorina valida e firmata? O non abbiamo più il diritto di scegliere un dannato **pedalino** come **cazzo** ci pare? Oddio dottore, mi perdoni, non sono abituato a certe espressioni, e nemmeno ad alterarmi così."

"Si rimetta a sedere."

"Subito. Perdoni ancora."

"Io la posso anche perdonare. Ma dubito che Lostumbo Katiuscia sia in grado di fare altrettanto, visto che lei le ha stretto il calzino valido intorno al collo fino a farla spirare."

"Spirare? Che fa, dottore, **vende fumo** anche lei? Si dice morire."

"Questa volta ha ragione lei. Fino a farla morire."

"Lo vede, dottore, che lei è una persona che ragiona, che ha rispetto per le parole, per le verità delle cose, per la loro semplicità? Il suo ufficio, adesso che mi viene in mente, è come una di quelle chiese protestanti che le dicevo. Invoglia alla libertà di spirito. Lei sarebbe un ottimo..:"

"Prete?"

"No, un ottimo negoziante. Con lei avrei potuto discutere senza essere costretto a decisioni antipatiche."

"Decisioni antipatiche? Pedrotti, si chiamano omicidi."

"Tocca a me darle ragione, adesso. Sono mortificato, dottore. Volevo dire omicidi." [...]

"Vede Pedrotti, fuori da questo ufficio nessuno sembra particolarmente offeso per il fatto che esistono il gelato al grancacao, lo sgabello Ubu, il negozio 'L'alluce e il pollice'. Se qualcuno se n'è accorto, e non credo che questo sia avvenuto, non è **incazzato**, è rassegnato. Fa il suo lavoro, vive, si ammala, guadagna, si innamora, fa figli, e non fa male a nessuno. Anche la gente che lei ha ammazzato era così: non gente cattiva, mi creda. Gente normale. Come me."

"Come lei."

Pedrotti mi guardò, aveva gli occhi solo un po' rossi, l'espressione schiarita di un bambino dopo un capriccio o una tristezza.

"No, dottore, lei e io siamo diversi dagli altri. Io so che lei mi capisce, che anche lei è come me."

"Io non ho mai ammazzato nessuno, Pedrotti."

"Lo so. Lei è come mio padre, non avrebbe mai fatto male a una mosca. Ma…"

"Ma che cosa?"

"Ma io sono quello che paga per tutti. Insieme alle mie vittime. Sei morti e un assassino."

"Pace ai morti, Pedrotti. E pace all'assassino."

Pedrotti venne condannato all'ergastolo, e mi manda due volte all'anno, dal carcere, un sacchetto di pesciolini di liquirizia.

Io ho scritto una bella perizia: ho una laurea in psicologia e una in criminologia. Ho anche il mobiletto a rotelle Ibigibi, ma non fatelo sapere a Pedrotti. Ha già sofferto abbastanza.

NOTE (PRECEDUTE DAL NUMERO DELLA RIGA NEL TESTO)

12. *nomi che si potevano*: nomi che erano permessi, consentiti
16. *ludoteca, goloseria, modern woman, ecc.*: nomi di negozi inventati dall'autore, ma plausibili
21. *ammiccare*: fare un cenno d'intesa a qualcuno di nascosto
35. *Vim*: una marca di detersivo
43. *le luminarie*: luci decorative
46. *dell'altro mondo*: incredibile, esagerato
54. *non c'è stato verso*: non è stato possibile
65. *la bicchieroteca*: termine inventato dall'autore: negozio che vende bicchieri
69. *il casalinghi*: negozio che vende prodotti per la casa
70. *lo spremiarance*: attrezzo da cucina per spremere le arance
71. *il portauovo*: piccolo bicchiere usato per servire un uovo sodo
73. *le presine*: guanti da cucina per proteggere le mani quando si toccano pentole calde
85. *le chincaglierie*: oggetti di poco valore
89. *rachitico*: magrissimo
119. *parlare a pappagallo*: ripetere qualcosa imparata a memoria, senza capire quello che si dice
121. *la mentina*: piccola caramella alla menta
123. *chicchessia*: chiunque
135. *la sorbetteria*: negozio dove si vendono sorbetti, cioè gelati alla frutta (termine inventato dall'autore)
148. *Punt e Mes*: marca di liquore
152. *la cicca (di sigaretta)*: la parte della sigaretta che non si può fumare
153. *abat-jours*: lampade da tavolo (francese)
155. *kitsch*: stile pacchiano e volgare
155. *la porcheria*: qualcosa di disgustoso, rivoltante
176. *fiordipanna, ecc.*: nomi, alcuni immaginari, per gusti di gelato alla crema
178. *testadimoro, ecc.*: nomi immaginari per gusti di gelato al cioccolato
200. *Cochonnerie*: salumeria (termine inventato dall'autore, derivato dal francese "cochon", maiale; in francese, "cochonnerie" in realtà significa "porcheria")
214. *la tabellina*: grafico
228. *l'alluce*: dito principale del piede
228. *il pollice*: primo dito della mano
246. *dare retta*: ascoltare qualcuno
248. *linee che vanno molto*: prodotti che sono molto richiesti
255. *il culo*: sedere (nome, volgare)
257. *il pedalino*: calzino, calza per uomo
257. *cazzo*: interiezione volgare
266. *vendere fumo*: cercare di imbrogliare, come qualcuno che vendesse del fumo, cioè niente
287. *incazzato*: molto arrabbiato (volgare)

DOMANDE DI COMPRENSIONE E DISCUSSIONE

1. Ti è mai successo di entrare in un negozio con caratteristiche simili a quelle che tanto irritano l'omicida Pedrotti?
2. L'assassino di questo racconto traccia una similitudine fra i negozi di una volta e le chiese protestanti, da una parte, e i negozi più recenti e le chiese della controriforma, o di stile barocco, dall'altra. Spiega questa similitudine. Sei d'accordo con l'analisi dell'"omicida dei negozi"?
3. Come reagisce Pedrotti all'apertura del negozio "Le robe di Roby"?
4. Perché la "bicchieroteca" lo irrita tanto?
5. Che cosa avrebbe voluto comperare nel negozio di casalinghi?
6. Cosa c'era prima al posto della "sorbetteria della nonna"?
7. Perché decise di bruciare il locale?
8. Perché uccise il salumiere della Cochonnerie?
9. Che cosa vendeva il negozio "L'alluce e il pollice", secondo la commessa Lostumbo Katiuscia?
10. Come avrebbe dovuto chiamarsi questo negozio, secondo Pedrotti, e come avrebbe dovuto vendere la sua merce?
11. Perché, sia secondo lo psicologo che secondo Pedrotti, non bisognerebbe usare termini come "spirare" e "decisioni antipatiche"?
12. Che cosa obietta lo psicologo a Pedrotti e come si difende Pedrotti?
13. Che tipo di condanna ha ricevuto Pedrotti?
14. Quale aspetto della società contemporanea ha voluto prendere in giro Michele Serra scrivendo questo racconto? Sei d'accordo con lui?

OSSERVAZIONI SUL TESTO

Considera la combinazione dei pronomi diretti, indiretti e riflessivi nelle seguenti frasi:

Non li ricordo tutti […] ma per <u>darvene</u> un'idea vi dirò che... (righe 10-12)

... "come se <u>se ne</u> vergognassero - mi spiegava l'assassino... (riga 20)

... tutto sommato <u>gliene</u> ero grato... (righe 209-210)

Io <u>glielo</u> avevo detto: lasci perdere, non mi provochi. (riga 220)

E dove vanno? Dove? <u>Me lo</u> dica! (riga 249)

Se non fossero firmate e valide dove bisogna metter<u>sele</u> le calze....? (righe 254-255)

Se qualcuno <u>se n'è</u> accorto,... (riga 286)

Usa un pronome doppio combinato al posto delle espressioni sottolineate:

1. L'assassino parlò <u>allo psichiatra del negozio "bicchieroteca"</u>.

2. Il commesso mostrò <u>i bicchieri all'assassino</u>.

3. Il commesso della Sorbetteria della Nonna offrì <u>all'assassino</u> 20 tipi <u>di gelato alla crema</u>.

4. L' Assassino non <u>si</u> pentiva <u>dei suoi delitti</u>.

5. L' Assassino era disposto a perdonare <u>al salumiere l'insegna Cochonnerie</u>.

Nanni Moretti canta in una scena del film.

CARO DIARIO
(1994), regia di Nanni Moretti

INTRODUZIONE
Il regista e attore Nanni Moretti viaggia attraverso una Roma estiva e deserta - che ci ricorda l'atmosfera de *Il Sorpasso* (vedi scheda sul film p. 98) - per riscoprire se stesso e i valori della sua generazione; si sposta poi con un amico sulle Isole Eolie per trovare un po' di tranquillità e ispirazione per il suo lavoro; percorre infine il complicato labirinto delle gerarchie della medicina specialistica per ritrovare la salute fisica: quello di Moretti è un viaggio divertito ma spietato attraverso gli squallori e le debolezze della società italiana degli anni '90.

Il film è stato premiato, nel 1994, con tre David di Donatello.

PERSONAGGI E INTERPRETI
Nanni Moretti: *Nanni Moretti*
Gerardo: *Renato Carpentieri*

DOMANDE DI COMPRENSIONE E DISCUSSIONE

CAPITOLO 1: IN VESPA
1. Com'è la Roma che vediamo nelle prime scene? Che cosa ti colpisce di questa città estiva e della prospettiva che ci offre Nanni dalla sua vespa e con il movimento della sua telecamera?
2. Che tipo di disagio esprime Nanni?
3. Che critica fa Nanni alla "nostra generazione"?
4. Che tipo di film stranieri danno a Roma d'estate? E come sono i film italiani?
5. Commenta questa citazione famosa dal film: "VOI gridavate cose orrende e violentissime e VOI siete imbruttiti. IO gridavo cose giuste e ora sono uno splendido quarantenne."
6. Qual è sempre stato il sogno di Nanni?
7. Qual è la differenza fra i quartieri Spinaceto e Casalpalocco che Nanni visita con la sua vespa?
8. Che cosa, in particolare, lo spaventa della gente che si è trasferita a Casalpalocco?
9. Perché Nanni parla dell'Emilia Romagna dove ci sono servizi sociali eccellenti?
10. Che cosa gli piace fare anche nelle altre città?
11. Perché, secondo Nanni, chi ha scritto la recensione del film "Henry pioggia di sangue" dovrebbe avere qualche rimorso prima di addormentarsi?
12. Considera la scena della visita al luogo dove Pasolini è stato ucciso: che cosa ha di così angosciante questa scena?
13. Qual è l'aspetto più comico di questo primo "capitolo" e qual è l'aspetto più deprimente?

CAPITOLO 2: ISOLE
1. Chi va a trovare Nanni a Lipari e perché?
2. Com'è la situazione sull'isola di Lipari? Perché decidono di partire?
3. Da quanti anni non guarda la televisione Gerardo, l'amico di Nanni?
4. Partenza per Salina: come si comporta Gerardo sul traghetto per l'isola? Perché decidono di andare a Salina?

5.   Quale caratteristica accomuna le famiglie che vivono su Salina?
6.   Commenta le seguenti parole di Nanni: "Da anni Salina oramai era dominata dai figli unici. Ogni famiglia aveva un figlio, un figlio solamente a cui veniva affidato il comando della situazione."
7.   Come si esprime il "comando" dei figli unici sulle famiglie di Salina?
8.   Stromboli: com'è l'accoglienza che ricevono su quest'isola?
9.   Che cosa succede sulla cima del vulcano? Qual è l'aspetto comico di questa vicenda?
10. Il Sindaco di Stromboli come vuole trasformare la sua isola?
11. Arrivo a Panarea: perché i due amici ripartono subito? La signorina che li avvicina appena arrivati propone loro "una festa in omaggio al cattivo gusto", in particolare è in grado di provvedere: "un elefante bianco per una cena esotica, un Watusso per animare una serata mondana... idee, creatività, atmosfere, contatti". Commenta.
12. Arrivo ad Alicudi. Come descrive l'isola Nanni?
13. Che cosa odiano gli abitanti dell'isola e chi accolgono, invece? Come definiscono le altre isole?
14. A chi scrive Gerardo e perché?
15. Perché scappa infuriato?
16. Che cosa pensa Nanni di Alicudi?
17. Secondo te, che cosa ha voluto comunicarci il regista riguardo la contemporaneità, portandoci con lui in questo giro delle isole, ognuna con una caratteristica diversa?

CAPITOLO 3: MEDICI

1.   Qual è il problema fisico di Nanni?
2.   Che cosa rappresenta il "principe" dei dermatologi?
3.   Quali sono le cause dei suoi problemi, secondo i vari medici interpellati?
4.   Perché Nanni, a un certo punto, butta via tutte le medicine?
5.   Quali sono gli aspetti più comici di questa vicenda?
6.   Come si conclude l' "odissea" di Nanni?
7.   Nanni ha imparato due cose dalla sua esperienza: quali?

Luciano e Irene in una scena del film.

IL PORTABORSE
(1991), regia di Daniele Luchetti

INTRODUZIONE

Il "portaborse" è il tuttofare del politico di professione, l'aiutante, il consigliere, il segretario, colui, in poche parole, che "porta la borsa del politico", contenente non solo documenti e discorsi, ma anche soldi per corrompere e soldi ricevuti da corruttori.

Luciano Sandulli, un giovane professore di liceo in una scuola del Sud, onesto ed erudito, affezionato ai suoi studenti, ottimo scrittore, viene "scoperto" da Cesare Botero, Ministro delle Partecipazioni Statali, un politico apparentemente portatore di idee nuove per "modernizzare" - la sua parola preferita - la società italiana. Botero convince Luciano a trasferirsi a Roma e a lavorare per lui: scriverà i suoi discorsi ed i suoi comunicati stampa. Luciano esita, non vuole lasciare i suoi studenti, ma finisce per accettare perché ha bisogno urgente di denaro. Presto, però, Luciano si rende conto di essere diventato il "portaborse" di Botero; capisce anche che Botero "si comporta come quei signori feudali il cui unico scopo era estendere il proprio dominio, spesso a prezzo di guerre sanguinose contro altri signori, altrettanto corrotti e altrettanto rapaci."

Il film ha ricevuto il David di Donatello 1991 per il miglior attore (Nanni Moretti) e per la migliore sceneggiatura (Daniele Luchetti)

PERSONAGGI E INTERPRETI

Luciano Sandulli (professore di liceo e "portaborse"): *Silvio Orlando*
Cesare Botero (Ministro alle Partecipazioni Statali): *Nanni Moretti*
Irene (fidanzata di Luciano): *Angela Finocchiaro*
Juliette (segretaria e amante di Botero): *Anne Roussel*
Francesco Sanna (giornalista): *Giulio Brogi*

DOMANDE DI COMPRENSIONE E DISCUSSIONE

1. Luciano cerca di guadagnare qualcosa in più per restaurare la sua casa. Come? Perché sembra tanto deluso quando lo scrittore che incontra in chiesa gli dice : "Adesso sto bene, sento che ce la faccio a ricominciare"?
2. Perché Irene e Luciano decidono di lasciarsi dopo l'incontro in albergo?
3. Che tipo di professore è Luciano? Come sono i suoi rapporti con gli studenti?
4. Perché dà un brutto voto allo studente che ha scritto: "Oggi in Italia, a differenza dell'antica Grecia, la democrazia è in mano a una banda di ladri che agisce indisturbata da quarant'anni..." ?
5. Dove si orientano i suoi gusti letterari? Ad esempio: che cosa pensa della letteratura italiana dell' '800 a confronto con la letteratura americana, francese e russa dello stesso periodo?
6. Qual è la prima impressione che abbiamo di Botero? Commenta le sue parole a Luciano: "Sa che io non ho mai letto un libro tutto intero in vita mia? Mai! Però le introduzioni, i risvolti di copertina, le prefazioni... Eh, quelle non le ho dimenticate, eh?! Non ho dimenticato niente."
7. Commenta anche le seguenti dichiarazioni durante un discorso in parlamento, registrato in un video che Luciano guarda una sera: "Ecco, io preferisco uomini brillanti ed estrosi, anche se un po' mascalzoni, a uomini grigi, noiosi, ma onesti. Perché, alla fine, il grigiore, la noia, e anche l'eccessiva onestà, faranno senz'altro più danni al Paese."
8. Durante il dibattito televisivo, che cosa contesta il giornalista Francesco Sanna a Botero?
9. Nella scena al ristorante, Luciano dichiara che pensava che la vita politica di un partito si svolgesse più nelle sezioni. Botero gli risponde: "Le sezioni! Ma che m'importa delle sezioni?! Che siamo, agli anni '50?" Che cosa è cambiato nella vita politica di un partito come quello di Botero dagli anni '50 agli anni '90?
10. Perché Luciano manda un video ai suoi alunni del liceo? Che cosa vuol dire loro?
11. Dal video elettorale dell'avversario di Botero, Federico Castri, che cosa capiamo del suo orientamento politico? Che cosa vuol dire Castri quando dichiara al video: "Io so di non essere libero."?
12. Perché Sebastiano Tramonti non vuole accettare la nomina a "commissario straordinario delle aziende chimiche del gruppo pubblico"?
13. Che caratteristiche aveva l'alunno Zollo e perché diventa importante nel corso del film?
14. In quali modi Botero facilita la vita personale di Luciano?
15. Riportiamo qui di seguito alcuni brani dai discorsi di Botero. Scegli la citazione che ti ha colpito di più e commentala.
    - "Lei si deve rendere conto: quando c'è la crisi bisogna licenziare, ripensare, ricostruire."
    - "Ho appena firmato un decreto legge che prevede l'accordo con una grande società canadese, a cui io cedo il dieci per cento del polo chimico pubblico."
    - "Produzioni sorpassate, inutili, e in perdita! Lo sa, signora, cosa produce una di queste fabbriche? Vasi da notte, di plastica ruvida, di colore grigio, e col manico! Il tutto, su un brevetto del 1947. Provi a far vedere a suo figlio uno di questi vasi da notte! Se non è tutto colorato e a forma di ippopotamo, glielo tira dietro."
    - "Cosa ha impedito all'Italia di diventare un paese finalmente moderno? Due culture, due fedi, due religioni: quella marxista e quella cattolica."
16. Che cosa chiedono, che cosa offrono, di che cosa si lamentano le persone che vengono ricevute da Luciano dopo la conferenza stampa (e per le quali Luciano deve compilare un fascicolo)?
17. Perché Luciano va a trovare il poeta Carlo Sperati?
18. Botero come tratta in generale i suoi collaboratori? Pensa alle sue reazioni al video pubblicitario, al suo rapporto con Sebastiano e con Juliette. Commenta anche le sue parole: "Eh, bisogna amarla veramente molto l'umanità! Molto, molto. Perché gli uomini, presi uno per uno, sono proprio insopportabili!" E più tardi, le sue parole a

Sebastiano: "Devi capire che io ti tengo con me come una decorazione, come un santino! E che se non firmi quel contratto, io ti faccio internare! Hai capito, rimbambito?"

19. Quali sono gli esempi più eclatanti dell'ipocrisia di Botero?
20. Luciano, durante il ripasso per la maturità, ricorda ai suoi studenti la frase che Kant fece incidere sulla sua tomba; "Il cielo stellato sopra di me e la legge morale dentro di me." Che rilevanza hanno queste parole nel contesto del film?
21. Perché hanno arrestato Polline?
22. Botero giustifica le sue pratiche corrotte a Luciano. Come?
23. Quale prezzo personale pagano Luciano e Irene per la lettera che Luciano ha scritto a Botero?
24. Quale evento può mettere in pericolo la vittoria di Botero alle elezioni?
25. Botero ed i suoi segretari cercano di usare il rapporto con Illica, direttore del centro meccanografico della prefettura, a fini elettorali. Come?
26. Luciano come decide di utilizzare i soggetti dei temi d'italiano per la prova di maturità?
27. Ti piace la fine del film? Avresti scelto un'altra fine?

CAPITOLO
CINQUE

L'ITALIA DEL TERZO MILLENNIO

UNA NAVE IN CERCA DI UN TIMONIERE?

La nave Costa Concordia affondata vicino alla costa dell'Isola del Giglio.

Il 13 gennaio 2012 la nave crociera **Costa-Concordia** partì dal porto di Civitavecchia vicino a Roma con più di tremila passeggeri a bordo, per un viaggio che avrebbe toccato vari porti nel Mediterraneo. In prossimità dell'Isola del Giglio, in Toscana, il capitano decise di far avvicinare la nave alla costa per mostrare ai passeggeri l'isola, ma sottovalutò la presenza di fondali pericolosamente bassi: la nave si incagliò sugli scogli e cominciò a fare acqua inclinandosi su un lato. I passeggeri, non avvertiti in tempo del pericolo, anzi invitati a ritornare alle loro cabine, abbandonarono la nave troppo tardi e 32 di loro morirono nel naufragio. Il capitano, attualmente in carcere per omicidio colposo, si mise in salvo lasciando la nave quando molti dei suoi passeggeri erano ancora a bordo.

Questa vicenda assunse un significato altamente simbolico, e la fotografia della nave semi-sommersa a pochi metri dalla costa diventò un'allegoria dell'Italia del terzo millennio: una nave che ha perso la rotta, senza una guida affidabile, abbandonata dal proprio capitano.

Se percorriamo la storia della Repubblica Italiana dal suo inizio nel 1946, possiamo dire con certezza che questa "nave-nazione", almeno per i primi trent'anni della sua esistenza, si muoveva con sicurezza e verso una meta precisa. Difatti, dal dopoguerra e fino all'inizio degli anni '80, ogni decennio di storia italiana si è distinto per una serie di obiettivi condivisi e di conquiste sociali. Gli antichi romani la chiamavano "**res publica**" (letteralmente, "cosa del popolo"), cioè quell'insieme di interessi comuni che univano il popolo romano, e che erano alla base della partecipazione dei cittadini alla vita politica della nazione. Nell'Italia del secondo dopoguerra la "res publica" era il motore della democrazia e motivava gli italiani al raggiungimento di obiettivi comuni: la sconfitta della povertà e della disoccupazione negli anni '50; la realizzazione di una scuola meno elitaria e l'ottenimento di maggiori diritti per i lavoratori negli anni '60 e '70; il benessere per tutti negli anni '80.

La fine del secondo millennio e l'inizio del terzo, invece, hanno segnato un cambiamento. La **disgregazione della società industriale**, l'avvento della **globalizzazione**, l'arrivo di migliaia d'immigrati portatori di culture e religioni diverse, e il conseguente declino di un mondo fino allora noto e decifrabile:

queste sono le sfide principali che gli italiani hanno dovuto affrontare negli ultimi decenni. Anche il territorio urbano ha subito una profonda trasformazione: alla grande città industriale con una forte identità operaia, dove il confine fra centro e periferia, e fra città e campagna, era ben delineato, è subentrata la cosiddetta **città diffusa e decentrata**, estesa nel territorio circostante, senza regole o progettazione: un luogo "non-luogo", che non possiamo definire né come insediamento urbano né come insediamento agricolo.

Sinistra: Migranti arrivano all'isola di Lampedusa, 2007.

Destra: Il nuovo centro direzionale di MIlano con in primo piano i due edifici chiamati "Bosco verticale".

Di fronte a questa nuova realtà diventa sempre più difficile definire obiettivi comuni: al contrario, emerge il bisogno di affermare un'identità culturale sempre più ristretta e localizzata che si esprime in un attaccamento spesso eccessivo per le proprie tradizioni, stile di vita e religione, spesso in ostilità verso altri gruppi etnici e religiosi. Questa posizione difensiva è aggravata dalla crisi economica e dall'aumento dei prezzi conseguente all'adozione dell'euro, due fenomeni che hanno colpito pesantemente le classi sociali più vulnerabili, cioè quegli italiani con reddito fisso.

La politica tradizionale non è riuscita a percepire questa sofferenza reale e non ha saputo adottare alcuna misura per arginare questo disagio. Non sentendosi rappresentate, le classi sociali più svantaggiate votano in percentuali sempre più basse, e spesso rivolgono il loro risentimento verso altri poveri, principalmente gli immigrati, con i quali sentono di dover condividere risorse pubbliche sempre più scarse: la cosiddetta "guerra fra i poveri" può diventare un elemento di pericolosa disgregazione sociale.

La sfiducia verso la politica tradizionale facilita l'emergenza di nuovi **movimenti populisti** molto abili a infiammare il risentimento piuttosto che trasformarlo in programmi perseguibili.

ECONOMIA: RUOLO DELLA FAMIGLIA E DEI RISPARMI, OCCUPAZIONE FEMMINILE

Questo sentimento diffuso d'incertezza e ansietà ha determinato anche un rafforzamento della funzione della famiglia, non solo come luogo di espressione dell'individuo e di sostegno emotivo, ma come garante di una certa stabilità economica. La famiglia, oggi come nei secoli passati, costituisce per gli italiani la difesa più sicura contro insidie esterne di qualsiasi tipo e rappresenta una fonte inesauribile di supporto morale e materiale: sono i legami familiari che aiuteranno il giovane laureato a trovare un lavoro sicuro, preferibilmente a tempo indeterminato; sono i risparmi dei genitori che permetteranno alla giovane coppia di acquistare la prima casa; è il prezioso aiuto dei nonni che consente a entrambi i genitori di lavorare e risparmiare sui costi dell'asilo nido.

Se la famiglia garantisce una risposta naturale alla precarietà, la crescita dell'individuo può anche essere inibita dalle protezioni familiari: la gioventù, cioè quella fase della vita che segue l'adolescenza, sembra durare più a lungo in Italia che in altri Paesi occidentali. Tutti i passaggi verso la vita adulta sono posticipati o rallentati: i giovani italiani si laureano sempre più tardi, escono di casa più tardi e si sposano più tardi dei loro coetanei europei.

È nata quindi una nuova categoria sociale: i cosiddetti "bamboccioni" o "mammoni", chiamati anche "sdraiati", cioè giovani che vivono ancora con i genitori all'età di trenta o trentacinque anni, in parte a causa dell'alto costo della vita nelle grandi città, in parte perché è difficile fare a meno del supporto morale e materiale della famiglia. Se è vero che molte famiglie tollerano, e spesso anche desiderano questa situazione di dipendenza per ragioni culturali, è purtroppo anche vero che spesso non si tratta di una scelta: le statistiche ci dicono che i più giovani in Italia sono anche la categoria più povera. La crisi, infatti, sembra aver colpito di meno le fasce di età più anziane, protette spesso da una casa di proprietà e da una pensione garantita e sicura, anche se modesta, mentre ha determinato una caduta nel reddito dei più giovani. In questa situazione d'incertezza per il futuro cresce di numero anche la cosiddetta generazione dei giovani NEET (*Not Employed in Education or in Training*): si tratta di giovani che, avendo deciso che ogni attività di studio o di lavoro è semplicemente vana o inutile, preferiscono aspettare passivamente un futuro economico migliore.

L'eccessivo ricorso alla famiglia ha effetti negativi quando si trasforma in "**familismo**", cioè quando sono i legami familiari o le amicizie, e non il merito personale, ad aiutare i giovani a trovare un lavoro sicuro o ad avanzare nella carriera. La mobilità sociale e il ricambio generazionale di cui l'Italia ha tanto bisogno diventano obiettivi impossibili quando il nepotismo sostituisce la meritocrazia e rende vani i sacrifici e l'impegno dei più volenterosi.

In questo stato di cose, la "**fuga dei cervelli**" rappresenta una delle reazioni dei giovani più meritevoli e ambiziosi. I "cervelli" che fuggono sono quelli dei laureati, spesso brillanti ricercatori, che decidono di trasferirsi all'estero per continuare la loro specializzazione universitaria o la loro ricerca: se da una parte è giusto che i giovani vadano all'estero per fare un'altra esperienza di studio o di lavoro, dall'altra sarebbe desiderabile che questi giovani ritornassero in patria per mettere a frutto le loro capacità e conoscenze. Invece, la maggior parte di loro non ritorna più in Italia, soprattutto se trova condizioni professionali più soddisfacenti nel Paese di accoglienza. Spesso, questo tipo di emigrazione non è il risultato di una scelta, ma rappresenta per molti giovani l'unica via perseguibile. In un modo o nell'altro, quindi, gli italiani sanno ancora ideare soluzioni nuove ai loro problemi: forse li aiuta la famosa "arte di arrangiarsi", una vera abilità che li contraddistingue da generazioni e nella quale sono maestri, e che consiste nella capacità di "cavarsela" sempre e comunque, con grande spirito di adattamento e creatività.

Nonostante una diffusa insoddisfazione, la società italiana è ancora forte, così come lo è la sua democrazia, e i possibili conflitti sociali esplodono raramente in maniera violenta. Uno dei fattori che contribuiscono a questa relativa stabilità è l'indice di **diseguaglianza economica** che si mantiene relativamente basso, soprattutto se includiamo nella diseguaglianza il patrimonio (cioè la proprietà di un'abitazione). Gli italiani, infatti, sono un popolo che ama investire "nel mattone", cioè comprare con i loro risparmi la casa in cui vivono. Non dovendo pagare un affitto, anche chi ha un reddito relativamente basso, riesce a mantenere un discreto standard di vita.

Studenti dell'Università di Bologna.

L'Italia, infatti, è uno dei Paesi più egualitari d'Europa (il 10% più ricco possiede il 55% della ricchezza contro il 72% della Svezia e il 65% della Germania, ad esempio)[1]. Purtroppo, se consideriamo solo la diseguaglianza da reddito, senza includere la proprietà della casa, la posizione dell'Italia è fra le peggiori, seconda per disparità economica solo al Regno Unito. Un fattore che determina questo dato negativo per l'Italia è l'altissimo tasso di disoccupazione del Meridione d'Italia.

Un altro dato molto preoccupante è il **divario di genere nei tassi di occupazione**: le donne italiane lavorano fuori casa in percentuale minore delle donne dei Paesi del nord Europa. Ad esempio, nel 2014 il divario di genere in Italia era di 16-18 punti percentuali mentre in Finlandia era fermo ai 2 punti percentuali [2]. Ancora più preoccupante è la bassa occupazione delle donne meridionali rispetto al resto dell'Italia: nel 2016, solo il 36% delle donne residenti nel Sud era occupato, contro il 77% nel Centro e il 75% nel Nord [3]. La ragione di questa disparità va cercata sicuramente nella diversa offerta di servizi sociali per la famiglia da regione a regione. Ad esempio, al contrario di quanto succede nel Nord Italia, in molte regioni del Sud la scuola dell'obbligo è aperta solo la mattina: se consideriamo che l'orario a tempo parziale si basa su un modello familiare che prevede la disponibilità di un genitore (generalmente la donna) nelle ore pomeridiane, si capisce come ciò costituisca un ostacolo all'occupazione femminile.

Lavoratori alla fabbrica della Maserati a Grugliasco, 2014.

ECONOMIA: MADE IN ITALY E GLOBALIZZAZIONE

Dal periodo del boom economico degli anni '50 e '60, la piccola e media industria artigianale è la spina dorsale dell'economia italiana: i suoi prodotti, combinando alta qualità con costi contenuti, hanno sempre venduto molto bene all'estero anche grazie al prestigio internazionale del "**made in Italy**". Prima dell'introduzione dell'euro, l'Italia aveva adottato più volte l'arma della svalutazione della lira per incentivare le esportazioni e quindi dare un impulso alla crescita economica, ma dal 2001 questa possibilità non esiste più a causa dei vincoli legati alla moneta comune.

---

1 http://www.linkiesta.it/it/article/2017/01/19/redditi-in-italia-regna-la-disuguaglianza-e-non-e-colpa-delle-politich/32968/

2 http://ec.europa.eu/eurostat/statistics-explained/index.php/Employment_statistics/it (1 novembre 2017)

3 http://www.lastampa.it/2017/03/06/societa/e-sempre-l-8-marzo/la-crisi-allarga-il-divario-tra-donne-del-nord-e-del-sud-gnObUI9IPx6RM7KmkhwoVL/pagina.html (31 dicembre 2017)

Nonostante questo, il "made in Italy", cioè i settori tessile, alimentare, della moda, delle macchine strumentali e dei beni di lusso in generale, continuano a essere competitivi sui mercati internazionali quando hanno saputo puntare sulla qualità, sull'esperienza imprenditoriale di intere famiglie e sulla creatività del lavoro autonomo.

Un altro fattore che ha contribuito al successo del "made in Italy" è la sua organizzazione in distretti industriali, quali ad esempio il distretto della pelle e delle calzature a Firenze, dell'ottica a Belluno, dei salumi a Parma, e del marmo a Carrara. All'interno di questi distretti operano aziende di piccole dimensioni che raggiungono un alto livello di specializzazione nello stesso settore, e che sono in grado di coprire varie fasi del processo produttivo, creando una positiva interdipendenza e collaborazione nella produzione e nell'utilizzo delle risorse sul territorio.

Le piccole dimensioni della maggior parte delle imprese italiane può essere anche un'arma a doppio taglio: da una parte queste imprese sono molto flessibili proprio a causa delle loro piccole dimensioni e si avvalgono spesso di una esperienza artigianale decennale, dall'altra fanno fatica a tenersi al passo con le innovazioni tecnologiche, e hanno limitati capitali per la ricerca.

All'inizio del terzo millennio, molte di queste imprese hanno sofferto anche a causa della globalizzazione, non riuscendo a competere con i bassi costi del lavoro dei Paesi emergenti, quali Cina e India. Avevano reagito alla crisi con l'*offshoring*, cioè il trasferimento della produzione in Paesi dove la manodopera costava molto meno (ad esempio, nei Paesi dell'Europa dell'est). Ora, invece, si assiste al fenomeno inverso, cioè al *reshoring* o ritorno di diverse produzioni specializzate e di qualità in Italia. Queste aziende si sono rese conto che, se vogliono mantenere il controllo della qualità, la caratteristica che ha reso famoso il "made in Italy" nel mondo, la produzione, oltre alla progettazione, deve avvenire in Italia.

Produzione artigianale di violini a Cremona.

L'Italia e gli italiani nel terzo millennio: quale identità politica?

Dalla fine della guerra e fino agli anni '80, l'adesione a un ideale politico spesso definiva l'identità personale dell'individuo. Anche chi non voleva schierarsi apertamente con un gruppo o un partito condivideva i valori dell'antifascismo: essere "antifascista" era sinonimo di "democratico" o "progressista". Ora anche i valori dell'antifascismo vengono messi in discussione ed è in atto un'opera di revisione del passato - una sorta di pacificazione che mette sullo stesso piano forze fasciste e antifasciste eliminando così anche questo parametro di riferimento.

La società italiana del terzo millennio è diventata molto più fluida: gli individui si aggregano sulla base di un interesse comune o di una passione condivisa piuttosto che di un progetto politico, creando così nuovi veicoli d'identità pubblica e privata. Si formano gruppi che svolgono attività sociali di vario tipo, quali iniziative a favore della protezione dell'ambiente o di tradizioni locali, o per promuovere attività artistiche, sportive o educative di vario tipo.

Tuttavia, due istituzioni mantengono un forte ruolo unificante per la nazione: il **Presidente della Repubblica** che continua a godere di una diffusa popolarità e la cui moralità e prestigio come garanti dell'unità della Nazione rimangono indiscutibili, e la **Costituzione italiana**, alla quale gli italiani sono affezionati come ad un anziano genitore alla cui casa i figli ritornano periodicamente per trovare conforto: nel tumulto delle vicende politiche, spesso violente, che hanno segnato la nostra storia repubblicana, la Costituzione ha rappresentato la forza della ragione, il bastione della legalità e della continuità democratica. Il governo ha cercato ripetutamente di cambiare la Costituzione e di far passare un modello di Stato presidenziale con maggiori poteri per il Primo ministro, ma questi tentativi sono stati bocciati dai referendum del 2005 e del 2016. Nel dicembre del 2016, l'allora Primo ministro Matteo Renzi diede le dimissioni proprio perché la **riforma costituzionale** che doveva essere la più grande conquista del suo governo era stata bocciata in un referendum popolare.

Manifesti per il referendum istituzionale del 2016.

Attualmente la politica italiana ha le seguenti caratteristiche, già presenti come tendenze negli anni '90:
- **Personalizzazione e leaderismo**. Il dibattito politico è spesso dominato dai successi personali e dalla personalità dei vari esponenti politici, piuttosto che dai programmi dei partiti, come invece avveniva fino agli anni '80. Oltre all'intramontabile **Silvio Berlusconi** che, nonostante le sue dimissioni come Primo ministro nell'autunno 2011, rimane leader indiscusso di Forza Italia, la scena politica è dominata da tre fortissime personalità: **Matteo Renzi** del Partito Democratico (PD), **Beppe Grillo** del Movimento 5 Stelle (M5S) e **Matteo Salvini** della Lega.

Matteo Renzi, Primo ministro dal 2014 al 2016.

Beppe Grillo in un comizio del 7 maggio 2011.

- **Sostituzione del binomio "destra/sinistra" con il binomio "vecchi/giovani"**. Il leader del PD, Matteo Renzi, ha cominciato a predicare la "rottamazione" della vecchia classe politica all'inizio della sua carriera. I "vecchi", secondo Renzi, rappresentano una partitocrazia che soffoca la vita della nazione, mentre i "giovani" possono portare una ventata di efficienza e modernità in politica. Questo binomio ha finito per sostituire, almeno in parte, la contrapposizione fra destra e sinistra. Quando è diventato Primo ministro nel febbraio 2014 Renzi aveva solo 39 anni ed era il più giovane nella storia della repubblica.

- **Separazione fra cittadini e partiti**. In passato le sedi del PCI, del PSI e della DC erano luoghi di discussione, di ritrovo, e qualche volta di divertimento: facilitavano quindi la partecipazione diretta dei cittadini alla politica e avevano una funzione di veri "trasmettitori di idee" in due direzioni, dalla base ai vertici e vice versa. Ora, invece, le sedi dei partiti sono frequentate solo dai politici di professione, e i partiti sono diventati istituzioni separate che mancano di un canale diretto di comunicazione con la base.

- **Sfiducia nella democrazia rappresentativa**. L'attuale legge elettorale è criticata da più parti a causa delle cosiddette "liste bloccate", cioè liste di candidati preparate dai partiti prima di ogni elezioni, nelle quali gli elettori non possono esprimere una preferenza. Questa norma, rompendo il rapporto di dipendenza del politico eletto dai suoi elettori, scoraggia la fiducia nella democrazia rappresentativa. Il risultato è che poche elezioni riescono ancora a infiammare la passione politica di molti italiani, eccetto quelle per il sindaco della propria città (possibili solo dal 1993): i candidati a sindaco, infatti, sono più vicini ai problemi del territorio e, nel loro programma elettorale, devono proporre iniziative credibili e soluzioni concrete.

- **Spostamento progressivo verso il centro**. L'abbandono di posizioni ideologiche d'ispirazione marxista e l'avvicinamento a posizioni più moderate è evidente nella genesi del PD (dalla scomparsa del PCI, Partito Comunista Italiano, alla fondazione del PDS, Partito Democratico della Sinistra, diventato poi PD, Partito Democratico). I risultati elettorali del 2008 confermarono questa tendenza: nel nuovo parlamento, per la prima volta dal dopoguerra, era assente qualsiasi forza dell'area comunista o socialista, a causa del fallimento elettorale della Sinistra Arcobaleno che non superò lo sbarramento del 4% minimo di voti.

- **Emergenza di movimenti populisti**. In Italia sono essenzialmente due: il Movimento 5 Stelle, dell'area progressista, e la Lega Nord, un partito che si è spesso alleato con altri partiti di destra, quali Forza Italia. Entrambi promuovono il rapporto diretto fra il loro leader e il popolo, e hanno obiettivi che trovano un immediato consenso popolare anche se la loro realizzazione è quasi impossibile. Ad esempio, l'abbassamento delle tasse e l'uscita dall'euro (obiettivi condivisi dal M5S e della Lega), così come la chiusura delle frontiere per arginare l'immigrazione (un obiettivo della Lega) e il reddito minimo di cittadinanza (nel programma del M5S) raccolgono molti consensi perché fanno leva sulle emozioni, i desideri e le paure immediate degli elettori, anche se la loro realizzazione sarebbe impossibile e, in alcuni casi, produrrebbe effetti negativi per l'intera nazione.

- **Migliore rappresentanza femminile in parlamento**. Attualmente, il 30% dei parlamentari sono donne: una percentuale più bassa di quella dei Paesi scandinavi, ma in linea con la maggior parte degli altri Paesi europei: si tratta sicuramente di una conquista che riflette un cambiamento importante nella società civile facilitato anche dalla legge sulle cosiddette "quote rosa" approvata nel 2011: questa legge prevede che almeno un terzo dei CdA (Consigli di Amministrazione) delle aziende quotate e di quelle a partecipazione pubblica debba essere formato da donne.

Il Presidente della Repubblica, Sergio Mattarella, con la Presidente della Camera, Laura Boldrini e la Presidente Vicaria del Senato, Valeria Fedeli (2015).

- **Influenza del Vaticano**. Le prese di posizioni pubbliche del Vaticano, non più filtrate dalla DC che agiva da "ambasciatore della Chiesa", sembrano ora più dirette che in passato, e appaiono sempre di più come interferenze che possono intaccare le basi costituzionali dello Stato laico italiano. Ad esempio, alcuni rappresentanti del Vaticano invitarono gli italiani a non presentarsi ai referendum abrogativi del 2005 contro la legge che limitava la procreazione assistita (chiamata anche fecondazione eterologa), una legge considerata poi illegittima dalla Corte Costituzionale nel 2014. La Corte Costituzionale ha anche eliminato la norma punitiva che vietava la diagnosi dell'embrione prima dell'impianto e l'obbligo a impiantare tutti gli embrioni. Attualmente, la fecondazione assistita o eterologa è permessa in Italia ma solo per le coppie eterosessuali, confermando pertanto una definizione molto restrittiva e tradizionalmente cattolica della famiglia.

NUOVI (E MENO NUOVI) PROTAGONISTI DELLA POLITICA DEL TERZO MILLENNIO

Partito democratico (PD)

Il Partito Democratico rimane la forza politica più importante del centro-sinistra. Fondato nel 2007 come ultimo anello di una lenta evoluzione che partì dal PCI (Partito Comunista) per passare dal PDS (Partito Democratico della Sinistra) e dalla coalizione dell'Ulivo, il PD ha assorbito, oltre al vecchio PCI, anche molte correnti progressiste del PSI e della DC, partiti che scomparvero dalla scena politica negli anni '90.

Proprio perché è un amalgama di varie posizioni ideologiche - dal marxismo moderato alla socialdemocrazia e al conservatorismo di stampo cattolico soprattutto in materia di diritti civili - il PD sembra incapace di trovare una sua identità, e di presentarsi agli elettori con un messaggio chiaro e credibile. Le divisioni interne al PD riguardano la priorità dei principali punti del programma politico: la ripresa economica per una parte del partito; i diritti civili, una legislazione più equa per gli immigrati e la difesa dell'ambiente per un'altra parte. Il partito si è anche diviso sulla riforma costituzionale proposta da Matteo Renzi, il quale rappresenta l'ala moderata spesso in conflitto con la sinistra del partito. Questa proposta di riforma elettorale è stata definitivamente bocciata da un referendum nel dicembre 2016.

Proprio a causa di queste divisioni interne, il PD non è ancora riuscito a costruire un'alleanza fra la classe lavoratrice e gli intellettuali (precedentemente rappresentati dal PCI), da una parte, e la classe media e le forze cattoliche (precedentemente rappresentate dalla DC) dall'altra: un'alleanza indispensabile per diventare una grande forza popolare e per poter formare un governo stabile.

Alla sinistra del PD, nascono e muoiono, con una certa frequenza, piccoli partiti che s'ispirano alla vecchia sinistra storica ideologicamente marxista. Anche questa frammentazione preclude una maggiore stabilità politica: ad esempio, il governo Prodi di centro sinistra (2006-2008) non riuscì a promuovere un accordo fra i cattolici di centro e la sinistra di Rifondazione comunista sulla missione militare italiana in Afganistan e sulla legislazione per i diritti civili riguardante le coppie di fatto, con la conseguenza che la coalizione governativa cadde dopo solo due anni.

Alcuni membri della direzione del PD, 14 ottobre 2007.

Forza Italia, Lega Nord e altre formazioni della destra

Un altro elemento sorprendente della politica italiana è la continua popolarità di **Silvio Berlusconi**, nonostante il fallimento del suo ultimo governo nel 2011 e gli scandali personali e politici che l'hanno coinvolto dal momento della sua "discesa in campo" nel 1994, come egli stesso ama definire l'inizio della sua carriera politica. Il partito di Berlusconi - **Forza Italia** alla sua nascita nel 1994, poi chiamato **Casa della Libertà** e **Popolo della Libertà** in seguito alla formazione di coalizioni con altri partiti di destra, ritornato poi a chiamarsi Forza Italia nel 2013 - rimane il principale partito di centro-destra, pur non avendo la maggioranza elettorale necessaria per formare un governo.

Il populismo di destra è rappresentato in Italia dalla **Lega**, un partito fondato nel 1989. Sotto la direzione di **Matteo Salvini**, segretario del partito dal 2013, la Lega ha modificato la direzione della sua politica: alla sua nascita si definiva come unico portavoce degli interessi di un Nord Italia presentato come operoso e produttivo, in opposizione al resto dell'Italia, e soprattutto al Sud, considerato parassita e cronicamente corrotto. Ora, invece, la Lega ha sostituito l'opposizione nord-sud con il nuovo binomio italiani-immigrati equiparando la religione islamica al terrorismo, e l'immigrazione ad un attacco alla cultura italiana e al cristianesimo. Con questo cambiamento di rotta, la Lega, pur non rinnegando l'obiettivo originale dell'indipendenza della Padania dal resto dell'Italia, spera di allargare i suoi consensi a tutto il territorio nazionale.

Giorgia Meloni (Fratelli d'Italia), Matteo Salvini (Lega) e Silvio Berlusconi (Forza Italia), 12 aprile 2018.

Movimento 5 Stelle (M5S)

La comparsa sulla scena politica del **Movimento 5 Stelle** (M5S) nel 2009 è uno dei fenomeni più straordinari della politica italiana nel terzo millennio. Questo nuovo movimento ha avuto un immediato successo soprattutto grazie alle capacità comunicative del suo fondatore, il noto comico televisivo e blogger **Beppe Grillo**.

Grillo è un personaggio paradossale che si presenta contemporaneamente come un leader politico che vuole combattere la politica, il fondatore di un partito che nega di essere partito, un comico che parla di questioni serie, un progressista che condivide alcune proposte delle destre. Il M5S costituisce una novità assoluta in campo politico anche perché promuove un nuovo tipo di consultazione del suo elettorato, o di "democrazia diretta": gli aderenti o simpatizzanti votano le varie proposte politiche su un sito internet, e i rappresentanti del M5S eletti nel governo locale o nazionale promettono di attenersi alla volontà di questi "elettori in rete". Questo nuovo modo di fare politica ha in parte sostituito i vecchi luoghi fisici di partecipazione, e cioè le sedi dei partiti, dei sindacati, delle organizzazioni cattoliche o di quartiere. Secondo il M5S, internet può diventare una "tribuna per il popolo" dove la volontà di ognuno influisce direttamente sulla direzione politica del partito.

Oltre alla promozione di nuovi metodi di consultazione popolare, il M5S si presenta come una forza nuova che vuole dare voce alla rabbia creata dalla crescente crisi economica e alla profonda sfiducia dei cittadini verso la politica tradizionale, un po' come fece Silvio Berlusconi negli anni '90 con il suo partito Forza Italia.

Il programma del M5S è difficilmente paragonabile a quello di altri movimenti populisti, quali la Lega in Italia o il Front National di Marine Le Pen in Francia, chiaramente collocati a destra, oppure Podemos in Spagna, un partito che si riconosce nella sinistra. Il M5S, invece, alcune volte sembra abbracciare posizioni di sinistra, altre volte di destra. Le "cinque stelle" del M5S stanno per "acqua, ambiente, energia, sviluppo, trasporti", e la piattaforma del movimento mette chiaramente al primo posto la sostenibilità, la protezione dell'ambiente, lo sviluppo delle energie alternative, la lotta alla corruzione e al potere del mondo finanziario: in questo, quindi, il M5S si colloca chiaramente nell'area progressista. Per altre questioni, invece, il movimento di Grillo si è allineato con i partiti di destra: ad esempio, il vertice del M5S si è pronunciato contro l'approvazione dello *ius soli*, una legge che avrebbe dato la cittadinanza ai figli degli immigrati nati in Italia, e contro le unioni civili, nonostante l'opinione diversa della base del movimento e di diversi parlamentari. Su queste ultime questioni, così come sulla proposta di uscire dall'euro, il M5S si avvicina in particolare alle posizioni della Lega. Pertanto, rifiutando una chiara identificazione con la destra o la sinistra, i "grillini", come vengono definiti i membri del M5S, propongono il nuovo binomio politica-antipolitica, dichiarando di rappresentare quest'ultima, essendo gli unici che applicano la democrazia diretta senza intermediari.

Un linguaggio colorito, spesso controverso e offensivo, è un altro fattore che distingue il M5S da altri movimenti politici: il nome dei primi comizi di Grillo, V-day (Vaffanculo-Day), è emblematico della natura derisoria e ribelle del movimento. Evidentemente questi metodi, oltre ai contenuti del programma, trovano l'approvazione dell'elettorato, dato che il movimento ha ottenuto il 32% dei voti nelle elezioni del 2018, e continua ad ottenere ottimi risultati anche nelle elezioni amministrative locali.

V-Day del Movimento 5 Stelle a Bologna, 2002.

RIFORME E CONQUISTE CIVILI DEL TERZO MILLENNIO

La politica italiana rimane estremamente frammentata, anche se le divisioni hanno perso l'impronta ideologica che avevano fino agli anni '70. Nessun partito da solo, né a destra né a sinistra, può raccogliere i voti necessari in Parlamento per formare un governo stabile; le coalizioni fra partiti, necessarie per superare questo ostacolo, sono incerte e fragili anche perché il M5S ha spesso posizioni intransigenti che non favoriscono il compromesso. Nonostante queste difficoltà, alcune importanti riforme sono state realizzate nel secondo decennio del tremila dai governi di centro-sinistra:

Jobs Act

Il Jobs Act - una riforma del mercato del lavoro voluta nel 2014 dal governo di centro-sinistra presieduto da Matteo Renzi – è stata aspramente criticata soprattutto dai sindacati e dalle correnti di sinistra del PD perché abolisce l'art 18 dello Statuto dei lavoratori, uno dei capisaldi delle conquiste del movimento operaio negli anni '70. Nel 2002 più di un milione di lavoratori scesero in piazza a Roma per protestare contro l'abolizione dell'art 18. Questo episodio ricordò a molti che le manifestazioni di massa, anche se molto più rare che negli anni '70, sono ancora un metodo largamente adottato dai lavoratori e dai sindacati per far sentire la loro opposizione a misure governative.

L'art. 18, che il Jobs Act ha abolito, stabiliva che qualsiasi licenziamento poteva avvenire solo per "giusta causa", cioè per ragioni gravi, e pertanto in casi limitati. Questa norma, da un lato, conferiva stabilità all'occupazione e proteggeva i lavoratori da licenziamenti politicamente motivati, quali partecipazioni a scioperi o militanza nei sindacati; dall'altro, però, ha contribuito a creare un'eccessiva rigidità del mercato del lavoro: le aziende, infatti, erano restie ad assumere personale stabile e a tempo pieno proprio per paura di non poter ricorrere al licenziamento nei periodi di crisi, e preferivano la flessibilità dei contratti a termine o part-time.

Nel corso degli anni l'art. 18 ha avuto l'effetto perverso di creare due categorie distinte di lavoratori: i lavoratori più anziani, con posizioni a tempo pieno, sicure e garantite, e quelli più giovani, assunti con contratti di tre o sei mesi che consentivano di evitare gli obblighi di legge (i cosiddetti co.co.co, cioè contratti di collaborazione coordinata e continuativa). L'Italia, infatti, ha un mercato del lavoro molto rigido e una percentuale di occupati sulla popolazione generale che è fra le più basse d'Europa: secondo molti economisti, questa stagnazione economica era in parte causata dall'art. 18 che, con il divieto di licenziamento, ostacolava la ristrutturazione delle aziende.

Abolendo l'art. 18, il Jobs Act ha dato più libertà di licenziamento alle aziende, e contemporaneamente ha eliminato le migliaia di contratti a tempo determinato o a progetto, superando la dualità nel mercato del lavoro. La nuova legge ha anche introdotto sgravi fiscali per le aziende che creano nuovi posti di lavoro, e una tutela economica per i lavoratori che vengono licenziati a causa delle ristrutturazioni aziendali.

Il Jobs Acts sembra aver avuto effetti positivi sull'occupazione: nel periodo 2015-2017 il tasso di disoccupazione è sceso dal 13%[4] all'11,2%[5], mentre la disoccupazione giovanile è scesa dal 40% al 35%[6]. Tutti concordato però che sarà una vera crescita economica, piuttosto che una legge, a determinare una caduta significativa della disoccupazione.

La legge di riforma sulle unioni civili

È necessario premettere che in Italia qualsiasi tentativo di riformare la legislazione sulle famiglie si scontra spesso con il peso della tradizione cattolica e con l'influenza del Vaticano. Ad esempio, la legislazione sul divorzio è ancora relativamente restrittiva in quanto prevede che la coppia con figli minori, prima di chiedere il divorzio, sia legalmente separata.

La legge cosiddetta Cirinnà è la seconda importante riforma passata dal governo Renzi, e regolamenta la forma giuridica delle unioni civili, cioè l'unione fra persone dello stesso sesso. La legge, approvata nel giugno 2016 nonostante i voti contrari della Lega, della maggioranza dei deputati di Forza Italia e l'astensione del M5S, è considerata un passo avanti nel campo dei diritti civili anche se è stata criticata perché non prevede l'adozione dello "stepchild" (una parola inglese comunemente usata nella lingua italiana al posto di "figliastro" o "figliastra", termini che hanno una connotazione spregiativa).

---

[4] http://tg24.sky.it/politica/2017/01/11/jobs-act-come-funziona-e-cosa-prevede.html

[5] http://www.ilfoglio.it/dati-e-statistiche/2017/09/12/news/il-tasso-di-disoccupazione-scende-al-livello-piu-basso-dal-2012-151831/

[6] http://www.ilsole24ore.com/art/notizie/2017-10-02/lavoro-istat-ad-agosto-disoccupazione-giovani-scende-351percento-100232.shtml?uuid=AEQnE8cC

Sinistra: Catania Pride 2008.

Destra: Manifestazione a favore del Pacs (Patto civile di solidarietà), febbraio 2006.

Legge sul testamento biologico

Questa legge, approvata nel dicembre del 2017, tutela il diritto al **"biotestamento"** cioè alla scrittura di un documento nel quale l'individuo esprime in anticipo le sue volontà in caso di malattia grave e terminale, scegliendo se vuole ricevere o meno alcuni trattamenti medici usati per mantenere artificialmente in vita il paziente, quali la nutrizione e l'idratazione forzate. Pertanto, questa legge garantisce il diritto di ognuno a decidere sulla fine della propria vita nel caso di malattie incurabili.

Il dibattito sul biotestamento iniziò negli anni '90 quando la lunga infermità di Eluana Englaro diventò un caso dibattuto a livello nazionale. Eluana era una giovane donna che, all'età di 21 anni, entrò in uno stato di coma vegetativo a seguito di un incidente stradale e fu tenuta in vita artificialmente per 17 anni. Nel 2009, dopo le ripetute richieste della famiglia, una sentenza del tribunale consentì la rimozione di ogni supporto artificiale. Molti politici dell'allora governo di centro-destra e dell'area cattolica si erano espressi contro questa legge perché temevano che fosse il primo passo verso l'introduzione dell'eutanasia.

L'approvazione del biotestamento è l'ultimo elemento di una lunga serie d'iniziative legislative che, nel corso degli anni, hanno rafforzato lo Stato laico e ampliato i diritti civili: la legge sul divorzio, il nuovo diritto di famiglia e l'interruzione volontaria della gravidanza, negli anni '70, l'istituzione del Ministero per le Pari Opportunità nel 1995, per difendere e promuovere la parità di trattamento uomo-donna nei luoghi di lavoro, e le leggi del biotestamento e delle unioni civili nel terzo millennio.

CONCLUSIONI

Nonostante la realizzazione di alcune riforme importanti, molti italiani hanno perso fiducia nelle capacità della politica di risolvere i loro problemi. Il successo dei movimenti populisti, sia a destra che a sinistra, è il risultato di questo crescente distacco dei cittadini dalla politica. Un altro fenomeno, molto più grave e preoccupante, è il risorgere di movimenti neofascisti che fanno leva sulle incertezze economiche delle classi sociali più povere per proporre modelli autoritari e politiche xenofobe.

Arginare la disoccupazione giovanile e la crescente disuguaglianza economica, mettere in atto politiche per l'accoglienza e l'integrazione degli immigrati, proteggere con più forza l'ambiente, riformare l'istruzione pubblica e l'assistenza sanitaria: queste sono solo alcune delle sfide del terzo millennio, e per affrontarle adeguatamente è necessario che la politica torni a parlare ai cittadini e che i cittadini tornino a essere protagonisti della politica.

25 APRILE

LE RADICI DELLA NOSTRA LIBERTA'

In alto: Manifesto che presenta la resistenza antifascista come fondamento della Repubblica Italiana, 1996.

Se nel secondo dopoguerra gli italiani impiegarono tutta la loro determinazione per costruire una nuova Italia repubblicana e democratica dalle macerie morali e materiali prodotte dalla guerra e da vent'anni di dittatura fascista, ora devono impegnarsi, con uguale forza e unità, per ridefinire il ruolo dell'Italia all'interno di un'economia globale, e per creare una società nella quale il talento dei giovani e delle donne sia apprezzato, e che non li costringa alla "fuga" o alla sottoccupazione; una società, infine, e che consideri la diversità culturale non come una minaccia, ma come una risorsa importante che rende tutti più liberi e più forti. In altre parole, la **"res publica"** deve ritornare ad essere oggi quello che era ai tempi della formazione dell'Italia democratica, repubblicana e antifascista: il centro degli interessi e delle passioni degli italiani, il motore di una vera democrazia partecipata.

DOMANDE DI COMPRENSIONE

1. Che cosa successe alla nave Costa Concordia?
2. Perché l'evento della Costa Concordia può essere una metafora per l'Italia del terzo millennio?
3. Che cosa è cambiato nella società italiana del terzo millennio rispetto alla seconda metà del secolo precedente?
4. Da dove nasce, secondo te, il bisogno di affermare un'identità culturale locale e ristretta?
5. Qual è il ruolo della famiglia nell'Italia contemporanea? Quali sono gli aspetti positivi e negativi del ruolo della famiglia?
6. Chi sono i NEET? Quali possono essere le origini di questo fenomeno?
7. Che significa "fuga dei cervelli"? Si tratta di un fenomeno che riguarda anche la tua nazione?
8. Quale fattore contribuisce a mantenere basso l'indice di disuguaglianza in Italia?
9. Quali possono essere le cause del basso tasso di occupazione femminile, specialmente al sud?
10. Quali sono, secondo te, le caratteristiche più importanti del "made in Italy"?
11. Quali fattori hanno contribuito al successo del "made in Italy"?
12. Come definiscono la propria identità pubblica gli italiani del terzo millennio?
13. Quali sono le due istituzioni che mantengono un ruolo unificante per la nazione, e perché?
14. Quali caratteristiche della politica del terzo millennio ti hanno sorpreso di più?
15. Quali possono essere le cause dell'attuale crisi del Partito democratico (PD)?
16. Quali sono le formazioni politiche che rappresentano il populismo in Italia e quali sono le loro caratteristiche?
17. Quale riforma o conquista civile dell'Italia del terzo millennio ti sembra più importante?
18. Quali elementi della società italiana del terzo millennio ti hanno colpito di più, in senso positivo o negativo?

QUADRETTI CULTURALI

I MOVIMENTI DEL TERRITORIO: COME UN "PICCOLO POPOLO" SI CONFRONTA CON LE "GRANDI OPERE"

Anche in Italia sono arrivati i nuovi movimenti popolari che partono dal basso, definiti con l'espressione inglese "grassroots": si tratta di organizzazioni che non sono legate direttamente a nessun partito politico. Queste formazioni sociali, in genere, non s'ispirano a nessuna grande ideologia e, pur collocandosi nel più ampio movimento antiglobalizzazione, hanno come obiettivo la soluzione di alcuni problemi d'immediato interesse per i cittadini.

"Occupy Wall Street" è stato un esempio di questo nuovo tipo di partecipazione politica negli Stati Uniti: si trattava di un movimento di base che, a partire dalla crisi economica del 2008, ha organizzato forme di protesta creative e anche un po' teatrali, con occupazioni delle strade e delle piazze nel quartiere finanziario di New York.

Il movimento italiano *NoTav* fa parte di quest'ondata di protesta che nasce direttamente dal territorio e che coinvolge molti cittadini precedentemente non interessati in politica. *NoTav* - "No [al] Treno ad Alta Velocità" - è un movimento sorto nella Val di Susa, un territorio montuoso nel nord-ovest delle Alpi, che si oppone alla costruzione di una nuova linea ferroviaria ad alta velocità Torino-Lione. Secondo gli abitanti della Val di Susa, questo progetto danneggerebbe l'economia locale rompendo un fragile equilibrio ambientale già compromesso dall'edilizia e dalla rete di trasporto esistente. In particolare, la costruzione del tunnel lungo circa 56 chilometri, secondo alcuni, presenta un grave pericolo di contaminazione dell'ambiente e delle falde acquifere con amianto e uranio, sostanze tossiche presenti nel terreno. Infine, *NoTav* sostiene che la linea ad alta velocità, oltre a essere dannosa per l'ambiente, è anche inutile perché non risponde ad un vero bisogno di spostamento di merci e persone, e rappresenta un dispendio eccessivo di risorse pubbliche.

I metodi di protesta utilizzati da *NoTav* sono stati dei più svariati e creativi: occupazione dei cantieri e dell'autostrada, sit-ins, marce, costruzione di presidi permanenti (uno fu addirittura battezzato "Libera Repubblica"). Frequenti sono stati anche gli interventi della polizia per liberare i cantieri e permettere l'inizio dei lavori al tunnel. Non sono mancati scontri anche violenti fra manifestanti e forze dell'ordine, risultati spesso in diversi arresti e feriti.

Il movimento *NoTav*, tutt'ora attivo, è iniziato negli anni '90 ed è uno dei più duraturi nella storia italiana recente. Con le sue azioni di protesta, *NoTav* ha ottenuto di rallentare la costruzione della line ferroviaria di diversi anni, forse di decenni. Non è stato però raggiunto l'obiettivo di impedire l'inizio dei lavori: la costruzione di una galleria esplorativa del terreno è già stata completata, mentre si prevede che la galleria ferroviaria sarà finita nel 2029.

La rilevanza del movimento *NoTav* va oltre la questione specifica della linea ad alta velocità Torino-Lione: *NoTav* ha avuto il merito di stimolare una discussione a livello nazionale sull'importanza di coinvolgere i residenti nell'uso delle risorse pubbliche, in particolare nella costruzione di "grandi opere", cioè di quei progetti di costruzione d'infrastrutture che hanno un profondo e duraturo impatto sul territorio, sulla vita e sul lavoro dei suoi residenti.

Solidarietà con il movimento NoTav al Centro sociale Leoncavallo di Milano.

Rete No Ponte è un'altra organizzazione del territorio con una genesi molto simile a quella di *NoTav*: come il movimento della Val di Susa, *Rete No Ponte* è nata spontaneamente dall'opposizione popolare a un'altra opera pubblica gigantesca: la costruzione del ponte sullo stretto di Messina. Il progetto prevede un ponte sospeso, comprensivo di un'autostrada a due corsie e di un percorso ferroviario, per congiungere la costa della Sicilia con la costa della Calabria. Con una lunghezza di più di tre chilometri il ponte sullo stretto sarebbe il più lungo ponte sospeso del mondo.

Molti residenti si oppongono a questo progetto per vari motivi: il pericolo derivato dai frequenti terremoti nella zona, i danni all'ambiente che questo enorme cantiere causerebbe, e soprattutto il guadagno che ne trarrebbero le organizzazioni mafiose nella spartizione degli appalti: infatti, la mafia controlla, sia in Sicilia che in Calabria, ogni aspetto dell'economia del territorio, soprattutto le aziende del settore edile e delle costruzioni le quali sarebbero direttamente coinvolte in questo cantiere. *Rete No Ponte* sostiene anche che, prima di pensare alla costruzione di un ponte, bisognerebbe riparare e modernizzare le autostrade e la rete ferroviaria esistenti da una parta e dall'altra dello stretto.

I difensori del progetto, invece, sottolineano il risultato altamente simbolico rappresentato dalla costruzione del ponte: il superamento dell'isolamento della Sicilia, i cui abitanti si sentono da sempre tagliati fuori dal cosiddetto "continente", cioè dal resto dell'Italia. L'idea di unire la Sicilia all'Italia con un ponte o addirittura con una galleria sottomarina circolava già ai tempi dell'unificazione nazionale. Nel 1876, l'allora Ministro dei lavori pubblici Giuseppe Zanardelli dichiarò: "Sopra i flutti o sotto i flutti la Sicilia sia unita al Continente". Anche gli oppositori al ponte concordano che l'attuale sistema, cioè il traghettamento di veicoli, treni e persone, non è efficiente e causa gravi ritardi, soprattutto nel trasporto ferroviario perché i treni devono essere scomposti e poi ricomposti prima e dopo il traghettamento, un'operazione che aggiunge due ore alla durata del viaggio.

La progettazione del ponte, promossa inizialmente dal governo Berlusconi nel 2001, fu poi abbandonata dal governo Monti nel 2013, ma sembra che ogni nuovo premier la voglia prendere in considerazione, dato che la sua realizzazione darebbe prestigio a qualsiasi governo in carica. Nel 2016 l'allora Primo Ministro Matteo Renzi propose un rilancio del progetto, definendolo come "un'operazione che port[a] 100 mila posti di lavoro e serv[e] a togliere la Calabria dall'isolamento e avere la Sicilia più vicina[1]".

No Mous è un altro importante movimento territoriale. Mous è l'acronimo di "Mobile User Objective System". Si tratta di un sistema di comunicazione usato dalla Marina e dalle Forze armate degli USA e installato in Sicilia: consiste in una stazione di terra collegata ad un satellite con grandi trasmettitori. Il *Muos* è considerato da alcuni esperti come nocivo alla salute e all'ambiente circostante a causa dei forti campi elettromagnetici. Pertanto, la sua installazione è contrastata dai residenti della locale cittadina anche per l'impatto ambientale negativo sull'area protetta Riserva Naturale della Sughereta di Niscemi, un parco che comprende l'unico bosco di querce da sughero in Sicilia e uno dei maggiori in Italia.

Questi movimenti sono spesso accusati di avere obiettivi reazionari perché si oppongono al progresso, cioè alla costruzione di mezzi di trasporto e di comunicazione più veloci, e difendono un modello di vita contadino, montanaro o comunque tradizionale che sta scomparendo, o che forse è già scomparso. Altri accusano questi movimenti di far parte della cosiddetta rete "Nimby" (Not In My Back Yard), cioè di quei movimenti di protesta che tendono a proteggere interessi strettamente locali piuttosto che tener conto dei benefici per l'intera comunità. In realtà, anche se la base di questi movimenti si riconosce in un territorio geograficamente limitato, queste azioni di protesta trascendono il singolo obiettivo affermando il principio universale che le popolazioni locali hanno il diritto di esercitare un controllo su decisioni centrali che riguardano la propria vita in tutti i suoi aspetti: salute, lavoro e ambiente.

---

1   http://www.huffingtonpost.it/2016/09/27/ponte-stretto-renzi-_n_12212584.html

QUADRETTI CULTURALI

QUALI SONO LE CITTÀ PIÙ "SMART" D'ITALIA?

È legittimo dire che una città è o non è "smart"? Quali sono le caratteristiche della "città intelligente"?

Nel terzo millennio l'aggettivo "smart" è usato per quelle città che hanno un'elevata qualità della vita e che adottano politiche di sostenibilità, cioè di riduzione dei consumi energetici. Per quantificare l'"intelligenza" della città vengono adottati indicatori tradizionali, quali la qualità dell'istruzione pubblica, il tasso di occupazione, le attività culturali e il turismo, ma anche importanti fattori che qualificano la vita post-moderna, quali la diffusione e disponibilità di Wi-Fi, la promozione di orti urbani, la digitalizzazione della pubblica amministrazione, l'uso di energie rinnovabili, la raccolta differenziata dei rifiuti urbani, l'adozione di veicoli ecologici e l'incentivazione del loro uso.

Nel 2017 solo quattro città italiane sono entrate nella classifica compilata da EasyPark Group [1] delle 100 città più "smart" nel mondo, e queste sono: Milano, Torino, Roma e Napoli, rispettivamente al 60°, 69°, 71° e 83° posto. La bellezza dei luoghi, la cucina e l'arte, tutte eccellenze incontestate delle città italiane, non sono quindi sufficienti per conquistare l'appellativo di "smart". Le classifiche, infatti, sembrano raccontare una storia diversa e più complessa. Per capire di più cosa sta dietro la bassa performance generale dell'Italia è istruttivo esaminare quelle categorie nelle quali le quattro città italiane hanno ottenuto i punteggi più bassi e più alti. I trasporti pubblici (con l'eccezione di Torino) e la digitalizzazione delle amministrazioni pubbliche sono le aree più critiche, mentre i risultati migliori sono ottenuti nella categoria "edifici smart", quelli a basso consumo energetico, e nella categoria "utilizzo di energie pulite", e "car sharing" (con l'eccezione di Napoli).

La classifica delle città "smart" si fa più interessante se consideriamo solo le città italiane. Secondo ICity Rate 2017 [2] le prime dieci città italiane in classifica sono le seguenti [3]:

Milano
Bologna
Firenze
Venezia
Trento
Bergamo
Torino
Ravenna
Parma
Modena

È istruttivo esaminare anche i singoli fattori che determinano il punteggio di una città, e che ci dicono molto sulla qualità della vita dei suoi cittadini. Ad esempio, Milano è prima in classifica per le sue eccellenze nel campo dell'innovazione, per l'accessibilità di Wi-Fi, e la sostenibilità energetica in generale, ma si colloca agli ultimi posti per la qualità dell'aria e l'utilizzo del suolo. Firenze, come prevedibile, è in testa alla classifica per la promozione di un turismo "intelligente",

1 https://easyparkgroup.com/smart-cities-index/ (15 gennaio 2017)
2 http://www.icitylab.it/
3 https://www.lifegate.it/persone/stile-di-vita/10-citta-piu-smart-italia (15 gennaio 2017)
http://icitylab2017.eventifpa.it/2017/10/24/icity-rate-2017-mila-no-la-citta-piu-smart-ditalia-bologna-firenze-sul-podio/ (15 gennaio 2017)
chrome-extension://oemmndcbldboiebfnladdacbdfmadadm/ https://profilo.forumpa.it/wp-content/uploads/2017/10/I-city-rate-2017-sintesi.pdf (15 gennaio 2017)

I due edifici chiamati "Bosco verticale" a Milano.

culturale e sostenibile, cioè che crea occupazione. Roma invece occupa il 17° posto, nonostante le sue iniziative culturali: va molto male nelle categorie dei trasporti, dell'occupazione e dell'amministrazione digitale.

Un altro dato interessante che emerge dalla classifica è l'assoluta mancanza di città del sud fra le prime dieci. Se poi analizziamo i *ratings* settoriali, il divario fra nord e sud è ancora più evidente e preoccupante: ad esempio, nelle categorie povertà, ricerca e innovazione, turismo e cultura, e crescita economica, le prime cinque città in classifica sono nel centro-nord mentre le ultime cinque sono tutte nel sud. Alcune notevoli eccezioni sono la categoria della qualità dell'aria che vede Trapani (Sicilia) e Brindisi (Puglia), rispettivamente al terzo e quarto posto nella classifica, e la dimensione del verde urbano dove Messina (Sicilia) e Matera (Basilicata) occupano rispettivamente il secondo e il terzo posto. Resta quindi ancora molto da fare per colmare il divario fra nord e sud, sia in aree tradizionali, quali economia e occupazione, che in settori emergenti, come sostenibilità e digitizzazione: la distanza del sud rispetto al centro-nord, già esistente ai tempi dell'unità d'Italia, non sembra accorciata nonostante più di 150 anni di storia nazionale.

Un'obiezione legittima a queste classifiche è che le città italiane hanno più difficoltà di altre a qualificarsi come "smart", specialmente nell'area degli spostamenti urbani, perché hanno una struttura urbana medievale o addirittura romana, cioè non furono progettate per le esigenze di una moderna mobilità che si basa sull'uso individuale dell'automobile. Gestire il traffico del terzo millennio diventa quindi molto più difficile per città come Firenze o Roma che per altre di più recente fondazione, come Singapore o New York. A questo proposito, secondo l'architetto italiano Carlo Ratti, sarà proprio la tecnologia a dare una risposta alle sfide specifiche delle città italiane: preservare i centri storici pur garantendo trasporti urbani veloci, efficienti e soprattutto sostenibili. Ecco l'opinione che ha condiviso con noi nel corso di un'intervista:

"La città del medioevo è una città costruita attorno ai pedoni, attorno agli animali: insomma, un tipo di movimento molto diverso. Nel Novecento, invece, la macchina, l'automobile rivoluzionano la città e, se noi pensiamo alle grandi città, costruite o ampliate nel Novecento, ecco … sono proprio incentrate sull'automobile.

Oggi la mobilità sta cambiando molto perché, da un lato, abbiamo dati in tempo reale che ci permettono di sapere come usare meglio i servizi pubblici, come spostarci. La mobilità sta cambiando anche perché abbiamo nuovi sistemi, tipo il "car sharing", che ci permettono di non avere un'auto di proprietà ma di usare meglio l'infrastruttura che già esiste. E la mobilità sta cambiando anche perché sta arrivando una grande rivoluzione che è quella legata all'auto senza conducente che ci può dare un passaggio al mattino per andare in ufficio e poi può dare un passaggio a qualcun altro della nostra famiglia o a chiunque altro, in altri momenti della giornata. Allora la nuova mobilità ci permetterà, noi crediamo, di far funzionare meglio anche le nostre città con una struttura medievale, nel senso che, con questi nuovi modelli di mobilità, riusciamo a utilizzare meglio lo spazio costruito, riusciamo a mettere insieme diversi modi di trasporto e quindi, molto probabilmente, anche a dar vita ai centri storici che non possono sostenere i modelli di trasporto attuali" [4].

---

4 Da una intervista con l'autrice al MIT del 12 dicembre 2017

PAROLE DEI PROTAGONISTI A CONFRONTO

1. **MATTEO RENZI**
I. **Leader del Partito Democratico, in un'intervista a Repubblica del 29 agosto 2010 Ambizioso programma, sindaco Matteo Renzi.**

   "Non è mica solo una questione di ricambio generazionale. Se vogliamo sbarazzarci di nonno Silvio [...] dobbiamo liberarci di un'intera generazione di dirigenti del mio partito. Non faccio distinzioni tra D'Alema, Veltroni, Bersani... Basta. È il momento della rottamazione. Senza incentivi".

II. **Rottamare i "vecchi" del Pd vuol dire automaticamente sbarazzarsi di Berlusconi?**

   "È la precondizione, il punto di partenza. Ma li vedete? Berlusconi ha fallito e noi stiamo a giocare ancora con le formule, le alchimie delle alleanze: un cerchio, due cerchi, nuovo Ulivo, vecchio Ulivo... I nostri iscritti, i simpatizzanti, i tanti delusi che aspetterebbero solo una parola chiara per tornare a impegnarsi, assistono sgomenti ad un imbarazzante Truman show. Pensando: ma quando si sveglieranno dall'anestesia? Ma si rendono conto di aver perso contatto con la realtà?". [1]

PAROLE DEI PROTAGONISTI A CONFRONTO

2. **MASSIMO CACCIARI**
Filosofo (intervento al programma televisivo Otto e Mezzo, condotto da Lilly Gruber, del 5 marzo 2018)

   La crisi non riguarda [solo] la sinistra, riguarda il riformismo di stampo cattolico popolare, sia un riformismo di stampo social-democratico, socialista. Questa crisi ha cause sociali: (trasformazioni sociali di organizzazione del lavoro che hanno fatto smottare la base storica di queste forze), e ha basi anche economiche, soprattutto in momenti di crisi, perché una sinistra può reggere soltanto se realizza il "welfare state", lo stato sociale, l'intervento statale a favore dei più deboli, dei più umili, eccetera [...] Una sinistra va in crisi laddove non abbia più gli strumenti, le possibilità nell'epoca globale, partita la grande fase della globalizzazione, di attingere risorse all'interno dei singoli Stati per soddisfare le richieste della propria base sociale. Ha difficoltà enormi nel fare questo, e questo non riguarda soltanto la sinistra, ma anche quel progressismo popolare che aveva ampi spazi e ampie voci all'interno di tutti i partiti popolari, come la Dc. [2]

3. **JASNI**
una giovane NEET, scrive in un blog

   Sono una ragazza di 27 anni, abito in provincia di Bergamo, ho un diploma linguistico ed una laurea triennale in comunicazione e marketing. Sono disoccupata da gennaio 2013, i miei genitori mi danno circa 100 euro al mese per me stessa oltre agli extra indispensabili (assicurazione della macchina, spese mediche, ecc.). Il mio fidanzato, conoscendo la mia situazione, quando usciamo insieme paga sempre anche per me. Da una parte mi fa piacere ma mi piacerebbe poter ricambiare ogni tanto e spesso mi sento in difetto. I miei genitori fortunatamente non mi fanno pressioni, sanno che è un periodo difficile e vedono che io mi impegno sempre a mandare cv e fare colloqui. Sono anche loro amareggiati per la situazione che sto vivendo e che è così lontana dalla loro. Sono quasi sempre in casa, ho smesso di frequentare palestre e discoteche; ho ridotto le uscite con le amiche. Mi concedo solo le serate con il fidanzato (dato che me le offre lui). Mi piacerebbe tantissimo andare a convivere con lui ma ... ci vorrebbe che io avessi almeno un part-time! Entrambi stiamo aspettando quel momento perché con il suo solo stipendio non riusciremmo. Per passare il tempo, cerco annunci di lavoro su internet, leggo molti libri, ho iniziato a studiare da autodidatta una lingua straniera. Poi guardo la tv e gioco al pc. Ogni tanto quando c'è bel tempo esco ma mi fa tristezza esser sempre da sola [3].

4. **FRANCESCA LEMME**
una giovane protagonista della "fuga dei cervelli"
Sono una ricercatrice italiana fuggita all'estero. Dopo aver conseguito una laurea in Statistica dall'Università di Bologna e spinta dal desiderio di lavorare nell'ambito della ricerca medica, sono partita per Londra nel 2001 con un biglietto aereo di sola andata. È stata una scelta obbligata in quanto non vedevo alcuna prospettiva di realizzare il mio sogno in Italia: fino ad allora avevo ricevuto tante porte sbattute in faccia. A Londra ho lavorato per tre anni come cameriera ed ho fatto tanti sacrifici, in seguito ai quali ho ottenuto un Master nella prestigiosa London School of Hygiene and Tropical Medicine ed un dottorato di ricerca in statistica metodologica nell'Università di Maastricht. Attualmente vivo e lavoro come ricercatrice in Olanda [4].

**PAROLE DEI PROTAGONISTI
A CONFRONTO**

5. **PIERO DRI**
un giovane laureato in astronomia, decide di diventare artigiano e imparare l'arte del "remèr", cioè del costruttore di remi e forcole per le gondole della laguna veneziana
«Ho deciso di iniziare questo mestiere dopo un periodo di difficoltà all'università: ero pendolare da 5 anni e sostenevo esami uno dietro l'altro, senza sosta. Inoltre da un po' mi rendevo conto che come astronomo le cose non sarebbero state facili, soprattutto per un carattere come il mio».

In che senso?
«Per trovar lavoro bisogna essere disposti a una vita nomade, in giro per il mondo, senza certezze. Questa vita non faceva per me, la mia ragazza Francesca era ed è di Venezia, la mia famiglia anche: io ci sono troppo attaccato, sono un nostalgico e ho bisogno di punti di riferimento fissi [...]. La mia ragazza mi ha dato una grossa spinta per cambiare vita, e devo ringraziarla: un giorno sono entrato nella bottega di Paolo Brandolisio chiedendo se potesse esserci lavoro per me. Purtroppo non ce n'era, ma mi disse che potevo andare a vedere se volevo ogni tanto».

E poi?
«Ho iniziato a frequentare la sua bottega, e giorno dopo giorno a imparare e a capire un nuovo mondo. Affascinante, tecnico e artistico insieme, bellissimo, e mi ci sono appassionato. Sono stato col mio maestro per circa 6 anni e ho imparato il mestiere. Piano piano ho iniziato a pensare di aprire un mio laboratorio e, avuta la fortuna di trovare un vecchio magazzino, l'ho restaurato tutto investendo i sabati e le domeniche per circa 2 anni, e adesso è il mio laboratorio» [5].

6. AGATA
una giovane donna che finalmente trova un lavoro sicuro dopo anni di precariato

E arriva finalmente il colpo di fortuna. Porto il curriculum in una grande profumeria, mi dicono che mi terranno solo per un mese ma alla fine ci metto un tale impegno e una tale passione che mi fanno un contratto di quattro anni. Quattro anni. Una roba da festeggiare. Una roba che ti metti a saltare di gioia e telefoni a tua madre a Catania e le dici: "Sièditi che ti devo dare una notizia".

Quattro anni e all'improvviso esisti, hai un posto, un ambiente di lavoro umano, una clientela da servire, otto ore al giorno di scaffali da riempire di shampoo, bagnoschiuma, rossetti. Il negozio è in pieno centro e di venerdì e di sabato passano seicento persone e io salgo le scale del magazzino duemila volte al giorno ma non sono stanca, non voglio essere stanca, il lavoro mi piace, mi piace perché durerà ben quattro anni, quattro anni dove non dovrò chiedermi "Che faccio? Chi sono? Chi mi vuole?" Quattro anni, non so se rendo l'idea ... [6]

7. UNA GIOVANE MADRE CHE LAVORA NELLA FILIALE DI UNA MULTINAZIONALE

Adesso le bambine vanno all'asilo tutto il giorno e io lavoro fino alle quattro, una fatica immane: torni a casa alle cinque e mezza la sera con i letti ancora da rifare, ma vabbè, lo fanno tutte, e io lo sapevo che sarebbe stato così, la fatica non è un problema. Il problema è che in filiale io continuo a essere vista come un peso morto, anche se ho imparato a fare dieci cose contemporaneamente, e le faccio bene tutte. Certo, se, per esempio, contatto un cliente alle tre e mezza, cascasse il mondo alle quattro devo uscire per correre all'asilo a ritirare le bambine. E le colleghe mi guardano storto. [...] E io sento che mi disprezzano perché gli abbasso la produttività. Perciò alla fine ho deciso di lasciare. [...]

E allora faccio la mamma a tempo pieno per un po'. E intanto ci organizziamo, vero, ragazze? Ci mettiamo in proprio. Basta con il lavoro dipendente. Voglio fare dei corsi di aggiornamento, crearmi una mia professionalità, mettere su un'impresa mia. Così mi gestisco i miei tempi, non devo rendere conto a nessuno, mantengo la mia dignità [...] [7].

1. "Il Nuovo Ulivo fa sbadigliare: è ora di rottamare i nostri dirigenti", di Umberto Rosso, La Repubblica, 29 agosto 2010. http://www.repubblica.it/politica/2010/08/29/news/nuovo_ulivo-6587119/
2. https://www.youtube.com/watch?v=gQR-6hdw9rY
3. Testimonianze raccolte da *Il Fatto Quotidiano*, 30 agosto 2013 https://www.ilfattoquotidiano.it/2013/08/30/giovani-disoccu-pati-raccontateci-le-vostre-storie/696309/
4. "I racconti di una vita in fuga (e felice): dai social a Rep.it, ecco le storie dei ricercatori all'estero", di Alessandra Borella, *La Repubblica, Scuola*, 17 febbraio 2016. http://www.repubblica.it/scuola/2016/02/17/news/ricercatori_italiani_estero_commenti_online_facebook_repubblica-133546532/
5. "L'astronomo "remèr" che costruisce forcole e remi per gondole. "E' un mestiere raro, siamo solo quattro in tutto il mondo" di Elisa Di Battista (10 dicembre 2013) in Laureati Artigiani. https://www.laureatiartigiani.it/2013/12/10/astronomo-remer-forcole-remi-gondole-mestiere/#more-1097)
6. AA.VV. *Lavoro da morire. Racconti di un'Italia sfruttata.* Einaudi. Torino: 2009 (pp. 112-113).
7. Ibid., pp. 42-43.

IL MONDO DEVE SAPERE
di Michela Murgia

Michela Murgia ha iniziato l'attività di scrittrice con un blog nel quale raccontava la sua esperienza di lavoro come telefonista di telemarketing per la compagnia internazionale Kirby, produttrice di aspirapolveri. Da questo blog è poi nato il libro "Il mondo deve sapere" in cui Michela racconta con grande ironia il triste sfruttamento dei giovani in un "call center", uno dei luoghi di lavoro più alienanti della società post-industriale.

Deh, direbbe Silvia.

Ho iniziato a lavorare in un call center. Quei lavori disperati che ti vergogni a dire agli amici.

«Cosa fai?»

5 E tu: «Be', mi occupo di promozione pubblicitaria». Che meraviglia l'italiano, altro che **giochi di prestigio**.

Ma questo non è un call center comune. È un call center della Kirby. **E 'sti cazzi, mica robetta!**

10 Ho saputo subito che era il call center che cercavo, quello dove avrei potuto davvero divertirmi.

[...]

Credo di averlo capito quando ho letto il primo cartello «motivazionale» nella sala d'attesa. «Lavoro

15 di squadra: il modo in cui gente comune raggiunge risultati non comuni.» Anche il secondo per la verità non era male, quanto a **prosopopea**. «È quando smetti di pensare che non **ce la farai** che puoi davvero cominciare a farcela. Pensa da vincente!»

20 Ricordo di aver pensato: sono loro. Questi sono proprio loro!

Il colloquio me lo ha fatto una ragazza troppo mal vestita per essere una segretaria e troppo sveglia per essere una telefonista.

25 Ne **ho dedotto** che fosse la psicologa addetta alla selezione del personale. In questi posti chi ti assume è sempre uno psicologo. Cosa spinge uno che ha fatto psicologia a fare questo lavoro di merda? È un mistero più grande della **transustanziazione**.

30 Le ho detto le solite cose che uno psicologo di un posto così vuole sentirsi dire. Una motivazione sufficientemente forte da renderti manipolabile, ma che non sia il denaro. Perché ovviamente, se fosse il denaro, il primo che passa e ti offre due lire in più lo

35 segui come fosse Tom Cruise.

HERMANN / LA GERARCHIA DEL VINCITORE

Il lavoro è organizzato come in un gulag svizzero. Dodici ore **filate** divise in tre turni di quattro ore, senza soluzione di continuità.

40 La casalinga non ha scampo. È lei il target della diabolica organizzazione Kirby.

L'ufficio è piccolissimo, le postazioni di combattimento sono la metà di un banco di scuola, divise da un pezzo di **compensato**.

45 Danno sul muro e sullo schermo di un pc. Ma sul muro, ovviamente, ci sono gli immancabili cartelli motivazionali.

«La telefonista che fa più appuntamenti avrà in premio una scatola di formaggini e 8,5 euro **lordi**.»

50 Qualcosa mi dice che la parola «lordo» in questo posto non è semplicemente il contrario di «**netto**». Sento già l'odore del sangue.

Ma è presto per **addentare**. Per ora stiamo al gioco.

55 Sono docile, **spaesata**, fingo di non capire. Sia benedetto il giorno che ho trovato 'sto lavoretto.

L'età media è sui venticinque anni. L'istruzione media è bassa, si capisce da tante cose.

La figura più inquietante è la capotelefonista

60 che comanda (sono in due, ma una delle due non ha alcun peso, è evidentissimo).

Per convenzione la chiameremo Hermann. Hermann non è qui solo per lavorare. Anzi. Lei ci crede davvero. Non è semplicemente collaborativa.

65 È convertita.

Per Hermann, Kirby è una fede, non un modo per **sbarcare il lunario**.

È ferrea, arrogante, conosce ogni trucchetto per **intortare** la casalinga e, poiché è stata telefonista a

70 sua volta, conosce anche tutti i trucchetti per intortare la telefonista media. **Ha buon gioco**, un sottovaso ha più personalità di queste ragazze, povere loro.

Mi fingo del **gregge**. Sarà bellissimo.

LA TELEFONATA / COME TI **INCHIAPPETTO**
75 LA CASALINGA IGNARA

La tecnica è esattamente quella che mi aspettavo.

Una telefonata studiata nei minimi dettagli, di cui mi danno il testo, insieme ad alcune indicazioni.

«Sorridi, dall'altra parte del telefono si capisce. Se devi fare una domanda fuori testo, fa' in modo che non cominci mai per "non" e che la risposta non possa mai essere "no". Altrimenti ti **seghi** da sola.»

Hai capito. Chiamale **sceme**.

«Buongiorno signora, sono Camilla de Camillis della Kirby di Paperopoli, lei non mi conosce.

Le spiego subito il motivo della mia telefonata, (*sorriso*) lei è stata sorteggiata, lì nel paese di Chissàdove, per ricevere un **buono** (*enfasi*) GRATUITO di (*veloce*) **igienizzazione** completa (la signora non deve capire con esattezza cosa le si sta proponendo) o di un suo divano, o di un suo tappeto, o ADDIRITTURA di un suo materasso. In cambio di questo servizio lei dovrà semplicemente esprimere un parere sul macchinario che eseguirà l'igienizzazione e sulla persona che glielo mostrerà. Quando preferisce, signora, domani alle 15 o dopodomani alle 18?»

Diabolico. La casalinga non ha tregua. Ci sono anche le risposte predefinite per le obiezioni che possono sorgere.

«Non ho tempo.»

«Ma signora, è solo un'**orettamassimo**, un'orettaemezza (pronunciato con la virgola dopo "massimo", in modo che la signora percepisca che la durata è massimo un'ora, mentre invece è di un'ora e mezza, quasi due) del suo tempo.»

Implicito è il messaggio che il tempo della signora non **valga un soldo bucato**, dato che può regalarcelo così, a gratis.

«Non compro niente.»

«Signora, non c'è nulla da comprare, non è una vendita, ma solo una campagna pubblicitaria. Siamo noi che le stiamo facendo un omaggio.»

Come se lo scopo di una campagna pubblicitaria non fosse vendere ... Ovviamente non verrà presa per il collo per acquistare, ma dopo un **turlupinamento** di quella durata, può darsi che sia proprio lei a chiedere: «E quanto costa questo coso?».

Non ci crederete, ma questo sistema funziona. Moltissime povere casalinghe, strappate ai loro lavoretti quotidiani da questa invasione telefonica, non sanno opporre resistenza al bulldozer-telefonista e dicono sì, fosse anche solo per chiudere la telefonata.

Alcune, **smaliziate**, dicono no senza tregua. Davanti alle resistenze, c'è anche il ricatto morale: «Guardi, non mi interessa proprio».

«Signora, lei ci darebbe una mano a lavorare, perché noi (*enfasi*) GIOVANI siamo pagati dalla nostra azienda (*enfasi*) SOLO per far vedere questo macchinario. Se ci riceve ci darà la possibilità di lavorare e in cambio noi le chiediamo solo un giudizio a voce. Che ne dice di mercoledì all'una di notte? O preferisce sabato mattina all'alba?»

A quel punto anche il cuore più duro si scioglie. Quale mamma non si intenerirebbe al pensiero di poveri giovani senza lavoro, pagati solo per fare pubblicità? Dopotutto si tratta solo di **sorbirsi** un mostruoso spot dal vivo della durata di un'ora e trenta minuti, poveri giovani. Lì si è già **dietro l'angolo**. Sorridi, la signora lo percepisce.

NOTE (PRECEDUTE DAL NUMERO DELLA RIGA NEL TESTO)

6. *il gioco di prestigio:* trucco, illusione
9. *E 'sti cazzi:* accidenti! (esclamazione volgare)
9. *mica robetta!:* niente di irrilevante (esclamazione sarcastica)
17. *la prosopopea:* solennità vuota di contenuti
18. *farcela:* riuscire, avere successo
25. *dedurre:* capire dopo un processo logico
29. *la transustanziazione:* trasformazione del pane e del vino nel corpo di Cristo durante la Messa cattolica
38. *filato:* di seguito, senza interruzione
44. *il compensato:* materiale di legno compresso
49. *lordo:* comprese le tasse
51. *netto:* con le tasse già dedotte
53. *addentare:* mordere
55. *spaesato:* perso, disorientato
67. *sbarcare il lunario:* riuscire a vivere con lo stipendio mensile
69. *intortare:* imbrogliare, confondere

71. *avere buon gioco:* avere un compito facile
73. *il gregge:* gruppo di animali, gruppo di persone che seguono un leader (fig.)
74. *inchiappettare:* imbrogliare (volgare)
83. *segare:* sconfiggere, bocciare (volgare)
84. *scemo:* stupido
89. *il buono:* titolo o diritto ad avere gratuitamente un servizio o un oggetto
90. *l'igienizzazione:* pulizia a fondo
102. *orettamassimo:* non più di un'ora (espressione inventata dall'autrice)
108. *valere un soldo bucato:* non valere niente o quasi niente
116. *il turlupinamento:* imbroglio usando la persuasione (espressione inventata dall'autrice)
124. *smaliziato:* capace di capire le situazioni velocemente, scaltro
137. *sorbirsi:* sopportare qualcosa di molto noioso
139. *essere dietro l'angolo:* essere molto vicino, a portata di mano

DOMANDE DI COMPRENSIONE E DISCUSSIONE

1. Quale "gioco di prestigio" è possibile fare con l'italiano parlando di questo lavoro?
2. Che tono usa Michela quando scrive "E 'sti cazzi, mica robetta!"
3. Qual è l'obiettivo dei cartelli nella sala d'attesa?
4. Qual è il "mistero più grande della transustanziazione", secondo Michela?
5. Che cosa non vogliono sentire le psicologhe addette all'assunzione del personale?
6. Perché Michela definisce "gulag svizzero" il lavoro nel call center della Kirby?
7. Che cosa rappresenta il lavoro al call center per la capo-telefonista?
8. Perché il compito della capo-telefonista è relativamente facile, secondo Michela?
9. Che cosa deve e non deve fare la telefonista?
10. Che cosa annuncia la telefonista alla casalinga all'inizio della telefonata?
11. Qual è l'obiettivo della telefonata?
12. Che tipo di "ricatto morale" può presentare la telefonista alla casalinga?
13. Hai mai avuto un lavoro simile a questo? Prova a descriverlo.

OSSERVAZIONI SUL TESTO

Considera l'uso del **participio presente** di "vincere" nella frase "Pensa da vincente!": questa frase significa "Pensa come una persona che vince". Pertanto, "vincente" è il participio presente del verbo "vincere".

Ora completa le seguenti frasi con il **participio presente** corrispondente al verbo:

1. Una persona che perde è un _____.
2. Una bevanda che disseta è _____.
3. Uno spettacolo che diverte è _____.
4. Un mobile molto grande, che ingombra, è _____.
5. Un uomo che ama una donna è il suo _____.
6. Un rumore che proviene dal giardino è _____ dall'esterno.
7. Un bambino bravo, che ubbidisce, è _____.

ARTICOLO 29
di Gianrico Carofiglio

Nella sua raccolta di racconti, "Passeggeri notturni", Carofiglio ci offre storie sparse, scollegate fra di loro, come se qualche passeggero sconosciuto le raccontasse nello scompartimento di un treno.
In questo breve racconto, dalla fine sorprendente, la discussione su un possibile matrimonio fra due persone dello stesso sesso mette in risalto lo scontro fra una tradizione assunta come legge universale e la società reale.
<u>Nota</u>: *Dal 20 maggio 2016, con l'approvazione della cosiddetta legge Cirinnà, l'unione fra due persone dello stesso sesso è riconosciuta dalla Repubblica Italiana.*

Esterno notte. Terrazza romana. Politici, giornalisti, scrittori, gente di cinema e di televisione. Si **chiacchiera del più e del meno** fino a quando la conversazione non cade sulla sentenza della Corte Suprema americana che, qualche giorno prima, ha riconosciuto il diritto ai matrimoni fra persone dello stesso sesso. All'inizio c'è un giro di opinioni, ma in breve si ritrovano a parlare in due: una bella signora sui quaranta e un parlamentare noto per la frequentazione piuttosto assidua - pare - di **ragazze mercenarie**.

- Sia chiaro, io non ho niente contro gli omosessuali, ma per la nostra Costituzione il matrimonio è solo quello fra persone di sesso diverso, - dice il politico.

- Di preciso, quale norma della Costituzione? - chiede la donna.

- Adesso non ricordo esattamente l'articolo …

- L'articolo della Costituzione che parla della famiglia è il 29. Si riferisce a questo?

- Ecco, appunto.

- Il caso vuole che lo sappia a memoria: «La Repubblica riconosce i diritti della famiglia come società naturale fondata sul matrimonio». Mi **sfugge** però il riferimento al sesso diverso come condizione per il matrimonio.

- Dice: «società naturale».

- E dunque?

- Insomma, l'omosessualità **non** è **mica** naturale.

- Mi dispiace doverla contraddire ma comportamenti omosessuali sono diffusi fra i cani, i gatti, i cigni, i gabbiani, le anatre, i pinguini, i delfini, i leoni, gli elefanti e molte altre specie. In ogni caso, mi lasci seguire il suo ragionamento: fra le cose naturali ci sono il cancro, la peste, la tubercolosi, i terremoti. Invece non sono naturali: l'aspirina, gli antibiotici, le cure contro il cancro, i defibrillatori, i computer, le automobili, gli aerei, gli occhiali. Teniamo le prime e buttiamo via le seconde?

- Ma che c'entra, «naturale» perché il matrimonio serve alla procreazione. Per questo deve essere consentito solo a persone di sesso diverso.

- Ah, ecco. Dunque una coppia - dico uomo e donna - sterile o una coppia di anziani non possono sposarsi?

- Che vuol dire …

- Quello che ho detto: due anziani possono sposarsi?

- Il matrimonio fra uomini e donne corrisponde alla tradizione.

- Quindi la procreazione non c'entra. Il valore è nella tradizione in quanto tale?

- Be' …

- Glielo chiedo perché fra le cose tradizionali - in altre culture, certo - ci sono il cannibalismo, il suicidio rituale, il rogo delle vedove, l'**infibulazione**. La tradizione, e la legge fino al 1975, in Italia dicevano che la moglie doveva obbedire al marito, tanto per dire.

- Va bene, ma non capisco per quale motivo due omosessuali dovrebbero volersi sposare. Chi gli vieta di stare insieme, di fare quello che vogliono? I diritti sono già riconosciuti dal codice civile.

- Lei dice? Se due donne stanno insieme e una ha un incidente e perde conoscenza, l'altra può prendere decisioni sulla compagna malata? No. Se una delle due muore, l'altra riceve la **pensione di reversibilità**? No. Posso andare avanti parecchio, se vuole. Lei non capisce, ha detto, e ne prendo atto, è un problema suo. Ma questo non dovrebbe tradursi in un'interferenza nella libertà delle scelte personali, se non comportano danni per altri. Se gli omosessuali potessero sposarsi, la cosa avrebbe interferenze con la sua libertà individuale, danneggerebbe qualcuno?

- Ammettere i matrimoni omosessuali sarebbe la fine della famiglia tradizionale.

- Perché?

- Aumenterebbe l'omosessualità.

- Interessante. Degli etero scoprono che è possibile sposare persone dello stesso sesso e si dicono: «**Accipicchia**, a questo punto, quasi quasi, divento gay» ... Pensa che potrebbe accadere anche a lei?

80 **Risatine** nemmeno tanto trattenute tutto intorno. La padrona di casa sembra in lieve imbarazzo. Il parlamentare sembra in grande imbarazzo. Vicino a me c'è un noto conduttore televisivo che ha

85 **palesemente** bevuto qualche bicchiere di troppo.

- Brava, però. E anche una gran **figa**. A me le lesbiche mi eccitano **un casino**, - dice, rivolgendosi a un tizio alla sua sinistra.

- Brava, sì. E anche una gran figa. Però non

90 credo sia lesbica, - risponde l'altro.

- E come lo sai? - chiede il conduttore ubriaco.

- È mia moglie.

NOTE (PRECEDUTE DAL NUMERO DELLA RIGA NEL TESTO)

3. *chiacchierare del più e del meno:* parlare di argomenti superficiali
10. *la ragazza mercenaria:* prostituta, di facili costumi
22. *sfuggire a qualcuno:* non comprendere completamente
27. *non ... mica:* non ... affatto, per niente
55. *l'infibulazione:* mutilazione genitale femminile

65. *la pensione di reversibilità:* pensione che si riceve dopo la morte del coniuge
79. *accipicchia:* esclamazione di sopresa
81. *la risatina:* risata sottovoce, nascosta
85. *palesemente:* ovviamente, evidentemente
86. *figa:* bella donna (volgare)
87. *un casino:* moltissimo (colloquiale)

DOMANDE DI COMPRENSIONE E DISCUSSIONE

1. Chi sono i protagonisti di questa conversazione e dove si svolge?
2. L'articolo 29 della Costituzione italiana esplicitamente proibisce il matrimonio fra due persone di sesso diverso? Spiega.
3. Perché, secondo la donna, quello che è naturale non è necessariamente positivo? Sei d'accordo con lei?
4. Secondo l'uomo, quale deve essere lo scopo del matrimonio?
5. La donna come risponde all'uomo?
6. Riguardo la tradizione, la donna usa un argomento simile a quello che aveva usato per ciò che è "naturale". Spiega perché credi che sia un argomento valido oppure no.
7. La legge permette a due persone dello stesso sesso di stare insieme, ma questo non basta, secondo la donna. Spiega con parole tue come la donna giustifica la sua opinione.
8. Alla fine della discussione, quale sarebbe il danno più grande al matrimonio fra due persone dello stesso sesso, secondo l'uomo?
9. Alla fine, perché il parlamentare è così imbarazzato?
10. Che cosa aveva automaticamente dedotto il conduttore televisivo e perché?

OSSERVAZIONI SUL TESTO

Considera la seguente frase ipotetica usata nel testo e l'uso del **congiuntivo** e del **condizionale**.

Se gli omosessuali **potessero** sposarsi, la cosa **avrebbe** interferenze con la sua libertà individuale, **danneggerebbe** qualcuno? (righe 70-73)

Ora crea delle frasi ipotetiche scegliendo la forma verbale corretta fra le due date fra parentesi.

1. Se una donna (*avrebbe* / *avesse*) un incidente stradale la sua compagna non (*potrebbe* / *potesse*) prendere decisioni per lei.

2. (*Sarebbe* / *Fosse*) difficile passare una legge a favore dei matrimoni gay se la Costituzione italiana lo (*vieterebbe* / *vietasse*) esplicitamente.

3. Il parlamentare (*dimostrerebbe* / *dimostrasse*) più tolleranza se non (*vorrebbe* / *volesse*) imporre il suo punto di vista a tutti.

4. Secondo il parlamentare, i matrimoni gay (*distruggerebbero* / *distruggessero*) la famiglia tradizionale se (*verrebbero* / *venissero*) legalizzati.

5. Secondo la donna, se tutto ciò che è naturale (*sarebbe* / *fosse*) positivo e buono, (*dovremmo* / *dovessimo*) accettare anche i terremoti e il cancro.

REGALO DI NATALE

di Francesco Piccolo

In "Momenti di trascurabile infelicità", la raccolta di racconti da cui è tratto "Regalo di Natale", lo scrittore Francesco Piccolo, noto anche per le sue sceneggiature in collaborazione con registi come Nanni Moretti e Paolo Virzì, ci racconta brevi frammenti di fastidio nella sua vita: quelle piccole infelicità quotidiane che Piccolo affronta con acuta ironia invitandoci a ridere con lui, anche se un po' amaramente.

L'anno scorso, mia moglie mi **ha allungato** un pacchettino avvolto da carta colorata e un fiocchetto dorato: il mio regalo di Natale. All'inizio, ho provato a sciogliere il nodo e a scartare il pacchettino con delicatezza, ma non c'era modo che si aprisse; solo dopo tanto tempo, e molto innervosito, ho strappato la carta con le unghie e con i denti. Mia moglie mi guardava fisso negli occhi, curiosa e ansiosa - ma anche spaventata per quella violenza - perché aspettava di capire se mi piaceva.

L'ho aperto, l'ho guardato e **ho sfoderato** un sorriso molto ampio e ho detto grazie. Ti piace?, ha detto lei. Moltissimo, ho detto io.

Ma non ho capito cos'era.

Era un oggetto strano, con colori belli e una forma particolare, ma non era possibile capire cosa fosse. Intanto che lo mostravo agli altri, lei mi chiedeva: hai capito a cosa serve? Hai indovinato? E io rispondevo: sì, certo; ma sempre più esitante. Poi chiedevo anche agli altri se avevano capito, con la speranza segreta che qualcuno rispondesse sì con convinzione, così finalmente me lo facevo spiegare; per poi dire come se già avessi capito: bravo, hai indovinato.

Ma nessuno ha capito di cosa si trattava. E soprattutto, a cosa serviva; perché a qualcosa doveva servire. O poteva anche essere soltanto un **soprammobile**, una roba da appendere al muro, o ancora da tenere in cucina, o sul **comodino**. Ma non era chiaro nemmeno questo.

Poi la notte, nel letto, ho ribadito a mia moglie che il regalo mi era piaciuto moltissimo, però dovevo confessarle una cosa: non avevo capito cos'era. Mi sono affrettato ad aggiungere che questo non **c'entrava**, perché era un regalo proprio bello, aveva dei colori belli e una forma particolare. Questo è quello che conta. E non importa se non ho capito cosa sia, perché non lo hanno capito nemmeno gli altri. Nessun altro a cui l'ho mostrato. E così, nell'intimità della notte e del letto, ho potuto chiederle, cercando di controllare l'esasperazione nella voce: insomma, cos'è? A cosa serve?

Mia moglie, nell'intimità della notte e del letto, mi ha confessato di non avere la minima idea di cosa fosse. Anzi, sperava molto, quando l'ho visto e ho detto che era bello, che le dicessi cos'era. Per questo continuava a chiedermelo. Però lo ha visto nel negozio, quando l'ha visto ha pensato subito a me, ha immaginato che mi sarebbe piaciuto, e l'ha comprato.

Non le ho chiesto perché ha pensato subito a me. Non gliel'ho chiesto perché non lo volevo sapere.

Quindi, abbiamo aspettato il giorno di riapertura dei negozi e siamo andati lì dove lo aveva comprato. Ma il negoziante non ha saputo rispondere alla nostra domanda, e anzi ha detto in modo piuttosto arrogante: se dovessi sapere a cosa servono tutte le cose che vendo ...

Ma noi non ci siamo arresi. Abbiamo trovato l'indirizzo mail della fabbrica, e abbiamo scritto, nella sostanza: abbiamo acquistato il vostro coso, lo troviamo molto bello, ma cos'è?

Dalla fabbrica hanno risposto con prontezza e gentilmente. Ci hanno spiegato che questa è la loro filosofia, **in sintonia con** la particolare predisposizione dei clienti riguardo ai regali di Natale: se è bello, se vi piace, non importa cos'è. Usatelo come vi pare. E infatti, ci hanno spiegato quelli della fabbrica, il fatto di non sapere cosa fosse non ha impedito al negoziante di ordinarlo e di esporlo, a mia moglie di comprarlo (perché ha pensato subito a me), a me di riceverlo e apprezzarlo.

Il ragionamento ci è sembrato abbastanza convincente. Soprattutto, definitivo. Ci è rimasto solo il sospetto che potesse essere un modo molto brillante per giustificarsi del fatto che non avessero capito nemmeno loro cosa fosse. Ma era solo un sospetto.

Da quando abbiamo smesso di indagare, ho tenuto il mio regalo sempre **a portata di mano**. Se non riuscivamo ad aprire un recipiente, se volevo specchiarmi, se volevamo **svitare** o **avvitare**, accendere una sigaretta o lavare l'insalata, a un certo punto dicevo a mia moglie: proviamo con quel coso che mi

hai regalato a Natale. Ma non funzionava. Per tutto l'anno ho provato a usarlo in molti modi, perfino per lavare la macchina, stampare un file, portarcelo a letto per farlo partecipare alla nostra vita sessuale; ho
85 provato a usarlo come scatola di biscotti, microonde, ho provato a vedere se si alzava al posto mio per rispondere al **citofono**, l'ho cucinato con il riso, ci ho versato dell'acqua sopra, l'ho messo sui **termosifoni**, o in testa sotto la pioggia. Gli ho perfino comprato
90 i **croccantini** per gatti, non so perché. E, questo è ovvio, ho provato anche a lasciarlo per un po' su una mensola o appeso in corridoio.

Ma nulla di tutto questo ha funzionato.

Poi è arrivato di nuovo il Natale. E mia mo-
95 glie mi ha allungato un pacchettino avvolto da carta colorata e un fiocchetto dorato. Mi ha raccomandato: aprilo con delicatezza, si può rompere. Era un modo per dirmi che non avrebbero tollerato, né lei né il regalo, un attacco di nervi come quello che mi aveva
100 preso l'anno prima.

Ho provato ad aprire la carta, la scatola, il fiocco in tutti i modi possibili, e non ci sono riuscito. Allora ci ha provato lei, e poi tutti i parenti e gli amici. Niente. Mia moglie continuava a dire: **fate piano**, si
105 può rompere. A un certo punto ho detto: proviamo con quello. Gli altri non hanno capito cosa fosse quello, lei sì. Sono andato a prendere il regalo di Natale dell'anno precedente e l'ho usato con tutta la delicatezza possibile per aprire il regalo di Natale di quest'anno. E ci sono
110 riuscito con una certa facilità.

Confesso che, riguardo al regalo di quest'anno, non ho ancora capito bene di cosa si tratta, e a cosa serve, e soprattutto perché si poteva rompere. Ma sono molto **sollevato** di aver capito a cosa serve l'altro: ad
115 aprire i regali di Natale.

Cioè, non so se è stato inventato per questo. Ma noi adesso lo usiamo così.

NOTE (PRECEDUTE DAL NUMERO DELLA RIGA NEL TESTO)

1. *allungare:* estendere con la mano, dare
11. *sfoderare:* (fig.) mostrare, tirare fuori, estrarre
26. *il soprammobile:* oggetto decorativo per la casa
28. *il comodino:* piccolo mobile accanto al letto
33. *c'entrava:* era rilevante
62. *in sintonia con:* d'accordo con
76. *a portata di mano:* vicino, accessibile
78. *svitare:* aprire, allentare
78. *avvitare:* stringere, chiudere, girare una vite
87. *il citofono:* comunicazione telefonica fra l'ingresso di un edificio e l'interno di un appartamento
88. *il termosifone:* sistema di riscaldimento, radiatore
90. *il croccantino:* cibo secco per animali domestici
104. *fare piano:* fare attenzione, procedere con cautela
114. *sollevato:* (fig.) confortato, rinfrancato

DOMANDE DI COMPRENSIONE E DISCUSSIONE

1. Perché la moglie guardava il narratore "fisso negli occhi, curiosa e ansiosa"?
2. Che cosa aveva di particolare questo regalo?
3. Che cosa sperava segretamente il narratore?
4. Che cosa ha confessato la moglie al narratore quella notte?
5. Che cosa speravano di sapere andando nel negozio dove la moglie aveva comprato il regalo?
6. Che cosa ha risposto il negoziante?
7. Qual è la prova che la filosofia della fabbrica produttrice dell'oggetto misterioso funziona?
8. Quali sono, secondo te, i due modi più assurdi in cui il narratore e la moglie hanno cercato di usare l'oggetto per tutto l'anno?
9. Il Natale successivo quali sono state le raccomandazioni della moglie mentre dava il nuovo regalo al narratore?
10. Come si conclude questa storia? Che risultato hanno finalmente raggiunto il narratore e sua moglie?
11. Prova a continuare queste frase: "È un regalo di Natale che serve a ... che serve a ... che serve a ... ecc."

DOMANDE DI COMPRENSIONE E DISCUSSIONE

12. Completa anche questa frase; "Ci sono oggetti utili, oggetti inutili, e oggetti ... "
13. Qual è, secondo te, il senso di questa storia?

OSSERVAZIONI SUL TESTO

Considera l'uso del **passato prossimo** e dell'**imperfetto** nel testo. Senza guardare il testo, scegli la forma verbale giusta fra le due date fra parentesi:

L'anno scorso, mia moglie mi (*ha allungato / allungava*)[1] un pacchettino avvolto da carta colorata e un fiocchetto dorato: il mio regalo di Natale. All'inizio, (*ho provato / provavo*) [2] a sciogliere il nodo e a scartare il pacchettino con delicatezza, ma non (*c'è stato / c'era*)[3] modo che si aprisse; solo dopo tanto tempo, e molto innervosito, (*ho strappato / strappavo*)[4] la carta con le unghie e con i denti. Mia moglie mi (*ha guardato / guardava*)[5] fisso negli occhi, curiosa e ansiosa - ma anche spaventata per quella violenza - perché (*aspettava / ha aspettato*)[6] di capire se mi piaceva (righe 1-10).

La famiglia Bernaschi e la famiglia Ossola.

IL CAPITALE UMANO
(2013), regia di Paolo Virzì

INTRODUZIONE
L'ambientazione di questo film è la Brianza, la zona collinare a nord di Milano, una delle aree più industrializzate e ricche d'Italia e d'Europa. La vita di due famiglie, una ricchissima grazie a rischiose operazioni di alta finanza e l'altra di reddito medio ma preparata a tutto pur di salire la scala sociale, è improvvisamente sconvolta quando, una notte d'inverno, un ciclista viene investito da un'auto pirata.

Il film, liberamente tratto dal romanzo *Human Capital* di Stephen Amidon, ha vinto numerosi premi nazionali e internazionali fra cui il David di Donatello e il Tribeca Film Festival.

PERSONAGGI E INTERPRETI
La famiglia Bernaschi
Giovanni: *Fabrizio Gifuni*
Carla: *Valeria Bruni Tedeschi*
Massimiliano: *Guglielmo Pinelli*

La famiglia Ossola
Dino: *Fabrizio Bentivoglio*
Roberta: *Valeria Golino*
Serena: *Matilde Gioli*

Altri
Donato: *Luigi Lo Cascio*
Luca: *Giovanni Anzaldo*
Fabrizio (il ciclista ucciso): *Gianluca Di Lauro*

DOMANDE GENERALI DI COMPRENSIONE

1. Il regista ha dato a questo film una struttura particolare? Quale? Ti sembra efficace? Perché?

Dino
2. Che tipo di persona è Dino? Quali sono le sue aspirazioni?
3. Dino dice tutta la verità al direttore della banca? Spiega.
4. Quale notizia riceve da Roberta quando arriva a casa?
5. Perché Giovanni è interessato al rapporto con Dino?
6. Le motivazioni di Giovanni e Dino alla loro amicizia sono le stesse?
7. A quale evento partecipano insieme gli Ossola e i Bernaschi?
8. Quale notizia devastante riceve Dino da Giovanni quando va a casa sua per giocare a tennis?

Carla
9. Carla annuncia la sua giornata come "complicatissima"? È vero? Spiega.

10. Che cosa scopre Carla nel suo giro in macchina in paese?
11. Che cosa propone a Giovanni?
12. Alla fine della riunione con gli esperti di teatro che cosa veniamo a sapere sul passato di Carla?
13. Perché Carla è disperata quando arriva alla scuola di Massimiliano e Serena?
14. Perché Donato accusa Carla di "essere solo una dilettante"?
15. La versione di Massimiliano e Serena sugli eventi della sera precedente: Serena l'ha riaccompagnato a casa e uno dei fratelli Crocetta, gli amici che avevano organizzato la festa, ha riportato la sua macchina. È vera questa versione dei fatti? Spiega.
16. Di che cosa è accusato Massimiliano?
17. Perché in realtà era così nervoso Massimiliano?
18. Qual è il vero enigma che il commissario cerca di risolvere?

Serena

19. Che cosa scopriamo del rapporto fra Massimiliano e Serena?
20. Chi è Luca e dove lo incontra Serena la prima e la seconda volta?
21. Che cosa scopre Serena dallo zio di Luca?
22. Perché Serena deve improvvisamente lasciare l'appartamento di Luca?
23. Come è tornato a casa Massimiliano, in realtà?

Il capitale umano

24. Che cosa scopre per caso Dino dal computer di Serena?
25. Che accordo raggiungono Carla e Dino quando si incontrano al teatro abbandonato?
26. Che cosa succede a Luca alla fine?
27. Molti personaggi subiscono un'evoluzione nel corso del film. Quale personaggio, secondo te, è cambiato nel modo più interessante?
28. Quale personaggio ti ha sorpreso di più, in modo positivo o negativo?
29. Spiega il titolo, "Il capitale umano".

Rocco e Eva in una scena del film.

PERFETTI SCONOSCIUTI
(2016), regia di Paolo Genovese

INTRODUZIONE

Sette amici, tre coppie e un "single", si riuniscono per una cena che si annuncia come una serata piacevole e rilassante, fino a quando decidono di provare uno strano gioco: ognuno di loro metterà il proprio cellulare sul tavolo accendendolo in viva voce, affinché tutti possano sentire e leggere eventuali messaggi e chiamate in arrivo durante il corso di tutta la cena. Ognuno di loro sostiene di non avere segreti né per il proprio partner né per gli amici: i cellulari accesi in realtà riveleranno vite parallele e inquietanti a dimostrazione che siamo "perfetti sconosciuti" forse anche a noi stessi.

Il film ha avuto un grande successo di pubblico e ha vinto il David di Donatello come miglior film dell'anno 2016.

Nota: Nel film si usa molto, specialmente verso la fine, la parola "frocio", un termine dispregiativo usato specialmente a Roma e nel Lazio per indicare un omosessuale.

PERSONAGGI E INTERPRETI PRINCIPALI

Carlotta (moglie di Lele): *Anna Foglietta*

Lele (marito di Carlotta): *Valerio Mastandrea*

Eva (moglie di Rocco): *Kasia Smutniak*

Rocco (marito di Eva): *Marco Giallini*

Bianca (moglie di Cosimo): *Alba Rohrwacher*

Cosimo (marito di Bianca): *Edoardo Leo*

Altri

Peppe: *Giuseppe Battiston*

Sofia (figlia di Rocco e Eva): *Benedetta Porcaroli*

DOMANDE DI COMPRENSIONE E DISCUSSIONE

1. Eva e Rocco hanno diverse opinioni su come gestire il rapporto con la loro figlia Sofia. Spiega.
2. Lele e Carlotta: già dalla prima scene notiamo alcune delle loro idiosincrasie. Quali?
3. Perché le tre coppie aspettano tanto ansiosamente l'arrivo di Peppe, e poi sono deluse?
4. Come si fa a dire se si è innamorati oppure no, secondo Bianca?

5. Secondo Bianca e le altre donne, che cosa avrebbero dovuto dire gli uomini alla loro amica Chiara riguardo il marito Diego?
6. Chiara come ha saputo del tradimento del marito?
7. Che cosa avrebbe dovuto fare Diego, secondo Cosimo?
8. Il cellulare è definito "la scatola nera della nostra vita." Sei d'accordo? Perché? È vero per questi personaggi?
9. Che gioco propone Eva, e a che scopo?
10. Che scherzo fa Rocco a Cosimo?
11. Quali sono le opinioni degli amici riguardo l'avere figli oppure no? Sono tutti d'accordo?
12. Che lavoro fa Cosimo? Quali sono i suoi progetti per il futuro?
13. Qual è il primo segreto che gli amici scoprono riguardo Eva?
14. Che cosa chiede Lele a Peppe quando vanno sul balcone? Qual è il suo problema?
15. Quale invito ricevono tutti gli amici sul telefonino? Chi è escluso e perché?
16. Perché va dall'analista Rocco?
17. Perché Carlotta ha contattato il soggiorno per anziani "La Quiete"?
18. Chi ha telefonato a Bianca e perché?
19. Che cosa veniamo a sapere da una telefonata di Sofia al padre Rocco?
20. Lo scambio dei telefonini fra Lele e Peppe crea una situazione complicata. Quale?
21. Perché Lele è offeso, e forse addolorato, dal comportamento della moglie e degli amici?
22. Perché, secondo te, non dice la verità, e cioè che i messaggi di Lucio non erano per lui?
23. Per chi erano gli orecchini che Cosimo aveva comprato? Come lo sappiamo?
24. Come veniamo a sapere qual è il vero rapporto fra Cosimo e Marika?
25. Anche Carlotta ha un piccolo segreto, quale?
26. "L'unica cosa che ci ha tenuto insieme è il senso di colpa, il mio: quello che tu mi ha fatto provare tutti questi anni!" Spiega questa accusa di Carlotta a Lele.
27. "Sono stato 'frocio' due ore e m'è bastato." Perché Lele dice questa frase?
28. "Questa sera avete fatto voi *outing*, non io." È giustificata, secondo te, questa affermazione di Peppe? Perché?
29. Qual è la fine sorprendente del film?
30. Chi ha questi segreti? Completa ogni frase con il soggetto giusto.

a. _____ va dall'analista.

b. _____ ha in programma un intervento di chirurgia plastica.

c. _____ ha una relazione con un amico del gruppo.

d. _____ comunica ancora con il suo ex ragazzo.

e. _____ riceve ogni sera una foto ("fotina") particolare da un'amica.

f. _____ ha una relazione con una collega che scopre di essere incinta.

g. _____ è omosessuale.

h. _____ ha una corrispondenza con una persona che non ha mai visto ma per la quale fa cose strane

(ad esempio, non si mette le mutande).

CAPITOLO
SEI

LA RECENTE IMMIGRAZIONE

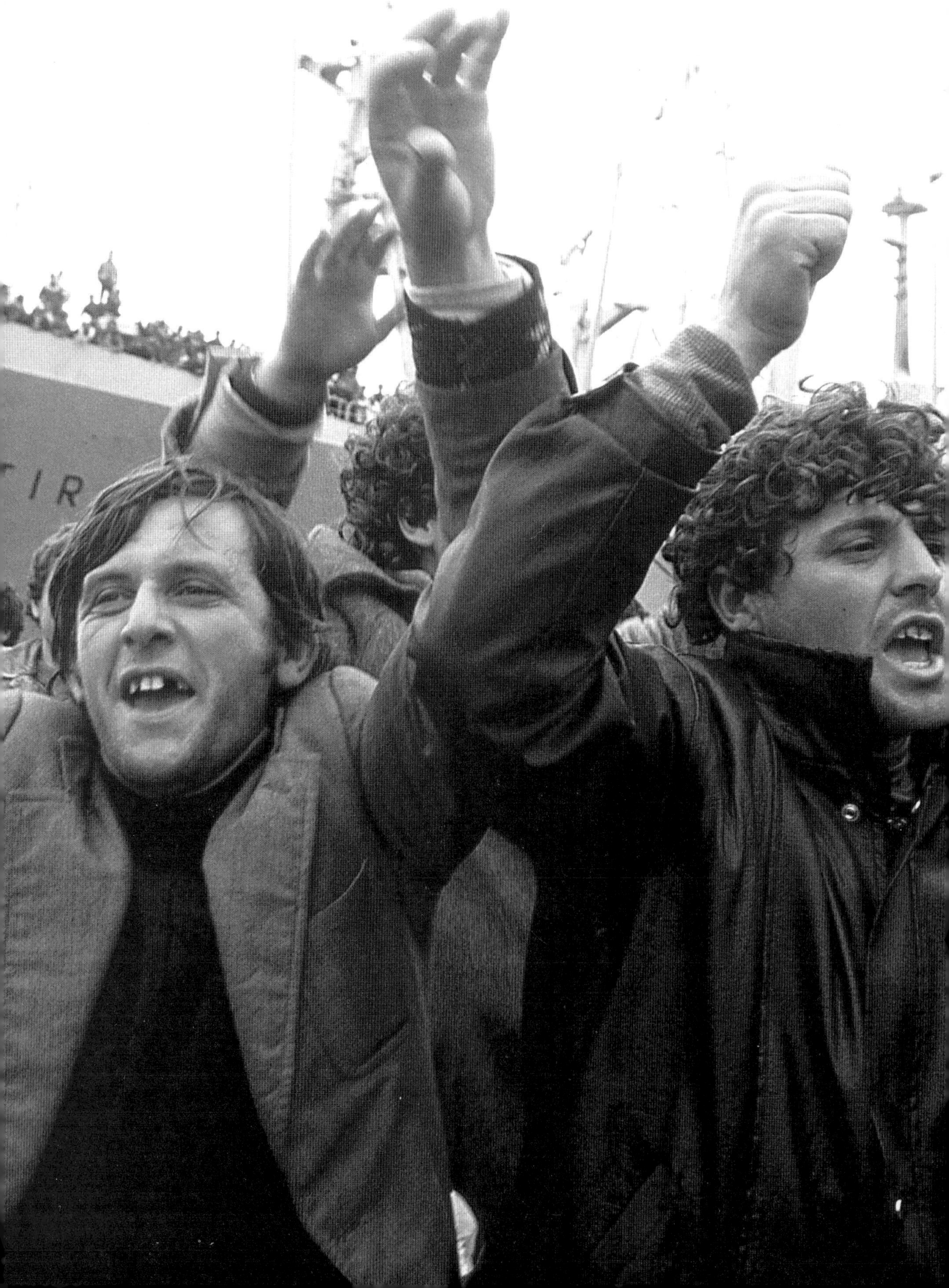

LA RECENTE IMMMIGRAZIONE

Fino agli anni '90 lo straniero più visibile in Italia era quasi sempre maschio, e popolava le piazze e gli incroci delle grandi città e dei luoghi di villeggiatura: era il venditore ambulante di accendini, borse o altri accessori o il pulitore di vetri di macchine. Spesso proveniva dal nord Africa e non intendeva stabilirsi in Italia: dopo aver messo da parte un po' di soldi, generalmente ritornava al Paese d'origine. Questo tipo d'immigrati esiste ancora, ma ad essi si sono aggiunte ora intere famiglie, donne e bambini, oltre a uomini, spesso in fuga da guerre e miseria, e in cerca di un destino migliore e di una occupazione permanente.

L'immigrazione femminile è ancora molto meno visibile di quella maschile perché le donne lavorano principalmente nelle abitazioni private delle grandi città: si tratta delle **"badanti"**, una figura sociale e una professione relativamente nuove per l'Italia. Le badanti sono persone assunte dalla famiglia per "badare" alla casa, cioè occuparsi degli anziani o dei bambini, specialmente nei grandi centri urbani. Ci sono anche immigrati, uomini e donne, che lavorano nelle imprese di pulizia, come manovali o operai nelle piccole industrie del nord-est, o come braccianti agricoli stagionali, specialmente nel Sud, per la raccolta di pomodori e ortaggi.

Immigrati di origine africana a Piazza Duomo, Milano.

Si calcola che nel 2017 gli stranieri residenti in Italia (legalmente e illegalmente) fossero circa sei milioni, quindi pari al 10% della popolazione totale.

CARATTERISTICHE E CAUSE DELLA NUOVA IMMIGRAZIONE

Questo flusso migratorio è, per l'Italia, un fenomeno relativamente recente - cominciato alla metà degli anni '80 - ed ha un carattere estremamente eterogeneo: gli immigrati che arrivano a migliaia ogni anno provengono dal Nord Africa, dall'Europa dell'Est, dai Balcani, e dal Medio ed Estremo Oriente, dal Centro e dal Sud America. L'Italia ha una posizione geografica che, più di altre nazioni europee, facilita l'arrivo d'immigrati anche da altri continenti: si trova al centro del Mediterraneo, quindi costituisce un porto naturale d'ingresso all'Europa. L'estensione delle sue coste, rispetto ai confini di terra, permette l'arrivo via mare, anche con mezzi di fortuna. Negli ultimi anni, al largo delle coste italiane, migliaia d'immigrati - uomini, donne e bambini - hanno perso la vita tragicamente durante attraversamenti in imbarcazioni sovraccariche ed in condizioni di mare avverso.

Immigrati albanesi all'arrivo a Brindisi, anni '90.

Le cause di queste migrazioni di massa sono molteplici. Innanzitutto c'è il divario economico fra i **Paesi dell'Occidente**, nei quali il benessere e i consumi hanno raggiunto un altissimo livello, ed i **Paesi del cosiddetto Terzo mondo** dove si assiste ad un impoverimento generale della popolazione, accompagnato dal decadimento dell'agricoltura e delle economie tradizionali. A povertà e disperazione si uniscono spesso motivazioni di ordine politico: fuga dalla guerra, da regimi repressivi e da persecuzioni religiose, o guerre civili. Un altro fattore da considerare è la **globalizzazione** economica, sociale e culturale che ha avuto effetti contraddittori: da un lato, ha facilitato i trasporti, le comunicazioni e le conoscenze contribuendo, specialmente negli ultimi decenni, ad avvicinare Paesi e popoli diversi; dall'altro, ha anche creato aspettative irrealizzabili di un certo tenore di vita, specialmente fra i giovani istruiti dei Paesi non industrializzati. Di fronte a questa situazione, l'Italia si è trovata del tutto impreparata ad affrontare un problema di portata internazionale.

L'ITALIA: DA "ESPORTATRICE" A "IMPORTATRICE" DI FORZA LAVORO

Le nazioni del nord e del centro d'Europa, hanno sempre conosciuto il fenomeno dell'immigrazione da Paesi più poveri di cui spesso avevano conoscenza diretta in quanto loro ex-colonie: si pensi, ad esempio, al caso degli immigrati algerini in Francia. Questi Paesi hanno pertanto una tradizione legislativa che regola l'entrata dei non-cittadini e ne favorisce l'integrazione. Per i Paesi dell'Europa meridionale, invece, il fenomeno migratorio è del tutto nuovo. L'Italia in particolare si è trovata di fronte a un paradosso culturale: da **Paese storicamente di emigranti poveri** (dal sud d'Italia al triangolo industriale del nord, o dal sud all'estero[1]) l'Italia è diventata un **Paese di immigrazione**. Se prima era una nazione relativamente omogenea dal punto di vista etnico e religioso, ora l'Italia si trova quasi improvvisamente ad affrontare le sfide di una società multi-etnica e multi-religiosa. Gli immigrati che vivono e lavorano ora in Italia hanno radici culturali, linguistiche e religiose del tutto eterogenee. Si calcola che provengono da più di 150 Paesi diversi: in testa troviamo gli immigrati provenienti dall'Europa dell'Est (Romania, Ucraine, Moldavia), segue il Marocco, l'Albania, e la Cina, ma numerosissime sono anche le comunità dall'Africa sub-sahariana (Senegal e Nigeria), dal subcontinente indiano (India e Sri Lanka) e dai Paesi dell'America Latina. La religione maggiormente rappresentata è il cristianesimo, seguito dalla religione musulmana (33,5%). Altre religioni presenti, anche se in percentuale molto minore, sono il buddismo, l'induismo e l'animismo.

Immigrato recente a Porta Venezia, Milano, 2001.

RUOLO DELL'IMMIGRATO NELL'ECONOMIA E NELLA SOCIETÀ ITALIANE

Questi immigrati hanno saputo soddisfare una nuova domanda di manodopera a basso prezzo e non qualificata che non riusciva ad essere coperta dalla forza lavoro italiana. La crisi economica degli anni '70, infatti, ha determinato la frammentazione delle grandi industrie manifatturiere, facendo fiorire, specialmente nel nord-est, una miriade di piccole imprese artigianali in forte competizione fra di loro, con margini di profitto molto bassi - la cosiddetta "**Terza Italia**". Queste piccole industrie sono bisognose di forza lavoro mobile e flessibile, a basso costo, disposta a svolgere lavori faticosi, spesso saltuari o stagionali, o "in nero", cioè senza contributi e coperture assicurative, al fine di evadere i costi di un'assunzione regolare. Chi meglio degli immigrati recenti, spesso clandestini e quindi facilmente ricattabili, poteva soddisfare queste molteplici esigenze? La possibilità di assumere forza lavoro a bassi costi e "in loco" ha permesso a queste ditte di continuare ad operare sul territorio italiano (invece di doversi trasferire all'estero, o peggio, chiudere le attività), con ovvi benefici per l'economia locale e nazionale.

---

1 Si pensi che solo nel 1913 migrarono all'estero dalle regioni del sud 900mila italiani, in maggioranza uomini.

L'Italia dell'inizio del terzo millennio è un Paese profondamente trasformato anche dal punto di vista demografico. La popolazione è invecchiata: se nel 1975 l'età media era di 35 anni, si prevede che nel 2025 sarà di 50 anni. Attualmente, le famiglie composte da un anziano che vive solo sono il 12,3% del totale[2]. Allo stesso tempo, le donne non occupano più, specialmente nelle grandi città, il ruolo tradizionale di casalinghe ancora prevalente fino agli anni '70, ma lavorano fuori casa al pari dei mariti: una società di questo tipo, ha bisogno di qualcuno che si occupi degli anziani e dei bambini, e assolva una serie di mansioni domestiche "nascoste", prima svolte silenziosamente da madri e mogli. Secondo alcuni osservatori, l'entrata delle donne occidentali nel mondo del lavoro è stata possibile grazie a questa immigrazione dal Terzo mondo[3]. A questo quadro generale si aggiunge il relativo benessere di cui gode una nuova classe sociale composta dai professionisti delle grandi città i quali, aspirando a tenori di vita molto alti, hanno creato un bisogno di servizi di vario tipo nei campi della ristorazione, dello spettacolo, del tempo libero, e del turismo.

In questa situazione economica e sociale eterogenea si inseriscono badanti, domestiche, personale di pulizia e camerieri: un piccolo esercito di nuovi **"lavoratori dei servizi"** che popola le grandi città, pronto ad occuparsi di anziani e bambini, e a fornire il supporto necessario al mantenimento degli standard di vita della nuova classe sociale di professionisti[4].

Manifesto a favore della tolleranza, 2002.

IMMIGRATI E DISOCCUPAZIONE GIOVANILE

Nonostante soddisfino precisi bisogni economici e sociali della società italiana, questi immigrati vengono spesso accusati di "rubare il lavoro agli italiani". Si verifica infatti in molte zone il paradosso della contemporanea presenza di lavoratori immigrati e di una discreta percentuale di disoccupati italiani, specialmente giovani. La situazione in realtà è molto più complessa di quanto appaia. Molte famiglie italiane sono caratterizzate dalla presenza in casa di figli già adulti che hanno finito gli studi, e sono in attesa di trovare un posto di lavoro. Si tratta però, nella maggior parte dei casi, di giovani che hanno un relativo alto livello di scolarità e che non sono alla ricerca di qualsiasi lavoro, ma di un lavoro stabile, a tempo pieno e relativamente prestigioso, cioè adeguato al loro livello d'istruzione. Questi giovani italiani spesso preferiscono rimanere

2 Reperito il 2 marzo 2018: http://www.cattolicanews.it/Rapporto_Osservasalute_2009_Salute_e_assistenza_anziani.pdf

3 R. Querzè, "Donne manager a tempo pieno e con i figli 20 ore a settimana", *Corriere della Sera,* 9 maggio 2004.

4 M. Ambrosini. *Utili invasori. L'inserimento degli immigrati nel mercato del lavoro italiano.* FrancoAngeli, Milano 1999, pp. 17-19

Venditori ambulanti.

disoccupati e farsi mantenere dalla famiglia piuttosto che accettare lavori marginali.[5] Si crea
così la situazione paradossale della presenza nella stessa zona di giovani italiani disoccupati e
d'immigrati clandestini, senza comunque che una categoria entri in concorrenza con l'altra.

PROBLEMI D'INTEGRAZIONE

L'integrazione sociale dei nuovi immigrati non è facile, per ragioni già in parte discusse: la tradizionale **omogeneità**, specialmente religiosa, della società italiana si scontra con la
straordinaria **eterogeneità** di culture, lingue e religioni dei nuovi arrivati. Diversi altri fattori
ostacolano la formazione di un'unica comunità: chi svolge attività marginali o lavori "in nero"
legati ai servizi, manca della protezione di un'organizzazione sindacale, pertanto tende a vivere
isolato o a cercare protezione all'interno del gruppo di connazionali, piuttosto che a stabilire
contatti con gli abitanti del paese ospitante. Si è creata pertanto, soprattutto nelle grandi città,
una forbice economica fra gruppi sociali di professionisti con un altissimo livello di benessere
e una classe d'immigrati poverissimi. A questo proposito è interessante la testimonianza di una
giovane immigrata ungherese a Roma. Il suo sentimento d'isolamento ha radici nella relativa
povertà in cui vive. Circondata da un alto livello di benessere, Eva sente di non appartenere:

*"Il simbolo della mia storia è un sondaggio telefonico a cui non sono stata in grado di rispondere
[...] Bene, mi dice, gentilissimo: Signora, posso rivolgerle qualche domanda? [...]Signora, lei ha un
videoregistratore? E io rispondo, no. Ha un'automobile? No, mi dispiace. Ha un forno a microonde? No,
non ho neppure quello. Attimi di silenzio. Imbarazzo. Credo di averlo sconvolto. Una persona come me, che
non consuma, non compra, non ha soldi a sufficienza per consumare, cosa ci sta a fare su questa terra?"*[6]

---

5   Questo fenomeno è ampiamente discusso in Ambrosini,
    Utili invasori, cit., pp.46-49

6   M. Melilli. *Mi chiamo Alì... Identità e integrazione: inchiesta
    sull'immigrazione in Italia.* Editori Riuniti, Roma 2003, p. 117

RESISTENZA DEGLI ITALIANI ALL'INTEGRAZIONE DEGLI IMMIGRATI

Purtroppo, non sono mancate in Italia situazioni di tensione sociale causate da pregiudizi e addirittura da razzismo. L'immigrato è spesso percepito come una minaccia per la continuità dello stile di vita italiano: l'italiano medio, infatti, anche se non possiede un forte sentimento di orgoglio nazionale e in genere non si considera molto patriota, è alquanto geloso del proprio modo di vita e delle proprie tradizioni locali (queste includono la cucina, gli orari di lavoro e di scuola, il modo di passare il tempo libero e di socializzare) ed è relativamente poco disposto e cambiare le sue abitudini per accogliere le esigenze di gruppi etnici o religiosi diversi. Nei casi peggiori, l'immigrato è accusato di essere portatore di criminalità spicciola, e diventa perciò un pericolo per l'ordine pubblico, una minaccia dalla quale si richiede protezione.

"Extracomunitario" è il termine più comunemente usato, anche dalla stampa, per definire un immigrato recente. Anche se non ha una connotazione esplicitamente dispregiativa, questa espressione riflette una visione dell'immigrato come un "non appartenente", un "altro" o un "diverso" dalle popolazioni autoctone, in questo caso definite di origine europea, e quindi appartenenti alla tradizione occidentale. Dal punto di vista dell'immigrato, il termine "extracomunitario" conferma e rinforza il suo sentimento di estraneità e isolamento rispetto alla comunità locale.

Preghiera di fedeli musulmani su un marciapiede di Milano, 2004.

Un episodio di razzismo aperto avvenne nell'agosto del 1989 a Villa Literno (Caserta) quando un immigrato dal Sud Africa, Jerry Essan Mazlo, impiegato nella raccolta stagionale dei pomodori, fu ucciso da una banda di giovani del luogo durante una "spedizione punitiva" contro gli immigrati. L'episodio, riportato da tutti i maggiori giornali italiani, causò una notevole costernazione, e stimolò molti dibattiti e autoriflessioni sull'estensione del razzismo in Italia.

Dalla popolazione in generale, comunque, l'atteggiamento più diffuso è una generica tolleranza, spesso accompagnata da un atteggiamento di condiscendenza che traspare nell'uso del "tu", invece del "Lei", e nella tendenza a parlare con gli stranieri usando verbi all'infinito (tu mangiare, andare, ecc.) anche quando l'interlocutore possiede una discreta conoscenza dell'italiano.

Il ruolo degli immigrati nella società italiana e il loro inserimento sono nodi da risolvere all'interno di un dibattito ancora aperto: alcuni auspicano un'assimilazione totale, altri un mantenimento dell'etnicità d'origine da parte di ogni gruppo d'immigrati, nel contesto di una società multirazziale, altri pensano al lavoratore straniero come a una dolorosa necessità - un ospite temporaneo con cui non si devono necessariamente condividere spazi e risorse. Il rischio è proprio quello di creare, all'interno di una società che si dichiara democratica e civile, una classe d'inferiori, dal punto di vista dello status sociale e dei diritti civili, che non solo non può votare, ma alla quale è negato l'accesso ai servizi sanitari, alle liste di collocamento, alle liste d'attesa per ottenere case popolari, e a tutti quei servizi che un normale cittadino dà per scontato.

In questo contesto si inserisce l'attuale dibattito sullo *ius soli*, una proposta di legge che vorrebbe modificare le regole per l'ottenimento della cittadinanza. Attualmente solo i nati da almeno un genitore italiano possono avere la cittadinanza, anche se sono nati all'estero e non hanno mai messo piede in Italia. Al contrario, i nati sul territorio italiano da genitori stranieri, anche se sono sempre e solo vissuti in Italia, rimangono per anni in una specie di limbo, in attesa di una cittadinanza che può essere garantita così come negata.

DOMANDE DI COMPRENSIONE

1. Come è cambiata l'immigrazione in Italia dall'inizio degli anni '90?
2. Quali lavori svolgono principalmente le donne immigrate?
3. Perché si dice che questo flusso migratorio è "eterogeneo"?
4. Perché l'Italia è un porto d'arrivo privilegiato per molti immigrati?
5. Quali possono essere le cause del recente fenomeno migratorio? Quale di queste ti sembra più convincente?
6. Perché L'Italia, a differenza di altri paesi europei, si è trovata impreparata di fronte all'arrivo massiccio di tanti immigrati?
7. Perché si dice che gli immigrati hanno soddisfatto una nuova domanda di manodopera?
8. In che modo gli immigrati hanno saputo soddisfare i bisogni delle donne lavoratrici e dei giovani professionisti che vivono nelle grandi città?
9. È vero che gli immigrati "rubano lavoro agli italiani", specialmente ai giovani disoccupati?
10. Quali fattori possono ostacolare l'integrazione degli immigrati?
11. Perché esiste il rischio che i recenti immigrati vadano a costituire una nuova "classe di inferiori"?
12. Personalmente che soluzione auspichi: l'assimilazione totale degli immigrati nella società italiana o il mantenimento delle loro diverse identità nel contesto di una società multiculturale e multietnica?
13. Pensi che l'attuale legge di cittadinanza sia giusta o che sia necessario cambiarla?

QUADRETTI CULTURALI

RIACE: UN MODELLO DA SEGUIRE

"Spiaggia e mare liberi per chi entra e per chi arriva": così si legge sul cartello di benvenuto alla spiaggia del piccolo paese di Riace in Calabria. Le parole del cartello ci anticipano il ruolo da gigante che questo villaggio ha avuto nel definire, non solo per l'Italia ma per il resto del mondo, nuovi modelli d'incontro e integrazione fra gli immigrati e le popolazioni locali.

Riace divenne un nome noto anche all'estero per la prima volta nel 1972, e non a causa di eventi legati all'immigrazione, ma per una scoperta archeologica avvenuta per caso al largo delle sue coste: un sommozzatore durante un'immersione vide una mano emergente dal fondo sabbioso del mare: apparteneva a una statua di bronzo di epoca greca (450-460 a.C.) di eccezionale bellezza che fu portata alla luce insieme ad un'altra simile, rinvenuta a poca distanza. Le statue rappresentano due atleti nudi (potrebbe trattarsi anche di guerrieri o eroi) che da allora furono soprannominati "Bronzi di Riace". Dopo un lavoro di restauro durato decenni, i bronzi sono ora esposti al Museo Nazionale della Magna Grecia di Reggio Calabria.

Riace tornò a far parlare di sé nel 2016 su un soggetto alquanto diverso dal ritrovamento archeologico di più di quarant'anni prima: il sindaco Mimmo Lucano fu nominato dalla rivista Forbes come "uno dei 50 leaders più influenti del mondo". Cosa determinò la nomina del sindaco di un paesino calabro di meno di duemila abitanti in una graduatoria internazionale che vede personaggi di fama mondiale quali Papa Bergoglio, Bono degli U2 e Angela Merkel? Mimmo Lucano ha saputo far rivivere il suo paese che si stava spopolando ideando un nuovo programma di accoglienza degli immigrati: una "win-win situation", cioè una situazione vantaggiosa per tutti, residenti e immigrati.

Dagli anni '60, infatti, Riace soffriva di una malattia comune a tutti i paesi della dorsale appenninica, nel sud così come nel centro dell'Italia: lo spopolamento causato dal declino dell'economia locale, cioè dell'agricoltura e degli allevamenti di collina e montagna. Nel corso degli anni, molti giovani sono emigrati in massa, e ciò ha causato la chiusura dei servizi locali, quali scuole o ospedali, e l'ulteriore allontanamento delle giovani generazioni. Questo era anche il destino di Riace fino all'arrivo di una piccola comunità di kurdi sbarcati sulla spiaggia di Riace nel 1998. L'idea rivoluzionaria del sindaco è consistita nel cercare una soluzione alternativa ai soliti centri di accoglienza dove gli immigrati vengono inizialmente ospitati e che spesso finiscono per diventare luoghi di isolamento e ghettizzazione. Mimmo Lucano, invece, con la collaborazione dei residenti di Riace, ha aperto le porte delle case ormai abbandonate da decenni dagli emigrati riacesi. Si è ricostruito e restaurato, pertanto, il centro storico che ha preso di nuovo vita come quartiere e comunità. Dopo questa prima esperienza positiva altri immigrati sono arrivati a Riace nel corso degli anni, e hanno ripopolato gradualmente il centro cittadino, invertendo la progressiva tendenza allo spopolamento. Mimmo Lucano sottolinea come sia paradossale che, in Italia e nel mondo, gli immigrati siano considerati un'emergenza, mentre per Riace gli immigrati abbiano significato salvezza e riscatto, trasformando il paese da semplice ricettore dell'assistenza dello Stato centrale a promotore di una fiorente economia locale.

Mimmo Lucano definisce la sua esperienza l' "utopia della normalità": il successo del suo modello, cioè, sta proprio nel recupero dei valori più umani della cultura contadina ormai scomparsa. In un'intervista del 6 gennaio 2017 il sindaco ha dichiarato: "in questi borghi abbandonati [...] si è compiuta la storia delle comunità rurali: umili braccianti agricoli e anche artigiani esprimevano dei modi di vita che conoscevano il valore dell'accoglienza, non il pregiudizio e andavano fieri dell'incontro con il diverso [...] Abbiamo cercato di capire come costruire un meccanismo di interazione con la comunità locale, come riprendere il concetto di vicinato di casa come si usava nelle società contadine. [...] Qui l'accoglienza c'è ma non si vede, non esiste. Non ci sono centri di accoglienza visibili, sono le stesse case del paese ad assolvere questa funzione!"[1]

---

[1] https://www.infoaut.org/culture/nel-mare-di-riace-una-conversazione-con-mimmo-lucano (6 gennaio 2017)

QUADRETTI CULTURALI

Il risultato di questa "utopia della normalità" è che ora circa un terzo della popolazione di Riace è costituita da immigrati recenti dall'Afganistan, dall'Eritrea o dal Kurdistan e che le scuole, i negozi e la stazione hanno riaperto per tutti, vecchi e nuovi residenti.

Diventa quindi emblematico che la Calabria, in epoche antiche al centro della Magna Grecia, luogo di incontro fra greci, romani e altre popolazioni indoeuropee e semitiche del Mediterraneo, ancora oggi sia al centro di un importante incontro di culture. E forse è proprio dal Mediterraneo, dal Mare Nostrum, cioè "di tutti" come lo definivano i romani, che possono arrivare le risposte più creative ed efficaci a molte delle crisi del nostro periodo postmoderno. E le spiagge di tutto il Mediterraneo, e non solo di Riace, potrebbero diventare luoghi liberi "per chi entra e per chi arriva".

Riace - Immigrati.

227

IL CROCEFISSO PUÒ ESSERE ESPOSTO NELLE SCUOLE PUBBLICHE ITALIANE?

Nel 2002, Adel Smith, un cittadino italiano di religione islamica residente in un paesino della provincia dell'Aquila, chiese la rimozione del crocefisso appeso nell'aula della scuola pubblica frequentata dai suoi due figli; in alternativa, propose l'esposizione a fianco del crocifisso di una breve citazione del Corano. Il preside non accolse la richiesta, e la questione finì al Tribunale Civile dell'Aquila che, nell'ottobre 2003, ordinò la rimozione del crocifisso almeno nelle aule frequentate dai due bambini di famiglia musulmana.

Secondo la sentenza, il crocefisso "comunica un'implicita adesione ai valori che non sono realmente patrimonio comune di tutti i cittadini, presume una omogeneità che non c'è mai stata e non può sicuramente sussistere oggi, [...] connotando così in maniera confessionale la struttura pubblica della scuola e ridimensionandone fortemente l'immagine pluralista, ponendosi così contro la Costituzione."[1] La Costituzione italiana, difatti, proibisce ogni discriminazione basata sulla religione, e stabilisce il principio di laicità dello Stato, cioè la separazione fra potere politico e religioso. Sono ancora in vigore, però, due decreti governativi del 1924 e del 1928 che prevedono l'esposizione del crocefisso nelle scuole, e che non sono mai stati formalmente aboliti.[2] Da un punto di vista giuridico europeo, la questione rimane estremamente controversa, con sentenze di parere spesso contrastante: nel 2011, dopo una condanna della Corte Europea per i Diritti dell'Uomo per violazione della libertà di religione, l'Italia venne assolta alla fine di un processo ad un livello più alto di giudizio.

Aula di una scuola pubblica, 1980 circa.

1   V. Piccolillo, "Il giudice: Via il crocefisso dai muri di quella scuola", *Corriere della Sera*, 26 ottobre 2003.

2   "Barbera: c'è una legge dello Stato, le toghe non possono cambiarla", *Corriere della Sera*, 26 ottobre 2003, articolo firmato "R.I."

Volti di immigrati a una manifestazione
contro le espulsioni
Roma, 19 gennaio 2002.

Questo episodio, ed altri simili, hanno dato vita ad un vivacissimo dibattito sul ruolo anche culturale della religione cattolica. È innegabile che il crocefisso è l'immagine più
familiare per i cattolici: è presente in tutte le chiese, in migliaia di tabernacoli agli incroci
delle strade di campagna, sulle vette di ogni montagna; donne e uomini portano questo
simbolo appeso al collo; infine, è rappresentato in innumerevoli opere d'arte disseminate
in Italia e all'estero. Il Papa nel 1998 interpretò così il sentimento di molti italiani cattolici
nei confronti del crocefisso: "Tante cose possono essere tolte a noi cristiani ma la croce
come segno di salvezza non ce la faremo togliere. Non permetteremo che essa venga esclusa
dalla vita pubblica."[3]

Molti sostengono che il crocefisso è soprattutto un simbolo culturale in quanto
richiama valori morali ed etici oltre che religiosi. Inoltre, non solo il crocefisso, ma innumerevoli altri simboli della religione cattolica sono presenti su tutto il territorio nazionale
(dalle cattedrali nelle grandi città alle più umili chiese di paese) e sarebbe assurdo chiederne
l'eliminazione in nome del multiculturalismo. Quest'opinione è sostenuta, sorprenden-
temente, anche da intellettuali laici di rilievo, come il filosofo ed ex-sindaco di Venezia,
Massimo Cacciari. Altri, invece, come il giornalista e scrittore Eugenio Scalfari, fanno
appello alla natura essenzialmente laica della Costituzione italiana, e alla leggendaria visione di "libera Chiesa in libero Stato" che Cavour enunciò più di 150 fa davanti al neonato
Parlamento italiano. Secondo Scalfari, il crocefisso non può essere considerato un simbolo
della italianità, al pari della bandiera tricolore e del ritratto del Presidente della Repubblica,
comunemente esposti nei luoghi pubblici: "la laicità è [...] lo strumento per mantenere
la purezza del sentimento religioso e l'antidoto contro il fanatismo, il fondamentalismo,
l'intolleranza e contro la stessa e sempre possibile trasformazione della Chiesa da comunità
religiosa a organizzazione di potere."[4]

Un punto di vista interessante è stato espresso dal maestro e giornalista Alex Corlazzoli:

"Non è certo un crocefisso da togliere o da mettere che ci rende cristiani o meno.
Nella mia classe preferisco non avere alcun simbolo religioso eppure quest'anno ho appeso
un crocifisso: l'ho preso a Lampedusa, è fatto con i resti dei barconi finiti a fondo portando
quegli uomini e quelle donne di ogni religione alla ricerca della salvezza. E quel crocifisso
unisce chi è islamico, cristiano, buddista o ateo."[5]

3 S. Magister, "Nel segno della croce", *L'Espresso*, 6 novembre 2003.
4 E. Scalfari, *Il crocefisso non è il tricolore*, *L'Espresso*, 6 novembre 2003.

5 *Il Fatto Quotidiano*, Blog di Alex Corlazzoli, 25 novembre 2015 "Crocifissi e presepi a
scuola per combattere il terrore?", scaricato il 27.2.2018:
https://www.ilfattoquotidiano.it/2015/11/25/crocifissi-e-presepi-a-scuola-per-com-
battere-il-terrore/2250424/

PAROLE DEI PROTAGONISTI A CONFRONTO

1. UN GIOVANE IMMIGRATO DAL MAROCCO
Soprattutto dopo i controlli severi introdotti nel 1986 contro il terrorismo, lavorare in nero significa fare solo lavori pesanti e con grande rischio... [Gli italiani] capiscono che anche i marocchini hanno la capacità di lavorare e che hanno senso di responsabilità. Nelle mie chiacchiere con gli operai, soprattutto quelli provenienti dal Meridione, ho constatato che anche loro trovano delle difficoltà ad inserirsi, soprattutto nelle piccole località del Piemonte, perché ci sono tanti piemontesi che non vogliono affittare le loro case ai meridionali.[1]

2. UN GIOVANE IMMIGRATO DAL SENEGAL
Nei confronti degli stranieri non si usa il termine uguaglianza, si parla solo di tolleranza e solidarietà, come se la nostra presenza fosse un reato, una offesa. Tollerare cosa? mi chiedo tante volte: magari semplicemente l'essere diversi dai padroni di casa disturba e a volte offende. Se fosse vero che ognuno deve restare a casa propria, se questa fosse veramente una legge naturale, saremmo certamente colpevoli. Chiediamo l'accettazione della diversità. E poi quanti siamo in questo mondo ad essere emigrati e per quanto tempo lo saremo?[2]*... Mi ritrovavo senza mezzi di sostentamento, dunque potenzialmente vulnerabile. Questo spiega in parte la nostra vita precaria e le facili cadute nelle trappole di persone senza scrupoli. Certo, a me non sembrava pericoloso tutto ciò, avendo conosciuto solo la povertà. Però essere povero in Africa, dove la solidarietà dei singoli individui si applica a tutti, è ben diverso che esserlo in occidente dove la stessa solidarietà è istituzionale e uno strumento politico.*[3]

3. SERME SALIA
giovane immigrato dal Burkina Faso
[Essere clandestino] significa uscire di casa e avere paura. Anzi, terrore. Vuol dire sentirti un ladro o un criminale anche se non hai rubato uno spillo e non hai toccato nessuno, anche se lavori e sei onesto. Immaginare che la gente per la strada fissi solo te.[4]

4. YOUNIS TAWFIK
immigrato dall'Iraq, architetto
I. ... continuavo a studiare e lavorare per raggiungere il mio obbiettivo: guadagnare più soldi possibile e partire, andare all'estero per completare gli studi, ovvero fuggire. Non capivo da che cosa volessi scappare, ma mi sentivo soffocare, straniero in patria e tra la mia stessa gente. Dentro di me c'era un distacco dalle cose e dalle persone, salvo poche che facevano parte della mia vita e della mia famiglia. Ero presente con il corpo, ma con la mente ero già altrove. L'atmosfera mi sembrava così pesante che mi premeva sul petto come una lastra di piombo. Cominciavo a odiare la gente, a non sopportare neanche i miei, soprattutto quando diventavano anche loro partecipi di quell'atmosfera. Il mio obiettivo costituiva l'energia che alimentava la pazienza e la sopportazione.[5]

II. *Non sono mai riuscito a svegliarmi il mattino presto. Dopo quasi vent'anni, non riesco ad abituarmi. Per sostituire il tè del mattino e il pane appena sfornato di mia madre con caffè e croissant c'è voluto tanto. Non riusco a sopportare il gusto amaro del caffè né il suo odore aggressivo. Infatti avevo iniziato con il cappuccino, poi con il caffè macchiato, per finire con l'insostituibile espresso. Ora non riesco più a riprendere conoscenza se non bevo una buona tazza di caffè all'italiana. Del tè di mia madre è rimasto soltanto il profumo fisso, come un remoto racconto in un angolo della mente. [...]Torino è la mia città perché non potrei definirla diversamente. Si diventa una sola cosa con la terra, gli alberi, i palazzi e con la gente, quando si vive a lungo in un posto. Con tutta la mia solitudine e le difficoltà che ho incontrato per integrarmi, posso dire che l'ho conquistata e trovo che faccia parte di me, della mia storia personale. L'amo come la mia città natale e, a volte, mi sembra di vivere in due posti. Una parte di me è rimasta nella mia città d'origine, l'altra è rinata qui.* [6]

5. SALVADORA BARBERENA
immigrata dal Nicaragua, cuoca, specializzata in catering
Il cibo etnico è molto di moda e per questo fra i clienti ho anche la regione, la camera di commercio, qualche banca e qualche stilista. Tutti vogliono sempre qualcosa di insolito per i ricevimenti. [...] Però la gente è strana. Ama il cibo esotico, meno le persone esotiche. [7]

6. AHMED OSMAN
immigrato somalo, salvato dalla Marina Militare Italiana al largo dell'isola di Lampedusa (18 ottobre 2003)
Ci avevano detto che bastava un giorno di navigazione. E noi abbiamo portato cibo e acqua per un giorno. Ma già domenica sera, con la pioggia, il vento, le onde, il buio, ci siamo trovati senza più acqua, senza niente da far mangiare ai bambini. E poi all'alba di lunedì, è finita la benzina. La paura di morire s'è affacciata. [8]

PAROLE DEI PROTAGONISTI A CONFRONTO

1   IRES (Istituto Ricerche Economico-Sociali del Piemonte), *Uguali e diversi – Il mondo culturale, le reti di rapporti, i lavori degli immigrati non europei a Torino*, Rosenberg & Sellier, Torino 1992, pp. 210-211.

2   Mbacke Gadji, *Pap, Ngagne, Yatt e gli altri*, Edizioni dell'Arco, Milano 2000, p. 63.

3   Ibid., p. 79.

4   Citato in P. Conti, 'Io clandestino per due anni, vivo ancora nel terrore', *Corriere della Sera*, 20 gennaio 2002.

5   Younis Tawfik, *La straniera*, Bompiani, Milano 1999, p. 25.

6   Ibid., pp. 99, 127.

7   G. Nicotri, 'Complimenti, sciur Mustafà', *L'Espresso*, 30 novembre 2000.

8   Citato in F. Cavallaro, 'Ho buttato in mare i miei figli. Erano già morti da due giorni', *Corriere della Sera*, 19 ottobre 2003.

BREVE DIARIO DI FRONTIERA
di Gazmend Kapllani

Gazmend Kapllani è un giornalista, scrittore e poeta di origine albanese che emigrò in Grecia all'inizio degli anni '90, subito dopo il crollo del regime autoritario in Albania. Attualmente scrive sia nella sua lingua madre che in greco. "Breve diario di frontiera" racconta la sua fuga in Grecia e le difficoltà dei primi periodi di vita in quel Paese. Fra un capitolo e l'altro della sua narrativa lo scrittore si sofferma in riflessioni più generali sul destino dei migranti.

I confini impenetrabili e le **muraglie** assassine della Guerra Fredda non esistono più. Oggi i confini e le muraglie riguardano soprattutto le nostre tasche. Mi riferisco ai nostri passaporti. Me ne rendo conto
5 ogni volta che mi chiedono di esibire un documento d'identità. Di fronte allo sportello di controllo ci sono esseri umani forniti di un *buon passaporto* ed esseri umani forniti di un *cattivo passaporto*. Quando si ha un buon passaporto non c'è linea di confine che tenga. Le
10 frontiere si trasformano in linee invisibili, in un gioco della fantasia, in un termine geografico trasparente come la luce mediterranea. Invece quando si è forniti di un *cattivo passaporto*, ecco **fare** di nuovo **capolino** la sindrome delle frontiere. Perché **varcare** una dogana
15 si trasforma in un evento memorabile. Che merita una pagina nel diario delle nostre esistenze. E più le frontiere si moltiplicano, più ci **si intestardisce** a volerle oltrepassare. Io appartengo ancora a coloro che sono in possesso di un *cattivo passaporto*. Un tempo
20 anche quello greco era un *cattivo passaporto*. Oggi invece appartiene a quelli buoni. Ma io non ce l'ho. Né so se riuscirò mai a ottenerlo. Per il momento vado in giro munito di un *cattivo passaporto* che, prima o poi, chissà quando, spero diventi anch'esso buono. Di solito lo
25 sguardo del poliziotto che controlla un *buon passaporto* è sereno e rilassato. Al contrario dello sguardo perlopiù diffidente proprio del poliziotto che controlla un *cattivo passaporto*. Ti guarda e ti riguarda. Ti fa domande su domande, alcune delle quali francamente improbabili.
30 Alle quali tu cerchi di dare una risposta plausibile. Lui però insiste a farti domande ancora più improbabili. E tu **ti lambicchi** il cervello a cercare risposte plausibili. In attesa del timbro che ti consente di varcare la dogana, di accedere all'altra parte del mondo. Perché quando
35 si possiede un *cattivo passaporto* i confini assumono di nuovo l'espressione **truce** che hanno sempre avuto e che sempre avranno. In certe dogane e passaggi di frontiera i poliziotti addetti al controllo sono a loro volta figli di migranti. Anche i loro genitori, forse, una
40 volta erano giunti in quel Paese muniti di un *cattivo passaporto*. O nascosti dentro il vagone di un treno, nel buio di un barcone. Forse per non essere espulsi avevano strappato i documenti d'identità. E adesso tocca a lui, cittadino di quel Paese fortunosamente raggiunto dai
45 suoi genitori, controllare le persone fornite di un *cattivo passaporto*. Che forse sono mosse dalla stessa passione, dallo stesso ardente desiderio di varcare i confini, di espatriare, di farsi una nuova vita, con la speranza, un giorno, di vedere i propri figli in possesso di un *buon*
50 *passaporto*. È in questo modo che quanti sono affetti dalla sindrome delle frontiere mutano senza sosta patria d'origine, nomi, provenienza. Ma lo sguardo da loro rivolto alle frontiere e lo sguardo che le frontiere rivolgono a loro resta sempre uguale. Perché devi sa-
55 pere, mio caro, che questo mondo non si ferma mai. Va avanti abbattendo vecchi confini ed ergendone di nuovi. Comunque, indipendentemente dal lato in cui ci troviamo, a questo mondo siamo tutti migranti. Con un **permesso di soggiorno** temporaneo su questa
60 terra, **inguaribilmente** di passaggio...

NOTE (PRECEDUTE DAL NUMERO DELLA RIGA NEL TESTO)

1. *la muraglia:* barriera difensiva, muro
13. *fare capolino:* emergere, uscire con la testa (in senso figurativo)
14. *varcare:* passare dall'altra parte
17. *intestardirsi:* ostinarsi

32. *lambiccarsi:* sforzarsi mentalmente, cercare di risolvere un problema difficile
36. *truce:* crudele, minaccioso
59. *il permesso di soggiorno:* permesso temporaneo di residenza in un paese
60. *inguaribilmente:* inevitabilmente

DOMANDE DI COMPRENSIONE E DISCUSSIONE

1. Quali sono i confini e le muraglie vere, secondo lo scrittore?
2. Come si può distinguere un "buon passaporto" da un "cattivo passaporto"?
3. Come si comporta il poliziotto alla frontiera con chi ha un "buon passaporto"?
4. E come si comporta, invece, con chi è in possesso di un "cattivo passaporto"?
5. Che cosa rappresentano le frontiere per chi è in possesso di un "cattivo passaporto"?
6. Che cosa si domanda l'autore riguardo le origini dei poliziotti che ora controllano il passaporto?
7. Perché alla fine l'autore dice che "siamo tutti migranti"? A che cosa si riferisce?

OSSERVAZIONI GRAMMATICALI SUL TESTO

Considera l'uso del "si impersonale" nelle frasi 1-4, e del pronome soggetto "noi" in senso generico ("tutti", "noi tutti"). Riscrivi le stesse frasi usando il "noi" in senso generico ("tutti", "noi tutti") al posto del "si impersonale", e viceversa.

Segui l'esempio:
<u>Si varca</u> la frontiera → *Varchiamo* la frontiera.
<u>Controlliamo</u> il passaporto. → *Si controlla* il passaporto.

1. Quando <u>si ha</u> un buon passaporto non c'è linea di confine che tenga.
2. Invece quando <u>si è forniti</u> di un cattivo passaporto, ecco fare di nuovo capolino la sindrome delle frontiere.
3. E più le frontiere si moltiplicano, più <u>ci si intestardisce</u> a volerle oltrepassare.
4. Perché quando <u>si possiede</u> un cattivo passaporto i confini assumono di nuovo l'espressione truce che hanno sempre avuto e che sempre avranno.
5. Comunque, indipendentemente dal lato in cui <u>ci troviamo</u>, a questo mondo <u>siamo</u> tutti migranti.

IL MIO FUTURO È QUI

a cura di Ingy Mubiayi e Igiaba Scego

Ingy Mubiayi e Igiaba Scego, due scrittrici italo-africane, raccolgono nel libro "Quando nasci è una roulette" diverse testimonianze di giovani italiani di seconda generazione, cioè nati da genitori immigrati ma cresciuti ed educati in Italia. Queste interviste colgono la dimensione tutta particolare di chi vive a cavallo fra due o più culture e deve conciliare giornalmente le pressioni che derivano dal sentirsi italiani, ma dall'apparire diversi dai propri connazionali. In questo brano leggiamo la testimonianza di una studentessa universitaria di origine tunisina che vive a Roma.

Ho diversi amici qui in facoltà, ormai sono al quarto anno, quindi conosco molte persone. [...] Non sono tutti stranieri. E fanno quasi tutti come te: con la storia del velo, intendo, si incuriosiscono. Per la maggior parte sono italiani, ma ci sono anche africani, tunisini, marocchini. Oggi al tavolo[1] c'è Bin, che è del Congo e anche mezzo francese, non so bene; c'è Diego, che è italiano, Karim che è proprio un misto, non ho capito bene, ma mi sembra che abbia vissuto in Arabia Saudita, poi Afshan, israeliano, e Akram tunisino, come me. Qui parliamo di tutto. Il pretesto per **attaccare bottone** comunque è la religione. [...] La domanda è sempre "Perché metti il velo?" oppure "È vero che la donna da voi è discriminata?". All'inizio ci attaccate, poi capite come stanno le cose. Per esempio: l'islam è conosciuta come religione terroristica e volete sapere se "è vero che siete troppo rigidi" o cose del genere. Poi **pian piano**, parlando, capite cos'è davvero l'islam ed è così che si creano le amicizie. E poi anche il fatto che stiamo nella sala studio a parlare e ridere: è la prima cosa che contrasta con l'immagine che avete di noi. Sembra quasi che una ragazza musulmana con il velo non possa ridere e chiacchierare con i suoi compagni di studio. Chi ve l'ha detto?

Sai cosa penso? Qui la gente, o meglio i giovani, sono molto aperti. Invece gli anziani ... Ce ne sono alcuni che sono veramente chiusi. Non ti accettano e basta, è inutile parlarci. Per esempio sugli autobus, dopo l'11 settembre,[2] giravo con il velo e c'erano degli anziani che mi guardavano male, oppure qualcuno diceva "Oddio, questa ci fa saltare in aria!". Ho incontrato anche dei giovani che si comportavano così, però si vedeva che lo facevano per scherzo, tanto per ridere. Invece, adesso che siamo lontani da quell'evento non succede più.

Con gli altri giovani in genere mi trovo proprio bene. Mi sento integrata, come si dice. Alcuni intendono questa cosa come un dover lasciare tutto: la cultura, la religione. Per loro integrarsi vuol dire adottare la cultura italiana. Invece per me l'integrazione è un'altra cosa: grazie a Dio parlo la vostra lingua, ho buoni rapporti con gli amici, con i professori, con i vicini di casa. Per me è questo. Riesco a vivere e mi accettano per quello che sono. Quindi non devo cambiare, rinunciare alla mia cultura. Poi, certo, siamo diversi. Io, **vabbè**, sono scura di pelle quindi per forza appaio subito diversa. Però il fatto di pregare cinque volte al giorno o di mettere il velo non sono cose che ostacolano l'integrazione. Se mi accettano con il velo, grazie a Dio, io non ho altri problemi. A volte, guarda, **mi scordo** proprio di avercelo in testa, soprattutto quando sono qua in facoltà. Nessuno qui mi fa sentire un'extraterrestre. Sull'autobus invece sì. È come ti dicevo. Iniziano a guardare tutti quanti. C'è lo sguardo curioso, c'è lo sguardo tipo complimenti, e c'è invece lo sguardo che dice "**oddio** mi fai paura con questo velo in testa". Che devo fare? Comunque ognuno ha la libertà di pensare come vuole ... non mi **pesa**, al contrario, sono ogni giorno più convinta del mio velo, della mia cultura, di tutto. Ma mi piace anche la cultura italiana. Alla fine dipende dalla persona, non solo dall'aspetto: se ho un carattere aperto, l'avrò anche con il burqa addosso, ce la farò comunque a integrarmi. Se sono chiusa, invece, non ce la farò neanche se mi metto la minigonna. All'inizio l'aspetto è importante, è vero. Poi conta la personalità.

Non è sempre così. Purtroppo non sono solo gli italiani a parlare male della nostra religione. Ci sono anche certi personaggi che sono musulmani e che parlano male dell'islam. Che lo presentano dicendo cose che non

---

[1] Si riferisce a un tavolo della sala studio dell'Università di Roma.

[2] Un riferimento agli attentati terroristici avvenuti negli Stati Uniti l'11 settembre 2001.

sono vere, o senza spiegare. E quindi siamo attaccati da questi e quelli. Questi personaggi, poi, sono quelli che hanno più spazio in tv per parlare di certe **cretinate** che poi i giornalisti non vedono l'ora pubblicare. A me **dà fastidio** quando parlano dell'islam in modo negativo oppure quando dicono cose sbagliate, tipo che la donna da noi è discriminata. Ma non è vero! Una volta sono stata ospite in un programma televisivo e c'era una parlamentare, una che una mattina si è svegliata e ha cominciato una specie di **crociata** contro il velo. Mi diceva: "Tu questo velo sei costretta a metterlo". Mi sono proprio innervosita: continuavo a ripetere che ero io che volevo mettermelo, che lo mettevo per convinzione e lei niente, insisteva che ero costretta, che ero sottomessa dall'uomo, e non so che altro. Come se avesse la verità in mano e conoscesse tutto di me e di tutte le donne del mondo. Su questo punto bisognerebbe un po' riflettere, cioè sulle donne nell'islam. Sono guardate malissimo dalla società italiana e sono presentate male in tv, dai mass media. Anche quando si parla dell'islam in termini positivi, si dice sempre che la donna è discriminata, che è obbligata dall'uomo a mettere il velo anche se queste cose nel Corano non ci sono. Come se conoscessero il Corano meglio di noi. Pensa se io andassi a dire qualcosa sulla Bibbia, chi mi **darebbe retta**! Che poi, comunque, la Bibbia è un testo sacro anche per noi.

Ma non è solo un problema di gente. È anche un problema di governo, di Stato, di politica. Finché non prenderò la cittadinanza io non mi sentirò mai italiana fino in fondo. È un problema, quello dei documenti. C'è della discriminazione in questo: ci sono dei giovani che sono qui da 16, 20 anni e non possono ancora ottenere la cittadinanza, ma hanno solo il **permesso di soggiorno** per motivi di studio. Nemmeno per motivi familiari. Quindi se il permesso **scade** non possono rinnovarlo e devono tornarsene al loro Paese d'origine. È davvero una cosa assurda. È una legge **cretina**, senza senso. Prendi il mio caso: siamo venuti in Italia per motivi familiari, sia io sia i miei fratelli siamo arrivati da piccoli, ma io non posso rinnovare il permesso di soggiorno se non supero almeno due esami all'anno, e mi hanno tolto il permesso per motivi familiari anche se è mio padre a mantenermi. E siccome ho il permesso per motivi di studio devo pagare 150 euro all'anno per avere il **libretto sanitario**. Per ora il permesso ce l'ho, ma se una volta finiti gli studi non trovo lavoro per me sarà un grandissimo problema.

Bisogna fare qualcosa, ognuno nel suo piccolo. Io, per esempio, frequento l'associazione dei Giovani musulmani d'Italia. Ne fanno parte sia arabi sia italiani convertiti, ci frequentiamo in moschea oppure ci vediamo durante i nostri incontri.

[...]

La prima volta che ci sono andata io, mi ha impressionato la diversità dei dialetti. Non quelli arabi, quelli italiani. Ognuno aveva il suo accento. Ed era buffo, perché siamo tutti arabi, o comunque la maggior parte di noi parla arabo, però poi quando parliamo in italiano ognuno ha il proprio dialetto, **che so** di Milano o di Torino. E lì parliamo solo in italiano. Tutti gli incontri, le conferenze sono in italiano. Quando arriva qualche relatore che parla solo arabo c'è la traduzione. Sì, perché ci sono anche degli italiani musulmani che non capiscono. Hanno origini arabe, ma non parlano l'arabo.

Non tutte le ragazze portano il velo. E comunque tutti e tutte hanno una mentalità italiana. È che sono di seconda generazione. Io non mi considero ancora di seconda generazione perché sono qui solo da sette anni, anche se parlo benissimo la lingua e vivo qui. La mia amica, invece, è qui da sedici anni, e non è mai tornata indietro, quindi il suo Paese è questo. Per me, io sono ancora a metà. Mi sento che sto in mezzo.

Tra gli argomenti che affrontiamo l'integrazione c'è sempre. Sempre. Il nome stesso - Giovani musulmani d'Italia - **ha a che fare** con l'integrazione e i rapporti con la religione. Oppure parliamo del legame con la famiglia da una parte e con la società italiana dall'altra. Ci sono tanti problemi. Alcuni che non ce la fanno a integrarsi. Altri sono ben integrati ma non riescono a praticare la loro religione. Altri sono ben integrati e buoni praticanti, diciamo così. Ci si confronta tra di noi. Per esempio, il ragazzo che non ce la fa a praticare la religione (che ne so, per esempio perché non può avere la ragazza, o perché non può andare in discoteca) chiede a un altro come **ce la fa** in una società dove tutti i nostri amici invece queste cose le fanno.

La nostra religione vieta i rapporti prematrimoniali (un po' come nel cristianesimo) e anche andare in discoteca, perché alla fine in discoteca si balla, si beve e si conoscono ragazze.

Allora ti viene un po' di depressione, perché non sai che fare. Cioè, alla fine uno ha tutti gli amici italiani e per lui diventa un problema se tutti escono il sabato e vanno a ballare e lui è l'unico che non può farlo. O magari ci va lo stesso, ma con grandi sensi di colpa e in più non può bere, non può ballare ... è una gran confusione insomma!

In moschea ogni sabato pomeriggio ci sono lezioni per i giovani e io ci vado sempre. Te l'ho detto

170 che insegno arabo ai bambini? Il sabato pomeriggio, appunto. Quando riesco vado in moschea anche il venerdì o la domenica. Poi ci sono le feste, e in quei casi non manco mai.

La moschea è anche un centro culturale: oltre alle lezioni di religione (che per i musulmani italiani 175 sono in italiano) ci sono corsi di lingua araba e, per le donne, anche di cucito. La moschea è un punto di riferimento. Ci andiamo tutti quanti con la speranza di trovare qualcun altro per fare quattro chiacchiere, scambiarci opinioni, dare e ascoltare consigli. Per stare 180 insieme. Tra di noi ci conosciamo tutti, infatti ogni volta che viene qualcuno di nuovo, lo notiamo subito.

[...]

Quando ho iniziato l'università mio padre non mi chiedeva mai niente dei miei amici. Poi è successo 185 che per l'anniversario della moschea di **Centocelle** io e Shaima abbiamo invitato tutti i nostri amici dell'università e loro sono venuti. Lui ha visto questo gruppo, maschi e femmine che scherzavano, uno che mi voleva

abbracciare (però io non gliel'ho permesso). Alla fine 190 mio padre mi ha chiesto in che rapporti fossi con questi amici. Io gli ho spiegato come stavano le cose e lui ha capito. Anche se, forse, ci sono delle cose che non gli piacciono, non mi critica perché alla fine capisce che è logico che ci siano dei cambiamenti se uno vive in 195 un'altra società.

Non mi piacerebbe andare a vivere in un altro posto. A me piace l'Italia. Spero di rimanere qui per sempre. Spero di sposarmi presto. Un marito italiano o di qualsiasi nazionalità, basta che sia musulmano. Spero 200 di avere un buon lavoro. Spero di trovare un posticino in qualche organizzazione internazionale, visto che studio economia della cooperazione internazionale e dello sviluppo ... sai, tipo la Fao. È difficile, lo so. Altrimenti, se va male al massimo mi mantiene mio marito! Sì, il 205 mio futuro lo vedo qui, in Italia.

Festival interculturale "Sup", Genova 2017.

NOTE (PRECEDUTE DAL NUMERO DELLA RIGA NEL TESTO)

11. *attaccare bottone:* coinvolgere qualcuno in una conversazione
17. *pian piano:* lentamente
44. *vabbè:* va bene, ok (colloquiale)
49. *scordarsi:* dimenticarsi
54. *oddio:* Oh, Dio (esclamazione, colloquiale)
57. *pesare:* essere difficile, fastidioso (figurativo)
71. *la cretinata:* stupidaggine
73. *dare fastidio:* disturbare, dare molestia o dispiacere
78. *la crociata:* campagna contro un comportamento considerato sbagliato (figurativo)

94. *dare retta:* ascoltare
102. *il permesso di soggiorno:* autorizzazione a risiedere in un Paese
104. *scadere:* arrivare al termine, non essere più valido
106. *cretino:* stupido
114. *il libretto sanitario:* documento necessario per ricevere cure mediche
128. *che so:* ad esempio (colloquiale)
144. *avere a che fare:* riguardare, avere una relazione con
154. *farcela:* riuscire, portare a termine qualcosa
185. *Centocelle:* un quartiere di Roma

DOMANDE DI COMPRENSIONE E DISCUSSIONE

1. Qual è l'argomento che maggiormente incuriosisce gli studenti italiani quando parlano con studenti di religione islamica?
2. Queste conversazioni hanno un risultato positivo o negativo? Spiega.
3. Quali sono i diversi atteggiamenti di vecchi e giovani italiani riguardo la religione islamica?
4. Che cosa significa "essere integrata" per questa ragazza?
5. In quale ambiente si sente più integrata e in quali situazioni si sente trattata come un'estranea? Spiega.
6. Come si pone in generale questa ragazza rispetto alla cultura italiana? Scegli una delle seguenti risposte e giustifica la tua scelta con elementi presi dal testo.
   A. Si offende quando le fanno domande personali, ad esempio "Perché porti il velo?".
   B. Tende a socializzare principalmente con giovani di religione islamica.
   C. Non vuole cambiare la sua religione o le sue radici culturali, ma si sente anche italiana.
   D. Per integrarsi completamente, pensa di allentare gradualmente il suo legame con l'islam e la sua cultura d'origine.
7. Quali sono gli stereotipi più comuni che questa ragazza si trova ad affrontare quasi quotidianamente?
8. Questa ragazza è cittadina italiana? Quale potenziale problema dovrà affrontare dopo la laurea?
9. Quale caratteristica dell'associazione Giovani Musulmani d'Italia descritte dall'intervistata ti colpisce di più?
10. Quali sono i problemi più comuni di cui si discute nelle riunioni dei Giovani Musulmani d'Italia?
11. Spiega che cosa rappresenta la moschea oltre ad essere un luogo di culto.

12. Quali sono le aspirazioni della ragazza intervistata?
13. Quali aspetti dell'esperienza di questa ragazza ti hanno sorpreso o interessato di più?

OSSERVAZIONI SUL TESTO

Considera l'uso del **congiuntivo imperfetto** dopo "come se ..." per introdurre una frase controfattuale:

> **Come se avesse** la verità in mano e **conoscesse** tutto di me e di tutte le donne del mondo (righe 84-85).

In altre parole, "La parlamentare **non ha** la verità in mano e **non conosce** tutto di me e di tutte le donne del mondo, ma è come se **avesse** ... e **conoscesse** ..."

Ora completa le seguenti frasi con una affermazione controfattuale usando "come se ..."

1. Molti italiani non conoscono il Corano, ma si comportano come se lo _____.

2. Molti giovani musulmani non sono cittadini italiani ma, di fatto, è come se lo _____, perché sono nati e cresciuti in Italia.

3. Nessuno vuole attaccare la cultura italiana, ma molti anziani si comportano come se i giovani immigrati _____ sconvolgere i loro valori.

4. Molti ragazzi di Giovani musulmani d'Italia non sono nati in Italia, ma è come se ci _____.

5. Questa ragazza tunisina non è cresciuta parlando italiano ma parla come se _____ in Italia.

VA E NON TORNA

di Ron Kubati

La leggenda dell'eroe balcanico che si trova davanti tre strade e finisce immancabilmente per scegliere la strada del non ritorno diventa una metafora per la condizione irreversibile dell'immigrato contemporaneo.

Nel folclore balcanico c'è un motivo ricorrente che è alla base di molti racconti. Accade sempre qualcosa per cui all'eroe, solitamente **in ombra** e pieno di rivendicazioni, non rimane nulla da fare nel posto in cui si trova e va via. Dopo aver fatto un po' di strada, si trova davanti un incrocio. Ci sono tre direzioni diverse, così classificate dai cartelli: va e torna facilmente, va e torna con difficoltà, va e non torna. Se mai la favola spende qualche riga per le prime due, lo fa per dire che sono le strade del fallimento, senza eventi, senza vita, che non portano da nessuna parte. È come se la mancanza di ostacoli porti all'assorbimento degli **schemi prestabiliti**, il cui assolvimento si ripete **senza posa** in una routine che trasforma lo scorrere della vita in un efficiente processo automatizzato che esclude le novità, che trasforma i protagonisti in attori anonimi, in **automi**. La descrizioni della terza via comincia, sottolineandolo più volte, dicendo che la maggior parte di coloro che la percorrono finisce male, molto male. Di solito la colpa è di una figura mitologica con sette teste, o di un serpente, di un re cattivo… Il contenuto di questa parte è l'unica variante che la favola si può permettere. L'eroe compie l'incredibile, solitamente grazie al consiglio di un saggio apparentemente insignificante. L'eroe vince il drago, il re cattivo, o chiunque sia, perde. Il male viene sconfitto. L'impressione è sempre quella, del bene, della vita che trionfa. Ma l'eroe è eroe perché, prima di lui, novanta, cento, forse mille altri non ce l'hanno fatta. Per la favola è un particolare trascurabile. Gli eroi sono sempre giovani. Il compito di tutti i giovani è allentare la fedeltà al presente processo vitale ormai automatizzato. In ogni inizio favola, quando sono costretti a tagliare i ponti con il passato, si trovano davanti ad un incrocio, con la possibilità di scegliere tra le tre strade. In realtà non hanno scelta. Tutti s'incamminano incoscienti, per impulso, verso la terza via, verso il futuro che si apre all'inedito, verso un futuro diverso, forse senza prendere neanche sul serio l'ammonimento che non sarebbero più tornati. Le tre vie in realtà **coesistono**. La narrazione però non può che occuparsi della vita che passa obbligatoriamente per la terza via.

NOTE (PRECEDUTE DAL NUMERO DELLA RIGA NEL TESTO)

3. *in ombra:* qualcosa o qualcuno che non emerge, che sta in secondo piano
13. *lo schema prestabilito:* una serie di eventi già decisi
14. *senza posa:* continuamente, senza interruzione
17. *un automa:* un robot, una persona che agisce non per propria volontà
40. *coesistere:* esistere allo stesso tempo

DOMANDE DI COMPRENSIONE E DISCUSSIONE

1. Quali elementi della mitologia balcanica, secondo te, aiutano a comprendere la condizione dell'emigrante?
2. Quali sono le tre alternative che si pongono di fronte all'eroe tipico del folclore balcanico?
3. Perché le prime due strade sono strade del fallimento?
4. Quali sono le conseguenze della "mancanza di ostacoli"?
5. Quali caratteristiche contraddistinguono la figura dell'eroe?
6. Perché, secondo te, l'eroe sceglie sempre la terza via?

OSSERVAZIONI SUL TESTO

Considera l'uso del congiuntivo dopo il **pronome indefinito** "chiunque":

L'eroe vince il drago, il re cattivo o chiunque sia, perde. (righe 25-26).

Conosci altri **pronomi indefiniti** che vogliono il congiuntivo come "chiunque"?

Inserisci un **pronome indefinito** nelle seguenti frasi, di modo che abbiano senso:

1. .... vada, l'eroe deve affrontare degli ostacoli insormontabili.

2. .... decisione prenda, all'eroe non sono concessi ripensamenti.

3. .... vadano le cose, alla fine il male viene sempre sconfitto.

4. .... strada l'eroe incontri, sceglie sempre la più difficoltosa.

LEJMÀ E TARIB, STORIE DI DUE IMMIGRATI

di Massimiliano Melilli

Due immigrati di diversa origine raccontano la loro esperienza di vita e di lavoro in Italia:
– Un senegalese, saldatore a Marghera, vorrebbe che gli italiani imparassero il suo nome e si interessassero anche a quello che legge, ai film che vede, come farebbero con qualsiasi connazionale.
– Un commerciante di religione islamica ammonisce gli italiani affinché non dimentichino il proprio passato di Paese d'emigrazione, e non diventino un Paese intollerante.

Testimonianza di Lejmà Bouei

Lejmà Bouei, 30 anni, operaio: «Vivo a Marghera, faccio **il saldatore** e arrivo dal Senegal. Voi italiani finite sempre per chiederci tutti la stessa cosa: "Da dove arrivi?". "Dove vivi?". "Cosa fai?". Accade sempre cosí. Magari, dopo, dite anche: ma io
5 ho parlato con quello lì, l'immigrato. Sì, ho parlato. Gli ho fatto anche delle domande. Mai però che voi italiani, ci chiedeste quale film abbiamo visto l'ultima volta, che libro stiamo leggendo o se abbiamo letto quell'articolo. No, per voi è quasi impossibile che uno
10 di noi, un operaio immigrato, possa andare al cinema o in una biblioteca o a vedere una mostra in un museo.

«Guardi. Io ad esempio leggo *il manifesto*. Glielo dico per un motivo. Dei vostri giornali riesco a leggere solo questo e a volte *l'Unità*. Vuole sapere
15 perché? Di noi immigrati, gli altri giornali italiani parlano sempre per due motivi: l'ultimo sbarco di clandestini e l'**ennesima** polemica politica tra maggioranza e opposizione. C'è anche la cronaca e quella fa danni irreparabili. Titoli dopo titoli: "Preso
20 marocchino con un chilo di droga", "Traffico d'armi, tre tunisini in manette". Lei ha mai letto un titolo così: "Preso milanese con un chilo di droga?" Mi creda: non lo leggerà mai. Per voi italiani siamo comunque un pericolo, noi immigrati. Fino a quando
25 potete "controllarci" personalmente, allora possiamo anche **filarla liscia**.

«Ricordo il mio primo giorno di lavoro, in fabbrica. Il mio capo, non mi chiamava mai con il mio nome. Un giorno Lej tu lì un altro Lejmon.
30 Siamo andati avanti così per un mese. Un giorno, all'ennesimo **nome storpiato**, ho fatto la stessa cosa con lui: non lo chiamavo mai con il suo vero nome. Lo **ritoccavo** e lo sbagliavo, volutamente. Ci siamo capiti in un attimo, senza tante parole e soprattutto,
35 senza polemiche. Adesso siamo diventati amici, veri

amici. Adesso, quando arriva qualche altro operaio dall'estero, la prima cosa che fa è scriversi nella sua agendina il nome corretto del nuovo compagno di lavoro. La civiltà, credimi, si vede anche da questi
40 particolari apparentemente senza importanza.

«Io mi considero fortunato. Vivo a Marghera e qui la solidarietà si avverte tutti i giorni. Nel lavoro, nella vita, ovunque. In fabbrica, noi stranieri siamo **un bel po'** e devo dirti che non c'è tanta differenza tra
45 italiani e stranieri. Forse all'inizio, quando arriviamo, non siamo molto **tutelati** sotto il profilo del contratto. Col tempo però, quando impariamo a farci capire e soprattutto, quando dimostriamo che il lavoro, anche tanto lavoro, non ci fa paura, allora si chiarisce subito
50 tutto con voi italiani. Anche con i padroni. Io guadagno 700-800 euro al mese. Divido un appartamentino con altri due compagni di lavoro. Ci siamo dati le nostre regole, per il buon funzionamento della casa. Ognuno ha il suo compito: spesa, burocrazia, pulizia.

55 «Per quanto riguarda la cucina, abbiamo fatto amicizia con i nostri vicini: due famiglie simpaticissime. Ci scambiamo le ricette e i piatti. E siamo reciprocamente disponibili, per qualsiasi bisogno, anche di notte. Le mie vacanze? Una volta
60 l'anno torno a casa, dalla mia famiglia. Ogni volta è la solita storia e soprattutto, le stesse domande: "Lejmà, quando ritorni a casa? Lejmà quando ti troverai una moglie?". Beh, volevo dirtelo, ecco. Così adesso sai
65 praticamente tutto del sottoscritto. L'amore? Lasciamo perdere. Non ho l'età…».

Testimonianza di Tarib Housseini

Tarib Housseini, 52 anni; commerciante: «È la religione che fa la differenza. Io sono musulmano come tanti altri stranieri che vivono qui. In Italia esistono cinque moschee e noi musulmani siamo 600.000. E non mi chieda quanti terroristi, per favore. Dopo l'11 settembre, i primi a vergognarci siamo stati proprio noi arabi. Per un gruppo di terroristi sanguinari, si rischia di distruggere un rapporto con l'Occidente e con l'Europa che tutti, in questi anni, ci siamo sforzati e ci sforziamo di costruire. Le conseguenze dell'accaduto, purtroppo, le vede anche lei, tutti i giorni. Diffidenza, pregiudizi e sospetti verso gli arabi, aumentano.

«Ma al di là dei fatti dell'11 settembre, in Italia, a fare la differenza è la politica. Oggi, c'è una parte politica al governo di questo paese, che quotidianamente esprime senza mezzi termini, odio e intolleranza verso noi musulmani. Ricordo ancora un episodio che mi colpì profondamente, uno dei tanti in verità, cui ho assistito in Italia. Ad un certo punto, in Emilia-Romagna venne fuori questa storia: costruire una moschea. Un sindaco di buon senso aveva anche presentato un progetto. Esisteva e magari esiste anche oggi, l'area disponibile e per quanto riguarda i fondi, sarebbe stato un caso di compartecipazione: metà italiana e metà musulmana.

«Da anni, i musulmani di quella zona, sono costretti a pregare dentro garage o strutture abbandonate. Successe il **finimondo**: manifestazioni di piazza, incidenti, polemiche. Ricordo che qualcuno parlò di svendita di una città agli arabi, di città colonizzata dagli arabi. La verità è che noi stranieri, arabi e non arabi, siamo buoni solo quando lavoriamo e produciamo. Dal momento in cui chiediamo spazi o luoghi di riunione, anche per pregare, allora è la guerra. La religione diventa immediatamente lo **spartiacque** tra buoni e cattivi, onesti e disonesti. Eppure, anche nei paesi musulmani ci sono le chiese cattoliche e i cristiani sono liberi di pregare, ovunque. Se è vero che anche in altri angoli del mondo si registrano episodi e fatti d'intolleranza verso i cattolici, quello che rischia di esplodere in Italia, è molto più grave. Giorno dopo giorno, cresce questo clima di lotta contro gli arabi. Si esprimono giudizi che diventano **inappellabili**, sentenze.

«Quello che sta accadendo è di una gravità che non ha precedenti. Soprattutto, secondo me, è una mancanza di rispetto per un'altra cultura. Non c'è momento che non legga o che non ascolti polemiche infondate su **chador**, veli, modo di pregare, fanatismi e turbanti. L'islamismo è costantemente ridotto quasi a un fenomeno di folklore, una fiction da televisione, dove verità e menzogne si confondono. Provi lei, a dire a un italiano cattolico, che la domenica non può andare a messa, perché non c'è la chiesa. Provi lei a fargli capire, che per noi musulmani, ma anche per qualsiasi persona che segue un credo religioso, buddista, ortodosso, qualsiasi, non possono esistere limitazioni di nessun genere.

«Il particolare importante è questo. Non è tanto il fatto che non ci siano luoghi di preghiera per noi musulmani: è il divieto a costruirne di altri, che fa paura. Visto che questo clima si sta imponendo, giorno dopo giorno, allora perché non chiudiamo per sempre le quattro moschee che esistono? Quello che con pacatezza, mi sento di consigliare agli italiani, è una cosa: fidatevi del vostro passato e non dimenticatelo. Il vostro è un passato di paese d'immigrazione. Fate in modo che il vostro presente, non diventi quello di un paese intollerante».

NOTE (PRECEDUTE DAL NUMERO DI RIGA NEL TESTO)

Testimonianza di Lejmà Bouei

2. *il saldatore:* operaio specializzato nel saldare, cioè nell'unire due pezzi di metallo
13. *"il manifesto":* quotidiano italiano di ispirazione comunista
15. *l'Unità:* quotidiano italiano progressista (in passato era l'organo ufficiale del Partito comunista italiano)
18. *l'ennesimo:* ultimo numero di una serie lunghissima, un numero indefinito, ma altissimo
27. *filarla liscia:* non essere accusati o sospettati di niente
32. *il nome storpiato:* nome pronunciato male
34. *ritoccare:* modificare, cambiare

44. *un bel po':* molti/e, un buon numero
47. *tutelato:* protetto

Testimonianza di Tarib Housseini

28. *il finimondo:* confusione e paura come se fosse arrivata la fine del mondo
35. *lo spartiacque:* linea di divisione (qualcosa che spartisce o divide le acque, figurativamente)
43. *inappellabile:* che non è possibile mettere in discussione
48. *chador:* il velo portato da alcune donne di religione islamica

DOMANDE DI COMPRENSIONE E DISCUSSIONE

Testimonianza di Lejmà Bouei

1. Lejmà riporta due esperienze personali che rivelano la presenza di una mentalità razzista fra alcuni. Discutile.
2. Perché Lejmà legge solo i quotidiani *Il manifesto* e *L'Unità*?
3. Ora come si trova in Italia?

Testimonianza di Tarib Housseini

1. Quali sono state le conseguenze negative degli attentati dell'11 settembre, dal punto di vista degli immigrati musulmani?
2. Che cosa non sopportano gli italiani, secondo Tarib?
3. Come è presentata le religione islamica in Italia, secondo Tarib?
4. Qual è il consiglio che Tarib dà agli italiani?

OSSERVAZIONI SUL TESTO

Considera il seguente uso del verbo **fare** seguito dall'**infinito.**

Col tempo però, quando impariamo a farci capire… (testimonianza di Lajma Bouei, riga 48)

Ci è un pronome riflessivo (l'infinito dell'espressione è farsi capire). Conosci altre espressioni nelle quali il verbo fare è usato in modo riflessivo (farsi) ed è seguito da un infinito? (ad esempio, farsi vedere). Scrivi un elenco di queste espressioni.

Ora riscrivi la frase **(noi) impariamo a farci capire**, cambiando i soggetti:

(io) ....

(tu) ....

(egli, ella, lui, lei) ....

(voi) ....

(loro, essi, esse) ....

Gino confronta un poliziotto in una scena del film.

LAMERICA
regia di Gianni Amelio (1994)

INTRODUZIONE

La caduta del muro di Berlino e dei regimi comunisti dell'Est provocò rapidi cambiamenti anche in Albania, uno dei Paesi più isolati d'Europa. Il regime comunista albanese cadde nel 1991 e quella che seguì fu una fase di profonda disgregazione sociale e di caos: la dittatura finì formalmente, ma l'economia era in ginocchio e migliaia di albanesi cercarono di emigrare in Italia, il Paese occidentale che dista solo 50 chilometri via mare.

Nel film *Lamerica*, questa situazione di caos e di speranze represse troppo a lungo è sfruttata da Gino e Fiore, due disonesti speculatori italiani che vanno in Albania con l'apparente proposito di aprire una fabbrica di scarpe: in realtà sono solo intenzionati a intascare i finanziamenti che il governo italiano ha stanziato per aiutare l'economia albanese. La loro "fabbrica" non produrrà mai un solo paio di scarpe. Devono però trovare un prestanome in Albania - qualcuno senza parenti, disposto a fungere da "presidente" della fabbrica fantasma; devono anche corrompere i funzionari di un Ministro albanese per ottenere i permessi e i contratti ufficiali da presentare al governo italiano. Il poveretto prescelto quale "presidente" della loro finta fabbrica è Spiro, un vecchio rinchiuso da decenni in una prigione, senza parenti, senza amici. Si tratta in realtà di un soldato italiano venuto in Albania durante la seconda guerra mondiale e successivamente arrestato dal governo comunista albanese, il cui vero nome è Michele. Spiro/Michele non ricorda niente delle sue vicissitudini, sa solo che lasciò la Sicilia per andare in guerra proprio il giorno in cui nacque il suo primogenito. La sua memoria si è fermata al 1942 (le sue parole a Gino quando rivela la sua identità sono: "... io non ho congedi, sono scappato dalla guerra, sono un disertore. Ho una moglie e un bambino. È distante la Sicilia?"). Il viaggio in Albania di Spiro/Michele e di Gino, il suo accompagnatore italiano, diventa un viaggio attraverso l'inferno di un paese in totale dissolvimento. Per entrambi, l'Italia diventa sempre più lontana e desiderata: un sogno, come era "Lamerica" per gli italiani emigranti di altre generazioni.

PROTAGONISTI E INTERPRETI PRINCIPALI
Gino: *Enrico Lo Verso*
Fiore: *Michele Placido*
Spiro / Michele: *Carmelo Di Mazzarelli*

BREVE PREMESSA STORICA
Prima guerra mondiale:
1917   L'Albania è occupata militarmente dall'Italia.

1939   Nuova invasione del governo fascista di Mussolini.

Seconda guerra mondiale:
1941-1944   Lotta di liberazione contro le truppe nazi-fasciste.
1945   Instaurazione del governo comunista.

Dopoguerra:
Completa chiusura dell'Albania verso l'Occidente. 800.000 bunker di cemento vengono costruiti come difesa da una possibile invasione italiana.

1991   Caduta del governo comunista e periodo approssimativo in cui ha luogo il film (prima della guerra nel Kosovo)

DOMANDE DI COMPRENSIONE E PUNTI DI DISCUSSIONE

1. Commenta le seguenti parole del regista Gianni Amelio: *"Sono andato alla ricerca della radice del dolore e del bisogno: la cosa più importante è il pane, l'atto di mangiare, la prima necessità. È un film costruito sulle viscere: parte dal cuore e dallo stomaco piuttosto che dalla testa"*. Il regista è riuscito nel suo intento?

2. Come sono gli albanesi che Gino e Fiore incontrano nel corso del loro viaggio? A questo proposito, pensa all'interprete albanese, alla dottoressa nell'ospedale, al funzionario di polizia che interroga Gino, ai ragazzi sul camion, al proprietario del ristorante presso cui Gino abbandona Spiro, ecc.

3. Che atteggiamento hanno Gino e Fiore verso gli albanesi che incontrano? Commenta, a questo proposito, le seguenti parole di Fiore: "Gli albanesi sono bambini. Un italiano gli dice: *"il mare è fatto di vino; loro se lo bevono."*

4. Come è rappresentata l'Albania in questo film?

5. Cosa pensi della funzione della televisione italiana in Albania?

6. Commenta i seguenti punti:
   - Il viaggio di Gino a confronto con il viaggio di Spiro / Michele.
   - La trasformazione dei due protagonisti e del loro rapporto.

7. Il tema dell'identità personale: Gino e Spiro/Michele sono albanesi o italiani o tutt'e due? Sono diretti in Italia o in "Lamerica"?

8. Commenta le seguenti parole di un albanese - viaggiatore sul camion - a Gino: *"Voglio solo parlare l'italiano con i miei figli, non l'albanese. Così i miei figli si scordano che sono albanese."*

9. Commenta le seguenti parole di Gino al commissario albanese, dopo il suo arresto: *"Corruzione... fucilazione... Qui ancora non siete pratici dei metodi occidentali. Per sveltire la burocrazia, si aiutano le pratiche ad andare avanti. C'è più efficienza. Noi siamo imprenditori, noi rischiamo i nostri capitali, investiamo di tasca nostra".* La risposta del commissario albanese a Gino è la seguente: *"L'economia albanese è morta, ma in un paese civile i morti non si lasciano ai cani".* Subito dopo, quando Gino chiede di riavere il suo passaporto, il commissario conclude: *"In Albania, siamo tutti senza passaporto."*

10. Commenta le seguenti parole di Spiro/Michele a Gino quando sono sulla nave Partizani diretta in Italia: *"Io non credevo che si imbarcavano tutti, ma Lamerica è grande..."*

11. L'Italia colonizza l'Albania militarmente, economicamente e culturalmente. Sei d'accordo con questa affermazione?

12. Commenta il titolo: perché "Lamerica" senza apostrofo?

Il "salto dalla barca" in una scena del film.

TERRAFERMA
di Emanuele Crialese (2011)

INTRODUZIONE
La vita dei pescatori di Linosa, un'isola nell'arcipelago delle Pelagie a sud della Sicilia, sembra scorrere come sempre, disturbata solo in estate dall'arrivo dei turisti. Ma da qualche tempo il mare ha cominciato a portare un altro carico umano: centinaia di immigrati clandestini che rischiano la vita su imbarcazioni di fortuna per arrivare in Europa dalla Libia. I pescatori dell'isola si trovano allora davanti a un'impossibile alternativa: seguire la loro "legge del mare" ed essere puniti dal potere costituito, oppure obbedire alla legge dello Stato, andando contro la loro coscienze e la loro etica.

PROTAGONISTI E INTERPRETI PRINCIPALI
Filippo (figlio di Giulietta): *Filippo Pucillo*
Giulietta (madre di Filippo, nuora di Ernesto): *Donatella Finocchiaro*
Ernesto (padre di Nino, suocero di Giulietta): *Mimmo Cuticchio*
Nino (figlio di Ernesto, zio di Filippo): *Giuseppe Fiorello*
Sara (donna etiope): *Timnit T.*

DOMANDE DI COMPRENSIONE E DISCUSSIONE
1. Che cosa sappiamo di questa famiglia dalle prime scene?
2. Che cosa consiglia Nino a suo padre?
3. Quali sono i progetti di Giulietta per la casa, per sé e per il futuro di suo figlio Filippo?
4. Che cosa pensano invece Ernesto e Filippo dei progetti di Giulietta?
5. Che cosa cerca di insegnare Nino al nipote Filippo quando un gruppo di ragazzi ha rovinato il motorino di Filippo?
6. All'inizio dell'estate la vita di Giulietta e di suo figlio Filippo cambia in un modo importante. Come?
7. Perché Giulietta vuole trasferirsi a Trapani?
8. È evidente che Giulietta e Filippo hanno progetti diversi riguardo la loro vita. Quali?
9. Quando Ernesto e Filippo avvistano dei clandestini dal peschereccio che cosa ordina la Capitaneria di Porto? Che cosa fanno invece Ernesto e Filippo?
10. Perché fanno partorire la donna immigrata a casa loro segretamente?
11. Il nonno Ernesto e i carabinieri si scontrano sulla barca di Ernesto sostenendo due punti di vista molto diversi. Quali?
12. Che reato ha commesso Ernesto, secondo i carabinieri?
13. "Secondo te, bisogna far morire la gente a mare per la pubblicità!": chi dice questa frase, e perché?
14. Come si guadagna la vita sull'isola Nino?
15. Che tipo di protesta hanno organizzato i pescatori davanti alla stazione dei Carabinieri?
16. Che cosa scopriamo dalla donna etiope? Qual è stata la sua storia prima di arrivare in Italia e dove vuole andare?
17. Che tipo di legame sente la donna etiope con Giulietta e perché?
18. Come si comporta Filippo la seconda volta che incontra clandestini in mare? Perché si comporta così, secondo te?

19. Che cosa succede il giorno dopo sulla spiaggia?
20. Perché il bambino della donna etiope è così aggressivo nei confronti della sorellina?
21. A che soluzione pensano Giulietta, Filippo e Ernesto per la donna etiope e i suoi due figli?
22. Perché quella sera non è ideale per portare a termine il piano di fuga?
23. Quale decisione finale prende Filippo e, secondo te, quali sono le sue motivazioni segrete?

Palermo, un anno fa

CAPITOLO
SETTE

PROSPETTIVE DAL SUD

PROSPETTIVE DAL SUD

Posto al centro del Mediterraneo, il sud della penisola, chiamato anche **Mezzogiorno o Meridione,** ha da sempre avuto un ruolo politico ed economico cruciale. Varie popolazioni hanno combattuto per averne il controllo: a cominciare dai **Greci** in epoca classica, per continuare con i **Romani,** l'**Impero Bizantino,** gli **Arabi,** i **Normanni** e gli **Aragonesi di Spagna**, ogni occupazione ha contribuito a creare un'incredibile varietà di tradizioni artistiche e culturali. Ancora oggi lo straordinario apporto creativo da parte di culture così diverse come la greca, l'araba e la normanna, è visibile nel ricchissimo patrimo-

Pagina precedente: Contadini di Lucania, anni '60.

Sotto: Tempio di Ercole. Agrigento (VI Sec. a.C).

nio artistico e archeologico di tutto il sud, così come nell'architettura e nella struttura urbana di molte città meridionali.

Occupazioni e invasioni, però, hanno spesso significato anche oppressione, sfruttamento delle risorse naturali e, nei migliori dei casi, mancanza di autonomia politica. Perfino l'unificazione italiana nel 1861 fu interpretata da gran parte delle popolazioni meridionali, come l'ennesima occupazione da parte di stranieri - questa volta Piemontesi - e non come la conclusione vittoriosa di una lotta per l'indipendenza e l'unità nazionale.

Il secondo fattore storico che distingue il sud dal resto della penisola è il mancato sviluppo dell'indipendenza comunale e di una classe mercantile. Nel nord, durante il **Medioevo** e il **Rinascimento,** fiorirono i **liberi Comuni** e più tardi le **Signorie,** e con essi un'attiva borghesia mercantile e bancaria che commerciava con il resto dell'Europa, trasportando idee e innovazioni, oltre che merci. Il flusso di denaro, unito all'orgoglio comunale e successivamente all'energia creativa delle nascenti Signorie locali, produsse anche un eccezionale sviluppo nelle arti figurative e nell'architettura. Nel sud, al contrario, i rapporti di sudditanza feudale persistettero fino al diciannovesimo secolo e contribuirono a mantenere gran parte della popolazione contadina in uno stato d'isolamento, ignoranza e arretratezza, mentre le comunità locali mancavano di autonomia politica, e dovevano dipendere per la loro sopravvivenza da un potere centrale quasi sempre lontano e indifferente.

Testa di Slleno, 470-460 a.C. da Gela.

Nord e sud presentano anche molte differenze climatiche e territoriali. La pianura Padana al nord, ad esempio, è una delle aree più fertili d'Europa, e la presenza di grandi fiumi ha sempre favorito la comunicazione fra una regione e l'altra, oltre che il fiorire dell'agricoltura e dell'allevamento del bestiame. Nel sud, invece, la mancanza di vaste aree pianeggianti, la scarsità d'acqua, e la presenza di zone costiere malariche, hanno contribuito a una generale arretratezza dell'agricoltura.

Anche lo sviluppo economico del sud è stato completamente diverso dal resto della penisola. Nel nord, già nel diciottesimo secolo, notevoli innovazioni tecnologiche in campo agrario favorirono l'accumulazione di capitale che finanziò lo sviluppo industriale. Questo, a sua volta, portò a un miglioramento nel sistema dei trasporti, allo sviluppo dell'edilizia e alla formazione di una solida classe media. Nel sud, invece, fino all'inizio del secondo dopoguerra, prevaleva il latifondo: questo significa che la maggior parte della terra coltivabile era posseduta da nobili o borghesi - spesso residenti nelle grandi città della costa, disinteressati a qualsiasi serio investimento e ammodernamento in agricoltura - e coltivata da braccianti, cioè manodopera pagata a ore o a giornata. Il problema centrale del sud agrario è sempre stato la contraddizione fra chi coltivava la terra (braccianti o contadini affittuari) ma non la possedeva, e chi la possedeva (grandi proprietari per lo più assenteisti) ma era totalmente disinteressato ad aumentarne la produttività, e ancor meno a migliorare le condizioni di vita di chi la lavorava.

BREVE PERCORSO STORICO DALL'UNITÀ A OGGI

Prima dell'unificazione italiana, il **Regno delle Due Sicilie**, governato dalla dinastia dei **Borboni**, comprendeva tutto il sud della penisola, compresa la Sicilia, ed era lo Stato più esteso della penisola italiana oltre che il più reazionario. **Giuseppe Garibaldi,** generale e patriota, uno dei principali artefici dell'unità d'Italia, combatteva già da anni per l'indipendenza e l'unificazione della penisola italiana, e nel 1860, con il suo gruppo di volontari chiamati "I Mille", sbarcò in Sicilia occupando i territori del Regno delle Due Sicilie e sconfiggendo l'esercito borbonico. Successivamente, fu indetto un plebiscito: la maggior parte dei votanti approvò l'annessione al **Regno d'Italia** che fu proclamato il **17 marzo 1861.**

I contadini meridionali avevano inizialmente appoggiato Garibaldi nella speranza che l'unificazione nazionale avrebbe portato a una riforma agraria con una ridistribuzione delle terre appartenenti ai grandi latifondisti. Quando si accorsero che né Garibaldi né il nuovo Re d'Italia avevano alcuna intenzione di cambiare i rapporti di proprietà esistenti, capirono che dal nuovo governo, come dai precedenti occupanti stranieri, sarebbero arrivate solo nuove, immotivate imposizioni. Ben presto, infatti, il governo centrale impose nuove tasse e l'obbligo al servizio di leva, dal quale i siciliani erano stati sempre esenti sotto il governo dei Borboni. La reazione dei contadini alla mancata ridistribuzione delle terre e alle nuove imposizioni fu violenta. Le

Sinistra: Ritratto di donna brigante, autore ignoto.

Destra: Raffaello Gambogi, Emigranti (1894)

rivolte contadine si trasformarono velocemente nel fenomeno del **brigantaggio**: bande di contadini armati, alle quali si unirono anche soldati dell'ex esercito borbonico, occuparono interi paesi, uccidendo proprietari terrieri, effettuando rapimenti e richiedendo riscatti, distruggendo edifici e simboli del nuovo governo centrale. Questa forma di guerriglia diffusa impegnò per quattro anni l'esercito italiano prima di essere brutalmente repressa. Una calma apparente tornò nella regione, ma la frattura fra il sud e il governo centrale era diventata incolmabile. Per le popolazioni del sud, il processo di unificazione - chiamato **Risorgimento** - si trasformò ben presto in un'occupazione di tipo coloniale e militare.

Se il brigantaggio fu la risposta violenta contro il governo centrale, l'**emigrazione** costituì la risposta pacifica, ma altrettanto disperata, alla povertà estrema di intere regioni: all'inizio del ventesimo secolo, centinaia di migliaia di contadini poveri migrarono verso le Americhe. Nei paesi più depressi del sud rimasero solo le donne - chiamate "vedove bianche" perché non portavano il lutto, anche se erano vedove di fatto -, i vecchi e i bambini, il cui unico sostentamento erano le rimesse ricevute dall'estero.

Durante il **ventennio fascista** la "questione meridionale" fu presentata dalla stampa ufficiale come un prodotto del passato decadimento nazionale. Secondo la propaganda fascista, ora che l'Italia era finalmente diventata una nazione unita e forte, il sud aveva raggiunto lo stesso livello di benessere del nord. **Mussolini** attuò varie opere di bonifica nelle zone

Immigrati italiani all'arrivo a Ellis Island, New York, 1905.

costiere meridionali, al fine di eliminare le paludi e la malaria che ancora infestava queste regioni, e di renderle quindi vivibili e coltivabili. Il regime fascista, però, lasciò inalterate le proprietà della terra e non intaccò i privilegi dei latifondisti. Inoltre, Mussolini insisté nel promuovere coltivazioni estensive di grano che erano completamente inadatte ai terreni aridi e collinosi del Meridione. Nonostante la retorica del regime, la condizione di vita di gran parte della gente del sud non migliorò affatto.

Durante la **seconda guerra mondiale** il sud fu occupato dagli Alleati, che sbarcarono in Sicilia nell'estate del 1943, e rimase separato dal nord per quasi due anni. Nello stesso periodo, nel nord Italia si sviluppava un forte movimento di resistenza contro l'esercito tedesco occupante e contro il governo fascista. Il Meridione, quindi, al contrario del nord, ebbe un ruolo minimo nel processo di liberazione nazionale. Anche a guerra finita, i risultati del **referendum istituzionale** confermarono che l'Italia era divisa in due, almeno politicamente: il sud votò decisamente a favore della **monarchia**, mentre al nord la vittoria della **repubblica** fu schiacciante, a dimostrazione che la popolazione desiderava operare un taglio netto rispetto al passato fascista.

Nel dopoguerra, la Repubblica si pose subito il problema dello sviluppo economico del sud. Vari tentativi di **riforme agrarie**, promosse anche a seguito delle proteste contadine e delle occupazioni delle terre nell'immediato dopoguerra, non portarono a un reale miglioramento dell'agricoltura. La ridistribuzione delle terre fu minima e, invece di favorire la formazione di cooperative agrarie, fu promossa la piccola proprietà contadina, che si dimostrò insostenibile a causa anche della generale bassa produttività della terra. Il fallimento della riforma agraria provocò nuove emigrazioni dal sud verso il nord d'Italia e d'Europa.

Nel 1950, la creazione della **Cassa per il Mezzogiorno** fu l'altra risposta governativa alla crisi meridionale. Questo programma d'investimenti finanziò varie bonifiche nel Meridione e la costruzione d'infrastrutture e di servizi indispensabili per lo sviluppo economico. Molti fondi, però, vennero spesi in modo clientelare per finanziare una miriade di progetti inutili e non pianificati, con risultati del tutto deludenti. Il governo favorì anche vari investimenti industriali al sud, ma la mancanza di programmazione portò alla costruzione di grosse aziende petrolchimiche e siderurgiche che crearono pochi posti di lavoro e poco indotto. In molti casi, queste industrie non rispondevano neppure ad esigenze del mercato.[1] Presto, questi stabilimenti vennero chiamati "**cattedrali nel deserto**", perché apparivano al viaggiatore come enormi strutture anacronistiche in un

---

1   Paul Ginsborg. *Storia dell'Italia dal dopoguerra ad oggi.* Torino: Einaudi, 1989 (p. 448).

Sopra: Occupazione delle terre nella provincia di Salerno, 1978.

paesaggio desolato: l'agricoltura era stata abbandonata e mancavano piccole e medie aziende che avrebbero portato una maggiore e più diffusa occupazione. La costruzione di queste "industrie-cattedrali", alcune addirittura rimaste incompiute, non risolse il problema della fuga per emigrazione dai paesi del Meridione.

Il **boom economico** (fine anni '50 – inizio anni '60) fu possibile al nord grazie alla disponibilità degli immigrati meridionali, una grande massa di manodopera a basso prezzo, disposta a qualsiasi lavoro. I bassi costi di produzione resero competitivi i prodotti italiani sui mercati nazionali e internazionali, contribuendo quindi all'esplosione della domanda interna ed estera. Mentre i consumi e gli standard di vita aumentavano ovunque, il sud versava ancora in condizioni di sottosviluppo: i paesi erano quasi spopolati, mancavano i servizi di base, la povertà era endemica. Oltre all'emigrazione al nord o all'estero, l'altra speranza di miglioramento per la generazione del dopoguerra consisteva nell'ottenimento di un lavoro nell'amministrazione statale, o di una pensione di vecchiaia o d'invalidità. L'assegnazione di posti di lavoro e di denaro, sotto forma di pensioni e sussidi, diventò una potente arma di controllo sociale nelle mani dei politici locali che si assicurarono così i voti necessari al mantenimento del potere. Si moltiplicarono quindi i posti di lavoro negli uffici pubblici anche quando non erano necessari. Fu così che lo Stato aiutò il sud: si preferì l'assistenzialismo e il clientelismo alla promozione di una vera economia locale basata sulla piccola e media industria, su un'agricoltura specializzata e di qualità, e sul turismo.

L'Hotel Fuenti a Vietri sul mare in provincia di Salerno abbattuto nel giugno del 1999, in quanto costruito abusivamente.

Nello stesso periodo, fioriva invece la speculazione edilizia che fu al sud particolarmente distruttiva dell'ambiente e del tessuto urbano: i governi locali, in molti casi in collusione con la mafia, garantirono permessi di costruzione ovunque, assicurandosi così l'appoggio degli imprenditori che traevano grandi guadagni da questo tipo di attività, e anche delle classi sociali più povere, attratte dalla promessa di assegnazioni di case popolari in cambio di voti.

Il sud è una regione particolarmente soggetta a calamità naturali, quali frane, terremoti ed eruzioni vulcaniche. Questi eventi, verificatisi più volte dal dopoguerra ad oggi, avrebbero avuto effetti meno tragici se il territorio non fosse stato in precedenza devastato da costruzioni abusive e disboscamenti. I fondi stanziati dal governo per le varie ricostruzioni non furono quasi mai ben amministrati e finirono spesso in progetti di edilizia controllati dalla mafia locale.

La situazione ora è indubbiamente migliorata: chi viaggia al sud, non osserva l'indigenza e il sottosviluppo che erano endemici fino al dopoguerra. Non esistono più masse di contadini e braccianti poveri e, anche se il reddito e il livello medio d'istruzione sono più bassi che nel resto della penisola, la prima impressione è quella di uno standard di vita generalmente buono. I problemi strutturali del Mezzogiorno, però, permangono: mancanza di una struttura economica e produttiva solida; disoccupazione giovanile che nelle grandi città raggiunge il 50%; una cultura di dipendenza economica dal potere centrale.

È giusto puntualizzare, però, che problemi quali la fragilità dell'economia, la criminalità organizzata, la corruzione, l'inadeguatezza dei servizi e la disoccupazione giovanile non affliggono solo il Meridione, ma riguardano in varia misura gran parte della penisola. La specificità del Meridione consiste nel fatto che questi problemi vi si trovano in forma più diffusa e aggravata.

In conclusione, il sud d'Italia rimane, tristemente, una delle zone più economicamente depresse d'Europa e, nonostante i massicci investimenti da parte del governo italiano e anche dell'Unione Europea, non è riuscito, nel corso degli ultimi decenni, a sviluppare un'economia autonoma in grado di arginare l'emigrazione, anche a causa del persistere del fenomeno mafioso e della criminalità organizzata.

LA MAFIA

Il crimine organizzato di tipo mafioso non è un fenomeno unicamente siciliano. In realtà, esistono organizzazioni simili alla mafia anche sul continente, quali la **'ndrangheta** in Calabria e la **camorra** in Campania. Ci occuperemo in questo capitolo solo della **mafia siciliana**, in quanto è l'organizzazione più estesa e potente, con il più vasto raggio d'azione, l'unica che abbia saputo penetrare così a fondo nelle istituzioni politiche a livello locale e nazionale.

La mafia è stata in grado di creare un'estesa rete di relazioni e di affari sia nel settore della politica che dell'economia: se è vero che la mafia ha bisogno dell'appoggio di politici e imprenditori per continuare a prosperare è altrettanto vero che politici e imprenditori spesso non potrebbero raggiungere i propri obiettivi senza entrare nelle complesse relazioni sociali create dalla mafia e senza avvalersi direttamente o indirettamente delle organizzazione mafiose che controllano il territorio. La mafia è stata capace, in un passato molto recente, di muovere una vera e propria lotta armata contro quei settori dello Stato che si opponevano al suo potere (giudici, agenti di polizia, ecc.) e contro quelle organizzazioni e quei cittadini che coraggiosamente la denunciavano (sindacalisti, politici e commercianti onesti, giornalisti, ecc.)

ORIGINI E NATURA DELLA MAFIA

La mafia non è semplicemente un fenomeno di criminalità organizzata, ma ebbe fin dai suoi inizi un ruolo molto più importante nei territori in cui operava: diventò un metodo di controllo sociale di cui lo Stato italiano nascente aveva bisogno. Spiega lo storico siciliano Stefano Vaccara:

"La mafia non ha un'origine antichissima: nasce in coincidenza con l'unità d'Italia. I mafiosi esistevano anche prima del 1860, ma diventarono "mafia" quando finalmente stabilirono una connessione con il potere costituito che diede loro potere.

Senza legame con l'autorità, possiamo solo parlare di "criminalità organizzata", e non di mafia. Dal 1860, dopo la spedizione di Garibaldi, i mafiosi diventano uno strumento di potere locale per il nuovo Stato unitario.

Prima dell'unità d'Italia, la mafia aveva invece un rapporto conflittuale con l'autorità. Il Regno d'Italia che si è appena costituito è uno Stato debole e, per controllare un territorio così vasto, complicato, dove avvenivano rivolte continue, deve appoggiarsi ai mafiosi.

Continuiamo con gli anni, e si arriva fino al fascismo. Col fascismo c'è un'interruzione di questo rapporto. E quindi la mafia soffre: i mafiosi non spariscono, ma devono nascondersi. Infatti, Mussolini, da dittatore, non vuole condividere il potere con la mafia. Alla caduta del fascismo, con l'arrivo degli Alleati, degli americani, ecco che i mafiosi rialzano la testa. È un fatto di opportunità perché gli Stati Uniti liberano la Sicilia e l'Italia dal nazifascismo.

Manifesto contro la mafia e la droga, 1988.

Poi, però, hanno un nuovo nemico, che sono i comunisti: inizia la guerra fredda e in quel caso la mafia di nuovo diventa uno strumento di governo locale: i mafiosi servono a contenere i comunisti."[2]

La mafia quindi ha una doppia funzione. Da una parte, opera verso l'"alto", cioè offre ai politici la stabilità, il controllo del territorio, la protezione e i favori necessari per il mantenimento del potere politico. Dove vige il sistema mafioso, quindi, la democrazia è completamente svuotata di valore perché ai cittadini viene negata una vera possibilità di scelta: gli unici politici che osano presentarsi alle elezioni, e che i cittadini saranno in grado di scegliere, sono quelli appoggiati direttamente o indirettamente dalla mafia. Dal dopoguerra a oggi, il rapporto fra la mafia e una parte del potere politico è sempre stato caratterizzato dallo scambio di favori reciproci e dallo sfruttamento delle rispettive posizioni di potere. Al mafioso naturalmente conveniva che venissero eletti sindaci e altri esponenti politici locali disponibili a "chiudere un occhio" di fronte a pratiche illegali, ma anche a facilitare l'impresa mafiosa durante gare d'appalto, o ad assumere membri della famiglia per coprire posti importanti nell'amministrazione pubblica. La mafia non comanda quindi la politica e l'economia così come la politica e l'economia non comandano la mafia: si tratta di un rapporto di reciproca dipendenza.

Ma la mafia opera anche un controllo verso il "basso", cioè sulla popolazione, e in questo è stata aiutata dal duplice ruolo dello Stato centrale: da una parte, lo Stato non ha favorito lo sviluppo economico del sud, trattando il Meridione come un territorio da controllare piuttosto che come una risorsa per la nazione, oppure come un territorio da sfruttare come bacino di manodopera a basso prezzo per lo sviluppo economico delle industrie del nord; dall'altro non ha saputo garantire alcuni diritti fondamentali dei cittadini (ad esempio, il diritto al lavoro, alla casa, alla sicurezza). In questa situazione, la popolazione ha cominciato e percepire il potere centrale e le sue espressioni periferiche (polizia, magistratura, finanza, ecc.) come forze ostili e distanti. Questa separazione fra società reale e Stato ha caratterizzato da sempre la storia del sud d'Italia. La mafia è arrivata quindi per riempire un vuoto ponendosi come garante di quei diritti che lo Stato centrale negava. In questo tipo di società i diritti legittimi dei cittadini sono diventati concessioni, "grazie ricevute", atti di generosità che richiedevano riconoscenza, seguita da consenso e collaborazione. L' "omertà", cioè la legge del silenzio, è uno dei patti fra mafia e popolazione locale. Fedeli a questa norma non scritta, per decenni molti siciliani hanno negato addirittura l'esistenza della mafia, ammettendo tutt'al più la presenza di legami familiari e di mutuo soccorso.

Questa doppia funzione (controllo verso l'alto e verso il basso) ha rafforzato per tutto il XX secolo il potere della mafia facendone il vero ente gestore delle risorse del territorio, sia per i forti che per i deboli, cioè per le élite economiche e politiche, così come per le classi sociali più basse.

---

2 Da un'intervista registrata con l'autrice.

LA MAFIA DAL DOPOGUERRA A OGGI

In Sicilia il secondo dopoguerra fu segnato da continue violenze di stampo mafioso. La mafia si pose a difesa del potere indiscusso dei grandi proprietari terrieri e del loro diritto allo sfruttamento estremo dei contadini. La strage di **Portella della Ginestra** fu solo la prima di una lunga serie di esecuzioni mafiose di decine di sindacalisti, attivisti politici di sinistra, o semplici contadini che non volevano piegare la testa. Il **1° maggio 1947**, in occasione della festa del lavoro e anche per festeggiare la recente vittoria della coalizione di sinistra alle elezioni regionali, diverse centinaia di contadini si erano riuniti nella Piana di Portella della Ginestra. Il **bandito Giuliano**, armato dalla mafia, uccise a freddo undici contadini. Questa fu quindi la inequivocabile risposta del potere mafioso: "i risultati elettorali non contano niente, perché qui comandiamo noi".

La mafia non esitò a sopprimere anche quei politici che non volevano "stare alle regole", oppure quelli che, pur essendo ancora fedeli, non servivano più perché avevano perso l'influenza in "alto loco" di cui prima potevano godere.

A questo proposito due casi furono emblematici: il presidente democristiano della Regione Sicilia - **Piersanti Mattarella** - fu ucciso dalla mafia nel **1980** perché voleva riformare e moralizzare il proprio partito in Sicilia, cioè eliminare il rapporto di doppia dipendenza fra politici e mafia. Le motivazioni dell'omicidio di **Salvatore Lima** nel **1992**, già sindaco democristiano di Palermo, poi deputato della DC, furono invece opposte: egli aveva sempre fatto da tramite fra politici, mafia siciliana e potere centrale di Roma; era quindi un anello fidato nella catena di collusioni. I capi mafiosi, però, non esitarono a farlo uccidere quando si accorsero che non era riuscito a usare la sua influenza a loro favore durante il "maxi processo" contro la mafia di Palermo.

Anche il governo centrale ha spesso avuto lo stesso atteggiamento ambiguo nei confronti della mafia che ha caratterizzato i politici a livello locale: condannare nel modo più duro la mafia, ma non fornire mezzi adeguati a chi era in prima fila nella lotta contro il crimine organizzato, cioè giudici, poliziotti, sindacalisti e giornalisti. A più riprese, negli anni '80 e '90, alcuni coraggiosi magistrati si sono ritrovati da soli a combattere in una situazione che può essere definita di guerra, sia per la quantità degli omicidi sia per le tecniche raffinate usate negli attentati. A magistrati e forze dell'ordine mancavano spesso mezzi adeguati di lavoro, personale, e scorte.

Due attentati gravissimi nel 1992 angosciarono e indignarono profondamente l'opinione pubblica: il **23 maggio 1992** il giudice **Giovanni Falcone**, sua moglie e tre uomini della sua scorta furono uccisi da una bomba piazzata sotto un ponte di un'autostrada vicino a Palermo sulla quale stavano viaggiando. Il **19 luglio** dello stesso anno, il giudice **Paolo Borsellino**, amico personale e collaboratore di Falcone, e i cinque agenti della sua scorta furono uccisi da un'autobomba lasciata davanti al palazzo palermitano dove abitava la madre.

Altri giudici erano stati uccisi dalla mafia, ma la loro morte non aveva scosso la nazione come avvenne per Falcone e Borsellino. I due giudici palermitani avevano raggiunto una certa

Sinistra: La strage di Capaci dove perse la vita il giudice Giovanni Falcone.

Destra: Attentato mafioso ai danni del giudice Paolo Borsellino.

Manifesto commemorativo del primo anniversario dell'assassinio del giudice Falcone, di sua moglie e della scorta, 1993.

Manifesto che annuncia l'avvenuto esproprio di terreni appartenuti a una famiglia mafiosa e la loro assegnazione a una cooperativa agricola, 2003.

popolarità anche a livello internazionale come architetti del cosiddetto **maxi processo** che si svolse a Palermo nel **1986-87** e per il quale fu costruito un apposito bunker al fine di evitare possibili attentati. In questo processo centinaia di mafiosi furono condannati e 17 di loro ricevettero l'ergastolo.

Molti fattori avevano contribuito ai risultati senza precedenti ottenuti da questi giudici nella lotta contro la mafia: il loro eccezionale impegno e sacrificio, la loro determinatezza, il fatto che essi stessi erano siciliani e che quindi conoscevano a fondo l'ambiente in cui la mafia è nata e ha continuato a prosperare. Falcone e Borsellino seppero spezzare il cerchio d'omertà applicando le stesse tecniche ideate e raffinate nella lotta contro le Brigate rosse: diminuzione delle pene e speciale protezione per il condannato che accetta di collaborare e per la sua famiglia.

Gli attentati a Falcone e Borsellino scossero lo Stato dal suo torpore: tutti si resero conto che la mafia doveva avere enormi capacità organizzative e sofisticati livelli di infiltrazione nelle istituzioni governative se era riuscita a sapere in anticipo i programmi e i percorsi dei due giudici più sorvegliati e protetti d'Italia. Attentati di tale portata dimostravano un livello di sofisticazione che non aveva niente a che vedere con le esecuzioni mafiose tipiche fino agli anni '70. Ora la mafia era in grado di muovere guerra alle istituzioni, e le forze democratiche all'interno dello Stato si resero conto che dovevano reagire se volevano sopravvivere. Per rispondere all'indignazione generale dell'opinione pubblica, il governo offrì ai giudici mezzi e protezione eccezionali.

Palermo, nelle settimane immediatamente successive agli attentati sembrava in stato di guerra: centinaia di soldati dell'esercito la presidiavano ad ogni angolo e si moltiplicarono i posti di blocco. I mafiosi rinchiusi nel carcere di Palermo furono immediatamente trasferiti sull'isola di Pianosa. Molti boss mafiosi furono arrestati, altri condannati all'ergastolo, e i loro beni sequestrati. Vennero anche approvate misure d'isolamento speciale per i prigionieri mafiosi, al fine di impedire loro di continuare a dare direttive dal carcere.

La morte di Falcone e Borsellino, provocò un'ondata d'indignazione specialmente fra la popolazione di Palermo. Molti palermitani, che fino a qualche anno prima erano restii persino ad ammettere l'esistenza della mafia, cominciarono a sfidarla pubblicamente con manifestazioni spontanee di vario tipo. Le autorità politiche arrivate da Roma per i funerali di Falcone vennero accolte dal lancio di oggetti di vario tipo e dalle urla "Tornate a Roma, dalle vostre tangenti!". Si costituì un coraggioso gruppo di cittadini che riuscì a convincere molti negozianti a rifiutare di pagare il cosiddetto "pizzo", cioè la tangente alla mafia. Il loro slogan era: "Un intero popolo che paga il pizzo è un popolo senza dignità."

Nel 1992 e 1993 la mafia mise in atto altre azioni terroristiche in varie parti d'Italia, questa volta a danno del patrimonio artistico e culturale: autobombe lasciate vicino all'Accademia dei Georgofili a Firenze, al Padiglione di Arte Contemporanea a Milano, e a due basiliche a Roma, provocarono la morte di dieci passanti. I moventi di questi attentati rimangono oscuri, ma l'ipotesi è che la mafia volesse spingere il governo a una trattativa per mitigare il carcere duro imposto ai condannati per mafia dal famoso "41-bis": si tratta di una norma che prevede l'isolamento carcerario per i condannati per mafia al fine di ostacolare le comunicazioni con

l'esterno e quindi il continuo controllo dal carcere da parte dei "boss" sulle operazioni dei clan mafiosi.

Sono passati molti anni ormai dall'assassinio di Falcone, di Borsellino e delle loro scorte, e dagli attentati del 1993, e il cancro della mafia sembra essere entrato in un periodo di "remissione": [3] gli attentati e le uccisioni sono diminuiti, ma ciò non significa che la mafia sia stata estirpata. Non sono cambiate, infatti, le condizioni economiche e sociali nelle quali la mafia ha trovato facile terreno di crescita: l'economia è ancora debole e la disoccupazione è sempre altissima. Sussiste quindi ancora il bisogno, da parte del singolo, di sollecitare aiuti e favori personali per ottenere un lavoro, un sussidio, una casa. La corruzione politica è ancora diffusa, quindi esistono sempre ottime possibilità per la mafia di fare affari utilizzando i fondi speciali dello Stato, gli appalti pubblici, addirittura i fondi europei. È anche vero che la mafia sta attraversando un periodo di crisi, ovvero una pausa di riorganizzazione. È possibile che la caduta dei partiti politici governativi e in particolare della DC, a seguito delle inchieste "Mani pulite", abbia significato per la mafia la perdita del proprio referente politico, cioè di una speciale garanzia di incolumità. La mafia deve forse ritrovare un "modus operandi" nel nuovo quadro politico, e nuovi alleati nell'area politica.

Ferme restando le possibili esitazioni governative, l'opinione pubblica, al sud così come nel resto della penisola, si è ribellata compatta contro le soperchierie della mafia e non accetta più di vivere in un clima di intimidazione continua. Da questa conquista non si torna indietro: se è vero che la mafia riusciva ad eliminare solo quei rappresentanti dello Stato che si trovavano isolati, senza appoggio morale e materiale, è possibile che la mafia sia più vulnerabile ora che non può più godere dell'omertà e della compiacenza di molti, e si trova essa stessa in una condizione di relativo isolamento.

---

3   Saverio Lodato. *"Camilleri: nessuno combatte la mafia"*. *L'Unità*. 19 luglio 2001.

DOMANDE DI COMPRENSIONE

1. Quali furono le conseguenze, positive e negative, dell'occupazione del sud da parte di potenze straniere?
2. Quali effetti ebbero nel sud il mancato sviluppo dell'indipendenza comunale e di una classe mercantile nei periodi del Medioevo e nel Rinascimento?
3. Quali caratteristiche della morfologia del territorio possono aver influenzato il diverso sviluppo economico del nord e del sud d'Italia?
4. Quale problema ha da sempre caratterizzato il sud d'Italia?
5. Perché molti contadini si ribellarono al governo della nuova nazione italiana?
6. In quale altro modo reagirono i contadini all'estrema povertà che li affliggeva?
7. Quale fu la politica di Mussolini nel Meridione?
8. Come si espresse politicamente il sud dopo la Seconda guerra mondiale?
9. Quali misure prese la nuova Repubblica Italiana per cercare di risolvere la "questione meridionale"?
10. Perché si può dire che il sud aiutò il boom economico nel nord d'Italia?
11. Possiamo descrivere la mafia come fenomeno di criminalità organizzata? Motiva la tua risposta.
12. In quale modo la mafia esercita il suo controllo del territorio?
13. Che cosa è migliorato nel sud, e quali grossi problemi permangono?
14. Quali possono essere le cause del fiorire della mafia in Sicilia?
15. Che cos'è l'"omertà"?
16. Che cosa successe a Portella della Ginestra?
17. Quali sono state le caratteristiche del rapporto fra mafia e alcuni ambienti politici dal dopoguerra ad oggi?
18. In che senso anche il governo centrale ha avuto spesso un atteggiamento ambiguo nei confronti della mafia?
19. Quali fattori contribuirono all'eccezionale successo della lotta contro la mafia condotta dai giudici Falcone e Borsellino?
20. Perché l'uccisione dei giudici Falcone e Borsellino scosse tanto l'opinione pubblica? Come si espresse l'indignazione di molti palermitani?
21. Come reagì lo Stato a questi attentati?
22. Si può dire che la mafia sia stata completamente sconfitta? Motiva la tua risposta.
23. Dagli attentati a Falcone e a Borsellino, come è cambiato l'atteggiamento dell'opinione pubblica siciliana nei confronti della mafia?

QUADRETTI CULTURALI

I "TOMBAROLI" ESTRAGGONO ILLEGALMENTE IL "PETROLIO" SICILIANO

La Sicilia possiede un'enorme ricchezza, in gran parte ancora sepolta nel suo arido sottosuolo: sono i reperti archeologici - vasi, statue, anfore, gioielli, ecc. - che i Fenici, i Greci e i Romani hanno lasciato a testimonianza del passaggio della loro civiltà su questa isola. La Valle dei Templi di Agrigento, le ville romane di Piazza Armerina con i loro stupendi mosaici, i resti della città greca di Morgantina sono solo alcuni esempi dell'immenso patrimonio archeologico dell'isola, spesso definito come il vero "petrolio" di questa terra. Due minacce però lo insidiano ormai da decenni e rischiano di comprometterlo irrimediabilmente: le costruzioni abusive che hanno finito per soffocare anche la Valle dei Templi, e i cosiddetti *tombaroli*. Entrambi i fenomeni sono riconducibili al controllo che la mafia mantiene su gran parte delle attività lucrative di questa isola. In questo "quadretto" ci occuperemo della minaccia più diretta e diffusa al "petrolio" siciliano: il trafugamento di reperti archeologici effettuato dai *tombaroli*.

Il *tombarolo* scava nei pressi di siti archeologici alla ricerca di reperti, che spesso trova nelle tombe - da cui il suo nome -, e che poi vende illegalmente. Pur essendo illegale, l'attività del *tombarolo* è considerata relativamente poco pericolosa, se confrontata, ad esempio, con lo spaccio della droga. Anche il *tombarolo* è uno spacciatore, ma la sua merce, talvolta più preziosa dell'eroina, non uccide nessuno, anzi finisce nelle vetrine dei più noti musei negli Stati Uniti e in Gran Bretagna, oppure nelle ville di qualche miliardario.

Tempio della Concordia, Agrigento (V Sec. a.C.)

I pezzi trovati e venduti illegalmente dai *tombaroli* spesso sono rarissimi e quindi di grande interesse storico e archeologico, oltre che artistico. Un servizio d'argento descritto come "tra i più raffinati argenti ellenistici della Magna Grecia" fu acquistato dal Metropolitan Museum di New York nel 1982 per 27 milioni di dollari. [1] In seguito, Malcom Bell, l'archeologo responsabile degli scavi da Morgantina, stabilì che i pezzi provenivano proprio da Morgantina ed erano stati trafugati e venduti illegalmente dai *tombaroli*. Una rarissima coppa libatoria, interamente d'oro e del peso di un chilogrammo, finemente decorata, proveniente anch'essa da Morgantina, è stata ritrovata sul pianoforte a coda di un ricco newyorkese che aveva pagato 1,2 milioni di dollari per averla. [2]

La professione del *tombarolo* richiede capacità e conoscenze particolari, impegno e devozione. Il *tombarolo* non va alla cieca, è quasi un archeologo, spesso un vero esperto di antichità. Opera di notte, al buio, ha la capacità di individuare la probabile posizione di una tomba dalla configurazione del terreno, dal tipo di vegetazione presente. Arriva spesso prima che gli archeologi abbiano identificato un certo sito. Il *tombarolo* dispone anche di attrezzi sofisticati: *metal detectors*, camion per il trasporto, ecc. L'unica cosa che non può fare, proprio a causa della natura illegale del suo commercio, è uno scavo secondo metodi scientifici, con mappatura del terreno e rilievi della stratigrafia. Il *tombarolo* strappa il reperto dal suolo, velocemente, lo nasconde, ricopre il tutto e scappa. Viene così eliminata per sempre la possibilità di stabilire con certezza il periodo e il luogo di provenienza di un determinato oggetto. Il reperto che finisce nella vetrina di un museo con la dicitura "di probabile provenienza..." o "presumibilmente rinvenuto a ..." potrà

1 Alexander Stille. *La memoria del futuro.* Traduzione di Luisa Agnese Dalla Fontana. Milano: Mondadori, 2003 (p. 88).

2 Ibid., p. 92.

Mosaici di ragazze in "bikini",
Piazza Amerina, Sicilia (IV sec. d.C.).

essere artisticamente bello, ma rimane un oggetto isolato che, privato del contesto geografico e del periodo storico in cui fu prodotto ed usato, non ha una storia da raccontare.

L'attività dei *tombaroli*, priva quindi l'Italia di testimonianze preziose della sua storia. La perdita di reperti archeologici - migliaia ogni anno - comporta anche un mancato sviluppo di attività turistiche e quindi una perdita di posti di lavoro. Se questo commercio illegale si arrestasse, molti siti archeologici potrebbero diventare il vero "petrolio" della Sicilia.

La mafia ha trovato il suo posto anche fra i *tombaroli*, essendosi accorta che le antichità sono un'enorme ricchezza da sfruttare: il traffico illegale dei reperti archeologici, infatti, è il terzo dopo il traffico di droga e di armi. Lo Stato italiano ha tentato di ostacolare i *tombaroli*, in vario modo: ponendo restrizioni sui terreni di interesse archeologico, attuando un maggior controllo, promettendo un indennizzo (pari al 25% del valore dell'oggetto) per i "*tombaroli onesti*", quelli cioè che trovano un reperto sul terreno di loro proprietà e ne comunicano il ritrovamento alle autorità entro le 24 ore. A sua volta, la mafia locale ha risposto usando i suoi metodi: nel settembre del 1995, prima della loro riapertura ufficiale al pubblico, gli stupendi mosaici di Villa Armerina furono vittime di un attacco di stampo mafioso e intimidatorio: qualcuno di notte buttò vernice nera e rossa sui mosaici, danneggiandone anche alcuni con degli oggetti metallici.

A contrastare il lavoro dei *tombaroli* si è istituito un corpo speciale dei Carabinieri, il Comando Carabinieri Tutela Patrimonio Culturale (TPC) il cui compito consiste proprio nel condurre indagini su scavi clandestini, vendite e traffici illeciti di opere d'arte, e nel determinare una chiara linea di demarcazione fra legittimi commercianti d'arte e criminali. Il TPC gestisce anche una banca dati dei beni culturali illecitamente sottratti, uno strumento unico al mondo e riconosciuto a livello internazionale come la più completa raccolta di tutte le informazioni relative alle opere d'arte sottratte illegalmente in Italia e all'estero.

Nel 2015 i Carabinieri del TPC hanno concluso l'Operazione Teseo recuperando un enorme patrimonio archeologico che era stato illegalmente sottratto all'Italia, e restituendo pertanto al Paese una ricchezza che appartiene a tutti. Si tratta di un patrimonio di più di 5mila pezzi di origine greco-romana (calici, anfore, vasi) di enorme valore storico e artistico. L'operazione è stata definita dal Comandante dei Carabinieri TCP Mariano Mossa "Il più grande recupero di beni d'arte della storia, per qualità e quantità, con pezzi di assoluta rarità."[3] Questi reperti provenivano da scavi illeciti durati per oltre dieci anni nel sud Italia. Questi scavi hanno depredato e rovinato per sempre intere necropoli e zone sacre con un'enorme perdita delle informazioni storiche e artistiche che questi luoghi custodivano.

---

3 https://www.panorama.it/cultura/arte-idee/operazione-teseo-grande-recupero-beni-archeologici-storia/ (15 gennaio 2018)

Contro la mafia, a colpi di ....lenzuoli

Lenzuoli come strumento di lotta?! Sembrerebbe controsenso. Il lenzuolo, tradizionalmente bianco, è simbolo di intimità e domesticità, testimone silenzioso di ogni rito di passaggio: nascita, matrimonio, morte. Ma nella Palermo delle giornate dolorose e tese seguenti l'attentato a Giovanni Falcone, i lenzuoli ebbero una funzione del tutto diversa. I palermitani decisero di rompere il silenzio sulla mafia e di uscire all'aperto, letteralmente: centinaia di balconi si "imbiancarono" di lenzuoli decorati da semplici scritte, quali: FALCONE VIVE! ORA BASTA! PALERMO RESISTE. PALERMO HA CAPITO, E LO STATO? VIA LA MAFIA DALLE ISTITUZIONI. LORO HANNO CHIUSO I VOSTRI OCCHI, VOI AVETE APERTO I NOSTRI.

Nessun partito o sindacato organizzò questa iniziativa. Il "movimento dei lenzuoli bianchi" nacque da una semplice telefonata di una giovane donna palermitana di nome Marta ai suoi amici. Marta, come molti altri, aveva una voglia tremenda di muoversi subito, sentiva un senso insopportabile di sgomento e impotenza. Decise di fare qualcosa di semplice, e chiese ai suoi amici di imitarla: esporre al balcone un lenzuolo bianco con la scritta PER FALCONE. Presto la voce si sparse, amici telefonarono ad altri amici e parenti. Vicini e passanti non poterono non vedere queste vele bianche che sventolavano contro la mafia e vollero partecipare all'iniziativa. Nel giro di pochi giorni, intere vie e quartieri furono trasformati: dai balconi pendevano messaggi semplici, concisi, ma potenti.

Presto si costituì il "Comitato dei lenzuoli" con lo scopo di coordinare l'iniziativa [1]. Nacque l'idea di produrre e distribuire i "lenzuolini", piccole pezze di stoffa bianca da appuntare all'abito con una scritta antimafia. Migliaia di persone cominciarono a indossarli non solo durante le manifestazioni, ma anche per la strada, passeggiando, andando al lavoro.

Un gruppo di artisti, colpito dall'idea di usare il lenzuolo come forma di espressione, organizzò un evento insolito: una mostra d'arte contro la mafia nella quale diversi artisti esposero i loro lenzuoli dipinti. Secondo Franco Nicastro, storico dell'arte e organizzatore della mostra, il lenzuolo "il cui uso quotidiano conferisce un senso di occultamento, è stato qui recuperato e assunto nel suo simbolismo rovesciato: non copre più, ma rivela, non è più candido, quindi non tace: parla o addirittura urla."[2]

Dopo Falcone, Borsellino: il 19 luglio 1992, a soli 54 giorni dalla morte dell'amico e collega, anche il giudice Borsellino fu ucciso dalla mafia, insieme alla sua scorta. La città di nuovo cadde nello sgomento, incredula. Il movimento dei lenzuoli riacquistò vigore e si moltiplicarono altre forme di protesta, tutte spontanee. La gente si convinse che non doveva aspettare le iniziative dei partiti e dei leader politici, che poteva dimostrare di saper opporsi, subito e spontaneamente. Solo così la città avrebbe riacquistato quella dignità e orgoglio necessarie per isolare la mafia e ricostruire una società civile.

Si costituirono catene umane che dal palazzo di giustizia si snodavano fino alla cattedrale dove aveva avuto luogo il funerale di Falcone. Un gruppo di donne organizzarono uno sciopero della fame per ottenere la rimozione dei responsabili della protezione di Borsellino. Si tenne una marcia di 20 Km, da Capaci (luogo dell'attentato contro Falcone) a Palermo. Infine, la

"Una catena umana per non dimenticare", in occasione del primo anniversario dell'assassinio del giudice Falcone, Palermo 1993.

"Qui non comanda la mafia", Palermo 1992.

1   Gli eventi qui riportati sono ampiamente discussi in Roberto Alajmo, *Un lenzuolo contro la mafia*, Gelka editori, Palermo 1993.
2   Ibid., p. 106.

Biblioteca Centrale della Regione Siciliana propose un'altra idea concreta: il segnalibro contro la mafia che venne distribuito non solo a Palermo, ma anche nelle altre principali città in Italia e all'estero: era un invito ai lettori a trovare, e copiare su un'apposita scheda, una frase significativa che sostenesse i valori universali del vivere civile e che fosse quindi un'arma non violenta contro la mafia. Il "Comitato dei lenzuoli" pubblicò anche un opuscolo dal titolo "Nove consigli scomodi al cittadino che vuole combattere la mafia". Il primo consiglio è particolarmente significativo perché invita ad abbandonare comportamenti che non sono di per sé mafiosi, ma che favoriscono indirettamente il fiorire di una cultura mafiosa: "Impariamo a fare fino in fondo il nostro dovere, impariamo a rivendicare i nostri diritti, a non mendicarli come favori. Impariamo a considerare nostri i beni e i servizi pubblici, dall'autobus al verde, dalla strada al monumento: solo così ne arresteremo il degrado e li difenderemo dall'incuria e dall'abuso." [3]

Il movimento dei lenzuoli non è morto: ogni mese, dal 19 al 23, le date dell'uccisione di Falcone e Borsellino, i balconi di Palermo, e anche di altri comuni, tornano ad essere ornati di lenzuoli bianchi che portano una scritta contro la mafia: la più comune è diventata PER NON DIMENTICARE.

Lenzuoli dipinti da artisti contro la mafia, 1993.

PAROLE DEI PROTAGONISTI A CONFRONTO

1. LEONARDO SCIASCIA
Scrittore siciliano

I. *Da bambino conobbi un canonico, vecchissimo e quasi orbo, che ancora godeva grande rispetto per la risposta che aveva dato ad un colonnello sabaudo; il colonnello comandava un reggimento di cavalleria che faceva campeggio nelle terre del canonico, il canonico chiese gli risarcissero i danni, il colonnello rispose che i cavalli lo avevano risarcito concimandogli le terre, e il canonico - buona a sapersi, questa: i Borboni pagavano con l'oro, ma i Savoia pagano con la merda. La frase i vecchi la ripetevano, rimpianto avevano per quel governo che pagava con l'oro, non chiamava le leve, non faceva guerre.* [1]

II. *[...] non del mare che li isola, che li taglia fuori e li fa soli i siciliani diffidano, ma piuttosto di quel mare che ha portato sulle loro spiagge i cavalieri berberi e normanni, i militi lombardi, gli esosi baroni di Carlo d'Angiò, [...], l'armata di Carlo V e quella di Luigi XIV, gli austriaci, i garibaldini, i piemontesi, le truppe di Patton e Montgomery; e per secoli, continuo flagello, i pirati algerini che piombavano a predare i beni e le persone. La paura storica è diventata dunque paura esistenziale; e si manifesta con una tendenza all'isolamento, alla separazione, degli individui, dei gruppi, delle comunità - e dell'intera regione.* [2]

2. UN CONTADINO SICILIANO
parla dell'occupazione delle terre durante i primi anni del dopoguerra

Dicono che lo Stato è assente, che lo Stato è lontano. Non è vero. I carabinieri in assetto di guerra erano dappertutto, su ogni feudo, su ogni aia, su ogni trazzera.[3] *... "Sul feudo Verde c'erano duemila contadini e quasi cento aratri che lavoravano la terra incolta. Il capitano dei carabinieri con un megafono intimò l'alt, gridando: "In nome della legge, fermatevi!". Gli aratri si fermarono. Dal fondo della pianura la voce del presidente della cooperativa fece eco: "In nome della Costituzione, compagni, lavoriamo!" e cento aratri si rimisero al lavoro.*[4]

3. IGNAZIO SALVO
Imprenditore siciliano, accusato di legami con la mafia

Per lunghissimi anni lo Stato è stato praticamente assente nella lotta contro la mafia e gli episodi di connivenza e di complicità sono tali e tanti che il cittadino indifeso e lasciato in balìa delle organizzazioni mafiose non ha potuto che tentare di sopravvivere evitando pericoli, soprattutto ai propri familiari, specie quando la propria attività imprenditoriale lo pone necessariamente in contatto con tali organizzazioni. Non sono mai stato mafioso, ma sono uno dei tanti imprenditori che per sopravvivere ha dovuto scendere a patti con i nemici della società. [5]

4. **STEFANO BONTATE**
in un colloquio con Giulio Andreotti, esponente di primo piano della DC, più volte primo ministro (primavera 1980)
In Sicilia comandiamo noi, e se non volete cancellare completamente la Dc dovete fare come diciamo noi. Altrimenti vi leviamo non solo i voti della Sicilia, ma anche quelli di Reggio Calabria e di tutta l'Italia meridionale. Potete contare soltanto sui voti del Nord, dove votano tutti comunista, accettatevi questi. [6]

5. **GIUSEPPE ALESSI**
Avvocato, difensore di Giulio Andreotti
[I mafiosi] erano come dei giudici di pace... un creditore per recuperare il suo debito di fronte ad un malpagatore, non si rivolgeva all'avvocato, andava da questo capomafia che [...] detta legge perché le sentenze sono inappellabili, perché era un fuorilegge. Ovviamente, questo non è compatibile con una democrazia moderna che si basa sulla legge [...].[7]

6. **ANTONINO CALDERONE**
Mafioso di Catania, successivamente "pentito"
Il rapporto della mafia con la politica è sempre stato molto stretto. [...] Deputati, assessori, consiglieri regionali venivano aiutati dai mafiosi, chiedevano favori impe-gnativi, pesanti, agli uomini d'onore. Normalmente i mafiosi li facevano, questi favori, ma potevano anche dire di no, senza che succedesse niente. Ma quando erano i mafiosi a chiedere un favore agli uomini politici non c'era scelta: loro dovevano fare quello che veniva chiesto. Non potevano dire di no, o trovare scuse." [8] *"Gli uomini politici sono sempre venuti a cercarci perché disponiamo di tanti, tantissimi voti.... Ogni uomo d'onore, fra amici e parenti, può disporre di altre 40-50 persone. Gli uomini d'onore in provincia di Palermo sono fra 1500 e 2000. Moltiplicate per 50, e otterrete un bel "pacco" di 75-100.000 voti da orientare verso partiti e candidati amici.* [9]

7. **PIPPO CALÒ**
Capomafia, accusa dal carcere Totò Riina (un altro boss mafioso in carcere)
Solo lui [Totò Riina] ha voluto le stragi [l'uccisione di Falcone e Borsellino e delle loro scorte]. È un pazzo, andava ucciso. In carcere abbiamo maledetto chi ha deciso la morte di Falcone e Borsellino perché quelle stragi sono state anche la nostra condanna a morte: hanno fatto le leggi speciali e hanno varato il 41 bis [il carcere duro e l'isolamento per i delitti di mafia]. [10]

8. **GEN. CARLO ALBERTO DALLA CHIESA**
Prefetto di Palermo, assassinato dalla mafia il 3 settembre 1982, in un'intervista con Giorgio Bocca
Ho capito una cosa, molto semplice ma forse decisiva: gran parte delle protezioni mafiose, dei privilegi mafiosi certamente pagati dai cittadini non sono altro che i loro elementari diritti. Assicuriamoglieli, togliamo questo potere alla mafia, facciamo dei suoi dipendenti i nostri alleati". [11]

9. **RALPH JONES**
Console generale USA di Palermo, racconta un episodio a lui narrato dal Gen. Dalla Chiesa, poco prima di essere ucciso dalla mafia
Nella metà degli anni '70, quando il gen. Dalla Chiesa era comandante dei carabinieri in Sicilia, ricevette un giorno una telefonata dal capitano responsabile della cittadina siciliana Palma di Montechiaro, che gli riferì di essere stato minacciato dal boss mafioso locale.

Dalla Chiesa si recò subito a Palma di Montechiaro, giungendovi nel tardo pomeriggio. Prese a braccetto il capitano ed iniziò a passeggiare lentamente con lui su e giù per la strada principale. Tutti li guardavano. Alla fine, questa strana coppia si fermò dinanzi alla casa del boss mafioso della cittadina. I due indugiarono sino a quanto bastava a far capire a tutti che il capitano non veniva lasciato solo. "Tutto ciò che chiedo è che qualcuno mi prenda a braccetto e passeggi con me", disse il generale. Poche ore dopo egli veniva ucciso. [12]

10. GIOVANNI FALCONE
Giudice assassinato dalla mafia
I. *In Sicilia, per quanto uno sia intelligente e lavoratore, non è detto che faccia carriera, non è detto neppure che ce la faccia a sopravvivere. La Sicilia ha fatto del clientelismo una regola di vita. Difficile, in questo quadro, far emergere pure e semplici capacità professionali. Quel che conta è l'amico o la conoscenza per ottenere la spintarella. E la mafia, che esprime sempre l'esasperazione dei valori siciliani, finisce per fare apparire come un favore quello che è il diritto di ogni cittadino. [13]*

II. *Accade quindi che alcuni politici a un certo momento si trovino isolati nel loro stesso contesto. Essi allora diventano vulnerabili e si trasformano inconsapevolmente in vittime potenziali. [...] Si muore generalmente perché si è soli o perché si è entrati in un gioco troppo grande. Si muore spesso perché non si dispone delle necessarie alleanze, perché si è privi di sostegno. In Sicilia la mafia colpisce i servitori dello Stato che lo Stato non è riuscito a proteggere. [14]*

**PAROLE DEI PROTAGONISTI
A CONFRONTO**

11. ROBERTO ALAJMO
palermitano, autore di "Un lenzuolo contro la mafia"
Vivere a Palermo è una questione controversa. Secondo alcuni, addirittura, vivere a Palermo è una specie di perversione. Ci sono i sadici, ci sono i masochisti, ci sono i palermitani. Sono quelli che parlano male della loro città e si risentono se qualcun altro ne parla male. Molti di loro vivono rinviando di mese in mese la partenza. Ma se partono, anche per un viaggio breve, poi vogliono tornare, perché non è facile uscire dal vizio di Palermo. Lontano, manca la battaglia per la vita. Manca la lotta fra il Bene e il Male portata alle sue conseguenza estreme. Non chiedetelo a loro, perché risponderanno che continuano a vivere a Palermo per il clima, che è dolce, o per il mare... Non è vero. Vivono a Palermo perché Palermo è uno degli ultimi posti al mondo in cui è possibile conoscere qualche eroe [un riferimento ai giudici Falcone e Borsellino, assassinati dalla mafia]. [15]

12. BALDASSARRE CONTICELLO
Sovrintendente alle belle arti di Pompei nel 1988, spiega perché ha messo una bandiera italiana nel suo ufficio
L'ho dovuta mettere per far capire che questo ufficio non è il mio mercato personale, la mia bancarella. Io non vendo e non compro. Rappresento lo Stato. Ma non avendo qui nessuno il senso dello Stato, ma solo della famiglia, del clan, del partito, o della cosca, tutti credono fermamente che un sovrintendente debba utilizzare la carica a suo esclusivo vantaggio, per lucrare. [16]

13. GIULIANO AMATO
Presidente del consiglio all'epoca, in un commento successivo all'uccisione di Falcone e Borsellino

Questo Stato non è del tutto innocente e lo sappiamo. Quanta parte di Stato ha collaborato, ha lasciato che accadessero fatti, ha omesso di intervenire quando poteva intervenire, anche nei confronti della criminalità organizzata? Sono domande, queste, che attendono risposte nella nostra storia recente. [17]

14. ALDO FUMAGALLI
Presidente dei giovani industriali, nel 1992

Noi giovani imprenditori ci sentiamo tutti siciliani perché la mafia è un problema dell'intera nazione. I cittadini vogliono un Paese in cui vi sia la certezza del diritto. [18]

PAROLE DEI PROTAGONISTI A CONFRONTO

1 L. Sciascia, *Le parrocchie di Regalpetra*, Laterza, Bari 1975, pp. 20-21.

2 L. Sciascia, *La corda pazza*, Einaudi, Torino 1982, p. 13.

3 G. Saladino, *Terra di rapina*, Sellerio Editore, Palermo 1977, p. 31.

4 Ibid., p. 52.

5 Citato in A. Stille, *Nella terra degli infedeli*, Mondadori, Milano 1995, p. 171.

6 Procura della Repubblica presso il Tribunale di Palermo, Memoria Depositata dal Pubblico Ministero nel procedimento penale n. 3538 N.R. instaurato nei confronti di Andreotti Giulio, Vol. II, pp. 17-19, citato in Pino Arlacchi, *Il processo, Giulio Andreotti sotto accusa a Palermo*, Rizzoli R.C.S. Libri & Grandi Opere, Milano 1995, p. 94.

7 citato in A. Stille, *Andreotti*, Mondadori, Milano 1995, p. 15.

8 P. Arlacchi, *Gli uomini del disonore*, Mondadori, Milano 1992, p. 210.

9 Ibid., p. 212.

10 Citato in Centro documentazione Peppino Impastato (web site: http://www.centroimpastato.it/).

11 G. Bocca, '*Come combatto contro la mafia*', La Repubblica, 10 agosto 1982.

12 The Wall Street Journal, 12 febbraio 1985, citato in C. Stajano, a cura di, *Mafia, l'atto di accusa dei giudici di Palermo*, Editori Riuniti, Roma 1986, p. 240.

13 G. Falcone, in collaborazione con M. Padovani, *Cose di Cosa nostra*, RCS Rizzoli, Milano 1991, p. 132.

14 Ibid., pp. 170-171.

15 R. Alajmo, *Un lenzuolo contro la mafia*, Gelka editori, Palermo 1993, p. 117.

16 S. Malatesta, '*Il santuario dell'amore pietrificato del Vesuvio*', in La Repubblica, 20 agosto 1988, citato in P. Ginsborg, *Storia d'Italia dal dopoguerra ad oggi*, Einaudi Torino 1989, p. 571.

17 Programma televisivo "Lezioni di mafia", Tg2, 28/7/1992, citato in P. Conti, "Sta con la mafia chi deride lo Stato", Corriere della Sera, 29 luglio 1992.

18 Id.

L'OMICIDIO MAFIOSO

di Leonardo Sciascia

Le primissime pagine del romanzo di Sciascia, "Il giorno della civetta", contengono la descrizione di un delitto mafioso nella Sicilia degli anni '50 - una descrizione perfetta e completa, come un grande puzzle a cui non manca nemmeno un tassello: il colpo di lupara, la gente che vede ma che non reagisce, un maresciallo solerte e coscienzioso che si scontra con un'omertà impenetrabile.

L'autobus stava per partire, **rombava** sordo con improvvisi **raschi** e **singulti**. La piazza era silenziosa nel grigio dell'alba, sfilacce di nebbia ai campanili della **Matrice**: solo il rombo dell'autobus e la voce del
5 venditore di **panelle**, panelle calde panelle, implorante ed ironica. Il bigliettaio chiuse lo sportello, l'autobus si mosse con un **rumore di sfasciume**. L'ultima occhiata che il bigliettaio girò sulla piazza, colse l'uomo vestito di scuro che veniva correndo; il bigliettaio disse all'autista
10 – un momento – e aprì lo sportello mentre l'autobus ancora si muoveva. Si sentirono due **colpi squarciati**: l'uomo vestito di scuro, che stava per saltare sul **predellino**, restò per un attimo sospeso, come tirato su per i capelli da una mano invisibile; gli cadde la cartella
15 di mano e sulla cartella lentamente si afflosciò.

Il bigliettaio bestemmiò: la faccia gli era diventata **colore di zolfo**, tremava. Il venditore di panelle, che era a tre metri dall'uomo caduto, muovendosi **come un granchio** cominciò ad allontanarsi verso la porta
20 della chiesa. Nell'autobus nessuno si mosse, l'autista era come impietrito, la destra sulla leva del freno e la sinistra sul volante. Il bigliettaio guardò tutte quelle facce che sembravano facce di ciechi, senza sguardo; disse – l'hanno ammazzato – si levò il berretto e
25 freneticamente cominciò a passarsi la mano tra i capelli; bestemmiò ancora.

– I carabinieri – disse l'autista – bisogna chiamare i carabinieri.

Si alzò ed aprì l'altro sportello – ci vado – disse
30 al bigliettaio.

Il bigliettaio guardava il morto e poi i viaggiatori.

C'erano anche donne sull'autobus, vecchie che ogni mattina portavano sacchi di tela bianca, pesantissimi, e ceste piene di uova; le loro vesti
35 stingevano odore di **trigonella**, di **stallatico**, di legna bruciata; di solito **lastimavano** e imprecavano, ora stavano in silenzio, le facce come dissepolte da un silenzio di secoli.

– Chi è? – domandò il bigliettaio indicando il
40 morto.

Nessuno rispose. Il bigliettaio bestemmiò, era un bestemmiatore di fama tra i viaggiatori di quella autolinea, bestemmiava **con estro**: già gli avevano minacciato licenziamento, ché tale era il suo vizio alla
45 bestemmia da non far caso alla presenza di preti e monache sull'autobus. Era della provincia di Siracusa, in fatto di morti ammazzati aveva poca pratica: una stupida provincia, quella di Siracusa; perciò con più furore del solito bestemmiava.
50 Vennero i carabinieri, il maresciallo nero di barba e di sonno. L'apparire dei carabinieri squillò come allarme nel letargo dei viaggiatori: e dietro al bigliettaio, dall'altro sportello che l'autista aveva lasciato aperto, cominciarono a scendere. In apparente indolenza,
55 voltandosi indietro come a cercare la distanza giusta per ammirare i campanili, si allontanavano verso i margini della piazza e, dopo un ultimo sguardo, **svicolavano**. Di quella lenta **raggera** di fuga il maresciallo e i carabinieri non si accorgevano. Intorno al morto stavano ora una
60 cinquantina di persone, gli operai di un cantiere-scuola ai quali non pareva vero di aver trovato un argomento così grosso da trascinare nell'ozio delle otto ore. Il maresciallo ordinò ai carabinieri di fare sgombrare la piazza e di far risalire i viaggiatori sull'autobus: e i
65 carabinieri cominciarono a spingere i curiosi verso le strade che intorno alla piazza si aprivano, spingevano e chiedevano ai viaggiatori di andare a riprendere il loro posto sull'autobus. Quando la piazza fu vuota, vuoto era anche l'autobus; solo l'autista e il bigliettaio restavano.
70 – E che – domandò il maresciallo all'autista – non viaggiava nessuno oggi?

– Qualcuno c'era – rispose l'autista con faccia smemorata.

– Qualcuno – disse il maresciallo – vuol dire
75 quattro cinque sei persone: io non ho mai visto questo autobus partire, che ci fosse un solo posto vuoto.

– Non so – disse l'autista, tutto spremuto nello sforzo di ricordare – non so: qualcuno, dico, così per dire; certo non erano cinque o sei, erano di più, forse
80 l'autobus era pieno... Io non guardo mai la gente

che c'è: mi infilo al mio posto e via… Solo la strada guardo, mi pagano per guardare la strada.

Il maresciallo si passò sulla faccia una mano stirata dai nervi. – Ho capito – disse – tu guardi solo la strada; ma tu – e si voltò inferocito verso il bigliettaio – tu stacchi i biglietti, prendi i soldi, dài il resto: conti le persone e le guardi in faccia…E se non vuoi che te ne faccia ricordare in **camera di sicurezza**, devi dirmi subito chi c'era sull'autobus, almeno dieci nomi devi dirmeli… Da tre anni che fai questa linea, da tre anni ti vedo ogni sera al caffè Italia: il paese lo conosci meglio di me…

– Meglio di lei il paese non può conoscerlo nessuno – disse il bigliettaio sorridendo, come a schermirsi da un complimento.

– E va bene – disse il maresciallo sogghignando – prima io e poi tu: va bene…Ma io sull'autobus non c'ero, ché ricorderei uno per uno i viaggiatori che c'erano: dunque tocca a te, almeno dieci devi nominarli.

– Non mi ricordo – disse il bigliettaio – sull'anima di mia madre, non mi ricordo; in questo momento di niente mi ricordo, mi pare che sto sognando.

– Ti sveglio io ti sveglio – s'infuriò il maresciallo – con un paio d'anni di galera ti sveglio…– ma s'interruppe per andare incontro al pretore che veniva. E mentre al pretore riferiva sulla identità del morto e la fuga dei viaggiatori, guardando l'autobus, ebbe il senso che qualcosa stesse fuori posto o mancasse: come quando una cosa viene improvvisamente a mancare alle nostre abitudini, una cosa che per uso o consuetudine si ferma ai nostri sensi e più non arriva alla mente, ma la sua assenza genera un piccolo vuoto smarrimento, come una intermittenza di luce che ci esaspera: finché la cosa che cerchiamo di colpo nella mente si rapprende.

– Manca qualcosa – disse il maresciallo al carabiniere Sposito che, col diploma di ragioniere che aveva, era la colonna della Stazione Carabinieri di S. – manca qualcosa, o qualcuno…

– **Il panellaro** – disse il carabiniere Sposito.

– Perdio: il panellaro – esultò il maresciallo, e pensò delle scuole patrie «non lo dànno al primo venuto, il diploma di ragioniere».

Un carabiniere fu mandato di corsa ad acchiappare il panellaro: sapeva dove trovarlo, ché di solito, dopo la partenza del primo autobus, andava a vendere le panelle calde nell'atrio delle scuole elementari. Dieci minuti dopo il maresciallo aveva davanti il venditore di panelle: la faccia di un uomo sorpreso nel sonno più innocente.

– C'era? – domandò il maresciallo al bigliettaio, indicando il panellaro.

– C'era – disse il bigliettaio guardandosi una scarpa.

– Dunque – disse con paterna dolcezza il maresciallo – tu stamattina, come al solito, sei venuto a vendere panelle qui: il primo autobus per Palermo, come al solito…

– Ho la licenza – disse il panellaro.

– Lo so – disse il maresciallo alzando al cielo occhi che invocavano pazienza – lo so e non me ne importa della licenza; voglio sapere una cosa sola, me la dici e ti lascio subito andare a vendere le panelle ai ragazzi: chi ha sparato?

– Perché – domandò il panellaro, meravigliato e curioso – hanno sparato?

Paolo Borsellino e Leonardo Sciascia a cena insieme, 25.1.1988.

NOTE (PRECEDUTE DAL NUMERO DELLA RIGA NEL TESTO)

1. *rombare:* fare rumore come un motore d'aereo
2. *il raschio:* rumore secco, sfregamento
2. *il singulto:* sobbalzo, sussulto, come di un motore che si ferma e poi riparte
4. *la Matrice:* chiesa principale di un paese
5. *le panelle:* focacce calde
7. *il rumore di sfasciume:* rumore di qualcosa che si sta disgregando
11. *colpi squarciati:* colpi secchi, improvvisi, che rompono il silenzio
13. *il predellino:* primo gradino dell'autobus
17. *il colore di zolfo:* giallo come lo zolfo
18. *come un granchio:* all'indietro, come fanno i granchi
35. *la trigonella:* un tipo di erba
35. *lo stallatico:* prodotto della stalla, o del letame della stalla
36. *lastimare:* lamentarsi (arcaico)
43. *con estro:* con creatività
57. *svicolare:* prendere stradine, vicoli laterali
58. *la raggera:* serie di raggi che partono tutti da un punto centrale
88. la camera di sicurezza: cella di una prigione
122. *il panellaro:* venditore di panelle (focacce)

DOMANDE DI COMPRENSIONE E DISCUSSIONE

1. Che cosa succede nel primo paragrafo?
2. Come reagirono in generale le persone che avevano visto l'omicidio? Che cosa ti colpisce delle loro reazioni?
3. Che cosa fece invece il bigliettaio, e perché la sua reazione fu tanto diversa?
4. Come definisce l'autore, con sottile ironia, la provincia di Siracusa? Perché la definisce così?
5. Cosa fecero i viaggiatori all'arrivo del maresciallo?
6. Che cosa ordinò il maresciallo ai carabinieri?
7. Che cosa volle sapere il maresciallo dall'autista e dal bigliettaio e che risposte ricevette?
8. Che cosa "era fuori posto", secondo il maresciallo?
9. Come reagì il panellaro alle domande del maresciallo?
10. Come reagì il maresciallo all'"omertà" di tutti i testimoni all'omicidio? Sottolinea le frasi o espressioni che Sciascia usa per descrivere le reazioni fisiche ed emotive del maresciallo all' "omertà" dei testimoni del delitto.

OSSERVAZIONI SUL TESTO)

Leggi le seguenti frasi tratte dal testo e scegli l'espressione fra parentesi che potrebbe sostituire quella in **grassetto:**

1. (riga 16)
Il bigliettaio bestemmiò: la faccia gli era diventata **colore di zolfo** (*gialla / rossa*).

2. (riga 17)
Il venditore di panelle […] muovendosi **come un granchio** (*in avanti / indietro*) cominciò ad allontanarsi verso la porta della chiesa.

3. (riga 22)
Il bigliettaio guardò tutte quelle facce che sembravano facce di ciechi, **senza sguardo** (*senza allegria / senza espressione*).

4. (riga 56)
[I viaggiatori] si allontanavano verso i margini della piazza e, dopo un ultimo sguardo, **svicolavano** (*si mettevano a correre / entravano nelle via laterali*).

5. (riga 61)
[Agli operai] non pareva vero di aver trovato un argomento così grosso da trascinare **nell'ozio** (*nell'inattività / nel lavoro*) delle otto ore.

IL LUNGO VIAGGIO

di Leonardo Sciascia

Un gruppo di siciliani vende tutto per poter pagare un passaggio clandestino in America, "sulle spiagge del Nugioirsi, a due passi da Nuovaiorche". È il sogno di tanti: lasciare dietro di sé fame e oppressione e raggiungere la terra dove il denaro viene "cacciato con noncuranza nelle tasche dei pantaloni, tirato fuori a manciate." Si accorgeranno ben presto che, come successe a tanti prima di loro, non c'è fuga dalla Sicilia e che il loro sogno si è trasformato in una grande, tragica beffa.

Era una notte che pareva fatta apposta, un'oscurità **cagliata** che a muoversi quasi se ne sentiva il peso. E faceva spavento, respiro di quella belva che era il mondo, il suono del mare: un respiro che veniva a spegnersi ai loro piedi.

Stavano, con le loro valige di cartone e i loro fagotti, su un tratto di spiaggia pietrosa, riparata da colline, tra Gela e Licata: vi erano arrivati all'**imbrunire**, ed erano partiti all'alba dai loro paesi; paesi interni, lontani dal mare, **aggrumati** nell'arida **plaga** del **feudo**. Qualcuno di loro, era la prima volta che vedeva il mare: e sgomentava il pensiero di dover attraversarlo tutto, da quella deserta spiaggia della Sicilia, di notte, ad un'altra deserta spiaggia dell'America, pure di notte. Perché i patti erano questi – Io di notte vi imbarco – aveva detto l'uomo: una specie di commesso viaggiatore per la **parlantina**, ma serio e onesto nel volto – e di notte vi sbarco: sulla spiaggia del **Nugioirsi**, vi sbarco; a due passi da **Nuovaiorche**… E chi ha parenti in America, può scrivergli che aspettino alla stazione di Trenton, dodici giorni dopo l'imbarco… Fatevi il conto da voi… Certo, il giorno preciso non posso assicurarvelo: mettiamo che c'è mare grosso, mettiamo che la guardia costiera stia a vigilare… Un giorno più o un giorno meno, non vi fa niente: l'importante è sbarcare in America.

L'importante era davvero sbarcare in America: come e quando non aveva poi importanza. Se ai loro parenti arrivavano le lettere, con quegli indirizzi confusi e sgorbi che riuscivano a tracciare sulle buste, sarebbero arrivati anche loro; «chi ha lingua passa il mare», giustamente diceva il proverbio. E avrebbero passato il mare, quel grande mare oscuro; e sarebbero approdati agli **stori** e alle **farme** dell'America, all'affetto dei loro fratelli zii nipoti cugini, alle calde ricche abbondanti case, alle automobili grandi come case. Duecentocinquantamila lire: metà alla partenza, metà all'arrivo. Le tenevano, **a modo di scapolari**, tra la pelle e la camicia. Avevano venduto tutto quello che avevano da vendere, per **racimolarle**: la casa **terragna** il mulo l'asino le provviste dell'annata **il canterano** le coltri. I più furbi avevano fatto ricorso agli **usurai**, con la segreta intenzione di fregarli; una volta almeno, dopo anni che ne subivano **angaria**: e ne avevano soddisfazione, al pensiero della faccia che avrebbero fatta nell'apprendere la notizia. «Vieni a cercarmi in America, **sanguisuga**: magari ti ridò i tuoi soldi, ma senza interesse, se ti riesce di trovarmi». Il sogno dell'America traboccava di dollari: non più, il denaro, custodito nel logoro portafogli o nascosto tra la camicia e la pelle, ma cacciato con noncuranza nelle tasche dei pantaloni, tirato fuori a manciate: come avevano visto fare ai loro parenti, che erano partiti morti di fame, magri e cotti dal sole; e dopo venti o trent'anni tornavano, ma per una breve vacanza, con la faccia piena e rosea che faceva bel contrasto coi capelli candidi.

Erano già le undici. Uno di loro accese la lampadina tascabile: il segnale che potevano venire a prenderli per portarli sul piroscafo. Quando la spense, l'oscurità sembrò più spessa e paurosa. Ma qualche minuto dopo, dal respiro ossessivo del mare affiorò un più umano, domestico suono d'acqua: quasi che vi si riempissero e vuotassero, con ritmo, dei secchi. Poi venne un **brusío**, un **parlottare** sommesso. Si trovarono davanti il signor Melfa, che con questo nome conoscevano l'impresario della loro avventura, prima ancora di aver capito che la barca aveva toccato terra.

– Ci siamo tutti? – domandò il signor Melfa. Accese la lampadina, fece la conta. Ne mancavano due. – Forse ci hanno ripensato, forse arriveranno più tardi… Peggio per loro, in ogni caso. E che ci mettiamo ad aspettarli, col rischio che corriamo?

Tutti dissero che non era il caso di aspettarli.

– Se qualcuno di voi non ha il contante pronto – ammonì il signor Melfa – è meglio si metta la strada tra le gambe e se ne torni a casa: ché se pensa di farmi a bordo la sorpresa, sbaglia di grosso; io vi riporto a terra com'è vero dio, tutti quanti siete. E che per uno debbano pagare tutti, non è cosa giusta: e dunque chi ne avrà colpa la pagherà per mano mia e per mano dei compagni, una pestata che se ne ricorderà mentre campa; se gli va bene…

Tutti assicurarono e giurarono che il contante c'era, fino all'ultimo soldo.

85 — In barca — disse il signor Melfa. E di colpo ciascuno dei partenti diventò una informe massa, un confuso grappolo di bagagli.

— Cristo! E che **vi siete portata** la casa **appresso**? — cominciò a **sgranare bestemmie**, e finì quando tutto
90 il carico, uomini e bagagli, si ammucchiò nella barca: col rischio che un uomo o un fagotto ne traboccasse fuori. E la differenza tra un uomo e un fagotto era per il signor Melfa nel fatto che l'uomo si portava appresso le duecentocinquantamila lire; addosso, cucite, nella giacca
95 o tra la camicia e la pelle. Li conosceva, lui, li conosceva bene: questi contadini **zaurri**, questi villani.

Il viaggio durò meno del previsto: undici notti, quella della partenza compresa. E contavano le notti
100 invece che i giorni, poiché le notti erano di atroce promiscuità, soffocanti. Si sentivano immersi nell'odore di pesce di **nafta** e di vomito come in un liquido caldo nero **bitume**. Ne grondavano all'alba, stremati, quando salivano ad abbeverarsi di luce e di vento. Ma come l'idea
105 del mare era per loro il piano verdeggiante di messe quando il vento lo sommuove, il mare vero li **atterriva**: e le viscere gli si strizzavano, gli occhi dolorosamente **verminavano** di luce se appena indugiavano a guardare.

Ma all'undicesima notte il signor Melfa li chiamò
110 in coperta: e credettero dapprima che fitte costellazioni fossero scese al mare come greggi; ed erano invece paesi, paesi della ricca America che come gioielli brillavano nella notte. E la notte stessa era un incanto: serena e dolce, una mezza luna che trascorreva tra una trasparente
115 fauna di nuvole, una brezza che **dislagava** i polmoni.

— Ecco l'America — disse il signor Melfa.

— Non c'è pericolo che sia un altro posto? — domandò uno: perché per tutto il viaggio aveva pensato che nel mare non ci sono né strade né **trazzere**, ed era
120 da dio fare la via giusta, senza **sgarrare**, conducendo una nave tra cielo ed acqua.

Il signor Melfa lo guardò con compassione, domandò a tutti — E lo avete mai visto, dalle vostre parti, un orizzonte come questo? E non lo sentite che l'aria è
125 diversa? Non vedete come splendono questi paesi?

Tutti convennero, con compassione e risentimento guardarono quel loro compagno che aveva osato una così stupida domanda.

— **Liquidiamo il conto** — disse il signor Melfa.
130 Si frugarono sotto la camicia, tirarono fuori i soldi.

— Preparate le vostre cose — disse il signor Melfa dopo aver incassato.

Gli ci vollero pochi minuti: avendo quasi
135 consumato le provviste di viaggio, che per patto avevano dovuto portarsi, non restava loro che un po' di biancheria e i regali per i parenti d'America: qualche forma di pecorino qualche bottiglia di vino vecchio qualche ricamo da mettere in centro alla tavola o alle
140 spalliere dei sofà. Scesero nella barca leggeri leggeri, ridendo e canticchiando; e uno si mise a cantare a gola aperta, appena la barca si mosse.

— E dunque non avete capito niente? — si arrabbiò il signor Melfa. — E dunque mi volete fare passare il
145 guaio?… Appena vi avrò lasciati a terra potete correre dal primo **sbirro** che incontrate, e farvi rimpatriare con la prima corsa: io **me ne fotto**, ognuno è libero di ammazzarsi come vuole…E poi, sono stato ai patti: qui c'è l'America, il dover mio di buttarvici l'ho assolto…
150 Ma datemi il tempo di tornare a bordo, Cristo di Dio!

Gli diedero più del tempo di tornare a bordo: che rimasero seduti sulla fresca sabbia, indecisi, senza saper che fare, benedicendo e maledicendo la notte: la cui protezione, mentre stavano fermi sulla spiaggia, si
155 sarebbe mutata in terribile **agguato** se avessero osato allontanarsene.

Il signor Melfa aveva raccomandato — **sparpagliatevi** — ma nessuno se la sentiva di dividersi dagli altri. E Trenton chi sa quant'era lontana, chi sa
160 quanto ci voleva per arrivarci.

Sentirono, lontano e irreale, un canto: «Sembra un **carrettiere** nostro», pensarono: e che il mondo è ovunque lo stesso, ovunque l'uomo spreme in canto la stessa malinconia, la stessa pena. Ma erano in America,
165 le città che baluginavano dietro l'orizzonte di sabbia e d'alberi erano città dell'America.

Due di loro decisero di **andare in avanscoperta**. Camminarono in direzione della luce che il paese più vicino riverberava nel cielo. Trovarono quasi subito la
170 strada: «asfaltata, ben tenuta: qui è diverso che da noi», ma per la verità se l'aspettavano più ampia, più dritta. Se ne tennero fuori, ad evitare incontri: la seguivano camminando tra gli alberi.

Passò un'automobile: «pare una seicento»; e poi
175 un'altra che pareva una millecento, e un'altra ancora: «le nostre macchine loro le tengono per capriccio, le comprano ai ragazzi come da noi le biciclette». Poi passarono, assordanti, due motociclette, una dietro l'altra. Era la polizia, non c'era da sbagliare: meno male
180 che si erano tenuti fuori della strada.

Ed ecco che finalmente c'erano le frecce. Guardarono

avanti e indietro, entrarono nella strada, si avvicinarono a leggere: Santa Croce Camarina – Scoglitti.

    – Santa Croce Camarina: non mi è nuovo, questo
185 nome.

    – Pare anche a me; e nemmeno Scoglitti mi è nuovo.

    – Forse qualcuno dei nostri parenti ci abitava, forse mio zio prima di trasferirsi a Filadelfia: ché io ricordo stava in un'altra città, prima di passare a Filadelfia.

190   – Anche mio fratello: stava in un altro posto, prima di andarsene a Brucchilin… Ma come si chiamasse, proprio non lo ricordo: e poi, noi leggiamo Santa Croce Camarina, leggiamo Scoglitti; ma come leggono loro non lo sappiamo, l'americano non si legge
195 come è scritto.

    – Già, il bello dell'italiano è questo: che tu come è scritto lo leggi… Ma non è che possiamo passare qui la nottata, bisogna farsi coraggio… Io la prima macchina che passa, la fermo: domanderò solo «Trenton?»…Qui
200 la gente è più educata… Anche a non capire quello che dice, gli scapperà un gesto, un segnale: e almeno capiremo da che parte è, questa maledetta Trenton.

    Dalla curva, a venti metri, sbucò una cinquecento: l'automobilista se li vide **guizzare davanti**, le mani
205 alzate a fermarlo. Frenò bestemmiando: non pensò a

una rapina, ché la zona era tra le più calme; credette volessero un passaggio, aprì lo sportello.

    – Trenton? – domandò uno dei due.

    – Che? – fece l'automobilista.
210   – Trenton?

    – Che trenton della madonna – imprecò l'uomo dell'automobile.

    – Parla italiano – si dissero i due, guardandosi per consultarsi: se non era il caso di rivelare a un compa-
215 triota la loro condizione.

    L'automobilista chiuse lo sportello, rimise in moto. L'automobile balzò in avanti: e solo allora gridò ai due che rimanevano sulla strada come statue – ubriaconi, cornuti ubriaconi, cornuti e figli di…– il resto
220 si perse nella corsa.

    Il silenzio dilagò.

    – Mi sto ricordando – disse dopo un momento quello cui il nome di Santa Croce non suonava nuovo – a Santa Croce Camarina, un'annata che dalle nostre
225 parti andò male, mio padre ci venne per la mietitura.

    Si buttarono come schiantati sull'orlo della cunetta: ché non c'era fretta di portare agli altri la notizia che erano sbarcati in Sicilia.
230

NOTE (PRECEDUTE DAL NUMERO DELLA RIGA NEL TESTO)

2. *cagliato:* spesso come il latte quando si sta trasformando in formaggio
8. *l'imbrunire:* i momenti precedenti al tramonto, quando comincia a mancare la luce
10. *aggrumato:* raggruppato
10. *la plaga:* grande area di terreno
11. *il feudo:* grande territorio che ha un solo proprietario, latifondo
17. *la parlantina:* facilità nel parlare
18. *Nugioirsi:* New Jersey
19. *Nuovaiorche:* New York
34. *stori: stores* (negozi, in inglese)
34. *farme: farms* (fattorie, in inglese)
38. *a modo di scapolari:* come fossero delle ossa del petto
40. *racimolare:* mettere da parte
41. *terragna:* fatta di terra
42. *il canterano:* mobile con cassetti
43. *l'usuraio:* chi presta soldi ad un alto interesse
44. *l'angaria:* sopruso, la prepotenza
47. *la sanguisuga:* animale che succhia il sangue (qui usato come insulto contro gli usurai)
64. *il brusío:* rumore di sottofondo, come di insetti
64. *il parlottare:* parlare sommessamente e senza interruzione

88. *portarsi appresso:* portare con sè
89. *sgranare bestemmie:* dire bestemmie una dopo l'altra
96. *lo zaurro:* contadino miserabile (dialettale)
102. *la nafta:* gasolio usato per i motori delle navi
103. *il bitume:* specie di catrame usato per rivestire le barche
106. *atterrire:* spaventare, causare terrore
108. *verminare:* fare i vermi, essere pieno di vermi (figurativo: i riflessi della luce sul mare sembrano molti vermi)
115. *dislagare:* allargare
119. *la trazzera:* strada di campagna non asfaltata usata per spostare bestiame
120. *sgarrare:* sbagliare
129. *liquidare il conto:* pagare il rimanente del prezzo accordato
146. *lo sbirro:* poliziotto (dispregiativo)
147. *me ne fotto:* me ne frego, non me ne importa niente (volgare)
155. *l'agguato:* attacco di sorpresa contro qualcuno
158. *sparpagliarsi:* disperdersi, dividersi
162. *il carrettiere:* il guidatore di carretti
167. *andare in avanscoperta:* andare in esplorazione
204. *guizzare davanti:* balzare, saltare in avanti

DOMANDE DI COMPRENSIONE E DISCUSSIONE

1. Spiega la tragica ironia del titolo.
2. Dove si trovavano i protagonisti di questo racconto?
3. Da dove venivano, che cosa aspettavano e dove erano diretti?
4. Come avevano ottenuto i soldi per il viaggio? Che cosa avevano fatto i più furbi?
5. Perché, secondo te, Sciascia, non usa nessuna punteggiatura quando scrive l'elenco delle cose vendute dai contadini per procurarsi i soldi per il "lungo viaggio" (righe 40-43)?
6. Quale immagine rappresentava per i contadini "il sogno americano"?
7. Chi era il Signor Melfa? Che accordi avevano preso i contadini con lui?
8. Che cosa sarebbe successo loro se non avessero pagato l'acconto?
9. Perché il Signor Melfa "cominciò a sgranare bestemmie" mentre imbarcava il suo carico umano? Come considerava lui i contadini?
10. Qual era l'aspetto più penoso del viaggio per i contadini?
11. Come si presentò l'America ai contadini?
12. Dopo il "lungo viaggio" che cosa era rimasto ai contadini come bagaglio?
13. Che cosa avrebbero dovuto fare, secondo il Signor Melfi, una volta sbarcati?
14. Che cosa fecero invece?
15. Che cosa videro i due viaggiatori che andarono in avanscoperta?
16. Chi fermarono e che cosa gli chiesero?
17. Come scoprirono alla fine che l'America era ancora molto lontana?
18. Sciascia fa largo uso di similitudini e metafore in questo racconto. Sottolineale, scegli quella che ti sembra più efficace e presentala in classe (es: E faceva spavento, respiro di quella belva che era il mondo, il suono del mare (righe 3-4).

OSSERVAZIONI SUL TESTO

Considera l'uso del **futuro anteriore** nella seguente frase:

Appena vi avrò lasciati a terra potete correre dal primo sbirro che incontrate... (righe 145-146)

L'azione espressa dal verbo "lasciare" è nel futuro, ma un futuro precedente all'azione del "correre dal primo sbirro": la relazione temporale fra i due verbi è marcata dall'avverbio "appena". In un italiano meno colloquiale, il verbo "potere" sarebbe al futuro semplice (potrete) e non al presente.

Usa il futuro anteriore per unire le seguenti frasi con l'avverbio "appena". Fai tutti i cambiamenti necessari.

1. Prima sbarcheranno. Poi chiederanno dov'è Trenton.

....

2. Prima liquideranno il conto. Poi potranno sbarcare.

....

3. Prima metteranno insieme i soldi per il viaggio. Poi partiranno.

....

4. Prima si riposeranno. Poi andranno a dire agli altri che sono sbarcati in Sicilia.

....

UN PAIO DI OCCHIALI
di Anna Maria Ortese

Anna Maria Ortese, una delle scrittrici più importanti del XX secolo, visse a lungo a Napoli. La città e la sua gente sono il soggetto quasi magico di molti dei suoi romanzi e racconti. In "Un paio di occhiali", la quasi cecità di una bambina rappresenta l'unica difesa contro la misera e lo squallore dei "bassi", cioè dei quartieri della Napoli più povera, così lontana dallo splendore dell'altra Napoli, quella delle "vetrine come specchi, piene di roba fina, da dare una specie di struggimento."

[…]

«Mammà, oggi mi metto gli occhiali».

C'era una specie di **giubilo** segreto nella voce modesta della bambina, terzogenita di don Peppino (le
5 prime due, Carmela e Luisella, stavano con le monache, e presto **avrebbero preso il velo**, tanto s'erano persuase che questa vita è un **gastigo**; e i due piccoli, Pasqualino e Teresella, **ronfavano** ancora, capovolti, nel letto della mamma).

10 «Sì, e scassali subito, mi raccomando!» insisté, dietro la porta dello stanzino, la voce sempre irritata della zia. Essa faceva scontare a tutti i dispiaceri della sua vita, primo fra gli altri quello di non essersi **maritata** e di dover andare soggetta, come raccontava,
15 alla carità della cognata, benché non mancasse di aggiungere che offriva questa umiliazione a Dio. Di suo, però, aveva qualche cosa da parte, e non era cattiva, tanto che si era offerta lei di **fare** gli occhiali a Eugenia, quando in casa si erano accorti che la bambina non ci
20 vedeva. «Con quello che costano! Ottomila lire **vive vive**!» soggiunse. Poi si sentì correre l'acqua nel catino. Si stava lavando la faccia, stringendo gli occhi pieni di sapone, ed Eugenia rinunciò a risponderle.

Del resto, era troppo, troppo contenta.

25 Era stata una settimana prima, con la zia, da un **occhialaio** di via Roma. Là, in quel negozio elegante, pieno di tavoli lucidi e con un riflesso verde, meraviglioso, che pioveva da una tenda, il dottore le aveva misurato la vista, facendole leggere più volte,
30 attraverso certe lenti che poi cambiava, intere colonne di lettere dell'alfabeto, stampate su un cartello, alcune grosse come scatole, altre piccolissime come spilli. «Questa povera figlia è quasi **cecata**,» aveva detto poi, con una specie di commiserazione, alla zia
35 «non si deve più togliere le lenti». E subito, mentre Eugenia, seduta su uno sgabello, e tutta **trepidante**, aspettava, le aveva applicato sugli occhi un altro paio di lenti col filo di metallo bianco, e le aveva detto:

«Ora guarda nella strada». Eugenia si era alzata in piedi,
40 con le gambe che le tremavano per l'emozione, e non aveva potuto reprimere un piccolo grido di gioia. Sul marciapiede passavano, nitidissime, appena più piccole del normale, tante persone ben vestite: signore con abiti di seta e visi incipriati, giovanotti coi capelli lunghi e il
45 pullover colorato, vecchietti con la barba bianca e le mani rosa appoggiate sul bastone dal pomo d'argento; e, in mezzo alla strada, certe belle automobili che sembravano giocattoli, con la carrozzeria dipinta in rosso o in verde petrolio, tutta luccicante; filobus grandi come case, verdi,
50 coi vetri abbassati, e dietro i vetri tanta gente vestita elegantemente; al di là della strada, sul marciapiede opposto, c'erano negozi bellissimi, con le vetrine come specchi, piene di roba fina, da dare una specie di **struggimento**; alcuni commessi col grembiule nero le lustravano
55 dall'esterno. C'era un caffè coi tavolini rossi e gialli e delle ragazze sedute fuori, con le gambe una sull'altra e i capelli d'oro. Ridevano e bevevano in bicchieri grandi, colorati. Al disopra del caffè, balconi aperti, perché era già primavera, con tende **ricamate** che si muovevano,
60 e, dietro le tende, pezzi di pittura azzurra e dorata, e lampadari pesanti d'oro e cristalli, come cesti di frutta artificiale, che scintillavano. Una meraviglia. Rapita da tutto quello splendore, non aveva seguito il dialogo tra il dottore e la zia. La zia, col vestito **marrò** della messa, e
65 tenendosi distante dal banco di vetro, con una timidezza poco naturale in lei, **abbordava** ora la questione del prezzo: «Dottò, mi raccomando, fateci risparmiare … povera gente siamo …» e, quando aveva sentito «ottomila lire», per poco non si era sentita mancare.
70 «Due vetri! Che dite! Gesù Maria!».

«Ecco quando si è ignoranti…» rispondeva il dottore, riponendo le altre lenti dopo averle lustrate col guanto «non si calcola nulla. E mettetaci due vetri, alla creatura, mi saprete dire se ci vede meglio. **Tiene**
75 nove **diottrie** da una parte, e dieci dall'altra, se lo volete sapere … è quasi cecata».

Mentre il dottore scriveva nome e cognome della bambina: «Eugenia Quaglia, vicolo della Cupa a Santa Maria in Portico», Nunziata si era accostata a Eugenia, che sulla soglia del negozio, reggendosi gli occhiali con le **manine sudicie**, non si stancava di guardare: «Guarda, guarda, bella mia! Vedi che cosa ci costa questa tua consolazione! Ottomila lire, hai sentito? Ottomila lire, vive vive!». Quasi soffocava. Eugenia era diventata tutta rossa, non tanto per il rimprovero, quanto perché la signorina della cassa la guardava, mentre la zia le faceva quell'osservazione che denunziava la miseria della famiglia. Si tolse gli occhiali.

«Ma come va, così giovane e già tanto **miope**?» aveva chiesto la signorina a Nunziata, mentre firmava la ricevuta dell'anticipo « e anche **sciupata**!» soggiunse.

«Signorina bella, in casa nostra tutti occhi buoni teniamo, questa è una sventura che ci è capitata... insieme alle altre. Dio sopra la **piaga** mette il sale ...».

«Tornate fra otto giorni», aveva detto il dottore «ve li farò trovare».

Uscendo, Eugenia aveva inciampato nello scalino.

«Vi ringrazio, zi' Nunzia,» aveva detto dopo un poco «io sono sempre **scostumata** con voi, vi rispondo, e voi così buona mi comprate gli occhiali ...» .

La voce le tremava.

«Figlia mia, il mondo è meglio non vederlo che vederlo» aveva risposto con improvvisa malinconia Nunziata.

Neppure questa volta Eugenia le aveva risposto. Zi' Nunzia era spesso così strana, piangeva e gridava per niente, diceva tante brutte parole e, d'altra parte, andava a messa con compunzione, era una buona cristiana, e quando si trattava di soccorrere un disgraziato, si offriva sempre, piena di cuore. Non bisognava badarle.

Da quel giorno, Eugenia aveva vissuto in una specie di **rapimento**, in attesa di quei benedetti occhiali che le avrebbero permesso di vedere tutte le persone e le cose nei loro minuti particolari. Fino allora, era stata avvolta in una nebbia: la stanza dove viveva, il cortile sempre pieno di **panni stesi**, il vicolo traboccante di colori e di grida, tutto era coperto per lei da un velo sottile: solo il viso dei familiari, la mamma specialmente e i fratelli, conosceva bene, perché spesso ci dormiva insieme, e qualche volta si svegliava di notte e, al lume della lampada a olio, li guardava. La mamma dormiva con la bocca aperta, si vedevano i denti rotti e gialli; i fratelli, Pasqualino e Teresella, erano sempre sporchi e coperti di foruncoli, col naso pieno di catarro: quando dormivano, facevano un rumore strano, come se avessero delle bestie dentro. Eugenia, qualche volta, si sorprendeva a fissarli, senza capire, però, che stesse pensando. Sentiva confusamente che al di là di quella stanza, sempre piena di panni bagnati, con le sedie rotte e il gabinetto che puzzava, c'era della luce, dei suoni, delle cose belle; e, in quel momento che si era messa gli occhiali, aveva avuto una vera rivelazione: il mondo, fuori, era bello, bello **assai**.

[...]

«Sei proprio cecata!» disse ridendo il ragazzo. «E gli occhiali?».

«Mammà è andata a prenderli a via Roma».

«Io non sono andato a scuola, è una bella giornata, perché non ce ne andiamo a camminare un poco?».

«Sei pazzo! Oggi debbo stare buona ...».

Luigino la guardava e rideva, con la sua bocca come un salvadanaio, larga fino alle orecchie, sprezzante.

«Tutta **spettinata** ...».

Istintivamente, Eugenia si portò una mano ai capelli.

«Io non ci vedo buono, e mammà non tiene tempo» rispose umilmente.

«Come sono questi occhiali? Col filo dorato?» s'informò Luigino.

«Tutto dorato!» rispose Eugenia mentendo «**lucenti** lucenti!».

«Le vecchie portano gli occhiali» disse Luigino.

«Anche le signore, le ho viste a via Roma».

«Quelli sono neri, per i **bagni**» insisté Luigino.

«Parli per invidia. Costano ottomila lire...».

«Quando li hai avuti, fammeli vedere» disse Luigino. «Mi voglio accertare se il filo è proprio dorato ... sei così bugiarda ...» e se ne andò per i fatti suoi, fischiettando.

Rientrando nel portone, Eugenia si domandava ora con ansia se i suoi occhiali avrebbero avuto o no il filo dorato. In caso negativo, che si poteva dire a Luigino per persuaderlo ch'erano una cosa di valore? Però, che bella giornata! Forse mammà stava per tornare con gli occhiali chiusi in un pacchetto ... Fra poco li avrebbe avuti sul viso ... avrebbe ... [...]

«Mamma! Gli occhiali!».

«Piano figlia mia, mi buttavi a terra! ». [...]

In quel momento, donna Rosa si toglieva dal collo del vestito l'astuccio degli occhiali, e con cura infinita lo apriva. Una specie d'insetto lucentissimo, con due occhi grandi grandi e due antenne ricurve, scintillò in un raggio smorto di sole, nella mano lunga e rossa di donna Rosa, in mezzo a quella povera gente ammirata.

«Ottomila lire... una cosa così!» fece donna Rosa guardando religiosamente, eppure con una specie di rimprovero, gli occhiali.

180 Poi, in silenzio, li posò sul viso di Eugenia, che **estatica** tendeva le mani, e le sistemò con cura quelle due antenne dietro le orecchie. «Mo' ci vedi?» domandò accorata.

185 Eugenia, reggendoli con le mani, come per paura che glieli portassero via, con gli occhi mezzo chiusi e la bocca semiaperta in un sorriso **rapito**, fece due passi indietro, così che andò a **intoppare** in una sedia.

«Auguri!» disse la serva di Amodio.

«Auguri!» disse la Greborio.

190 «Sembra una maestra, non è vero?» osservo compiaciuto don Peppino.

«Neppure ringrazia!» fece zi' Nunzia, guardando amareggiata il vestito. « Con tutto questo, auguri!».

«Tiene paura, figlia mia!» mormorò donna 195 Rosa, avviandosi verso la porta del **basso** per posare la roba. «Si è messi gli occhiali per la prima volta!» disse alzando la testa al balcone del primo piano, dove si era affacciata l'altra sorella Greborio.

«Vedo tutto piccolo piccolo» disse con una voce 200 strana, come se venisse di sotto una sedia, Eugenia. «Nero nero».

«Si capisce; la lente è doppia. Ma vedi bene?», chiese don Peppino. «Questo è l'importante. Si è messi gli occhiali per la prima volta» disse anche lui, rivolto 205 al cavaliere Amodio che passava con un giornale aperto in mano.

«Vi avverto» disse il cavaliere a Mariuccia, dopo aver fissato per un momento, come fosse stata solo un gatto, Eugenia «che la scala non è stata spazzata … 210 Ho trovato delle spine di pesce davanti alla porta!». E si allontanò curvo, quasi chiuso nel suo giornale, dove c'era notizia di un progetto-legge per le pensioni, che lo interessava.

Eugenia, sempre tenendosi gli occhiali con le 215 mani, andò fino al portone, per guardare fuori, nel vicolo della Cupa. Le gambe le tremavano, le girava la testa, e non provava più nessuna gioia. Con le labbra bianche voleva sorridere, ma quel sorriso si mutava in una smorfia ebete. Improvvisamente i balconi comin-220 ciarono a diventare tanti, duemila, centomila; i carretti con la verdura le precipitavano addosso; le voci che riempivano l'aria, i richiami, le frustate, le colpivano la testa come se fosse malata; si volse barcollando verso il cortile, e quella terribile impressione aumentò. Come 225 un **imbuto viscido** il cortile, con la punta verso il cielo e i muri **lebbrosi** fitti di miserabili balconi; gli archi

dei **terranei**, neri, coi lumi brillanti a cerchio intorno all'**Addolorata**; il selciato bianco di acqua saponata, le foglie di cavolo, i pezzi di carta, i **rifiuti**, e, in mezzo al 230 cortile, quel gruppo di **cristiani cenciosi** e deformi, coi visi **butterati** dalla miseria e dalla **rassegnazione**, che la guardavano amorosamente. Cominciarono a torcersi, a confondersi, a ingigantire. Le venivano tutti addosso, gridando, nei due cerchietti stregati degli occhiali. Fu 235 Mariuccia per prima ad accorgersi che la bambina stava male, e a strapparle in fretta gli occhiali, perché Eugenia si era piegata in due e, lamentandosi, vomitava.

«Le hanno toccato lo stomaco!» gridava Mariuccia reggendole la fronte. «Portate un acino di caffè, 240 Nunziata!».

«Ottomila lire, vive vive!» gridava con gli occhi fuor della testa zi' Nunzia, correndo nel basso a pescare un chicco di caffè in un barattolo sulla credenza; e levava in alto gli occhiali nuovi, come per chiedere una spiega-245 zione a Dio. «E ora sono anche sbagliati!».

«Fa sempre così, la prima volta» diceva tranquillamente la serva di Amodio a donna Rosa. «Non vi dovete impressionare; poi a poco a poco si abitua».

«È niente, figlia, è niente, non ti spaventare!» 250 Ma donna Rosa si sentiva il cuore stretto al pensiero di quanto erano sfortunati.

Tornò zi' Nunzia col caffè, gridando ancora: «Ottomila lire, vive vive!» intanto che Eugenia, pallida come una morta, si sforzava inutilmente di **rovesciare**, perché 255 non aveva più niente. I suoi occhi sporgenti erano quasi torti dalla sofferenza, e il suo viso di vecchia inondato di lacrime, come istupidito. Si appoggiava a sua madre e tremava.

«Mammà, dove stiamo?».

260 «Nel cortile stiamo, figlia mia » disse donna Rosa pazientemente; e il sorriso finissimo, tra compassionevole e meravigliato, che illuminò i suoi occhi, improvvisamente rischiarò le facce di tutta quella povera gente.

«È mezza cecata!».

265 «È mezza scema, è!».

«Lasciatela stare, povera creatura, è **meravigliata**» fece donna Mariuccia, e il suo viso era torvo di compassione, mentre rientrava nel basso che le pareva più scuro del solito.

270 Solo zi' Nunzia si torceva le mani:

«Ottomila lire, vive vive!».

NOTE (PRECEDUTE DAL NUMERO DELLA RIGA NEL TESTO)

3. *il giubilo:* gioia
6. *prendere il velo:* diventare monaca o suora
7. *il gastigo:* il castigo, la punizione
8. *ronfare:* dormire (colloquiale)
13. *maritato:* sposato
18. *fare:* regalare
20. *vive vive:* in contanti (usato in riferimento al denaro)
26. *l'occhialaio:* chi prescrive o fa gli occhiali da vista
33. *cecato:* cieco (colloquiale)
36. *trepidante:* impaziente, agitato
53. *lo struggimento:* piacere misto a estasi e sofferenza
59. *ricamato:* decorato (tessuto con decorazioni fatte con l'ago e il filo)
64. *marrò:* marrone
66. *abbordare:* avvicinare
67. *Dottò:* dottore (colloquiale)
74. *tenere:* avere (usato con questo significato in molte parti del sud)
75. *la diottria:* misura della vista
81. *la manina sudicia:* piccola mano sporca
89. *miope:* chi non ci vede bene da lontano
91. *sciupato:* dall'aspetto poco sano, malato
94. *la piaga:* ferita aperta e non guarita (figurativo)
100. *scostumato:* scortese, maleducato

113. *il rapimento:* trasporto, piacere, entusiasmo
117. *i panni stesi:* biancheria messa all'aperto ad asciugare
134. *assai:* molto
144. *spettinato:* con i capelli disordinati e arruffati, non pettinati
152. *lucente:* brillante, luccicante
155. *i bagni:* stabilimenti balneari, spiagge attrezzate con cabine e ombrelloni
181. *estatico:* incanto, entusiasta
186. *rapito:* incantato, stregato
187. *intoppare:* inciampare, sbattere contro qualcosa
195. *il basso:* locale sotterraneo, spesso abitato
225. *l'imbuto:* oggetto o spazio formato come un cono, conico
225. *viscido:* scivoloso, unto
226. *lebbroso:* macchiato, rovinato, come di persona che ha la lebbra
227. *il terraneo:* locale sotterraneo, spesso abitato
228. *l'Addolorata:* immagine di Maria
229. *i rifiuti:* resti di cibo, spazzatura
230. *il cristiano:* uomo, essere umano
230. *cencioso:* vestito di stracci o cenci
231. *butterato:* con la pelle rovinata come chi ha avuto il vaiolo
231. *la rassegnazione:* sopportazione, arrendevolezza
254. *rovesciare:* [in questa frase] vomitare
266. *meravigliato:* [in questa frase] stupito

DOMANDE DI COMPRENSIONE E DISCUSSIONE

1. Perché era particolarmente contenta Eugenia quel giorno?
2. Quali erano i dispiaceri della zia di Eugenia (zi' Nunzia or Nunziata)?
3. Che cosa si era offerta di fare per Eugenia?
4. In che tipo di quartiere si trovava l'occhialaio?
5. Quale fu la diagnosi dell'occhialaio?
6. Perché Eugenia gridò dalla gioia quando si mise gli occhiali e guardò fuori dal negozio?
7. Perché la zia esclamò "due vetri!"?
8. Come reagì l'occhialaio all'esclamazione della zia?
9. Perché Eugenia diventò "tutta rossa" nel negozio?
10. Spiega la metafore usata dalla zia: "Dio sopra la piaga mette il sale".
11. Che cosa poteva vedere Eugenia del mondo in cui viveva, e qual era la sua certezza?
12. Che bugia disse Eugenia a Luigino?
13. Secondo Luigino, chi porta gli occhiali?
14. Come reagì Eugenia appena si mise gli occhiali?
15. Confronta la descrizione di quello che Eugenia vide quando guardò con gli occhiali il vicolo e il cortile e quello che vide fuori dal negozio dell'occhialaio in via Roma.
16. Ritorna all'affermazione della zia all'uscita dal negozio: "il mondo è meglio non vederlo che vederlo". In che modo e le sue parole anticipano la fine del racconto?

OSSERVAZIONI SUL TESTO

Considera gli aggettivi usati dalla Ortese per rendere più vivide le sue descrizioni di Napoli. Completa le seguenti frasi scegliendo l'aggettivo giusto.

1. Il negozio in centro dove andò Eugenia aveva tavoli verdi con riflessi (*trepidanti / meravigliosi*).

2. Dopo l'esame della vista, il dottore disse: "Ma questa bambina ci vede molto male, è quasi (*miope / cecata*)!

3. Quando Eugenia guardò nella strada vide belle automobili che sembravano giocattoli, con la carrozzeria tutta (*luccicante / sciupata*).

4. Quando si mise gli occhiali nel cortile, Eugenia vide un gruppo di cristiani (*cenciosi / viscidi*), e tutti i panni (*stesi / ricamati*) ad asciugare.

5. Per la prima volta Eugenia guardò nella strada con un sorriso (*spettinato / rapito*).

6. Eugenia pensava che la montatura dei suoi occhiali sarebbe stata (*viscida / lucente*).

7. Questa bambina sembra non stare bene: è un po' (*rassegnata / sciupata*).

Vicolo di Napoli.

L'AMICA GENIALE
di Elena Ferrante

In un quartiere popolare di Napoli negli anni '60, Lila e Elena (la voce narrante) vivono un'adolescenza ricca di rapporti e di amicizie, ma anche di povertà, privazione e soprusi.

Amiche fin dall'infanzia, le due ragazzine devono crescere precocemente come tutti i loro coetanei, navigando un mondo dove regna la sopraffazione del più forte sul più debole. Sono infatti i fratelli Solara a dettar legge nel quartiere solo perché sono i più ricchi e quindi i più potenti.

Questa lettura, tratta da "L'amica geniale", il primo libro della famosa serie napoletana della scrittrice Elena Ferrante, è ricca di personaggi. Per orientarti meglio, puoi fare riferimento a questa lista:

Elena: voce narrante
Lila Cerullo: migliore amica di Elena
Ada, Carmela e Gigliola: amiche di Elena e Lila
Fernando Cerullo: padre di Lila e calzolaio o ciabattino (persona che ripara le scarpe)
Rino Cerullo: fratello di Lila
Michele e Marcello Solara: proprietari di un bar-pasticceria, e membri della malavita locale

Ricominciarono le scuole e andai subito bene in tutte le materie. Non **vedevo l'ora** che Lila mi chiedesse di aiutarla in latino o altro e perciò, credo, non studiavo tanto per la scuola, quanto per lei. Diventai la prima della classe, neanche alle elementari ero diventata così brava.

In quell'anno mi sembrò di dilatarmi come la pasta per le pizze. Diventai sempre più piena di petto, di cosce, di sedere. Una domenica che stavo andando ai giardinetti con Gigliola Spagnuolo, mi **si accostarono** i fratelli Solara in **Millecento**. Marcello, il più grande, stava al volante, Michele, il più piccolo, gli sedeva accanto. Erano tutt'e due belli, coi capelli nerissimi e luccicanti, un sorriso bianco. Ma quello dei due che mi piaceva di più era Marcello, assomigliava a Ettore, come era raffigurato nella copia scolastica dell'*Iliade*. Mi accompagnarono per tutta la strada, io sul marciapiede e loro a lato, in Millecento.

«Mio padre non vuole».

«E noi non glielo diciamo. Quando ti **capita** più di salire su una macchina come questa?».

Mai, io pensai. Ma intanto dissi no e continuai a dire no fino ai giardinetti, quando l'auto accelerò e sparì in un lampo oltre le palazzine in costruzione. Dissi no perché se mio padre fosse venuto a sapere che ero salita su quell'automobile, anche se era un uomo buono e caro, anche se mi voleva assai bene, mi avrebbe uccisa di **mazzate** subito, mentre in parallelo i miei due fratellini, Peppe e Gianni, sebbene piccoli d'età, si sarebbero sentiti obbligati, adesso e negli anni futuri, a cercare di ammazzare i fratelli Solara. Non c'erano

regole scritte, si sapeva che era così e basta. Anche i Solara lo sapevano, **tant'è vero che** erano stati gentili, s'erano limitati solo a invitarmi a salire.

Non lo furono, qualche tempo dopo, con Ada, la figlia grande di Melina Cappuccio, vale a dire la vedova pazza che aveva dato scandalo quando i Sarratore avevano traslocato. Ada aveva quattordici anni. La domenica, di nascosto dalla madre, si metteva il rossetto e con le sue gambe lunghe e diritte, coi seni più grossi dei miei, sembrava grande e bella. I fratelli Solara le dissero parole volgari, Michele arrivò ad **afferrarla** per un braccio, ad aprire lo **sportello** della macchina, a tirarla dentro. La riportarono un'ora dopo nello stesso posto e Ada un po' era arrabbiata, un po' rideva.

Ma tra quelli che la videro tirata a forza in macchina ci fu chi lo **riferì** ad Antonio, il fratello maggiore che faceva il meccanico nell'officina di Gorresio. Antonio era un gran lavoratore, disciplinato, timidissimo, visibilmente ferito sia dalla morte precoce del padre, sia dagli squilibri della madre. Senza dire una sola parola ad amici e parenti andò davanti al bar Solara ad aspettare Marcello e Michele, e quando i due fratelli si fecero vivi li affrontò a pugni e calci senza dire nemmeno una parola di preambolo. Per qualche minuto **se la cavò** bene, ma poi vennero fuori Solara padre e uno dei baristi. In quattro **pestarono** Antonio a sangue e nessuno dei passanti, nessuno degli **avventori**, intervenne per aiutarlo.

Noi ragazzine ci dividemmo, su questo episodio. Gigliola Spagnuolo e Carmela Peluso parteggiarono per i due Solara, ma solo perché erano belli e avevano il

Millecento. Io **tentennai**. In presenza delle mie due amiche propendevo per i Solara e facevamo la gara a chi li adorava di più, visto che effettivamente erano bellissimi e ci era impossibile non immaginarci la figura che avremmo fatto sedute accanto a uno di loro in automobile. Ma sentivo anche che quei due si erano comportati molto male con Ada e che Antonio, anche se non era una bellezza, anche se non era muscoloso come loro che andavano in palestra tutti i giorni a sollevare pesi, aveva avuto coraggio ad affrontarli. Perciò in presenza di Lila, che esprimeva senza mezzi termini quella mia stessa posizione, avanzavo anch'io qualche riserva.

Una volta la discussione diventò così accesa che Lila, forse perché non era sviluppata come noi e non conosceva il piacere-spavento di avere **addosso** lo sguardo dei Solara, diventò più pallida del solito e disse che, se le fosse successo quello che era successo a Ada, per evitare guai a suo padre e a suo fratello Rino ci avrebbe pensato di persona, a quei due.

«Tanto Marcello e Michele a te nemmeno ti guardano» disse Gigliola Spagnuolo, e pensammo che Lila si sarebbe arrabbiata. Invece rispose seria:

«Meglio così».

Era esile come sempre, ma tesa in ogni fibra. Le guardavo le mani meravigliata: in poco tempo le erano diventate come quelle di Rino, di suo padre, con la pelle dei **polpastrelli** gialliccia e spessa. Anche se nessuno la obbligava - non era quello il suo compito, nella bottega - s'era messa a fare lavoretti, preparava il filo, **scuciva**, **incollava**, anche **orlava**, e ora maneggiava gli strumenti di Fernando quasi come il fratello. Ecco perché di latino, quell'anno, non mi domandò mai niente. A un certo punto, invece, mi raccontò il progetto che aveva in mente, una cosa che non aveva nulla a che fare coi libri: stava cercando di convincere il padre a mettersi a fabbricare scarpe nuove, ma Fernando non ne voleva sapere. «Fare le scarpe a mano» le diceva, «è un'arte senza futuro: oggi ci stanno le macchine e le macchine costano soldi e i soldi o stanno in banca o dagli **usurai**, non nelle tasche della famiglia Cerullo». Allora lei insisteva, lo riempiva di lodi sincere: «Come sai fare le scarpe tu, papà, non le sa fare nessuno». E lui rispondeva che, se anche era vero, ormai tutto si faceva nelle fabbriche, in serie, a basso costo, e poiché nelle fabbriche ci aveva lavorato, sapeva bene che **schifezze** finivano sul mercato; ma c'era poco da fare, la gente le volte che aveva bisogno di scarpe nuove non andava più dal **ciabattino** del rione, andava nei negozi del **Rettifilo**, sicché anche a voler fare **a regola d'arte** il prodotto artigianale, non lo vendevi, buttavi soldi e fatica, ti rovinavi.

Lila non s'era lasciata convincere e come al solito aveva tirato Rino dalla sua parte. Il fratello prima **s'era schierato** col padre, **seccato** dal fatto che lei **mettesse bocca** in cose di fatica, dove non era più questione di libri e l'esperto era lui. Poi s'era **piano piano** lasciato incantare e ora litigava con Fernando un giorno sì e uno no, ripetendo quello che gli aveva messo in testa lei.

«Facciamo almeno un tentativo».

«No».

«Hai visto l'automobile che hanno i Solara, hai visto come va bene la salumeria dei Carracci?».

«Ho visto che la merciaia che voleva fare la sartoria ci ha rinunciato e ho visto che Gorresio, per la stupidità del figlio, **ha fatto il passo più lungo della gamba** con la sua officina». «Ma i Solara si stanno allargando sempre di più». «**Pensa ai fatti tuoi** e lascia stare i Solara».

«Vicino alla ferrovia sta nascendo il **rione** nuovo».

«**Chi se ne fotte**».

«Papà, la gente guadagna e vuole spendere».

«La gente spende in cose da mangiare perché bisogna mangiare tutti i giorni. Invece le scarpe primo non si mangiano, e secondo, quando si rompono te le fai aggiustare e ti possono durare venti anni. Il nostro lavoro, oggi come oggi, è aggiustare le scarpe e basta».

Mi piaceva come quel ragazzo, sempre gentile con me ma capace di durezze che facevano un po' paura anche a suo padre, sostenesse sempre, in ogni circostanza, la sorella. Invidiavo a Lila quel fratello così solido e a volte pensavo che la differenza vera tra me e lei era che io avevo solo fratelli piccoli, quindi nessuno che avesse la forza di incoraggiarmi e sostenermi contro mia madre rendendomi libera di testa, mentre Lila poteva contare su Rino, che era capace di difenderla contro chiunque, qualsiasi cosa le venisse in mente. Ciò detto, io pensavo che Fernando avesse ragione, mi sentivo dalla sua parte. E ragionando con Lila, scoprii che lo pensava anche lei.

Una volta mi stava facendo vedere i disegni delle scarpe che voleva realizzare insieme al fratello, sia per maschi che per femmine. Erano disegni bellissimi, fatti su fogli a quadretti, ricchi di dettagli colorati con precisione, come se avesse avuto l'occasione di esaminare scarpe di quel tipo da vicino in qualche mondo parallelo al nostro e poi le avesse fissate sulla carta. In realtà le aveva inventate lei nel loro insieme e in ogni particolare, come faceva alle elementari quando disegnava principesse, tanto che, pur essendo normalissime scarpe, non assomigliavano a quelle che si vedevano nel rione, e nemmeno a quelle delle attrici dei **fotoromanzi**.

«Ti piacciono?».

«Sono molto eleganti».

«Rino dice che sono difficili».

165 «Ma le sa fare?».

«Giura di sì».

«E tuo padre?».

«Lui sicuramente è capace».

«Allora fatele».

170 «Papà non le vuole fare».

«Perché?».

«Ha detto che finché gioco io bene, ma lui e Rino non possono perdere tempo con me».

«Che significa?».

175 «Significa che per fare veramente le cose ci vuole tempo e spesa».

Fu sul punto di mostrarmi anche i conti che aveva buttato giù, di nascosto da Rino, per capire quanto denaro serviva veramente per realizzarle. Poi si fermò,

180 ripiegò i fogli **smanacciati** e mi disse che era inutile perdere tempo: suo padre aveva ragione.

«Ma allora?».

«Ci dobbiamo provare lo stesso».

«Fernando s'arrabbierà».

185 «Se uno non prova, non cambia niente».

Ciò che doveva cambiare, secondo lei, era sempre la stessa cosa: da povere dovevamo diventare ricche, da niente che avevamo dovevamo arrivare al punto che avevamo tutto. Provai ad accennarle al vecchio progetto

190 di scrivere romanzi come aveva fatto l'autrice di *Piccole donne*. Ero ferma lì, **ci tenevo**. Stavo imparando il latino apposta e **sotto sotto** ero convinta che lei prendesse tanti libri dalla biblioteca circolante del maestro Ferrara solo perché, anche se non andava più a scuola, anche se ora

195 **s'era fissata** con le scarpe, voleva comunque scrivere un romanzo insieme con me e guadagnare moltissimo. Invece **fece spallucce** al modo suo noncurante, aveva ridimensionato *Piccole donne*. «Adesso» mi spiegò, «per diventare veramente ricche ci vuole un'attività economi-

200 ca». Sicché pensava di cominciare con un unico paio di scarpe, tanto per dimostrare a suo padre com'erano belle e comode; poi, una volta convinto Fernando, bisognava **avviare** la produzione: due paia di scarpe oggi, quattro domani, trenta in un mese, quattrocento in un anno,

205 per arrivare, nel giro di poco tempo, a mettere su, lei, il padre, Rino, la madre, gli altri fratelli, un **calzaturificio** con le macchine e almeno cinquanta operai: il calzaturificio Cerullo.

«Una fabbrica di scarpe?».

210 «Sì».

Me ne parlò con molta convinzione, come sapeva fare lei, con frasi in italiano che mi dipingevano davanti agli occhi l'insegna della fabbrica: Cerullo; il marchio impresso sulle tomaie: Cerullo; e poi le scarpe Cerullo

215 per intero, tutte splendenti, tutte elegantissime come nei suoi disegni, di quelle che una volta messe ai piedi, disse, sono così belle e comode che la sera vai a dormire senza togliertele.

Ridemmo, ci divertimmo.

220 Poi Lila si bloccò. Sembrò rendersi conto che stavamo giocando come con le bambole anni prima, con Tina e Nu davanti allo **sfiatatoio** dello **scantinato**, e mi disse, per un'urgenza di concretezza, accentuando l'aria di bambina-vecchia che mi pareva stesse diventando il

225 suo tratto caratteristico:

«Lo sai perché i fratelli Solara si credono di essere i padroni del rione?».

«Perché sono prepotenti».

«No, perché hanno i soldi».

230 «Tu dici?».

«Certo. Hai visto che Pinuccia Carracci non l'hanno mai disturbata?».

«Sì».

«E lo sai invece perché si sono comportati come

235 si sono comportati con Ada?».

«No».

«Perché Ada non ha padre, suo fratello Antonio non conta niente, e lei aiuta Melina a pulire le scale delle palazzine».

240 Di conseguenza, o facevamo i soldi anche noi, più dei Solara, o, per difenderci dai due fratelli bisognava passare a fargli molto male. Mi mostrò un **trincetto** taglientissimo che aveva preso nella bottega di suo padre.

«A me non mi toccano perché sono brutta e

245 non ho il **marchese**» disse, «ma a te può essere di sì. Se succede, dimmelo».

La guardai confusa. Non sapevamo niente, a quasi tredici anni, di istituzioni, leggi, giustizia. Ripetevamo, e **casomai** facevamo con convinzione, quello che avevamo

250 sentito e visto intorno a noi fin dalla prima infanzia. La giustizia non si realizzava a mazzate? Peluso non aveva ucciso don Achille? Tornai a casa. Mi resi conto che con quelle ultime frasi aveva ammesso di tenere molto a me e mi sentii felice.

NOTE (PRECEDUTE DAL NUMERO DELLA RIGA NEL TESTO)

2. *non vedere l'ora:* aspettare con impazienza
10. *accostarsi:* andare vicino
11. *la Millecento:* un modello di automobile Fiat
20. *capitare:* succedere
28. *la mazzata:* bastonata, colpo dato con una mazza o un bastone
33. *tant'è vero che ...:* la prova è che ...
42. *afferrare:* prendere con la forza, pigliare
43. *lo sportello:* la porta dell'automobile
47. *riferire:* comunicare, raccontare
55. *cavarsela:* riuscire a malapena, salvarsi
57. *pestare:* picchiare, battere
58. *l'avventore:* frequentatore, cliente di un locale
63. *tentennare:* esitare
77. *addosso:* sulla propria persona o corpo
89. *il polpastrello:* parte superiore e morbida delle dita
91. *scucire:* disfare una cucitura
92. *incollare:* applicare la colla
92. *orlare:* fare l'orlo, rifinire con il filo
101. *l'usuraio:* chi fa prestiti chiedendo un interesse eccessivo
107. *la schifezza:* oggetto ripugnante, di bassa qualità
109. *il ciabattino:* chi ripara le scarpe, calzolaio
110. *il Rettifilo:* Corso Umberto I, una strada storica nel centro di Napoli
110. *a regola d'arte*: alla perfezione
114. *schierarsi:* prendere una posizione chiara, stare dalla parte di qualcuno o qualcosa
115. *seccato*: infastidito
115. *mettere bocca:* interessarsi in affari non propri

117. *piano piano:* lentamente
126. *fare il passo più lungo della gamba:* impegnarsi a fare qualcosa quando non si hanno i mezzi o le capacità per farla
128. *pensare ai fatti propri:* preoccuparsi solo di quello che ci riguarda, senza considerazione per altre situazioni o persone
130. *il rione:* quartiere, zona di una città
131. *Chi se ne fotte:* Non mi importa, non me ne frega niente (volgare)
161. *il fotoromanzo:* storia narrata con fotografie, generalmente pubblicata in riviste femminili
180. *smanacciato:* rovinato, sgualcito (raro)
191. *tenerci:* considerare di grande importanza
192. *sotto sotto:* segretamente
195. *fissarsi:* essere ossessionato con qualcosa, porsi un obiettivo fisso
197. *fare spallucce:* sollevare le spalle per indicare indifferenza
203. *avviare:* cominciare
206. *il calzaturificio:* fabbrica di scarpe
222. *lo sfiatatoio:* apertura che serve per dare aria a un locale
222. *lo scantinato:* piano sotterraneo di una casa o palazzo, usato come deposito
242. *il trincetto:* strumento per tagliare ad uso industriale
245. *il marchese:* mestruazioni, ciclo mensile (colloquiale)
249. *casomai:* forse

DOMANDE DI COMPRENSIONE E DISCUSSIONE

1. Qual era la vera motivazione allo studio di Elena, la voce narrante?
2. Che cosa volevano i fratelli Solara da Elena?
3. Che cosa avevano di tanto attraente i fratelli Solara per una ragazzina come Elena?
4. Che cosa avrebbero fatto il padre e i fratelli se avessero saputo che Elena era andata in macchina con i Solara?
5. Come si comportarono i Solara con Ada?
6. Chi era Antonio e come reagì all'incidente fra Ada e i Solara?
7. Che cosa avrebbe fatto Lila al posto di Ada?
8. Mentre Elena frequentava la scuola che cosa faceva Lila?
9. Qual era il progetto di Lila e cosa ne pensava il padre?
10. Che cosa invidiava Elena a Lila?
11. Qual era l'obiettivo finale di Lila e come pensava di raggiungerlo?
12. Che cosa avevano di speciale i disegni che Lila mostrò a Elena un giorno?
13. Elena, invece, cosa avrebbe voluto fare con l'amica?
14. Perché, secondo Lila, i Solara si comportarono così male con Ada?
15. Come potevano difendersi le due ragazze dai Solara?
16. Che cosa aveva preso Lila dalla bottega di suo padre e perché?
17. Spiega il concetto di giustizia nell'ambiente in cui vivevano Elena, Lila e gli altri protagonisti.
18. Perché Elena tornò a casa contenta?

Considera l'uso del **passato remoto** e dell'**imperfetto** nel testo, poi completa il seguente brano scegliendo una delle forme verbali fra parentesi.

Me ne (*parlò / parlava*) con molta convinzione, come (*seppe / sapeva*) fare lei, con frasi in italiano che mi (*dipinsero / dipingevano*) davanti agli occhi l'insegna della fabbrica: Cerullo; il marchio impresso sulle to-maie: Cerullo; e poi le scarpe Cerullo per intero, tutte splendenti, tutte elegantissime come nei suoi disegni, di quelle che una volta messe ai piedi, (*disse / diceva*), sono così belle e comode che la sera vai a dormire senza togliertele.
(Ridemmo / Ridevamo), (ci divertimmo / ci divertivamo).
Poi Lila *(si bloccò / si bloccava)*. *(Sembrò / Sembrava)* rendersi conto che *(stemmo / stavamo)* giocando come con le bambole anni prima, con Tina e Nu davanti allo sfiatatoio dello scantinato, e mi *(disse / diceva)*, per un'urgenza di concretezza, accentuando l'aria di bambina-vecchia che mi *(parve / pareva)* stesse diventando il suo tratto caratteristico:
«Lo sai perché i fratelli Solara si credono di essere i padroni del rione?».

Peppino recita la poesia "L'infinito" di Leopardi in una scena del film.

I CENTO PASSI

(2000), regia di Marco Tullio Giordana

INTRODUZIONE

Solo "cento passi" separano la casa della famiglia Impastato da quella di Gaetano ("Tano") Badalamenti, nel piccolo paese siciliano di Cinisi. Tano è un capo mafioso locale e Luigi Impastato è un suo protetto e fa parte della sua famiglia. Sono cento passi che Peppino Impastato, il figlio di Luigi, ha il coraggio di percorrere con il fratello Giovanni per gridare sotto le finestre del capo mafioso che suo padre è un "leccaculo della mafia, uno dei tanti".

Questa è la vera storia di Peppino Impastato e della sua lotta politica contro la mafia di Cinisi, ma anche contro la mafia dentro la sua casa, contro il padre, una figura tragica che in momenti diversi lo minaccia, lo protegge, lo allontana, sapendo che è in pericolo. È anche la storia di un pezzo degli anni '70, delle sue variegate ideologie, dell'eccezionale vitalità giovanile di Peppino e dei suoi amici che dai microfoni di Radio Aut, da loro fondata, demolivano mafia e corruzione a colpi di satira. Peppino Impastato fu ucciso da sicari mafiosi mandati da Tano Badalamenti il 9 maggio 1978, lo stesso giorno del ritrovamento di Aldo Moro. Forse anche per questo, la notizia passò inosservata. Tano Badalamenti ricevette la condanna all'ergastolo come mandante dell'omicidio l'11 aprile 2002. È morto due anni dopo in carcere negli Stati Uniti, dove era rinchiuso per reati collegati all'inchiesta per traffico di droga, denominata "Pizza Connection".

Il film ha ricevuto diversi David nel 2001 e altri riconoscimenti nazionali e internazionali.

PROTAGONISTI E INTERPRETI PRINCIPALI:

Peppino Impastato: *Luigi Lo Cascio*
Peppino bambino: *Lorenzo Randazzo*
Luigi Impastato: *Luigi Maria Burruano*
Felicia Impastato: *Lucia Sardo*
Giovanni Impastato: *Paolo Briguglia*
Gaetano Badalamenti: *Tony Sperandeo*
Stefano Venuti (il pittore comunista): *Andrea Tidona*
Cesare Manzella (il vecchio capomafia): *Pippo Montalbano*
Salvo Vitale (l'amico di Peppino): *Claudio Gioè*
Cugino Anthony: *Antonino Bruschetta*

Giovanni Impastato, fratello di Giuseppe:

"Prima mio padre non accettava che Peppino era comunista. Ma all'inizio lui non parlava contro la mafia. Poi ha accettato che era comunista. Poi ha cominciato a parlare di mafia e lui non lo tollerava. Diceva: "Fai il comunista, però non rompere l'anima con la mafia." [1]

Felicia Impastato, madre di Giovanni e Giuseppe:

"Dovevano fare le elezioni, [mio marito] lo chiamava: "Sai, Giuseppe, ora ci sono le elezioni, stai attento, non parlare di mafia. Se tu ti fossi laureato, gli amici miei ti avrebbero..." "Gli amici tuoi?... Mi contento morire di fame che avere un posto dai tuoi amici." E allora diceva "Esci fuori." [2]

... una volta gli dissi [a mio figlio Peppino]: "Perché non esci armato, tu? Caso mai, sempre ti puoi difendere, no?". "Se io esco armato, siccome i carabinieri sono d'accordo con loro, mi prendono per terrorista armato". Non aveva neanche un coltello in tasca. Niente completamente... Forse non se lo immaginava...Io avevo paura, invece. Mi spaventavo. Mio marito stesso mi diceva: "Sai, fanno un fosso, così, va cercando il fosso con i suoi piedi, va cercando... Fallo smettere. Digli che smetta, perché fanno un fosso e io..." [3]

CITAZIONI

Scegli la citazione che meglio illustra, secondo te, le tematiche del film e discutila:

1. "Vorrei brindare alla libertà e al lavoro che ci riscatta: mai più poveri, mai più!... I piccioli [i soldi] ce li faremo dare dalla regione! Tutti cornuti! Non votare più per il Re. Oggi abbiamo la Repubblica!". (membri della famiglia alla festa iniziale per il cugino Anthony e per sua moglie)
2. "Dove sono questi mafiosi? Chi sono? Sempre dire mafia qua, mafia là". (Cesare Manzella a Stefano)
3. "Non rinchiuderti, partito, nelle tue stanze, resta amico dei ragazzi di strada". (parole del poeta Majakovski: Peppino a Stefano)
4. "Vivi nella stessa strada, prendi il caffè nello stesso bar. I padroni di Cinisi sono loro e mio padre gli lecca il culo! Io voglio urlare che mio padre è un leccaculo!" (Peppino al fratello)
5. "Invece della lotta politica, della coscienza di classe, di tutte le manifestazioni, 'ste fesserie, bisognerebbe ricordare alla gente cos'è la bellezza, aiutarla a riconoscerla, a difenderla. La bellezza? È importante la bellezza, da lì scende tutto il resto". (conversazione fra Peppino e Salvo in collina)
6. "Qual è la distanza più breve fra due punti? Una retta! Invece l'autostrada fa molte curve e giri!" (Peppino a un comizio, come cantastorie)
7. "L'aria non ce la possono sequestrare!"
8. "Qual è il comandamento che ti hanno insegnato? Onora il padre! Onora tuo padre! Dimmelo!" (il padre a Peppino)
9. "Qui non siamo a Parigi, non siamo a Berkeley,... qui siamo a Cinisi in Sicilia, dove non aspettano altro che il disimpegno, il ritorno alla vita privata". (Peppino a radio Aut)
10. "Siamo pari con questo caffè. Abbiamo chiuso tutti i conti, il debito, la riconoscenza, il rispetto... Perché è soltanto Tano che ti dà il permesso di continuare a ragliare come i cavalli". (Tano a Peppino nella pizzeria di suo padre)
11. "Si sa che niente può cambiare. Noi siciliani la mafia la vogliamo non perché abbiamo paura, ma perché ci dà sicurezza, perché ci piace, ci identifica. Noi siamo la mafia e tu Peppino non sei stato che un povero illuso…". (Salvo alla radio)

CITAZIONE DAL PROGRAMMA DI RADIO AUT DEL 3 MARZO 1978:

"La cretina commedia" di Peppino Impastato era una parodia della Divina Commedia di Dante, ed in particolare del Canto X:
Ed el mi disse: "Volgiti! Che fai?
Vedi là Farinata che s'è dritto:
da la cintola in sù tutto 'l vedrai.'

In "La cretina commedia", Peppino condanna dalla sua radio molti personaggi mafiosi nel suo inferno dantesco, fra i quali l'on. Pandolfo, amante di cavalli, il vicesindaco Maniaci, il costruttore Giuseppe Finazzo, detto Percialino, successivamente indiziato per l'omicidio di Peppino e, naturalmente, Tano Badalamenti.

Parole di Peppino nel film (uguali al vero programma radio, ma in diversa sequenza):
Così arrivammo al centro di Mafiopoli, la turrita città piena di gente che fa per professione l'ingannopoli.
Scendemmo ancora per un altro lato dove c'eran color che nella bocca puzzano per i culi che han leccato.

E il mio maestro; "Volgiti, che fai?", vedi il vice sindaco che s'è desto, dalla cintola in su tutto 'l vedrai"
"O tu che di Mafiopoli sei il vice, gli dissi, che ci fai in questo loco?"
"Lasciami stare, triste egli mi dice, qui son dannato a soffrire il tifo, tentai di spostare lo campo sportivo
e tutti ora mi dicono: "Che schifo!"
E c'era Don Peppino Percialino, artista d'intrallazzi e di montagne, che si annusava un po' di cocaina,
sì di cocaina al naso, come si dice, sniffava, no, no, pisciava, non so se pisciava, cacava, non si sa
se grugniva o se sparava.
Gridava: "Sono sempre un galantuomo, amico degli amici e di Pantofo: possiedo una congrega: l'Ecce Homo,
e adesso nel mio cul tengo un carciofo."
Ma per redimersi dai peccati ecco che tutti pregano e prega pure Don Tano che è uomo di grande fede." [4]

DOMANDE DI COMPRENSIONE E DISCUSSIONE:

1. Nella prima scena assistiamo a un "pranzo mafioso". Che cosa si festeggia? Come si manifesta la tensione fra Tano e Cesare Manzella?
2. Qual è il contenuto del comizio di Stefano, e come reagisce Cesare Manzella?
3. Che cosa capiamo dall'abbraccio fra la vedova di Cesare Manzella e Tano al funerale di Cesare Manzella?
4. Qual è la reazione del piccolo Peppino alla morte dello zio?
5. Perché Stefano non può fare il ritratto di Cesare Manzella?
6. Come spiega Stefano a Peppino l'uccisione di Cesare Manzella?
7. Qual è la prima forma di partecipazione politica di Peppino?
8. Quali accuse fanno i compagni di Peppino in carcere al Partito comunista e a Peppino stesso?
9. I genitori di Peppino come giustificano il suo interesse politico nella loro conversazione a letto?
10. Perché Stefano non vuole pubblicare il giornale di Peppino e dei suoi amici contenente l'articolo "La mafia è una montagna di merda"?
11. Che cosa fa la madre nel tentativo di proteggere Peppino?
12. Primo litigio fra padre e figlio: secondo te, che significato ha la metafora dei "cento passi"?
13. Che cosa fanno Peppino e i suoi amici durante il primo incontro del Cineforum?
14. Commenta la conversazione fra Salvo e Peppino mentre sono in collina per fotografare l'aeroporto di Cinisi.
15. Commenta lo stile politico di Peppino. Che tipo di comizi fa Peppino?
16. Perché Peppino e i suoi amici decidono di fondare una radio?
17. Perché questa radio ha tanto successo?
18. Quali sono la cause e le conseguenze del secondo grande litigio fra padre e figlio?
19. Quali critiche fa il leader della "comune" alla radio di Peppino?
20. Quale trasformazione subisce la radio nel corso del tempo?
21. Perché il padre va in America a trovare il cugino?
22. Che cosa pensa Peppino dell'iniziativa degli hippies "liberazione del corpo, chiappe selvagge"?
23. Perché Peppino occupa la radio una sera?
24. Che cosa propone il padre a Peppino una sera in pizzeria, e come reagisce Peppino?
25. Come viene ucciso il padre?
26. Come si comporta Peppino al funerale del padre?
27. Dopo il funerale, perché Giovanni è così arrabbiato con Peppino?
28. Tano si presenta alla pizzeria del padre e parla a Peppino e al fratello, ma loro non rispondono. Perché, secondo Tano, Peppino gli dovrebbe essere riconoscente?
29. Perché Peppino e Salvo sono quasi cacciati dal bar quando la televisione annuncia il rapimento di Aldo Moro?
30. Come reagisce il vecchio Stefano quando Peppino annuncia che si candiderà nel partito di estrema sinistra Democrazia Proletaria?
31. Perché Salvo incita gli ascoltatori a spegnere la radio, il giorno dopo l'uccisione di Peppino?
32. Commenta lo slogan: "La mafia uccide. Il silenzio pure"

33. Che cosa pensi della madre, del suo rapporto con il figlio Peppino e con il marito?
34. Che cosa pensi del padre di Peppino, e del suo triplice rapporto con la mafia, con la moglie e con la famiglia?
35. Che cosa ti ha colpito di più della personalità di Peppino?
36. Quale aspetto della cultura degli anni '70 trovi che sia meglio rappresentato nel film?

1 F. Bartolotta Impastato, *La mafia in casa mia,* Intervista di A. Puglisi e U. Santino, La Luna edizioni, Palermo 1987, p. 34.
2 Ibid.

3 Ibid., p. 46
4 G. Impastato, *Lunga è la notte, poesie, scritti, documenti,* a cura di U. Santino, Centro siciliano di documentazione Giuseppe Impastato, Palermo 2003, pp. 81-82.

Joe fra due carabinieri in una scena del film.

L'UOMO DELLE STELLE

(1995), regia di Giuseppe Tornatore

INTRODUZIONE

Joe, impresario cinematografico, si reca in Sicilia negli anni '50 con un furgone, una macchina da presa, un carico di pellicole e di promesse: dice di aver bisogno di visi nuovi per il cinema italiano e per pochi soldi offre un provino e la speranza di diventare una "stella". Contadini, uomini e donne, commercianti, bambini, carabinieri, nobili e perfino mafiosi credono di aver trovato il modo di fuggire dalla loro miseria, o semplicemente dal provincialismo dell'isola. Joe si trova così, suo malgrado, a raccogliere confessioni e speranze, frustrazioni e chimere di un intero popolo che, come spiega il medico siciliano, è *"ingannato da tutti, da Dio, dallo Stato, dagli uomini,"* ed ora anche da un commerciante d'illusioni.

Il film fu candidato all'Oscar come miglior film straniero nel 1995 e ricevette un David di Donatello nel 1996 per la miglior regia.

PROTAGONISTI E INTERPRETI PRINCIPALI
Joe Morelli: *Sergio Castellitto*
Beata: *Tiziana Lodato*

NOTE CULTURALI:
– Il siciliano che sembra recitare una poesia nella prima scena (ripetuta alla fine del film) in realtà ripete le parole di una famosa canzone popolare siciliana contro la guerra, dal titolo "Vidi 'na crozza supra nu cannuni" (Vidi un teschio sopra un cannone).
– A metà circa del film, nella scena in cui Morelli filma un funerale, vediamo un uomo che bacia il cadavere sulle labbra: questo è il bacio rituale dato a un boss mafioso defunto dal suo successore. Solo questo bacio conferisce potere al nuovo boss dell'organizzazione mafiosa.

DOMANDE DI COMPRENSIONE E PUNTI DI DISCUSSIONE

1. Considera una delle prime scene, quella nella quale vediamo Morelli che si lava al fiume, mentre un cadavere è trasportato dalla corrente. Le parole dei contadini alla vista del morto sono: "O era un sindacalista o un carabiniere o un bandito o un grandissimo figlio di puttana". Che cosa ci dicono queste parole sulla società siciliana? Confronta questa scena con una delle scene finali quando Morelli viene picchiato quasi a morte dai mafiosi. Qual è la reazione dei contadini in entrambe le scene?

2. Come reagiscono invece i siciliani all'arrivo dell'uomo delle stelle?

3. Commenta quello che dice Morelli riferendosi alla sua macchina da presa: "Davanti a questa potete parlare tutti in libertà".

4. Ecco una lista delle persone che si fanno filmare da Morelli. Tutti confessano qualcosa di se stessi alla telecamera. Quale di questi personaggi ti ha colpito di più? Che cosa rappresentano nel loro complesso?
   * La ragazza abbandonata dal fidanzato.
   * I due fratelli che parlano della loro famiglia
   * La madre che si prostituisce con Morelli
   * Il Don Giovanni che "fa godere le donne"
   * Il brigadiere che recita Dante in siciliano
   * I banditi
   * Il pastore che parla delle stelle
   * la ragazza che nessuno vuole sposare
   * Il veterano della Seconda guerra mondiale
   * Il vecchio di 112 anni che aveva combattuto con Garibaldi
   * L'uomo muto, ex-combattente con i repubblicani spagnoli contro il dittatore Franco
   * L'omosessuale
   * Beata
   * il principe che vuole costruire un ponte fra la Sicilia e il continente
   * il pescatore

5. Anche Morelli è fotografato in una situazione. Quale? Perché in quel momento è così simile ai siciliani?

6. Commenta le parole del brigadiere a Morelli, subito dopo l'arresto: "Basta che qualcuno ci prometta successo e ricchezza e ci caschiamo subito. Tutti si sono confessati con te; ti hanno dato la loro sincerità e forse non lo faranno più per tutta la vita."

7. Perché Morelli viene picchiato dai mafiosi? Come reagiscono il brigadiere e l'onorevole?

8. Secondo te, il personaggio di Joe è cambiato alla fine del film? Che cosa rappresenta Beata per lui?

FONTI DELLE LETTURE

Adelphi Edizioni S.p.A.

AnnaMaria Ortese, "Un paio di occhiali", da *Il mare non bagna Napoli,* Adelphi Edizioni S.p.A., 1994.

Leonardo Sciascia, "Il lungo viaggio", da *Il mare colore del vino,* Adelphi Edizioni S.p.A., 2011.

Leonardo Sciascia, "L'omicidio mafioso", da *Il giorno della civetta*, Adelphi Edizioni S.p.A., 1993.

Besa Editrice - Edizioni Controluce

Ron Kubati, *Va e non torna*, Besa Editrice - Edizioni Controluce, 2000.

Corriere della Sera

Corrado, Stajano, "Piccoli falò nella città di ghiaccio", *Corriere della Sera*, 2 febbraio 1993.

Del Vecchio Editore

Kazmend Kapllani, *Breve Diario di Frontiera*, Del Vecchio Editore, 2006.

Ediesse srl

Miriam Mafai, "Gisella, Ministro della Repubblica della Val d'Ossola", da *Pane nero*, Ediesse, 2008.

Edizioni e/o

Elena Ferrante, *L'amica geniale*, Copyright©2011 by Edizioni e/o.

Editori Riuniti

Massimiliano Melilli, "Lejma e Tarib, storie di due immigrati", da *Mi chiamo Alì ... identità e integrazione: inchiesta sull'immigrazione in Italia*, Editori Riuniti, 2002.

Garzanti

Pier Paolo Pasolini, Il "discorso" dei capelli, da *Scritti Corsari*, Garzanti, 2015.

Alexander Stille, "Quando gli italiani smisero di morire per la politica", da *Citizen Berlusconi*, Garzanti, 2012.

Mario Capanna, *Formidabili quegli anni,* Garzanti, 2017.

Giulio Einaudi editore

Michela Murgia, *Il mondo deve sapere,* Einaudi, 2012.

Primo Levi, "Se questo è un uomo" (poesia in frontespizio), Einaudi, 2014.

Natalia Ginzburg, "Le scarpe rotte", da *Le piccole virtù*, Einaudi, 1974.

Patrizia Cavalli, "Non ho seme da spargere ", da *Le mie poesia non cambieranno il mondo*, Einaudi, 1974.

Rosetta Roy, "Quale filo divide innocenti e colpevoli", da *La parola ebreo*, Einaudi, 2006.

Francesco Piccolo, "Regalo di Natale", da *Momenti di trascurabile infelicità,* Einaudi, 2015.

Gianrico Carofiglio, "Articolo 29", da *Passeggeri notturni*, Einaudi, 2017.

Carlo Levi, "I contadini e lo Stato fascista", da *Cristo si è fermato a Eboli*, Einaudi, 2014.

Giunti Editore S.p.A. / Bompiani

Umberto Eco, "Bruno", da *La bustina di Minerva*, © 2018 Giunti Editore S.p.A. / Bompiani. Prima edizione Bompiani: 2000.

Alberto Moravia, "L'incontro con gli inglesi", da *La ciociara*, © 2018 Giunti Editore S.p.A. / Bompiani. Prima edizione Bompiani: 1957.

Feltrinelli

Anna Laura Braghetti e Paola Tavella, *Il prigioniero,* Feltrinelli, 2003.

Michele Serra, "L'Assassino", in *Il nuovo che avanza,* Feltrinelli, 2013.

Stefano Benni, "Il DDT, Drogato Da Telefonino", in *Bar Sport Duemila,* Feltrinelli, 2014.

Ledizioni

Marta Boneschi, "Stranieri in patrie: 'terroni" o 'polentoni'", da *Poveri ma belli,* Ledizioni, 1995.

Libreria Editrice Fiorentina

Scuola di Barbiana, *Lettera a una professoressa,* Libreria Editrice Fiorentina, 1996.

Mondadori

Susanna Agnelli, "Da piccola italiana e infermiera", da *Vestivamo alla marinara,* Mondadori, 1998.

Italo Calvino, "La luna e Gnac", *Marcovaldo ovvero le stagioni in città,* Mondadori, 2016.

Italo Calvino, "Smania di raccontare e neorealismo", da *Il sentiero dei nidi di ragno,* Mondadori, 2016.

Terre di Mezzo Editore

Ingy Mubiayi e Igiaba Scego, a cura di, "Il mio futuro è qui", da *Quando nasci è una roulette,* Terre di Mezzo Editore, 2007.

FONTI DELLE IMMAGINI

Biblioteca Panizzi

- Renzo Vaiani, "Lavori femminili: Casa della Gioventù italiana del Littorio: Reggio Emilia", 1942, Reggio Emilia, Fototeca della Biblioteca Panizzi: p. 32.
- Foto Ars, "Grandi Magazzini Vampa, Reggio Emilia, ca. 1953, Reggio Emilia, Fototeca della Biblioteca Panizzi: p. 72.
- Studio Vaiani, "Modelle con esposizione prodotti commerciali", ca. 1960, Reggio Emilia, Fototeca della Biblioteca Panizzi: p. 77 (in alto a sin.).
- Gabinetto fotografico del Comune di Reggio Emilia, "Studenti pendolari sciopero per trasporti", 1969, Reggio Emilia, Fototeca della Biblioteca Panizzi: p. 102 (in alto).
- Gabinetto fotografico del Comune di Reggio Emilia, "Sciopero studenti "per Libertà di cultura", ca. 1970, Reggio Emilia, Fototeca della Biblioteca Panizzi: p. 104 (in alto).
- Gabinetto fotografico del Comune di Reggio Emilia, "Manifestazione operai-studenti contro la repressione", ca. 1969, Reggio Emilia, Fototeca della Biblioteca Panizzi: p. 106.
- Archivio fotografico della Camera del Lavoro, Reggio Emilia, "Manifestazione per funerali vittime Stazione Ferroviaria - Bologna: 3.8.80", Reggio Emilia, Fototeca della Biblioteca Panizzi: p. 113.
- Giuseppe Maria Codazzi, "Gente", 1994-1995, Reggio Emilia, Fototeca della Biblioteca Panizzi: p. 155.
- Studio Vaiani, "Cooperativa di consumo di Massenzatico", 1947, Reggio Emilia, Fototeca della Biblioteca Panizzi: p. 172 (in alto a sin.).
- Studio Vaiani, "Aule", ca. 1960, Reggio Emilia, Fototeca della Biblioteca Panizzi: p. 228.

Su concessione del Ministero per i Beni e le Attività Culturali - Soprintendenza P.S.A.E. per le province di Venezia, Padova, Belluno e Treviso: Manifesti dalla raccolta Salce:

p. 17: "Credere obbedire combattere", inv. 13.013;
p. 19: "Seminare per vincere", inv. 1.345; "All'armi siam fascisti!"(A NOI!), inv. 12.988
p. 21:"Vincere e vinceremo", inv. 9.266;
p. 22: "Fila la matita italiana di qualità", inv. 8.614; p. 19;
p. 66: "Gli aiuti d'America" inv. 2.074;
p. 77 "Lavabiancheria elettrica Candy" inv. 11.824; "Frigoriferi Zoppas" inv. 5.338; "Lambretta" inv. 19.273.

Su concessione del Ministero per i Beni Culturali e Ambientali (divieto di ulteriore riproduzione o duplicazione con ogni mezzo): fotografie dal Corriere della Sera

14 gennaio 2004: p. 70.
11 luglio 2002: p. 145 (in alto a sin).
20 gennaio 2002: p. 224, 229
3 febbraio 2004: p. 224
16 gennaio 2004: 252 (in basso)
22 maggio 2004: p. 257 (in alto a ds)

Wikemidia Commons / Flickr

p. 20 (in alto a ds) https://commons.wikimedia.org/wiki/File%3AFerrara_-_Museo_del_Risorgimento_e_della_Resistenza_-_Targa.jpg By Rapallo80 (Own work) [CC BY-SA 4.0]

p. 20 (in alto a sin.) https://www.flickr.com/photos/papisc/2355181183/in/album-72157604215999272/

p. 21 (in alto): Bundesarchiv, Bild 102-09844 / CC-BY-SA 3.0 https://commons.wikimedia.org/wiki/File%3ABundesarchiv_Bild_102-09844%2C_Mussolini_in_Mailand.jpg

p. 22 (in alto a sin.) Bundesarchiv, Bild 101I-312-0983-03 / Koch / CC-BY-SA 3.0 [CC BY-SA 3.0 de (http://creativecommons.org/licenses/by-sa/3.0/de/deed.en)], via Wikimedia Commons
https://en.wikipedia.org/wiki/File:Hitler_and_Mussolini_June_1940.jpg

p. 23 By Royal Navy official photographer, Tomlin, H W (Lt) [Public domain], via Wikimedia Commons
https://upload.wikimedia.org/wikipedia/commons/d/dd/The_Royal_Navy_during_the_Second_World_War_A20818.jpg

ALTRI

Famiglia Amendola: p. 34

Archivio Arnoldo Mondadori Editore: pp. 30, 31 (a ds.), 55

Archivio della Fondazione Istituto Piemontese Antonio Gramsci: pp. 67 (in alto a ds.), 93, 108 (in alto)

Archivio Marco Pezzi del Comune di Bologna: pp. 104 (in basso), 106, 108 (in basso)

Archivio Franco Pinna: p. 73 (in alto a sin.)

Archivio Storico Fiat: p. 74 (in basso)

Nico Bastone: p. 249

Marco Becker: pp. 150 (in alto), 151 (in alto a ds.), 217, 219, 221

Gianni Berengo Gardin: p. 142 (in basso a ds.)

Best of Sicily, Louis Mendola: p. 259

Mario Carbone: p. 248

Centro Documentazione e Archivio Storico, CGIL Toscana, Sig. Calogero Governali: pp. 62, 64, 65 (a sin.), 67 (in basso), 68 (in alto), 69 (in alto ds.), 71 (in alto sin.), 82, 102 (in basso).

Centro di Formazione e Ricerca Don Lorenzo Milani e Scuola di Barbiana, Vicchio (Firenze): pp. 127

Coraggio Sicilia, Addio Pizzo: p. 257 (in basso)

Luciano D'Alessandro: p. 63

Tano D'Amico: pp. 101, 107, 120, 252 (in alto)

Fotoarchivi & Multimedia: p. 143 (in alto al centro)

Fototeca REDA, Accademia dei Georgofili: p. 66

Fondazione Corriere della Sera (materiale dell'Archivio Storico del Corriere della Sera): p. 79

Dino Fracchia: pp. 139, 140 (a sin.)

Riproduzione autorizzata da Alberto e Carlotta Guareschi: p. 68 (in basso).

Photograph courtesy of the Imperial War Museum, London: p. 23 (in alto a sin.).

Istituto Gramsci Emilia-Romagna: pp. 67 (in alto a sin.), 110 (in alto a sin.), 140 (a ds.), 141, 143 (in alto a sin.), 146, 147, 148, 149, 151 (in alto a sin.), 194, 222, 254, 255 (in basso a ds.), 256.

Istituto per la Storia del Risorgimento Italiano, Roma: p. 250 (a sin.)

Istituto Storico di Modena: pp. 24 (in alto a ds.)

Mario La Fortezza: p. 41 (in basso.)

Sergio La Rosa: p. 262

Giuseppe Leone: p. 69

Eredi di Carlo Levi (tramite la S.I.A.E.): p. 41 (in alto)

Guido Mapelli: p. 261

Museo Civico Giovanni Fattori - Livorno: p. 250 (a ds.)

Museo Storico Italiano della Guerra, Rovereto:
– foto Hartman (quinta armata) (n. 131): p. 52.
  Un gruppo di partigiani riconsegna le armi dopo la smobilitazione (n. 219): p. 62.

Pagot, per gentile concessione di Rever srl, Milano: p. 76

Photography Collection, Miriam and Ira D. Wallach Division of Art, Prints and Photographs, The New York Public Library, Astor, Lenox and Tilden Foundations: n. 79878: Italian Family looking for lost baggage on Ellis Island, New York 1905. Photographer Lewis W. Hine: p. 251

Alberto Ramella: pp. 218, 220

Carlo Riccardi: pp. 73 (in alto a ds.), 65 (a ds.)

Shutterstock: p. 185, 186, 187 (in alto), 206, 208, 212, 236

Paolo Siccardi: p. 143 (in alto a ds)

United States Holocaust Memorial Museum, courtesy of National Archives:
foto di J. Malan Heslop (Ebensee concentration camp); foto dal film sovietico sulla liberazione di Auschwitz del Primo Fronte Ucraino, p. 50

Visitor Service, Via Montenapoleone, Milano: pp. 142 (in basso a sin.), 172 (in alto a ds.)

L'autrice e l'editore ringraziano in modo particolare i fotografi e gli Istituti che hanno gentilmente e generosamente dato il loro consenso alla riproduzione delle loro opere in questo volume:
Mario Carbone, Luciano D'Alessandro, Tano D'Amico, Mario La Fortezza, Dario Lanzardo, Giuseppe Leone, Guido Mapelli, Alberto Ramella, Carlo Riccardi, Egidio Scaccio, Gianni Berengo Gardin, Dino Fracchia, Paolo Siccardi, Nico Bastone.

Si ringrazia la Fondazione *Corriere della Sera* per l'utilizzo del materiale tratto dall'Archivio Storico del *Corriere della Sera.*

Infine si ringraziano per la preziosa collaborazione al corredo fotografico del volume: Luca Majoli dell'Archivio Fotografico della S.P.A.E. per le Province di Venezia, Padova, Belluno e Treviso, Manrico Casini-Velcha del Centro Formazione e Ricerca Don Lorenzo Milani e Scuola di Barbiana, Claudio Silingardi dell'Istituto Storico di Modena, Fabrizio Billi dell'Archivio Storico Marco Pezzi, Claudio Salin dell'Archivio della Fondazione Istituto Piemontese Antonio Gramsci, Fabrizio Alberti dell'Istituto per la Storia del Risorgimento, Giovanna Pedron del Museo Storico Italiano della Guerra, Alberto e Carlotta Guareschi, figli di Giovannino Guareschi, Calogero Governali del Centro Documentazione e Archivio Storico, CGIL Toscana, Francesca Tramma della Fondazione Corriere della Sera, Maurizio Torchio e Alberta Simonis dell'Archivio Storico della Fiat, Davide Fiorino dell'Accademia dei Georgofili, Claudia Romano della Biblioteca Nazionale Braidense, Laura Gasparini della Biblioteca Panizzi, Comune di Reggio Emilia, Giuseppe Pinna dell'Archivio Franco Pinna, Simona Granelli dell'Istituto Gramsci Emilia-Romagna, Anna Puglisi del Centro Siciliano di Documentazione "Giuseppe Impastato", Gabriele Manzoni, Visitor Service Via Montenapoleone.

L'autrice desidera ringraziare Cynthia Delia Coddington e la redazione di Guerra Edizioni Edel srl per la loro preziosa collaborazione.

La pubblicazione di questa seconda edizione è stata possibile anche grazie al generoso contributo di Wellesley College, in particolare il Committee on Faculty Award.